# AMSCO®
# French
## TWO YEARS
### Third Edition

**GAIL STEIN**
Foreign Language Department
New York City Schools


**ELI BLUME**
Former Chairman of the Foreign Language Department
Forest Hills High School
New York City

**PERFECTION** LEARNING®

Cover photograph: Getty
Illustrations by Tom Sperling
Maps by Susan Detrich

© 2016 by Perfection Learning®

Please visit our websites at:
*www.amscopub.com* and *www.perfectionlearning.com*

When ordering this book, please specify:
ISBN 978-1-63419-899-8 or **1522801**

7  8  9  10  11    DR    26  25  24  23  22

Printed in the United States of America

# Preface

The BLUME / STEIN FRENCH TWO YEARS is designed to give students a comprehensive review and thorough continuing understanding of the elements of the French language and the highlights of French culture. Abundant and varied exercises help students master each phase of the work.

## ORGANIZATION

For ease of study and reference, the book is divided into six parts. In Parts One through Three, the chapters are organized around related grammatical topics. The two chapters in Part Four are devoted to vocabulary: synonyms, antonyms and topical vocabulary. Part Five covers the culture of France, dealing with language, geography, history, life-style, literature, art, music, architecture, cinema, science, and La Francophonie (French as it is spoken and used throughout the world). Part Six provides material for comprehensive practice and testing of the speaking, listening, reading, and writing skills treated as interdependent functions of three communication modes: interpersonal (writing, speaking, listening), interpretive (reading, listening) and presentational (writing, speaking).

## GRAMMAR

Each grammatical chapter deals fully with one major grammatical topic or several closely related ones. Explanations of structure are brief and clear. All points of grammar are illustrated by many examples, in which the key elements are typographically highlighted.

This second year review of French covers a basic grammatical sequence. Care has been taken, especially in the critical *Part One: Verb Structures,* to avoid the use of overly complex, structural elements. To enable students to concentrate on the structural practice, the vocabulary has been carefully controlled and systematically "recycled" throughout the grammatical chapters. In order to enrich the scope of the book, a number of grammatical elements not usually found in books of this type are included. In Chapter 1, there are lists of –er, -ir, and –re verbs. Chapter 11 contains lists of reflexive verbs. Also among these elements are expressions with prepositions (Chapter 21), comparative and superlative expressions (Chapter 24), and multiple numbers (Chapter 26).

## EXERCISES

For maximum efficiency in learning, the exercises directly follow the points of grammar to which they apply. Carefully graded, the exercises proceed from simple assimilation to more challenging manipulation of elements and communication. To provide functional continuity of a grammatical topic, the exercises are set in communicative contexts, which enable the student to practice the three above-mentioned communication modes. Many are personalized to stimulate student response and interaction.

While the contents of the exercises afford extensive oral practice, the book's format also encourages reinforcement through written student responses, that conform to the most recent currculum standards. All English to French exercises have been eliminated. The grammatical chapters conclude with Mastery Exercises, in which all grammatical aspects in the chapter are again practiced in recombinations of previously covered elements to enhance assimilation and internalization of the three communication modes. French is used to describe communicative situations and to give specific directions to the exercises.

## FLEXIBILITY

The topical organization and the integrated completeness of each chapter permit the teacher to follow any sequence suitable to the objectives of the course and the needs of the students. This flexibility is facilitated by the detailed table of contents at the front of the book and the comprehensive grammatical index at the back. Teachers as well as students will also find the book useful as a reference source.

## CULTURE

The cultural chapters in Part Five are in French. Every effort has been made to keep the narratives clear and readable and to provide a wealth of cultural information. In addition to the wealth of contemporary and pop information, these narratives provide extensive reinforcement of structural and syntactical elements reviewed in Parts One through Three. To encourage encourage students to read for comprehension with minimal interference, unusual words have been translated or explained where they occur. Each cultural chapter includes new and improved exercises designed to test comprehension and promote independent learning.

## OTHER FEATURES

The Appendix features model verb tables and the principal parts of common irregular verbs; prepositions; a list of proverbs; additional idioms; and basic rules of French punctuation and syllabication; a glossary of grammatical definitions; and a pronunciation guide. A French-English vocabulary and a comprehensive Index complete the book.

The BLUME / STEIN FRENCH TWO YEARS is a thoroughly revised and updated edition. With its comprehensive coverage of the elements of French, clear and concise explanations, extensive practice materials, functional vocabulary, and interesting cultural narratives, the book clearly incorporates the National Standards for Foreign Language Learning in the 21st century, thus enabling students to improve and strengthen their skills in the French language. As students pursue proficiency, they will also gain valuable insights into the culture of France and the other francophone nations.

# Contents

## Part One
## Verb Structures

## Part Two
## Noun Structures; Pronoun Structures; Prepositions

## Part Three
## Adjective / Adverb and Related Structures

# Part Four
# Word Study

# Part Five
# French Civilization

## Part Six
# Comprehensive Testing
### Interpretive Communication
### Interpersonal and Presentational Writing
### Interpersonal and Presentational Speaking

## Appendix   *553*

# Part one

## Verb Structures

QUÉBEC

SAINT-PIERRE-ET-MIQUELON

LOUISIANE

HAÏTI

GUADELOUPE

MARTINIQUE

GUYANE

MAURITANIE

SÉNÉGAL

GUINÉE

BURKINA FASO

CÔTE-D'IVOIRE

TOGO    BÉNIN

CAMEROUN

GABON

CONGO

BELGIQUE

LUXEMBOURG

SUISSE

FRANCE

MONACO

CORSE

MAROC

ALGÉRIE

TUNISIE

MALI    NIGER    TCHAD

RÉPUBLIQUE
CENTRAFRICAINE

ZAÏRE

# Chapter 1
# Present Tense of Regular Verbs

## [ 1 ] PRESENT TENSE OF *-ER* VERBS

The present tense of regular *-er* verbs is formed by dropping the infinitive ending *(-er)* and adding the personal endings *-e, -es, -e, -ons, -ez, -ent.*

| marcher *to walk* | | |
|---|---|---|
| SINGULAR | je march**e** | *I walk, I am walking, I do walk* |
| | tu march**es** | *you walk, you are walking, you do walk* |
| | il march**e** | *he walks, he is walking, he does walk* |
| | elle march**e** | *she walks, she is walking, she does walk* |
| PLURAL | nous march**ons** | *we walk, we are walking, we do walk* |
| | vous march**ez** | *you walk, you are walking, you do walk* |
| | ils march**ent** | *they walk, they are walking, they do walk* |
| | elles march**ent** | *they walk, they are walking, they do walk* |

NOTES:

1. The familiar form *tu* is generally used when addressing a relative, a friend, or a child—someone with whom one is familiar. *Vous* is used in the singular to show respect, and to denote formality or politeness.

2. The *e* of *je* is dropped when the next word begins with a vowel or a silent *h*.

   **J'aime** le chocolat.                    *I like chocolate.*

   **J'habite** à Montréal.                   *I live in Montreal.*

3. The third person pronouns *il, elle, ils, elles* refer to both persons and things. To refer to nouns of different genders, *ils* is used.

   **L'homme et la femme bavardent.**         *The man and the woman chat.*

   **Ils** bavardent.                         *They chat.*

Common *-er* verbs:

| | | |
|---|---|---|
| accompagner *to accompany* | chercher *to look for* | décorer *to decorate* |
| adorer *to adore* | collectionner *to collect* | déjeuner *to eat lunch* |
| aider *to help* | commander *to order* | demander *to ask (for)* |
| aimer *to like, love* | comparer *to compare* | dépenser *to spend* |
| ajouter *to add* | composer *to compose, dial* | désirer *to desire* |
| allumer *to light, turn on* | (phone number) | dîner *to dine* |
| apporter *to bring* | compter *to count* | donner *to give* |
| arriver *to arrive* | continuer *to continue* | écouter *to listen (to)* |
| bavarder *to chat* | coûter *to cost* | emprunter *to borrow* |
| camper *to camp* | crier *to shout* | entrer *to enter* |
| chanter *to sing* | cuisiner *to cook* | étudier *to study* |
| chauffer *to heat, warm* | danser *to dance* | expliquer *to explain* |

| | | |
|---|---|---|
| fermer  *to close* | oublier  *to forget* | prêter  *to lend* |
| gagner  *to win* | parler  *to speak* | raconter  *to tell, narrate* |
| garder  *to keep, look after* | participer  *to participate* | rapporter  *to bring back* |
| habiter  *to live (in)* | passer  *to pass, spend* (time) | regarder  *to look at, watch* |
| indiquer  *to indicate* | patiner  *to (ice-)skate* | rentrer  *to return* |
| inviter  *to invite* | pêcher  *to fish* | réparer  *to repair* |
| jouer  *to play* | penser  *to think* | respecter  *to respect* |
| laver  *to wash* | plaisanter  *to joke* | rester  *to stay, remain* |
| mâcher  *to chew* | porter  *to carry; to wear* | retourner  *to return* |
| marcher  *to walk* | pousser  *to push; to grow* | téléphoner  *to phone* |
| monter  *to go up* | pratiquer  *to practice;* | toucher  *to touch* |
| montrer  *to show* | *to play* (sport) | travailler  *to work* |
| noter  *to note down, notice* | préparer  *to prepare* | trouver  *to find* |
| organiser  *to organize* | présenter  *to introduce* | vider  *to empty* |

### Other common *-er* verbs:

| | | |
|---|---|---|
| arracher  *to pull out* | fonctionner  *to work* | réserver  *to reserve* |
| arroser  *to water* | frapper  *to hit* | retirer  *to remove* |
| assister (à)  *to attend* | goûter  *to taste* | saluer  *to greet* |
| cacher  *to hide* | gronder  *to scold* | séjourner  *to stay* |
| chasser  *to hunt; to chase away* | laisser  *to leave, let* | sembler  *to seem* |
| couper  *to cut* | louer  *to rent* | siffler  *to whistle* |
| critiquer  *to criticize* | marcher  *to walk* | signer  *to sign* |
| déclarer  *to declare* | mériter  *to deserve* | sonner  *to ring* |
| décoller  *to take off* (plane) | pardonner  *to pardon, excuse* | souhaiter  *to wish* |
| demeurer  *to live* | piloter  *to pilot* | surveiller  *to watch* |
| distribuer  *to distribute* | pleurer  *to cry* | terminer  *to end* |
| durer  *to last* | poser  *to place* | tirer  *to pull* |
| emballer  *to wrap up* | quitter  *to leave* | tomber  *to fall* |
| embrasser  *to hug; to kiss* | ramasser  *to pick up; to collect* | tousser  *to cough* |
| enregistrer  *to record* | regretter  *to regret* | traverser  *to cross* |
| épouser  *to marry* | remarquer  *to notice* | tromper  *to deceive* |
| éviter  *to avoid* | remercier  *to thank* | visiter  *to visit* |
| exprimer  *to express* | rencontrer  *to meet* | voler  *to steal* |
| fêter  *to celebrate* | repasser  *to iron* | |

## EXERCICE A

*C'est la rentrée des classes. Exprimez ce que ces personnes font.*

EXEMPLE:  le professeur / distribuer les emplois du temps
Le professeur **distribue** les emplois du temps.

*1.* les jeunes filles / saluer leurs amis

_____

*2.* nous / raconter des histoires amusantes

_____

*3.* Anne / organiser un club

_____

*4.* vous / rencontrer vos amis

_____

*5.* les petits enfants / pleurer le premier jour d'école

_____

*6.* je / poser beaucoup de questions

_____

*7.* le directeur / souhaiter la bienvenue aux élèves

_____

*8.* tu / surveiller les plus jeunes

_____

## EXERCICE B

*Lise écrit une lettre à une amie au sujet d'une boum. Complétez chaque phrase avec la forme correcte du verbe approprié.*

| | | | | |
|---|---|---|---|---|
| accompagner | cuisiner | distribuer | fêter | organiser |
| apporter | décorer | emprunter | inviter | réserver |

Chère Michelle,

Louise _____ son anniversaire. Elle a seize ans. Des amis et moi, nous
<br>*1.*

_____ une boum pour elle. Nous _____ des invitations à
<br>*2.* *3.*

tous nos camarades de classe. Je _____ avec l'aide de la mère de Louise.
<br>*4.*

Paul _____ les CD préférés de Louise. Les parents de Louise
<br>*5.*

_____ une caméra pour filmer les moments les plus amusants de la fête. C'est décidé:
<br>*6.*

nous _____ la maison samedi. Toi, Michelle, tu _____ des places
<br>*7.* *8.*

de théâtre et tu _____ aussi Janine. Janine et toi, vous _____

                                                                    9.                                                              10.

Lucien et Jean chez elle le soir de la fête. D'accord?

À très bientôt.

Lise

**a.** Negative constructions

In a negative construction, *ne* precedes the conjugated verb and *pas* follows it.

| | |
|---|---|
| Je **ne critique pas** mes amis. | *I don't criticize my friends.* |
| Vous **ne fêtez pas** cet événement. | *You aren't celebrating that event.* |

*Ne* becomes *n'* before a vowel or a silent *h*.

| | |
|---|---|
| Tu **n'écoutes pas**. | *You are not listening.* |
| Ils **n'hésitent** pas souvent. | *They don't hesitate often.* |

## EXERCICE C

*Exprimez ce que ces personnes ne font pas aujourd'hui.*

EXEMPLE:    je / préparer le dîner
            Je **ne prépare pas** le dîner.

*1.* nous / surveiller les enfants

_____

*2.* Lise / arroser les fleurs

_____

*3.* vous / repasser vos vêtements

_____

*4.* les filles / couper les légumes pour la salade

_____

*5.* tu / organiser ton travail

_____

*6.* le garçon / distribuer ses brochures

_____

*7.* je / rencontrer mon ami à la bibliothèque

_____

**8.** Pierre et Charles / ramasser les papiers

_____

## EXERCICE D

*Exprimez ce que les élèves ne font pas en classe.*

**EXEMPLE:** Je **ne regarde pas** la télévision.

**1.** Tu _____ .

**2.** Les filles _____ .

**3.** Vous _____ .

**4.** Kim _____ .

**5.** M. Dupont _____ .

**6.** Je _____ .

**b.** Interrogative constructions with simple intonation

In everyday conversations, questions are often asked simply by saying a statement with an interrogative intonation. (In writing, the statement would appear with a question mark at the end.) This is especially the case for questions that can be answered by yes or no.

| | |
|---|---|
| Tu travailles bien en classe? | *You work well in school?* |
| Oui, je travaille très bien. | *Yes, I work very well.* |

NOTE: The expression *n'est-ce pas?* is sometimes placed at the end of such a statement—especially when the expected answer is *oui*.

| | |
|---|---|
| Il arrive demain, **n'est-ce pas?** | *He is coming tomorrow, isn't he?* |

## EXERCICE E

*Catherine et Isabelle sont deux amies qui habitent près de Paris. C'est le 2 septembre et elles bavardent au téléphone. Complétez leur conversation avec la forme correcte des verbes donnés.*

ISABELLE:   Allô!  Bonjour, Catherine. Ça va?

CATHERINE:  Salut, Isabelle. Ça va. Tu _____ de vacances?
          *1. (rentrer)*

ISABELLE:  Oui, mais je _____ à l'école demain.  Et toi, tu _____
          *2. (retourner)*                                    *3. (préparer)*

          tes affaires pour l'école?

CATHERINE:  Non. J'aide ma mère à préparer le dîner. Tu _____ dîner chez nous?
          *4. (désirer)*

ISABELLE:  Ton frère _____ avec vous?
          *5. (dîner)*

CATHERINE:  Ah! Ah! Tu _____ mon frère?
          *6. (aimer)*

ISABELLE:  Moi? Tu _____ ? Alors ta mère et toi, vous m' _____ ?
          *7. (plaisanter)*                                    *8. (inviter)*

CATHERINE:  Bien sûr! À ce soir, Isabelle!

**c.** Interrogative constructions with *est-ce que*

A question may be formed by beginning a sentence with *est-ce que*. *Est-ce que* becomes *est-ce qu'* before a vowel or a silent *h*.

Nous chantons bien.              **Est-ce que** nous chantons bien?
Ils expliquent le problème.      **Est-ce qu'ils** expliquent le problème?
Hélène rencontre Luc.            **Est-ce qu'Hélène** rencontre Luc?

# EXERCICE F

*Vous faites la connaissance d'un nouveau copain dans un club. Exprimez les questions que vous lui posez.*

EXEMPLE:  aimer le sport *(tu)*
          **Est-ce que tu aimes** le sport?

1. danser souvent ici *(tu)*

   _____

2. demeurer dans le même quartier *(nous)*

   _____

3. quitter l'école à quatre heures le lundi *(Bernard et toi, vous)*

   _____

4. habiter depuis longtemps ici *(ta famille)*

   _____

5. sembler sympathique *(je)*

   _____

6. organiser bientôt une boum *(tes amis)*

   _____

**7.** critiquer tes opinions *(tes parents)*

_____

**8.** rencontrer tes amis le dimanche *(tu)*

_____

**d.** Interrogative constructions with inversion

A question may also be formed by reversing the word order of the subject pronoun and the verb and joining them with a hyphen.

| | |
|---|---|
| Tu restes ici. | **Restes-tu** ici? |
| Vous étudiez le latin. | **Étudiez-vous** le latin? |

NOTES:

**1.** If the subject pronoun is *il, elle,* or *on,* and the conjugated verb ends in a vowel, a *–t–* is added between the verb and the pronoun.

| | |
|---|---|
| Il cherche son ami. | Cherche**-t**-il son ami? |
| Elle étudie beaucoup. | Étudie**-t**-elle beaucoup? |
| On aime nager. | Aime**-t**-on nager? |

**2.** When the subject of a question is a noun, the noun stays before the verb and a corresponding third person pronoun is added after the verb.

| | |
|---|---|
| André embrasse son amie. | **André embrasse-t-il** son amie? |
| Laure travaille beaucoup. | **Laure travaille-t-elle** beaucoup? |
| Les garçons aiment jouer. | **Les garçons aiment-ils** jouer? |
| Les feuilles tombent. | **Les feuilles tombent-elles?** |

**3.** The inverted construction is rarely used in spoken French and almost never with the first-person singular. With the pronoun *je* the form with *est-ce que* is generally used.

| | |
|---|---|
| Je parle trop. | **Est-ce que** je parle trop? |

## EXERCICE G

*Posez des questions sur ce que vos amis et vous faites aujourd'hui.*

EXEMPLE:   tu / jouer au tennis
          **Joues-tu** au tennis?

**1.** nous / quitter la maison tôt

_____

**2.** il / fêter son anniversaire

_____

**3.** vous / patiner sur le lac

_____

**4.** tu / organiser un match de foot

_____

**5.** elles / rester à la maison

_____

**6.** elle / ranger sa chambre

_____

**7.** il / travailler après l'école

_____

**8.** vous / prêter votre bicyclette

_____

## EXERCICE H

*Écrivez les questions que vous désirez poser au sujet de vos amis.*

EXEMPLE:     Les garçons jouent au football. *(au tennis)*
             **Les garçons jouent-ils** au tennis aussi?

**1.** Baptiste embrasse sa mère. *(sa petite amie)*

_____

**2.** Jean et Michel aiment pêcher. *(patiner)*

_____

**3.** Lise séjourne en France. *(en Italie)*

_____

**4.** Janine et Robert organisent un club. *(un concours)*

_____

**5.** Jacqueline gronde sa sœur. *(son frère)*

_____

**6.** Sarah et Céline rencontrent leurs cousins. *(leurs amis)*

_____

**7.** Julien oublie son chapeau. *(son manteau)*

_____

**8.** Jeanne et Richard chassent les chiens. *(les chats)*

_____

## EXERCICE I

*Posez cinq questions à un(e) camarade de classe sur ses passe-temps favoris en utilisant les suggestions données. Écrivez vos questions et les réponses de votre camarade.*

| | |
|---|---|
| aimer le sport | jouer au golf |
| collectionner les timbres | nager bien |
| écouter les informations tous les jours | regarder souvent la télévision |

EXEMPLE:    **Aimes-tu** le sport?
            **Oui, j'aime** le sport.
    *ou:*    **Non, je n'aime pas** le sport.

1. _____

    _____

2. _____

    _____

3. _____

    _____

4. _____

    _____

5. _____

    _____

**e.** Negative interrogative constructions

In negative questions using inversion, *ne* and *pas* surround the inverted verb and pronoun.

| | |
|---|---|
| Rencontrent-ils leurs amis? | *Are they meeting their friends?* |
| **Ne rencontrent-ils pas** leurs amis? | *Aren't they meeting their friends?* |
| | |
| Gérard danse-t-il bien? | *Does Gérard dance well?* |
| Gérard **ne danse-t-il pas** bien? | *Doesn't Gérard dance well?* |

NOTES:
1. To answer a negative question, the French use *si* instead of *oui*.

| | |
|---|---|
| Gérard ne danse-t-il pas bien? | *Doesn't Gérard dance well?* |
| **Si,** Gérard danse bien. | *Yes, Gérard does dance well.* |

2. In spoken French, negative questions are generally expressed with regular word order and interrogative intonation or with *est-ce que* at the beginning of the statement.

| | |
|---|---|
| Tu n'aimes pas le fromage? | *You don't like cheese?* |
| **Est-ce que** Flore n'aime pas chanter? | *Doesn't Flore like to sing?* |

## EXERCICE J

*Vous bavardez entre amis. Votre ami(e) entend les réponses, mais pas les questions. Reformulez les questions posées pour lui /elle.*

EXEMPLE:    Si, Daniel embrasse souvent ses parents.
          **Daniel n'embrasse-t-il pas souvent ses parents?**

*1.*  Si, Lola remercie toujours ses amis.

_____

*2.*  Si, Patrick et Mathieu regrettent leurs erreurs.

_____

*3.*  Si, Tom raconte ses exploits sportifs.

_____

*4.*  Si, Cécile et Lise téléphonent à leur grand-mère à Noël.

_____

*5.*  Si, Noah critique les vêtements de son frère.

_____

*6.*  Si, Marie et Gabrielle pardonnent à Lucile.

_____

7.  Si, Maxime et Théo expriment leurs opinions.

_____

8.  Mais si, Camille cache la vérité.

_____

## [ 2 ]   PRESENT TENSE OF *-IR* VERBS

The present tense of regular *-ir* verbs is formed by dropping the infinitive ending *(-ir)* and adding the personal endings *-is, -is, -it, -issons, -issez, -issent*.

| punir   *to punish* | | |
|---|---|---|
| SINGULAR | **je punis** | *I punish, I am punishing, I do punish* |
| | **tu punis** | *you punish, you are punishing, you do punish* |
| | **il punit** | *he punishes, he is punishing, he does punish* |
| | **elle punit** | *she punishes, she is punishing, she does punish* |
| PLURAL | **nous punissons** | *we punish, we are punishing, we do punish* |
| | **vous punissez** | *you punish, you are punishing, you do punish* |
| | **ils punissent** | *they punish, they are punishing, they do punish* |
| | **elles punissent** | *they punish, they are punishing, they do punish* |

**Common -*ir* verbs:**

| | | |
|---|---|---|
| accomplir *to accomplish* | garantir *to guarantee* | réfléchir *to reflect, think* |
| agir *to act* | garnir *to garnish* | remplir *to fill* |
| applaudir *to applaud* | grandir *to grow* | réussir *to succeed* |
| atterrir *to land* (plane) | grossir *to put on weight* | rôtir *to roast* |
| avertir *to warn* | guérir *to cure* | rougir *to blush* |
| bâtir *to build* | maigrir *to lose weight* | saisir *to seize, grab* |
| choisir *to choose* | nourrir *to feed* | trahir *to betray* |
| désobéir *to disobey* | obéir *to obey* | |
| finir *to finish* | punir *to punish* | |

NOTES:

1. **Negative, interrogative, and negative interrogative constructions with -*ir* verbs follow the same rules as for -*er* verbs.**

   Elle n'avertit pas ses parents.        *She doesn't warn her parents.*

   Tu choisis la robe rouge?
   Est-ce que tu choisis la robe rouge?  } *Do you choose the red dress?*
   Choisis-tu la robe rouge?

   Julie n'applaudit pas?
   Est-ce que Julie n'applaudit pas?  } *Doesn't Julie applaud?*
   Julie n'applaudit-elle pas?

2. **For -*ir* verbs, it is not necessary to add -*t*- when forming a question with *il*, *elle*, or *on* since the verb form already ends in *t*.**

   **Punit-il** son chien?        *Does he punish his dog?*

## EXERCICE K

*Exprimez ce que chaque personne fait dans les situations suivantes.*

| | | | |
|---|---|---|---|
| agir | grossir | réfléchir | réussir |
| applaudir | maigrir | remplir | rougir |

*1.* Je _____ avant de prendre une décision.

*2.* Le public _____ quand il aime le spectacle.

*3.* Les personnes timides _____ dans une situation embarrassante.

*4.* Nous _____ pour sauver l'environnement.

*5.* Le garçon _____ le questionnaire.

*6.* Tu _____ quand tu manges trop de gâteaux.

*7.* Vous _____ parce que vous travaillez beaucoup.

*8.* M. Legrand _____ parce qu'il est au régime.

## EXERCICE L

*Exprimez ce que ces personnes ne font pas parce qu'elles n'ont pas le temps.*

EXEMPLE:   Anne / garnir son gâteau d'anniversaire
Anne **ne garnit pas** son gâteau d'anniversaire.

*1.* je / choisir les disques compacts maintenant

_____

*2.* Eugénie / réfléchir avant d'agir

_____

*3.* François et moi / accomplir notre travail

_____

*4.* tu / finir tes devoirs

_____

*5.* Philippe et Charles / agir assez vite

_____

*6.* vous / réussir

_____

*7.* elles / nourrir le chat

_____

*8.* Jules / rôtir le poulet pour son dîner

_____

## EXERCICE M

*Vos amis et vous organisez une boum. Écrivez les questions de votre ami en employant l'inversion.*

EXEMPLES:   saisir l'occasion de venir *(Yanis et Marc)*
Yanis et Marc **saisissent-ils** l'occasion de venir?

ne pas saisir l'occasion de venir *(tu)*
**Ne saisis-tu pas** l'occasion de venir?

*1.* garantir un grand succès *(tu)*

_____

*2.* ne pas avertir toute la classe *(nous)*

_____

**3.** ne pas rôtir le poulet avant de faire des sandwichs *(Béatrice et Catherine)*

_____

**4.** choisir des chansons populaires *(vous)*

_____

**5.** ne pas remplir les éclairs de crème *(on)*

_____

**6.** réfléchir à tout ce qui est nécessaire *(vous)*

_____

**7.** réussir à décorer le salon *(Roger et Bernard)*

_____

**8.** finir ces tartes avant de préparer la limonade *(nous)*

_____

**9.** ne pas saisir cette chance de jouer de la guitare en public *(tu)*

_____

**10.** ne pas agir de façon autoritaire *(vous)*

_____

## [ *3* ]   PRESENT TENSE OF *-RE* VERBS

The present tense of regular *-re* verbs is formed by dropping the infinitive ending (*-re*) and adding the personal endings *-s, -s, –, -ons, -ez, -ent*.

| vendre *to sell* | | |
|---|---|---|
| SINGULAR | **je vends** | *I sell, I am selling, I do sell* |
| | **tu vends** | *you sell, you are selling, you do sell* |
| | **il vend** | *he sells, he is selling, he does sell* |
| | **elle vend** | *she sells, she is selling, she does sell* |
| PLURAL | **nous vendons** | *we sell, we are selling, we do sell* |
| | **vous vendez** | *you sell, you are selling, you do sell* |
| | **ils vendent** | *they sell, they are selling, they do sell* |
| | **elles vendent** | *they sell, they are selling, they do sell* |

**Common -re verbs:**

attendre  *to wait (for)*          défendre  *to defend*          entendre  *to hear*
correspondre  *to correspond*      descendre  *to go (come) down*   interrompre  *to interrupt*

| | | |
|---|---|---|
| pendre *to hang* | répondre (à) *to answer* | vendre *to sell* |
| perdre *to lose* | rompre *to break, break up* | |
| rendre *to give back, return* | tondre *to mow* | |

NOTES:

1. There are three exceptions: The verbs *rompre, corrompre* (to corrupt), and **interrompre** end in *-t* in the third person singular.

   il rompt      on corrompt      elle interrompt

2. Negative, interrogative, and negative interrogative constructions of *-re* verbs follow the same rules as for *-er* and *-ir* verbs.

   Les garçons ne tondent pas la pelouse.      *The boys aren't mowing the lawn.*

   Tu attends tes amis?
   Est-ce que tu attends tes amis?      } *Are you waiting for your friends?*
   Attends-tu tes amis?

   Michel ne descend pas?
   Est-ce que Michel ne descend pas?      } *Michel doesn't come downstairs?*
   Michel ne descend-il pas?

3. With *-re* verbs, it is not necessary to add *-t-* when forming a question with *il, elle,* or *on* since the form already ends in a consonant.

   **Attend-elle** sa voiture?      *Is she waiting for her car?*

# EXERCICE N

*Exprimez ce que ces personnes font ce dimanche.*

| | |
|---|---|
| attendre des amis au club de tennis | répondre au téléphone toute la journée |
| correspondre avec un ami | tondre la pelouse |
| descendre en ville | vendre des fruits au marché |
| pendre de nouveaux rideaux | entendre un concert |
| perdre le match de football | |

EXEMPLE:      Simon **répond** au téléphone toute la journée.

*1.* M. Caron _____.

*2.* Je _____.

*3.* Vous _____.

*4.* Les filles _____.

*5.* Tu _____.

*6.* Nous _____.

*7.* Claude _____.

*8.* Les garçons _____.

## EXERCICE O

*Exprimez ce que ces personnes ne font pas.*

EXEMPLE:   Tu es timide. *(défendre tes idées)*
**Tu ne défends pas tes idées.**

*1.* Arthur tient sa parole. *(rompre ses promesses)*

_____

*2.* Claire et Louanne sont calmes. *(perdre patience)*

_____

*3.* Nous sommes toujours aimables. *(répondre d'une manière impolie)*

_____

*4.* Vous écoutez attentivement. *(interrompre vos amis)*

_____

*5.* Tu es loin de la scène. *(entendre bien les acteurs)*

_____

*6.* Je suis impatiente. *(attendre mes amis en retard)*

_____

## EXERCICE P

*Reformulez les questions suivantes sur une journée à l'école en employant l'inversion.*

EXEMPLES:   Tu entends sonner la cloche?
**Entends-tu** sonner la cloche?

Tu n'entends pas sonner la cloche?
**N'entends-tu pas** sonner la cloche?

*1.* Achille ne répond pas à beaucoup de questions?

_____

*2.* Tu interromps le prof?

_____

*3.* Margot et moi, nous ne défendons pas bien nos opinions?

_____

*4.* Stéphanie perd patience?

_____

*5.* Vous ne descendez pas au gymnase?

_____

**6.** Nous attendons Kevin aussi?

_____

**7.** Les filles correspondent avec leurs amis français?

_____

**8.** Le professeur ne rend pas les copies?

_____

**9.** Vous entendez les réponses correctes?

_____

**10.** Richard et Paul ne rompent pas leur promesse de bien travailler?

_____


# [ 4 ]  USES OF THE PRESENT TENSE

**a.** The present tense may have the following meanings in English.

| | |
|---|---|
| Jean arrive. | *Jean arrives (is arriving, does arrive).* |
| Elles travaillent au magasin. | *They work (are working, do work) in the store.* |
| Obéissez-vous à vos parents? | *Do you obey (Are you obeying) your parents?* |
| Je ne descends pas en ville. | *I don't go (I'm not going) downtown.* |

**b.** The present tense is often *used instead of the future* to ask for instructions or to refer to an action that will take place in the immediate future.

| | |
|---|---|
| Je la répare? | *Shall I repair it?* |
| Je te parle dans cinq minutes. | *I'll speak to you in five minutes.* |

**c.** The present tense + *depuis* + an expression of time expresses an action or event that began in the past and continues in the present. In such situations, the question is expressed by *Depuis combien de temps...* + present tense, or *Depuis quand...* + present tense.

| | |
|---|---|
| Je lui parle **depuis une heure.** | *I have been speaking to him for one hour.* |
| Il travaille ici **depuis 1985.** | *He has been working here since 1985.* |
| **Depuis combien de temps** étudies-tu le français? | *How long have you been studying French?* |
| **Depuis quand** habitez-vous ici? | *Since when have you been living here?* |

NOTE: The construction *il y a* + expression of time + *que* + the present tense also expresses a past action or event that continues in the present. In such situations, the question is expressed by *Combien de temps y a-t-il que...* + present tense.

| | |
|---|---|
| **Combien de temps y a-t-il que** vous étudiez le français? | *How long have you been studying French?* |
| **Il y a deux ans que** j'étudie le français. | *I have been studying French for two years.* |

## EXERCICE Q

*Vous jouez le rôle de la marraine (godmother) de Cendrillon (Cinderella) dans une pièce à l'école. En vous basant sur les réponses de Cendrillon, exprimez les questions posées par sa marraine.*

EXEMPLE:    Je cuisine depuis une heure.
            **Depuis quand cuisines–tu?**

*1.* Je lave les vêtements depuis une demi–heure.

_____

*2.* J'obéis à ces méchantes sœurs depuis dix ans.

_____

*3.* Je repasse les robes depuis quarante minutes.

_____

*4.* Je nourris les oiseaux depuis un an.

_____

*5.* J'attends le Prince Charmant depuis longtemps.

_____

*6.* Je pleure depuis deux mois.

_____


## EXERCICE R

*Écrivez les questions que vous posez à un(e) camarade de classe pour le/la connaître mieux et notez ses réponses.*

EXEMPLE:    pratiquer ton sport préféré
            **Combien de temps y a–t–il que tu pratiques ton sport préféré?**
            **Il y a deux ans que je pratique le tennis.**

*1.* étudier le français

_____

_____

*2.* demeurer dans ce quartier

_____

_____

*3.* apprendre (quelque chose)

_____

_____

**4.** correspondre avec un(e) Français(e)

_____

_____

**5.** collectionner (quelque chose)

_____

_____

**6.** écouter ta musique favorite

_____

_____

## MASTERY EXERCISES

### EXERCICE S

*Aidez-vous de la liste pour compléter l'histoire avec l'équivalent français des verbes donnés entre parenthèses.*

| applaudir | désirer | perdre | remercier | rougir |
|---|---|---|---|---|
| attendre | dîner | quitter | remplir | séjourner |
| choisir | interrompre | réfléchir | rendre | visiter |
| demander | marcher | regarder | répondre | voyager |

Les Dupont _____ en France. Ils _____ dans un hôtel
     *1.* (travel)       *2.* (stay)

luxueux à Paris. Aujourd'hui ils _____ beaucoup de monuments importants.
     *3.* (visit)

Ils _____ dans la ville. De temps en temps, ils _____ le métro
  *4.* (walk)       *5.* **(wait for)**

ou l'autobus. Soudain, M. Dupont _____ son plan de la ville. Quand un passant
     *6.* (loses)

le lui _____ , M. Dupont _____ et le _____
  *7.* (gives back)       *8.* (blushes)       *9.* (thank)

mille fois. Le soir, les Dupont _____ dans un restaurant sympathique. Françoise
     *10.* (have dinner)

_____ , puis elle _____ la bouillabaisse. Son frère, Henri,
  *11.* (thinks)       *12.* (chooses)

_____ manger un bifteck-frites. Le garçon _____ leurs verres
  *13.* (desires)       *14.* (fills)

d'eau. Pendant ce temps, Françoise et Henri _____ les musiciens. Pendant
     *15.* (applaud)

le dîner, Henri _____ continuellement la conversation de ses parents.
  *16.* (interrupts)

Finalement, il _____ le restaurant.   M. Dupont _____ l'addition
    17. (leaves)                                                18. (asks for)

et la paie.   Une fois rentrés à l'hôtel, Henri _____ la télévision et Françoise
                                                19. (watches)

_____ aux lettres de ses amis américains.
    20. (answers)

## EXERCICE T

*Vous regardez un film de guerre. Écoutez trois descriptions possibles pour chaque scène. Écrivez la phrase qui décrit le mieux la scène.*

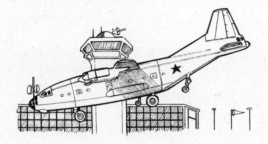

1. _____

2. _____

3. _____

**4.** _____

**5.** _____

**6.** _____

## EXERCICE U

*Félicitations! Vous êtes toujours sur le tableau d'honneur (honor roll) de votre école. Expliquez ce que vous faites et ne faites pas pour réussir dans tous vos cours.*

_____

_____

_____

_____

_____

_____

_____

_____

## EXERCICE V

_Interviewez six camarades de classe et posez-leur cette question: "Que fais-tu après l'école?" Écrivez leurs réponses._

EXEMPLE: **Après l'école Robert regarde la télé.**

_____

_____

_____

_____

_____

_____

_____

# Chapter 2
## Spelling Changes in Certain -er Verbs

### [ 1 ]   -CER VERBS

Verbs ending in -cer change c to ç before a or o to retain the soft c sound.

| avancer   *to move forward* | |
| --- | --- |
| j' avance | nous avançons |
| tu avances | vous avancez |
| il / elle avance | ils / elles avancent |

Other verbs ending in -cer:

| | | |
| --- | --- | --- |
| annoncer  *to announce* | lancer  *to throw* | prononcer  *to pronounce* |
| commencer  *to begin* | menacer  *to threaten* | remplacer  *to replace* |
| effacer  *to erase* | placer  *to put, place* | renoncer (à)  *to give up* |

### EXERCICE A

*Utilisez les verbes donnés pour exprimer ce que le professeur dit à Jacques et à ses parents.*

| | | |
| --- | --- | --- |
| annoncer | menacer | prononcer |
| avancer | placer | renoncer |

**1.** Jacques _____ rapidement dans ses études.

**2.** Vous ne _____ pas à l'idée d'envoyer Jacques à l'université.

**3.** En classe, nous _____ ensemble les mots difficiles.

**4.** Quand les élèves n'écoutent pas, je _____ de les punir.

**5.** Jacques, tu _____ toujours tes devoirs sur mon bureau à l'heure.

**6.** Les professeurs et moi, nous vous _____ que Jacques est un élève excellent.

### EXERCICE B

*Les employés de la Société Lutèce refusent de travailler. Un journaliste enquête (investigates). Exprimez les questions du journaliste et les réponses des employés.*

EXEMPLE:  effacer ces slogans cruels *(oui) (non)*
**Effacez-vous** ces slogans cruels?
**Oui, nous effaçons** ces slogans cruels.
OU:  **Non, nous n'effaçons pas** ces slogans cruels.

**1.** placer une annonce dans le journal *(oui)*

_____

_____

**2.** renoncer à travailler cette semaine *(oui)*

_____

_____

**3.** annoncer vos projets pour l'avenir de la société *(non)*

_____

_____

**4.** lancer ces brochures aux automobilistes *(non)*

_____

_____

**5.** menacer ceux qui travaillent *(non)*

_____

_____

**6.** avancer vers un accord *(oui)*

_____

_____

## [ 2 ]   *-GER* VERBS

Verbs ending in *-ger* insert a silent *e* between *g* and *a*, and between *g* and *o*, to keep the soft *g* sound.

| nager | *to swim* |
|---|---|
| **je nage** | **nous nageons** |
| **tu nages** | **vous nagez** |
| **il / elle nage** | **ils / elles nagent** |

Other verbs ending in *-ger:*

| arranger *to arrange* | déranger *to disturb* | partager *to share, divide* |
|---|---|---|
| bouger *to move* | diriger *to direct* | plonger *to plunge, dive* |
| changer *to change* | manger *to eat* | ranger *to put away, put in order* |
| corriger *to correct* | mélanger *to mix* | songer (à) *to think (about), consider* |
| déménager *to move* (to | neiger *to snow* | voyager *to travel* |
| another residence) | obliger *to force, impose* | |

## EXERCICE C

*La famille Lelong quitte Paris pour aller habiter à Marseille. Exprimez ce qui arrive le jour de leur départ.*

EXEMPLE:   je / changer de résidence
          Je **change** de résidence.

**1.** nous / déménager

_____

**2.** Janine et vous / mélanger les cartons *(boxes)*

_____

**3.** papa / diriger les déménageurs

_____

**4.** nous / déranger les voisins avec notre camion

_____

**5.** tu / ranger tes affaires dans cette boîte

_____

**6.** maman et papa / songer à notre nouvelle maison

_____

## EXERCICE D

*Exprimez ce que votre sœur et vous faites ce samedi après-midi.*

**EXEMPLE:**     bouger tout dans la cuisine
Nous **bougeons** tout dans la cuisine.

**1.** songer à préparer un gâteau

_____

**2.** déranger maman pour lui demander où est la recette

_____

**3.** arranger ce qui est nécessaire sur la table

_____

**4.** changer un peu la recette

_____

**5.** mélanger tous les ingrédients

_____

**6.** ranger la cuisine

_____

**7.** partager le gâteau avec toute la famille

_____

**8.** obliger toute la famille à apprécier notre gâteau

_____

# [ 3 ] -YER VERBS

Verbs ending in -yer change y to i before silent e.

| envoyer _to send_ | |
|---|---|
| j' env*oie* | nous envoyons |
| tu env*oies* | vous envoyez |
| il / elle env*oie* | ils / elles envo*ient* |

### Other verbs ending in -yer:

employer  _to use_          nettoyer  _to clean_

ennuyer  _to bore, bother_   renvoyer  _to dismiss, send back_

essuyer  _to dry, wipe_

NOTE:  Verbs ending in -ayer may or may not change the y to i in all present tense forms except _nous_ and _vous_.

| essayer _to try_ | |
|---|---|
| j'ess*aie* or j'ess*aye* | nous essayons |
| tu ess*aies* or tu ess*ayes* | vous essayez |
| il / elle ess*aie* or il / elle ess*aye* | ils / elles ess*aient* or ils / elles ess*ayent* |

### Other verb ending in -ayer:

payer  _to pay_

## EXERCICE E

_Exprimez ce que chaque personne emploie pour faire son travail._

EXEMPLE:    je / calculette
            J'**emploie** une calculette.

**1.** Jade et moi / un ordinateur

_____

**2.** tu / une carte du monde

_____

**3.** Sylvie / une règle

_____

**4.** vous / un dictionnaire

_____

**5.** je / un programme de traitement de texte

_____

**6.** Marcel et Antoine / une encyclopédie

_____

## EXERCICE F

*Aidez-vous des illustrations et de la liste des verbes pour exprimer ce que ces personnes font.*

employer envoyer essuyer payer
ennuyer essayer nettoyer renvoyer

**1.** Le patron _____ l'employé.

**2.** Nous _____ nos larmes.

**3.** J' _____ un email à mon amie.

**4.** Les vendeurs _____ Lucie.

**5.** Vous _____ enfin votre chambre.

**6.** Tu _____ tes nouveaux CD.

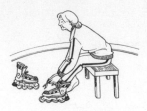

**7.** Mme Lesage _____ des patins en ligne.

**8.** Romain _____ un ordinateur portable.

# [ 4 ]   *-E* + CONSONANT + *-ER* VERBS

Verbs with silent *e* in the syllable before the infinitive ending change silent *e* to *è* when the next syllable contains another silent *e*.

NOTE:   These verbs are often called "shoe" verbs because accents are added to the *je, tu, il, elle, ils, elles* forms, which can be represented in the shape of a shoe.

| enlever *to remove* | |
|---|---|
| j' enlève | nous enlevons |
| tu enlèves | vous enlevez |
| il / elle enlève | ils / elles enlèvent |

Other *e* + consonant + *-er* verbs:

| | | |
|---|---|---|
| acheter *to buy* | emmener *to take* (with you) | peser *to weigh* |
| achever *to complete, finish* | geler *to freeze* | promener *to walk* (the dog) |
| amener *to bring, lead to* | lever *to raise, lift* | |
| élever *to raise, bring up* | mener *to lead* | |

## EXERCICE G

*Exprimez ce que chaque personne achète au centre commercial.*

EXEMPLE:   André **achète des disques compacts.**

**1.** Nous _____ .

**2.** Elles _____ .

**3.** Tu _____ .

**4.** J' _____ .

**5.** Vous _____ .

*6.* Elle _____ .

## EXERCICE H

*Nanette, une jeune Québécoise, se présente chez Mme Fabre pour travailler au pair. Exprimez les questions de Mme Fabre et les réponses de Nanette.*

EXEMPLE:    amener souvent les enfants au parc

MME FABRE:  **Amenez-vous** souvent les enfants au parc?

NANETTE:    **Oui, j'amène** souvent les enfants au parc.

*1.* emmener les enfants à l'école

MME FABRE: _____

NANETTE: _____

*2.* élever bien les enfants

MME FABRE: _____

NANETTE: _____

*3.* peser les avantages et les inconvénients avant de prendre une décision

MME FABRE: _____

NANETTE: _____

*4.* achever toujours le travail ménager avant midi

MME FABRE: _____

NANETTE: _____

*5.* mener une vie tranquille

MME FABRE: _____

NANETTE: _____

*6.* promener le chien tous les jours

MME FABRE: _____

NANETTE: _____

*7.* lever le bébé le matin

MME FABRE: _____

NANETTE: _____

## [ 5 ]    *APPELER* AND *JETER*

**Some "shoe" verbs with silent** *e*, **like** *appeler* **and** *jeter*, **double the consonant instead of changing** *e* **to** *è*.

| appeler   *to call* | | jeter   *to throw (away)* | |
|---|---|---|---|
| j' appe**lle** | nous appelons | je je**tte** | nous jetons |
| tu appe**lles** | vous appelez | tu je**ttes** | vous jetez |
| il / elle appe**lle** | ils / elles appe**llent** | il / elle je**tte** | ils / elles je**ttent** |

Other verbs like *appeler* and *jeter:*

épeler   *to spell*

épousseter   *to dust*

## EXERCICE I

*Lisez les situations, puis déterminez qui chaque personne appelle.*

EXEMPLE:    Andrée a mal à l'estomac.
**Elle appelle le docteur.**

**1.** J'ai très mal aux dents.

_____

**2.** La voiture de M. Pierre ne marche pas.

_____

**3.** Tu vois un crime.

_____

**4.** Vous dînez au restaurant et vous désirez l'addition.

_____

**5.** Elles voient une maison en flammes.

_____

**6.** Nous sommes dans un magasin et nous cherchons un vêtement.

_____

## EXERCICE J

*Les Duval changent la décoration de leur appartement. Exprimez ce que chacun jette.*

EXEMPLE:    tu / le tapis
Tu **jettes** le tapis.

**1.** ma sœur et moi / la lampe de céramique

_____

**2.** je / les vieux rideaux

_____

**3.** vous / le lit du bébé

_____

**4.** Monsieur et Madame Duval / les vieux magazines

_____

**5.** tu / le fauteuil rouge

_____

**6.** Charline / les chaises cassées

_____

# [ 6 ]   É + CONSONANT + -ER VERBS

Verbs with *é* in the syllable before the infinitive ending change *é* to *è* only before the silent endings *-e, -es, -ent.*

| **célébrer**   *to celebrate* | |
| --- | --- |
| **je célèbre** | **nous célébrons** |
| **tu célèbres** | **vous célébrez** |
| **il / elle célèbre** | **ils / elles célèbrent** |

Other verbs ending in *é* + consonant + *-er:*

espérer   *to hope*          préférer   *to prefer*          répéter   *to repeat, rehearse*

posséder   *to possess, own*    protéger   *to protect*

NOTE:   The verb *protéger,* like other verbs ending in *-ger,* inserts *e* between *g* and *o* or *a* (*nous protégeons*).

## EXERCICE K

*Exprimez ce que chaque personne espère.*

étudier dans une université célèbre          réussir aux examens          visiter le Sénégal
gagner à la loterie                                  trouver un bon poste          voyager autour du monde
perdre du poids

EXEMPLE:   Clara **espère** gagner à la loterie.

**1.** J' _____ .

**2.** Vous _____ .

**3.** Tu _____ .

**4.** Lise et moi _____ .

**5.** Les garçons _____ .

**6.** Axelle _____ .

## EXERCICE L

*Complétez l'histoire avec la forme correcte du verbe approprié de la liste.*

|          |          |          |
|----------|----------|----------|
| célébrer | posséder | protéger |
| espérer  | préférer | répéter  |

Delphine _____ son anniversaire le 21 septembre. Elle _____
         *1.*                                                                    *2.*

recevoir un beau cadeau, mais elle _____ déjà beaucoup de choses. Ses parents
                                                *3.*

_____ souvent qu'elle a beaucoup de chance. C'est vrai. Sa famille
         *4.*

_____ Delphine des problèmes sérieux, mais elle _____
         *5.*                                                          *6.*

penser qu'elle n'a pas de problèmes parce qu'elle est gentille.

# MASTERY EXERCISES

## EXERCICE M

*Vous êtes éditeur d'un magazine pour adolescents. Circulez dans la classe et faites une enquête où vous interviewez huit camarades de classe. Posez-leur les questions suivantes et écrivez leurs réponses.*

**1.** Quel genre de film préférez-vous regarder?

_____

**2.** Qu'est-ce que vous achetez avec votre argent de poche?

_____

**3.** Est-ce que vous nettoyez souvent votre chambre?

_____

**4.** Qu'est-ce que vous espérez faire plus tard?

_____

**5.** Qui appelez-vous quand vous êtes triste?

_____

**6.** À quelle heure achevez-vous vos devoirs?

_____

**7.** Quand célébrez-vous votre anniversaire?

_____

**8.** Combien pesez-vous?

_____

## EXERCICE N

_Voici une liste de travaux ménagers. Exprimez ce que vos frères, vos sœurs et vous faites et ne faites pas._

| | |
|---|---|
| acheter les provisions | épousseter nos trophées sportifs |
| ranger la maison | arranger les livres sur les étagères |
| jeter les ordures | envoyer les paquets de vieux vêtements |
| changer les draps | promener le chien |
| enlever la neige de l'allée de garage | |

EXEMPLE:    **Nous (n')achetons (pas) les provisions.**

**1.** _____

**2.** _____

**3.** _____

**4.** _____

**5.** _____

**6.** _____

**7.** _____

**8.** _____

## EXERCICE O

_Thomas est moniteur dans une colonie de vacances. Exprimez ce qu'il écrit à sa petite amie Nicole en choisissant le verbe approprié dans la liste ci-dessous._

| | | | |
|---|---|---|---|
| acheter | employer | manger | plonger |
| appeler | ennuyer | nager | répéter |
| commencer | lancer | nettoyer | |

**1.** Nous _____ la journée tôt, à sept heures du matin.

**2.** Nous _____ trois bons repas par jour.

**3.** J'_____ les garçons «mes petits frères».

**4.** Nous _____ et nous _____ dans le lac deux fois par jour.

**5.** Nous _____ du pain aux canards du lac.

**6.** Les enfants ne m' _____ jamais.

**7.** J' _____ mes talents de musicien pour les amuser.

**8.** En ce moment, nous _____ une petite pièce de théâtre.

**9.** Quand nous allons en ville, nous _____ des cartes et des souvenirs.

**10.** Le vendredi soir, les garçons _____ les cabines.

## EXERCICE P

*Votre professeur de français organise une fête française à votre école. Faites une liste de ce que vous faites pour l'aider le jour de la fête.*

**1.** _____

**2.** _____

**3.** _____

**4.** _____

**5.** _____

**6.** _____

# Chapter 3
# Verbs Irregular in the Present Tense

## [ 1 ]  COMMON IRREGULAR VERBS

The verbs presented in this chapter are irregular in the present tense and must be memorized.

**aller**  *to go:*  **je vais, tu vas, il/elle va**
nous allons, vous allez, ils/elles vont

**avoir**  *to have:*  **j'ai, tu as, il/elle a**
nous avons, vous avez, ils/elles ont

**boire**  *to drink:*  **je bois, tu bois, il/elle boit**
nous buvons, vous buvez, ils/elles boivent

**conduire**  *to lead, drive:*  **je conduis, tu conduis, il/elle conduit**
nous conduisons, vous conduisez, ils/elles conduisent
Like conduire:  **construire** *to build;*  **cuire** *to cook;* **introduire** *to insert, introduce;*
**produire** *to produce;*  **traduire** *to translate*

**connaître**  *to know:*  **je connais, tu connais, il/elle connaît**
nous connaissons, vous connaissez, ils/elles connaissent
Like connaître:  **paraître** *to appear, to seem;* **apparaître** *to appear*

**courir**  *to run:*  **je cours, tu cours, il/elle court**
nous courons, vous courez, ils/elles courent

**croire**  *to believe:*  **je crois, tu crois, il/elle croit**
nous croyons, vous croyez, ils/elles croient

**devoir**  *to owe, have to:*  **je dois, tu dois, il/elle doit**
nous devons, vous devez, ils/elles doivent

**dire**  *to tell, say:*  **je dis, tu dis, il/elle dit**
nous disons, vous dites, ils/elles disent

**dormir**  *to sleep:*  **je dors, tu dors, il/elle dort**
nous dormons, vous dormez, ils/elles dorment
Like dormir:  **partir** *to go away, leave;*  **servir** *to serve;*  **sortir** *to go out, to take out*

**écrire**  *to write:*  **j'écris, tu écris, il/elle écrit**
nous écrivons, vous écrivez, ils/elles écrivent

**être**  *to be:*  **je suis, tu es, il/elle est**
nous sommes, vous êtes, ils/elles sont

**faire**  *to make; to do:*  **je fais, tu fais, il/elle fait**
nous faisons, vous faites, ils/elles font

**falloir**  *to be necessary:*  **il faut**

**lire**  *to read:*  **je lis, tu lis, il/elle lit**
nous lisons, vous lisez, ils/elles lisent

**mettre**  *to put, put on:*  **je mets, tu mets, il/elle met**
nous mettons, vous mettez, ils/elles mettent
Like mettre:  **permettre** *to allow;*  **promettre** *to promise*

ouvrir   *to open:*   j'ouvre, tu ouvres, il/elle ouvre
                        nous ouvrons, vous ouvrez, ils/elles ouvrent

pleuvoir   *to rain:*   il pleut

pouvoir   *to be able:*   je peux, tu peux, il/elle peut
                            nous pouvons, vous pouvez, ils/elles peuvent

prendre   *to take:*   je prends, tu prends, il/elle prend
                        nous prenons, vous prenez, ils/elles prennent

Like prendre:   **apprendre** *to learn;*   **comprendre** *to understand*

recevoir   *to receive:*   je reçois, tu reçois, il/elle reçoit
                            nous recevons, vous recevez, ils/elles reçoivent

savoir   *to know, know how:*   je sais, tu sais, il/elle sait
                                  nous savons, vous savez, ils/elles savent

venir   *to come:*   je viens, tu viens, il/elle vient
                      nous venons, vous venez, ils/elles viennent

Like venir:   **devenir** *to become;*   **revenir** *to come back*

voir   *to see:*   je vois, tu vois, il/elle voit
                    nous voyons, vous voyez, ils/elles voient

vouloir   *to wish, want:*   je veux, tu veux, il/elle veut
                              nous voulons, vous voulez, ils/elles veulent

NOTES:

**1.** Negative, interrogative, and negative interrogative constructions follow the same rules as for regular verbs.

| | |
|---|---|
| Il ne conduit pas bien. | *He doesn't drive well.* |
| Claire vient ce soir? | *Claire is coming tonight?* |
| Est-ce que tu le connais? | *Do you know him?* |
| Lilou est-elle intelligente? | *Is Lilou smart?* |
| Tu ne vas pas chez Anne? | *You aren't going to Anne's?* |

**2.** Verbs that end in a vowel in the third person singular add *-t-* before the pronoun in the inverted question form.

| | |
|---|---|
| Où va-*t*-il? | *Where is he going?* |
| A-*t*-elle le temps de venir? | *Does she have the time to come?* |
| Pourquoi ouvre-*t*-il la porte? | *Why is he opening the door?* |

## EXERCICE A

*Exprimez ce que les personnes suivantes boivent le matin.*

EXEMPLE:   Alain / du chocolat
             Alain **boit** du chocolat.

*1.* les filles / du thé

_____

**2.** nous / du café

_____

**3.** je / de l'eau

_____

**4.** Manon / du jus d'orange

_____

**5.** vous / du café au lait

_____

**6.** tu / un citron pressé

_____

## EXERCICE B

*Exprimez comment à votre avis chaque personne conduit sa voiture.*

| | | |
|---|---|---|
| bien | mal | rapidement |
| d'une façon dangereuse | prudemment | trop vite |
| lentement | | |

EXEMPLE:   Mon amie **conduit** trop vite.

**1.** Mes amis et moi, nous _____ .

**2.** Tu _____ .

**3.** Je _____ .

**4.** Ma mère _____ .

**5.** Mes grands-parents _____ .

**6.** Vous _____ .

## EXERCICE C

*Aidez-vous des illustrations pour demander ce que chaque personne connaît.*

EXEMPLE:   **Connaît**-il cette **rue**?

**1.** _____-nous le _____ des Chats Bleus?

**2.** _____-tu l'_____ sur la photo?

**3.** _____-ils le nouveau _____ chinois?

**4.** _____-vous l'_____ des Balcons?

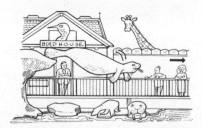

**5.** _____-elle le _____ de San Diego?

**6.** Est–ce que je _____ la _____? Bien sûr!

## EXERCICE D

*Les personnes suivantes sont en retard. Exprimez où elles courent.*

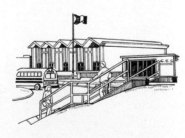

EXEMPLE:    **Il court à l'arrêt d'autobus.**

**1.** M. Duchamp _____ .

**2.** Les enfants _____ .

**3.** Vous _____ .

**4.** Tu _____ .

**5.** Nous _____ .

**6.** Je _____ .

## EXERCICE E

*Exprimez ce que les passagers de l'avion croient voir quelques minutes avant d'arriver à Paris.*

EXEMPLE:    Marianne **croit** qu'elle **voit** la tour Eiffel.

**1.** Je _____ que je _____ le Sacré-Cœur.

**2.** Vous _____ que vous _____ la Seine.

**3.** Tu _____ que tu _____ Versailles.

**4.** Les hôtesses de l'air _____ qu'elles _____ Montmartre.

**5.** Paul _____ qu'il _____ Notre-Dame.

**6.** Nous _____ que nous _____ l'Arc de Triomphe.

## EXERCICE F

*Exprimez ce que chaque personne doit faire avant la fin de la journée.*

EXEMPLE:   Jean / finir ses devoirs
Jean **doit finir** ses devoirs.

*1.* nous / graver un CD

_____

*2.* Hugo / garder ses petits frères

_____

*3.* je / rendre le pull de Nadine

_____

*4.* vous / passer l'examen du permis de conduire

_____

*5.* Agathe et Claudette / poster un colis

_____

*6.* tu / réserver des places au restaurant

_____

## EXERCICE G

*Complétez les paragraphes suivants en utilisant la forme correcte de* **dire, écrire** *ou* **lire**.

*1.* Chaque matin M. Blanc _____ bonjour à ses employés.  Ensuite, il

_____ son courrier puis il _____ quelques lettres.

*2.* Vous _____ une annonce publicitaire. Vous _____ que les informations

données sont fausses. Vous _____ une lettre à la société.

*3.* Je (J') _____ un poème. Je ne le _____ pas à mes parents.  Je

_____ que c'est un poème très personnel.

*4.* Nous _____ l'explication du problème dans notre livre. Nous _____

les réponses dans nos cahiers. Nous _____ au professeur que ce problème est facile.

*5.* Elles _____ qu'elles _____ un excellent roman. Après, elles

_____ une lettre à l'auteur.

**6.** Tu _____ un conte. Tout le monde _____ qu'il est superbe. Tu le

_____ pendant le cours d'anglais.

## EXERCICE H

*Exprimez ce que chaque personne fait en utilisant la forme correcte des verbes* **dormir, partir, servir** *ou* **sortir.**

EXEMPLE:    Amandine **dort** jusqu'à huit heures. Elle **part** dans une demi-heure. Elle **sort** de chez elle.
Elle **sert** les repas à la cantine.

**1.** Je _____ jusqu'à sept heures. Je _____ le petit déjeuner à mes parents.

Je _____ dans cinq minutes. Je _____ avec ma sœur.

**2.** M. Martin _____ jusqu'à 7h30. Il _____ de son appartement. Il

_____ en métro parce qu'il va à son restaurant. Il _____ les clients.

**3.** Nous _____ jusqu'à neuf heures. Nous _____ tout de suite à la

cantine où nous _____ le petit déjeuner. Nous _____ de la cantine à

onze heures.

**4.** Les filles _____ jusqu'à 6h30. Elles travaillent au café *Chez Pauline*. Elles

_____ à vélo. Elles _____ des sandwichs. Elles _____

de *Chez Pauline* à quatre heures.

**5.** Vous _____ jusqu'à midi. Vous _____ la voiture du garage. Vous

_____ travailler l'après-midi. Vous _____ les clients de l'hôtel.

## EXERCICE I

*Écrivez cinq choses qu'il faut faire avant de partir à l'étranger.*

EXEMPLE:    **Il faut acheter les billets d'avion.**

**1.** _ _____

**2.** _ _____

**3.** _ _____

**4.** _ _____

**5.** _ _____

## EXERCICE J

*Exprimez ce que chaque personne promet de faire.*

| | | |
|---|---|---|
| arroser le jardin | obéir au règlement | repasser les vêtements |
| faire le ménage | promener le chien | tondre la pelouse |
| laver la voiture | | |

EXEMPLE:   Alain **promet** de promener le chien.

1. Vous _____ .

2. Arthur et Georges _____ .

3. Nous _____ .

4. Victoire _____ .

5. Tu _____ .

6. Je _____ .


## EXERCICE K

*Exprimez ce que chaque personne ouvre en arrivant en classe.*

EXEMPLE:   Il **ouvre le cartable.**

1. Le professeur _____ .

2. Tu _____ .

**3.** J'_____ .

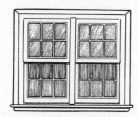

**4.** Nous _____ .

**5.** Vous _____ .

**6.** Les élèves _____ .

## EXERCICE L

*Il n'y a pas classe aujourd'hui. Exprimez ce que Catherine et ses amis peuvent faire s'ils veulent.*

EXEMPLE:   Catherine / aller voir sa cousine Delphine
           **Catherine peut aller voir sa cousine Delphine si elle veut.**

**1.** Bastien / aller à la pêche

_____

**2.** tu / faire les courses

_____

**3.** Thérèse et Nicole / descendre en ville

_____

**4.** Guy et moi / jouer avec l'ordinateur

_____

**5.** vous / sortir avec des copains

_____

**6.** je / regarder MTV toute la journée

_____

## EXERCICE M

_Votre classe déjeune dans un restaurant français. Exprimez ce que chaque personne prend._

| | | | |
|---|---|---|---|
| de la bouillabaisse | des escargots | du coq au vin | une quiche |
| de la soupe à l'oignon | du bœuf bourguignon | un croque-monsieur | |

EXEMPLE:   Marie **prend** de la soupe à l'oignon.

**1.** Élise _____ .

**2.** Je _____ .

**3.** Joseph _____ .

**4.** Tu _____ .

**5.** Vous _____ .

**6.** Clovis et Lucie _____ .

## EXERCICE N

_Mme Butard distribue des cadeaux à ses élèves pour célébrer Noël. Exprimez ce que chacun reçoit._

EXEMPLE:   Nicolas **reçoit** un magazine français.

**1.** Grégoire et moi, nous _____ .

**2.** Albert et Arthur _____.

**3.** Je _____.

**4.** Vous _____.

**5.** Sixtine _____.

**6.** Tu _____.

## EXERCICE O

*Mme Fleurie demande à ses élèves ce qu'ils savent faire. Ils répondent en exagérant un petit peu. Exprimez leurs réponses.*

EXEMPLE:  Nicolas / bâtir une maison
Nicolas **sait** bâtir une maison.

**1.** Albert et Arthur / conduire une voiture

_____

**2.** je / marcher sur mes mains

_____

**3.** vous / piloter un avion

_____

**4.** tu / réussir à tous les examens

_____

**5.** Gisèle / nager comme un poisson

_____

**6.** Christine et moi / jouer du piano

_____


## EXERCICE P

*Exprimez comment les invités viennent à la boum de Michel.*

EXEMPLE:  Jules **vient** en scooter.

**1.** Nous _____ .

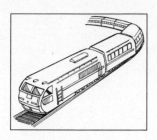

**2.** Les garçons _____ .

**3.** Janine _____ .

**4.** Tu _____ .

**5.** Vous _____ .

**6.** Je _____ .

## [ 2 ]    COMMON EXPRESSIONS WITH *ALLER*

**aller** + adverb    *to feel, to be* (describing a state of health)
Comment allez-vous? Je vais bien.          *How are you? I'm fine.*
Les affaires vont mal.                      *Business is bad.*

**aller à pied**    *to walk, go on foot*
Je vais à l'école à pied.                   *I walk to school.*

**aller à la pêche**    *to go fishing*
Ils vont souvent à la pêche.                *They often go fishing.*

**aller cn voiture**    *to go by car*
Tu vas au Canada en voiture?                *You go to Canada by car?*

**A conjugated form of *aller* followed by an infinitive is used to express an action that will take place in the near future.**

Qu'est-ce que tu vas faire ce soir?         *What are you going to do this evening?*

Je vais étudier.                            *I am going to study.*

## EXERCICE Q

*Complétez ce dialogue entre deux amies avec la forme correcte du verbe* **aller.**

JANINE:   Tu _____ à la patinoire avec Claudine cet après-midi?
                          *1.*

RACHEL:   Non, je ne _____ pas bien.  Je _____ aller chez le docteur.
                              *2.*                        *3.*

JANINE:   Tes parents _____ aller avec toi ou est-ce que tu _____ à pied?
                          *4.*                                              *5.*

RACHEL:   Ma mère _____ en ville en voiture à trois heures, elle
                      *6.*

          _____ m'emmener.
              *7.*

JANINE:   C'est dommage. Philippine et moi, nous _____ au cinéma à deux heures.
                                              *8.*

RACHEL:   Qu'est-ce que vous _____ voir au cinéma?
                              *9.*

JANINE:   *Le Docteur Zhivago!*

## [ 3 ]    COMMON EXPRESSIONS WITH *AVOIR*

**avoir... ans**    *to be . . . years old*
Quel âge as-tu?                             *How old are you?*
J'ai seize ans.                             *I'm sixteen years old.*

**avoir l'air**    *to appear, to look*
Tu as l'air fatigué.                                              *You look tired.*

**avoir besoin de**    *to need*
Il a besoin d'un crayon.                                          *He needs a pencil.*

**avoir de la chance**    *to be lucky*
Roger a beaucoup de chance.                                       *Roger is very lucky.*
Il gagne toujours à la loterie.                                   *He always wins the lottery.*

**avoir chaud**    *to be hot* (of persons)
Il a très chaud.                                                  *He is very hot.*

**avoir froid**    *to be cold* (of persons)
Mireille a souvent froid.                                         *Mireille is often cold.*

**avoir envie de**    *to desire, want*
J'ai envie d'une glace.                                           *I would like some ice cream.*

**avoir faim**    *to be hungry*
Mon frère a toujours faim.                                        *My brother is always hungry.*

**avoir soif**    *to be thirsty*
Nous avons très soif.                                             *We are very thirsty.*

**avoir honte (de)**    *to be ashamed (of)*
Il a honte de ses erreurs.                                        *He is ashamed of his mistakes.*

**avoir lieu**    *to take place*
Les Jeux Olympiques ont lieu à Pékin.                            *The Olympic Games take place in Beijing.*

**avoir mal à**    *to have an ache*
Qu'avez-vous?                                                     *What's the matter with you?*
J'ai mal à la tête.                                               *I have a headache.*

**avoir peur (de)**    *to be afraid (of)*
Tu as peur de ce petit chien?                                     *You're afraid of this little dog?*

**avoir raison**    *to be right*
J'ai toujours raison.                                             *I'm always right.*

**avoir tort**    *to be wrong*
Je sais que vous avez tort.                                       *I know that you are wrong.*

**avoir sommeil**    *to be sleepy*
Il est tard et j'ai sommeil.                                      *It is late and I am sleepy.*

## Impersonal use of *avoir:*

**il y a**    *there is, there are*
Il y a un chat noir dans le jardin.                              *There is a black cat in the garden.*

**y a–t–il?**    *is there? are there?*
Y a–t–il du lait pour le café?                                   *Is there any milk for the coffee?*

**il n'y a pas**    *there isn't, there aren't*
Il n'y a pas de chaises dans la salle de classe.                *There aren't any chairs in the classroom.*

**n'y a–t–il pas?**    *isn't there? aren't there?*
N'y a–t–il pas de serveurs dans ce café?                         *Aren't there any waiters in this cafe?*

## EXERCICE R

*Pour chaque situation, complétez la phrase avec l'expression avec **avoir** appropriée.*

| | | | |
|---|---|---|---|
| avoir besoin | avoir froid | avoir mal | avoir soif |
| avoir de la chance | avoir l'air | avoir peur | avoir tort |
| avoir envie | avoir lieu | | |

1.  Donnez-moi un coca, s'il vous plaît. J'_____ .

2.  Michelle va à la Martinique demain, elle _____ .

3.  Nous _____ parce que nous regardons un film d'horreur.

4.  Le match est terminé et les joueurs _____ fatigué.

5.  Luc court parce que la cérémonie _____ dans cinq minutes.

6.  Vous désirez sortir? Vous _____ d'aller au parc?

7.  Pour aller au Cambodge, tu _____ de ton passeport.

8.  Je vais chez le dentiste parce que j'_____ aux dents.

9.  Il gèle. Elles _____ .

10. Deux et deux ne font pas cinq. Vous _____ !

# [ 4 ]   COMMON EXPRESSIONS WITH *ÊTRE*

**être à**   *to belong to*

À qui est cette bague?          *Whose ring is this?*
Elle est à moi.                 *It belongs to me.*

**être en train de**   *to be in the middle* (of an action)

Je suis en train de faire le dîner.   *I'm in the middle of preparing dinner.*
                                       *(I'm preparing dinner.)*

## EXERCICE S

*Exprimez ce que chaque personne est en train de faire.*

EXEMPLE:   Martin **est en train de planter des fleurs.**

**1.** Maxence et Christophe _____.

**2.** Je _____.

**3.** Vous _____.

**4.** Marianne _____.

**5.** Tu _____.

**6.** Nous _____.

## [ 5 ]   COMMON EXPRESSIONS WITH *FAIRE*

**faire attention (à)**   *to pay attention (to)*
Jeanne fait attention au professeur.          *Jeanne pays attention to the teacher.*

**faire de son mieux**   *to do one's best*
Tu fais de ton mieux pour réussir.          *You do your best to succeed.*

**faire la connaissance de**   *to meet someone, to become acquainted*
Vous faites la connaissance du          *You meet the new student.*
nouvel élève.

**faire les courses**   *to go shopping*
Nous faisons les courses le samedi.          *We do the shopping on Saturday.*

**faire peur (à)**   *to frighten*
Le chien fait peur à l'enfant.          *The dog frightens the child.*

**faire une promenade**   *to go for a walk*
Le soir, ils font une promenade.          *In the evening they take a walk.*

**faire un voyage (en avion, en voiture)**   *to take a trip (by plane, by car)*
Les Duval font un voyage en France.          *The Duvals are taking a trip in France.*

**Weather expressions whith** *faire:*

Quel temps fait-il?          *How's the weather?*
Il fait bon.          *The weather is fine.*
Il fait beau.          *It's nice.*
Il fait mauvais.          *The weather is bad.*
Il fait froid.          *It's cold.*
Il fait chaud.          *It's warm / hot.*
Il fait frais.          *It's cool.*
Il fait du vent.          *It's windy.*
Il fait du soleil.          *It's sunny.*

**Sports expressions with** *faire:*

Nous faisons de la natation.          *We swim.*
Nous faisons du tennis.          *We play tennis.*

## EXERCICE T

*Exprimez ce que ces personnes font.*

EXEMPLE:  Michel / du golf
Michel **fait** du golf.

*1.* je / un voyage à moto

_____

*2.* nous / du foot

_____

*3.* les garçons / des achats en ville

_____

*4.* vous / une promenade à vélo

_____

*5.* Thibault / des courses au supermarché

_____

*6.* Lise et Hélène / la connaissance de Raoul

_____

*7.* tu / du volley-ball

_____

*8.* Louna / attention à ses devoirs

_____

# [ 6 ] OTHER COMMON VERBAL EXPRESSIONS

**apprendre par cœur**  *to memorize, to learn by heart*
Vous apprenez ce poème par cœur.  *You learn this poem by heart.*

**mettre la table, le couvert**  *to set the table*
Mon frère met la table.  *My brother sets the table.*

**prendre au sérieux**  *to take seriously*
Il prend son travail au sérieux.  *He takes his work seriously.*

**venir de**  *to have just*
Nous venons de manger.  *We just ate.*

**vouloir dire**  *to mean*
Que veut dire cela?  *What does that mean?*

## M A S T E R Y   E X E R C I S E S

### EXERCICE U

*Vous écoutez des personnes parler, mais vous n'entendez pas tous les mots. Complétez les conversations avec la forme correcte du verbe de la première phrase.*

EXEMPLE:    **Pouvez**-vous nous accompagner au théâtre?
Non, nous **ne pouvons pas.**
Moi, je **peux** vous accompagner au théâtre.

1. **Savez**-vous jouer au golf?

   Oui, nous _____ bien jouer au golf.

   Moi, je _____ seulement jouer au tennis.

2. Quand est-ce que vous **devenez** nerveux?

   Je _____ nerveux quand je passe un examen.

   Jacques et Martin _____ nerveux quand ils prennent l'avion.

3. Qui **dit** toujours la vérité?

   Nous _____ toujours la vérité.

   Mais non, parfois vous _____ des mensonges.

4. Qu'**apprenez**-vous en classe de français?

   Moi, j'_____ des poèmes.

   Dans ma classe, les élèves _____ des chansons.

5. D'où **êtes**-vous?

   Nous _____ de Dakar.

   Je _____ de Marseille, mais mes cousins _____ de Casablanca.

6. Quel âge **as**-tu?

   J'_____ quinze ans. Quel âge _____ -vous?

   Nous _____ seize ans.

7. Que **fais**-tu le samedi après-midi?

   Je _____ du basket. Que _____ -vous?

   Nous _____ du foot.

8. Où **allez**-vous cet été?

   Nous _____ en Europe. Et toi?

   Je _____ chez mon correspondant martiniquais et mes parents

   _____ en Afrique.

**9.** Qu'est-ce que vous **voulez** comme dessert?

Nous _____ une mousse au chocolat. Et toi?

Je _____ de la tarte aux pommes.

**10.** Qu'est-ce que tu **dois** faire après les cours?

Moi, je _____ étudier pour mon examen. Qu'est-ce que Paul et Henri

_____ faire?

Henri _____ ranger sa chambre. Paul et moi, nous _____

aller travailler.

## EXERCICE V

*Exprimez ce qui arrive aujourd'hui à un camarade en écrivant la forme correcte des verbes donnés entre parenthèses.*

J' _____ ma fenêtre. Il _____ . Je _____ que
     *1.* (ouvrir)                         *2.* (pleuvoir)              *3.* (savoir)

je _____ faire attention. Aujourd'hui je _____ la voiture de mes
     *4.* (devoir)                                   *5.* (conduire)

parents seul pour la première fois. J' _____ un peu peur. Avant de quitter la maison
                                        *6.* (avoir)

je _____ mon petit déjeuner: des œufs et du pain grillé. Je _____
     *7.* (prendre)                                                        *8.* (boire)

aussi du jus d'orange. Finalement je _____ prêt et je _____ .
                                      *9.* (être)                *10.* (partir)

Je _____ vers la voiture parce que je _____ éviter la pluie.
     *11.* (courir)                               *12.* (vouloir)

Je _____ faire démarrer la voiture. Je _____ le contact.
     *13.* (savoir)                               *14.* (mettre)

Enfin, je _____ en route. Je _____ bien le chemin. Il
          *15.* (être)                *16.* (connaître)

_____ rouler lentement. Je _____ à peine les autres voitures. Je
     *17.* (falloir)                   *18.* (voir)

_____ tout pour éviter un accident. Je _____ les panneaux *(signs)*
     *19.* (faire)                                 *20.* (lire)

avec attention. Une demi-heure plus tard, j'arrive chez ma petite amie. Je _____ tout
                                                                            *21.* (aller)

de suite téléphoner à mes parents. De cette façon, ils _____ être rassurés pour moi
                                                        *22.* (pouvoir)

et leur voiture!

## EXERCICE W

*Faites une enquête. Choisissez six camarades de classe et posez-leur cette question: "Que fais-tu pour aider tes parents?" Écrivez leurs réponses.*

1. _____

2. _____

3. _____

4. _____

5. _____

6. _____

## EXERCICE X

*Qu'est-ce qu'on fait dans les circonstances suivantes? Choisissez la bonne réponse. Tracez un cercle autour de la lettre qui convient.*

1. *a.* On met un manteau.

   *b.* On va à la plage.

   *c.* On prend un parapluie.

2. *a.* Il met son chapeau.

   *b.* Il mange quelque chose.

   *c.* Il pleure.

3. *a.* Nous choisissons des gants.

   *b.* Nous employons une fourchette.

   *c.* Nous mettons des pantalons.

4. *a.* Elles ouvrent leurs livres.

   *b.* Elles préparent le dîner.

   *c.* Elles cherchent leurs stylos.

5. *a.* Tu cherches une pharmacie.

   *b.* Tu téléphones à ton ami.

   *c.* Tu vas au parc.

6. *a.* Vous criez.

   *b.* Vous dormez.

   *c.* Vous parlez.

# Chapter 4
# Imperative

The imperative is a verb form used to give commands.

## [ 1 ] IMPERATIVE OF REGULAR VERBS

For regular verbs, the forms of the imperative are the same as the corresponding forms of the present tense, except for the omission of the subject pronouns *tu* and *vous*.

| FAMILIAR | | FORMAL / PLURAL | |
|---|---|---|---|
| **Parle!** | *Speak!* | **Parlez!** | *Speak!* |
| **Obéis!** | *Obey!* | **Obéissez!** | *Obey!* |
| **Réponds!** | *Answer!* | **Répondez!** | *Answer!* |

NOTES:

1. **To form the familiar imperative of -*er* verbs, drop the final -*s* of the present tense *tu* form.**

| Tu parles français. | **Parle** français! | *Speak French!* |
|---|---|---|
| Tu cherches le livre. | **Cherche** le livre! | *Look for the book!* |

2. **The first person plural of the present tense is used without the pronoun *nous* to express *Let us (Let's)*.**

| Travaillons! | *Let's work!* |
|---|---|
| Attendons Véronique! | *Let's wait for Veronique!* |

3. **In the negative imperative, *ne* and *pas* surround the verb.**

| Ne chante pas si fort! | *Don't sing so loud!* |
|---|---|
| N'attendez pas! | *Don't wait!* |
| N'allons pas si loin! | *Let's not go so far!* |

## EXERCICE A

*Vous donnez une boum chez vous ce soir, mais vous devez sortir. Vous laissez un message à votre sœur pour lui dire comment elle peut vous aider. Complétez ce message avec l'impératif du verbe approprié.*

| choisir | garnir | préparer | répondre |
|---|---|---|---|
| descendre | passer | ranger | rôtir |

1. _____ de la bonne musique.

2. _____ les deux chaises de ta chambre.

3. _____ le salon.

4. _____ le gâteau.

5. _____ au téléphone.

6. _____ l'aspirateur.

7. _____ la mousse au chocolat.

8. _____ le poulet.

## EXERCICE B

*Vous avez une dispute avec vos amis. Exprimez ce que vous dites à ces amis.*

EXEMPLE:    *(changer)* **Changez** d'opinion.

1. *(défendre)* _____ vos arguments.

2. *(laisser)* _____ -moi tranquille.

3. *(finir)* _____ la discussion.

4. *(coopérer)* _____ un peu.

5. *(rendre)* _____ -moi mes affaires.

6. *(répondre)* _____ à mes questions.

7. *(peser)* _____ bien ce que vous dites.

8. *(saisir)* _____ cette occasion d'exprimer vos idées.

## EXERCICE C

*M. et Mme Rouget sortent ce soir. Exprimez ce qu'ils disent à leurs enfants de ne pas faire.*

EXEMPLE:    pleurer
            **Ne pleurez pas.**

1. désobéir à la baby-sitter

   _____

2. répondre au téléphone

   _____

3. manger trop de bonbons

   _____

4. téléphoner à vos amis

   _____

**5.** descendre tous vos jouets

_____

**6.** regarder la télé après neuf heures

_____

**7.** casser ce vase

_____

**8.** nourrir le chien

_____

## EXERCICE D

*Vous aidez Guillaume à faire les préparatifs d'un voyage. Exprimez ce que vous lui dites en mettant les verbes de la liste à l'impératif.*

> *ne pas oublier ton passeport*
> *achever ton travail*
> *régler ton problème avec la banque*
> *promener le chien*
> *donner les clefs aux voisins*
> *nourrir les poissons rouges*
> *ne pas perdre ton portefeuille*
> *avertir le facteur de ton départ*
> *tondre la pelouse*
> *ne pas attendre la dernière minute*

EXEMPLES:  **N'oublie pas** ton passeport.
　　　　　　**Achève** ton travail.

**1.** _____

**2.** _____

**3.** _____

**4.** _____

**5.** _____

**6.** _____

**7.** _____

**8.** _____

## EXERCICE E

*Votre amie et vous avez rendez-vous avec Paul à midi. Il est maintenant une heure et Paul n'est pas là. Suggérez les actions suivantes à votre amie et exprimez ses réponses.*

EXEMPLE:   changer de projet
VOUS:   **Changeons** de projet!
VOTRE AMIE:   Non, **ne changeons pas** de projet.

**1.** téléphoner chez lui

VOUS:   _____

VOTRE AMIE:   _____

**2.** attendre plus longtemps

VOUS:   _____

VOTRE AMIE:   _____

**3.** avertir la police

VOUS:   _____

VOTRE AMIE:   _____

**4.** manger sans lui

VOUS:   _____

VOTRE AMIE:   _____

**5.** commencer notre promenade sans lui

VOUS:   _____

VOTRE AMIE:   _____

**6.** oublier Paul

VOUS:   _____

VOTRE AMIE:   _____

## [ 2 ] IMPERATIVE OF IRREGULAR VERBS

The imperative of irregular verbs generally follows the same pattern as that of regular verbs.

| | | | | | |
|---|---|---|---|---|---|
| **aller** | *to go* | **va, allons, allez** | **sortir** | *to go out* | **sors, sortons, sortez** |
| **faire** | *to do* | **fais, faisons, faites** | **venir** | *to come* | **viens, venons, venez** |

NOTES:

1. Verbs conjugated like *-er* verbs in the present tense, and the verb *aller*, drop the final *-s* in the familiar command form.

Tu ouvres la porte.   **Ouvre** la porte!   *Open the door!*
Tu vas au marché.   **Va** au marché!   *Go to the market!*

**2.** The verbs *avoir, être,* and *savoir* have irregular command forms.

| | | |
|---|---|---|
| **avoir** | *to have* | **aie, ayons, ayez** |
| **être** | *to be* | **sois, soyons, soyez** |
| **savoir** | *to know* | **sache, sachons, sachez** |

## EXERCICE F

*Votre ami Pierre est toujours très anxieux. Vous lui donnez des conseils* (advice) *pour l'aider à rester calme. Complétez les phrases avec la forme correcte du verbe à l'impératif.*

EXEMPLE:   *(rester)* calme!
       **Reste** calme!

**1.** *(prendre)* _____ ton temps avant d'agir!

**2.** *(recevoir)* _____ calmement la critique des autres!

**3.** *(être)* _____ patient!

**4.** *(avoir)* _____ confiance!

**5.** *(dormir)* _____ au moins huit heures par nuit!

**6.** *(boire)* _____ de l'eau et non pas du coca!

**7.** *(faire)* _____ ton travail à l'avance.

**8.** *(croire)* _____ toujours en toi-même.

## EXERCICE G

*Vous donnez des conseils à vos amis qui veulent rester en forme. Exprimez ce que vous leur dites.*

EXEMPLE:   faire du sport
       **Faites** du sport.

**1.** aller au gymnase trois fois par semaine

_____

**2.** promettre de ne pas manger de bonbons

_____

**3.** faire attention à votre santé *(health)*

_____

**4.** avoir une attitude positive

_____

**5.** courir chaque après-midi

_____

**6.** être sérieux

_____

**7.** boire beaucoup d'eau

_____

**8.** savoir vous relaxer

_____

## EXERCICE H

_Vous êtes malade et vos parents ne vous permettent pas de faire certaines activités. Exprimez ce qu'ils vous disent._

EXEMPLE:    Je peux jouer au tennis?
            Non, **ne joue pas** au tennis.

**1.** Je peux sortir?

_____

**2.** Je peux ouvrir toutes les fenêtres?

_____

**3.** Je peux prendre ce sirop?

_____

**4.** Je peux regarder la télé toute la nuit?

_____

**5.** Je peux aller au cinéma?

_____

**6.** Je peux courir dans le parc?

_____

**7.** Je peux faire ces exercices de gymnastique?

_____

**8.** Je peux conduire?

_____

## EXERCICE I

*Eugénie et Nicolas ont huit ans. Ils vont bientôt partir en colonie de vacances. Exprimez les recommandations de leur sœur Chloë.*

EXEMPLE:   croire aux fantômes
   **Ne croyez pas** aux fantômes.

*1.* aller dans les bois le soir

_____

*2.* faire les idiots

_____

*3.* être impolis

_____

*4.* avoir peur des moniteurs *(counselors)*

_____

*5.* nager seuls dans le lac

_____

*6.* prendre les affaires des autres

_____

*7.* lire les lettres de vos camarades

_____

*8.* dire que vous êtes malheureux

_____

## EXERCICE J

*Vous voulez faire quelque chose de différent cet été. Exprimez vos suggestions à votre frère ou à votre sœur en choisissant ce que vous préférez.*

EXEMPLE:   nager / dans la mer ou dans un lac?
   **Nageons dans la mer!**

*1.* écrire / un roman ou des poèmes?

_____

*2.* faire / une croisière ou un voyage à bicyclette?

_____

**3.** voyager / à l'étranger ou aux États-Unis?

_____

**4.** apprendre / le piano ou le karaté?

_____

**5.** lire / l'encyclopédie ou des bandes dessinées?

_____

**6.** conduire / en Afrique ou en France?

_____

**7.** aller / à Euro Disney ou à Disneyland?

_____

**8.** ouvrir / une boutique de tee-shirts ou une boutique de disques compacts?

_____

**9.** commencer / des études de chant ou de ballet?

_____

## EXERCICE K

_En France maintenant on peut utiliser une carte de crédit dans les téléphones publics. Pour savoir comment faire, complétez les instructions en mettant les verbes entre parenthèses à l'impératif._

**1.** _(lire)_ _____ le message écrit sur l'écran _(screen)_.

**2.** _(décrocher)_ _____ le récepteur _(handset)_.

**3.** _(introduire)_ _____ votre carte de crédit dans la fente _(slot)_.

**4.** _(faire)_ _____ attention. Introduisez votre pin.

**5.** _(patienter)_ _____ un peu.

**6.** _(composer)_ _____ le numéro.

**7.** _(attendre)_ _____ que la personne appelée parle.

**8.** _(répondre)_ _____ à la personne.

**9.** *(raccrocher)* _____ le récepteur.

**10.** *(reprendre)* _____ votre carte de crédit.

## M A S T E R Y    E X E R C I S E S

### EXERCICE L

*Exprimez vos conseils à des amis qui se plaignent* (complain) *tout le temps.*

EXEMPLE:    Nous avons faim.
            **Mangez un sandwich.**

*1.* Nous avons soif.

_____

*2.* Nous avons sommeil.

_____

*3.* Nous avons chaud.

_____

*4.* Nous avons froid.

_____

*5.* Nous n'avons pas de devoirs.

_____

*6.* Nous n'avons pas classe aujourd'hui.

_____

7. Nous ne comprenons pas le travail.

_____

*8.* Nous ne pouvons pas conduire en ville.

_____

### EXERCICE M

*Vous faites des suggestions à vos amis. Utilisez les expressions entre parenthèses pour exprimer ce que vous leur dites.*

EXEMPLE:    MARK: J'ai oublié de copier les devoirs.
            VOUS: *(téléphoner à Étienne)* **Téléphone** à Étienne.

*1.* SOPHIE:        Le gâteau que tu as préparé est sensationnel.

VOUS:        *(prendre un autre morceau)* _____

*2.* ROBERT:        J'ai enfin mon permis de conduire!

VOUS:        *(ne pas conduire trop vite)* _____

*3.* MARTIN:        Je voudrais sortir avec Victoire.

VOUS:        *(ne pas être trop optimiste)* _____

*4.* LISE:        J'ai envie de visiter Paris.

VOUS:        *(aller en France au printemps)* _____

*5.* ANNE:        Je ne sais pas où ranger ces papiers.

VOUS:        *(acheter un classeur)* _____

*6.* CHRISTOPHE:        J'ai une entrevue pour un job cet après-midi.

VOUS:        *(avoir confiance)* _____

*7.* CLAIRE:        Il gèle et j'ai peur de tomber.

VOUS:        *(ne pas courir)* _____

*8.* ROGER:        J'ai la grippe.

VOUS:        *(ne pas venir chez moi ce soir)* _____

## EXERCICE N

*Lisez les affirmations suivantes et écrivez les conseils que vous donneriez à chaque personne.*

*1.* Jacques ne sait pas faire la cuisine et il a très faim.

_____

*2.* Roland a de très mauvaises notes en anglais.

_____

*3.* Virginie a envie d'acheter une robe très chère mais elle n'a pas assez d'argent.

_____

*4.* Lisette a peur des chiens.

_____

*5.* Paul ne sait pas quoi acheter pour sa petite amie comme cadeau d'anniversaire.

_____

**6.** Il neige dehors et Emmanuelle ne sait pas quoi faire.

---

## EXERCICE O

*Lisez cette recette et choisissez la meilleur réponse à la question.*

Dans une grande casserole, faites chauffer de l'huile d'olive. Assaisonnez le bœuf avec du sel et du poivre. Mettez-le dans la casserole et faites cuire pendant huit minutes. Ajoutez les oignons et les carottes. Couvrez la casserole et faites cuire pendant cinq minutes. Ajoutez du vin et baissez le feu. Couvrez et laissez mijoter pendant deux heures.

*Qu'est-ce que vous préparez? Tracez un cercle autour de la lettre qui convient.*

*a.* une salade

*b.* un dessert

*c.* un hors-d'œuvre

*d.* un ragoût

## EXERCICE P

*Écrivez un email à un ami et dites-lui ce qu'il doit et ne doit pas faire quand il visite la France.*

## EXERCICE Q

*Écoutez les instructions suivantes et tracez un cercle autour du dessin qui correspond à ce que votre professeur vous dit de faire.*

**1.**

**2.**

**3.**

**4.**

**5.**

# Chapter 5
## *Passé composé* of Verbs Conjugated with *avoir*

The *passé composé* is used to narrate an action or event completed in the past.

## [ 1 ] REGULAR VERBS

The *passé composé* is formed by combining the present tense of the helping verb *avoir* (to have) and the past participle of the verb.

| **parler**   *to speak* | **choisir**   *to choose* | **attendre**   *to wait* |
|---|---|---|
| *I spoke, I have spoken* | *I chose, I have chosen* | *I waited, I have waited* |
| j' *ai* parlé<br>tu *as* parlé<br>il / elle *a* parlé<br>nous *avons* parlé<br>vous *avez* parlé<br>ils / elles *ont* parlé | j' *ai* choisi<br>tu *as* choisi<br>il / elle *a* choisi<br>nous *avons* choisi<br>vous *avez* choisi<br>ils / elles *ont* choisi | j' *ai* attendu<br>tu *as* attendu<br>il / elle *a* attendu<br>nous *avons* attendu<br>vous *avez* attendu<br>ils / elles *ont* attendu |

NOTES:

1. The past participle of regular verbs is formed by dropping the infinitive endings and adding *-é* for *-er* verbs, *-i* for *-ir* verbs, and *-u* for *-re* verbs.

   | | |
   |---|---|
   | Il a commenc**é** à pleurer. | *He began to cry.* |
   | Tu as fini tes devoirs. | *You finished your homework.* |
   | J'ai perd**u** ton livre. | *I lost your book.* |

2. In a negative sentence in the *passé composé*, *ne* precedes and *pas* follows the helping verb.

   | | |
   |---|---|
   | Il **n'a pas** encore **réussi.** | *He has not succeeded yet.* |
   | Elle **n'a pas déménagé.** | *She hasn't moved.* |

3. In an interrogative sentence in the *passé composé*, the subject pronoun and the helping verb are inverted.

   | | |
   |---|---|
   | **As-tu changé** d'opinion? | *Have you changed your mind?* |
   | Le chien **a-t-il chassé** le chat? | *Did the dog chase the cat?* |

4. In a negative interrogative sentence in the *passé composé*, *ne* and *pas* surround the inverted helping verb and the subject pronoun.

   | | |
   |---|---|
   | **N'avez-vous pas fini?** | *Haven't you finished?* |
   | Claude **n'a-t-il pas répondu?** | *Didn't Claude answer?* |

5. Interrogative sentences can also be formed without inversion, using either *est-ce que* or simple intonation, especially in conversations.

   | | |
   |---|---|
   | Tu as changé d'opinion? | *Have you changed your mind?* |
   | Tu n'as pas changé d'opinion? | *Haven't you changed your mind* |
   | Est-ce qu'il a bien travaillé? | *Has he worked well?* |
   | Est-ce qu'il n'a pas bien travaillé? | *Hasn't he worked well?* |

## EXERCICE A

*La boum de Gabrielle a lieu ce soir. Exprimez comment ces personnes ont aidé Gabrielle.*

|   |   |   |
|---|---|---|
| acheter les boissons | envoyer les invitations | préparer des sandwiches |
| arranger les fleurs | inviter des copains | ranger le salon |
| enregistrer des cassettes | organiser des jeux | téléphoner à des amis |

EXEMPLE:    Claire **a rangé** le salon.

*1.* Tu _____ .

*2.* Louis et moi _____ .

*3.* Je _____ .

*4.* Denis _____ .

*5.* Vous _____ .

*6.* Charlotte _____ .

*7.* Ninon et Inès _____ .

*8.* Gabin et Paul _____ .

## EXERCICE B

*Exprimez ce que chaque personne a fait au mariage de Philippe et de Brigitte Bonnet.*

|   |   |   |   |
|---|---|---|---|
| applaudir | finir | nourrir | rougir |
| choisir | garnir | remplir | |

EXEMPLE:    Madame Malon a **rougi.**

*1.* J' _____ l'orchestre.

**2.** Vous _____ les cygnes *(swans)*.

**3.** Nous _____ des fleurs roses.

**4.** Ils _____ de manger en même temps.

**5.** Le pâtissier _____ le gâteau.

**6.** Tu _____ les coupes de glace à la vanille.

## EXERCICE C

*Exprimez ce qui est arrivé en classe hier.*

EXEMPLE:    le professeur / rompre sa promesse de ne pas donner d'exercices de grammaire
Le professeur **a rompu** sa promesse de ne pas donner d'exercices de grammaire.

**1.** vous / interrompre le professeur

_____

**2.** le professeur / rendre les devoirs

_____

**3.** les filles / répondre correctement à toutes les questions

_____

**4.** je / défendre mes idées

_____

**5.** tu / perdre ton cahier

_____

**6.** nous / entendre des chansons de Louisiane

_____

## EXERCICE D

*Hier, ces personnes ont perdu quelque chose d'important. Exprimez comment chaque personne a réagi.*

**1.** *(réussir)* J' _____ à ne pas m'énerver *(to get annoyed)*.

**2.** *(téléphoner)* Les Goncourt _____ à la police.

**3.** *(perdre)* Nous _____ patience.

**4.** *(agir)* Nous _____ immédiatement.

**5.** *(pousser)* Tu _____ un cri de désespoir.

**6.** *(finir)* Daniel et Guillaume _____ tranquillement leur promenade.

**7.** *(commencer)* Emma et moi, nous _____ à pleurer.

**8.** *(avertir)* Mme Michaud _____ son mari.

**9.** *(attendre)* Suzanne et vous _____ la réponse de la police.

## EXERCICE E

*Regardez cette liste de choses que votre mère vous a demandé de faire. Exprimez ce que vous avez déjà fait et ce que vous n'avez pas encore fait.*

> ✔ *ranger la chambre*
> *tondre la pelouse*
> ✔ *commencer à faire les devoirs*
> *répondre au courrier*
> *envoyer le paquet à la poste*
> *nettoyer le salon*
> ✔ *payer la note du magasin*
> ✔ *acheter le matériel scolaire*
> *remplir le questionnaire pour l'université*
> ✔ *pratiquer le piano*

EXEMPLES: **J'ai déjà rangé** la chambre.
**Je n'ai pas encore tondu** la pelouse.

1. _____

2. _____

3. _____

4. _____

5. _____

6. _____

7. _____

8. _____

## EXERCICE F

*Vos ami(e)s et vous avez participé à un débat, mais vous avez perdu. Répondez négativement aux questions de votre professeur.*

EXEMPLE: Avez-vous gagné le débat?
**Non, nous n'avons pas gagné** le débat.

1. As-tu réfléchi avant de répondre?

_____

2. Paul et Laurent ont-ils bien entendu les questions?

_____

**3.** Avez-vous défendu ces nouvelles idées?

_____

**4.** Est-ce que j'ai bien préparé l'équipe _(team)_ pour cette compétition?

_____

**5.** Charles a-t-il organisé ses idées?

_____

**6.** Avez-vous saisi chaque occasion de répondre?

_____

**7.** Danielle a-t-elle interrompu les autres?

_____

**8.** Avons-nous obéi à toutes les règles?

_____

**9.** Les filles ont-elles beaucoup participé?

_____

## EXERCICE G

_Votre famille est en train de déménager. Exprimez les questions de votre mère._

descendre tous les cartons
ficeler les boîtes
finir de vider les placards _(closets)_
nettoyer la cuisine
organiser le départ

perdre les clefs de la grande valise
remarquer un problème
remplir le coffre _(trunk)_ de la voiture
vider tous les tiroirs

EXEMPLE:    _(vous)_ **Avez-vous nettoyé** la cuisine?

**1.** _(je)_  _____ ?

**2.** _(nous)_  _____ ?

**3.** _(elles)_  _____ ?

**4.** _(il)_  _____ ?

**5.** _(vous)_  _____ ?

**6.** _(elle)_  _____ ?

**7.** _(tu)_  _____ ?

**8.** _(ils)_  _____ ?

## EXERCICE H

*Vos amis et vous parlez de ce qui est arrivé pendant l'été. Exécutez ce dialogue avec un(e) camarade de classe.*

EXEMPLE:    Léa / jouer au golf *(oui) (non)*
**Est-ce que Léa a joué** au golf?
**Oui, elle a joué** au golf.
OU:    **Non, elle n'a pas joué** au golf.

**1.** Pauline et vous / perdre beaucoup de poids *(weight) (non)*

_____

_____

**2.** je / maigrir *(non)*

_____

_____

**3.** Thomas / correspondre avec son amie canadienne *(oui)*

_____

_____

**4.** Catherine et moi / grandir *(oui)*

_____

_____

**5.** Lily et Simon / travailler au supermarché *(non)*

_____

_____

**6.** tu / camper dans les bois *(oui)*

_____

_____

## EXERCICE I

*Un étudiant français visite votre classe. Posez-lui des questions sur ces Français célèbres. Utilisez la forme négative.*

EXEMPLE:    Degas / dessiner les scènes de ballet
Degas **n'a-t-il pas** dessiné les scènes de ballet?

**1.** Rodin / sculpter *Le Penseur*

_____

**2.** Voltaire et Rousseau / attaquer l'injustice sociale

_____

*3.* Pasteur / inventer la pasteurisation

_____

*4.* Richelieu / fonder l'Académie française

_____

*5.* Napoléon Bonaparte / vendre la Louisiane aux États-Unis

_____

*6.* Debussy et Berlioz / composer beaucoup d'opéras

_____

*7.* Jeanne d'Arc / réussir à chasser les Anglais d'Orléans

_____

*8.* Marquette et Joliet / descendre le Mississippi

_____

## [ 2 ] IRREGULAR VERBS CONJUGATED WITH *AVOIR*

The following verbs and verbs conjugated like them have irregular past participles.

**a.** Past participles ending in *-u*

| | | | | | |
|---|---|---|---|---|---|
| **avoir** | *to have* | eu | **lire** | *to read* | lu |
| **boire** | *to drink* | bu | **pleuvoir** | *to rain* | plu |
| **connaître** | *to know* | connu | **pouvoir** | *to be able to* | pu |
| **courir** | *to run* | couru | **recevoir** | *to receive* | reçu |
| **croire** | *to believe* | cru | **savoir** | *to know* | su |
| **devoir** | *to have to, to owe* | dû* | **voir** | *to see* | vu |
| **falloir** | *to be necessary* | fallu | **vouloir** | *to want* | voulu |

**b.** Past participles ending in *-is*

| | | | | | |
|---|---|---|---|---|---|
| **apprendre** | *to learn* | appris | **mettre** | *to put* | mis |
| **comprendre** | *to understand* | compris | **prendre** | *to take* | pris |

**c.** Past participles ending in *-it*

| | | | | | |
|---|---|---|---|---|---|
| **conduire** | *to drive* | conduit | **écrire** | *to write* | écrit |
| **dire** | *to say* | dit | | | |

**d.** Irregular past participles

| | | | | | |
|---|---|---|---|---|---|
| **être** | *to be* | été | **ouvrir** | *to open* | ouvert |
| **faire** | *to do* | fait | | | |

_____

*The following past participle forms of *devoir* do not take a circumflex accent: *due, dues, dus.*

## EXERCICE J

*Exprimez ce que ces personnes ont fait et n'ont pas fait hier.*

EXEMPLE:    elle *(regarder la télé / finir ses devoirs)*
           **Elle a regardé la télé. Elle n'a pas fini ses devoirs.**

1. vous *(courir au lycée / prendre le bus)*

   _____

   _____

2. elle *(boire une grande orangeade / avoir mal à l'estomac)*

   _____

   _____

3. nous *(conduire en ville / faire les courses)*

   _____

   _____

4. il *(être anxieux / pouvoir dormir)*

   _____

   _____

5. elles *(recevoir une mauvaise note / savoir les réponses au contrôle hier)*

   _____

   _____

6. je *(dire la vérité / écrire cette lettre)*

   _____

   _____

7. tu *(voir un joli pantalon / vouloir dépenser tant d'argent)*

   _____

   _____

8. ils *(ouvrir leurs parapluies / mettre leurs imperméables)*

   _____

   _____

9. je *(devoir étudier / lire mon magazine)*

   _____

   _____

10. vous *(croire votre camarade de classe / apprendre le poème)*

    _____

    _____

## EXERCICE K

*Complétez l'histoire d'Albert avec le passé composé du verbe entre parenthèses.*

Hier il _____ . À huit heures précises du matin j' _____
        *1.* (pleuvoir)                                                                                      *2.* (avoir)

un coup de téléphone. J' _____ immédiatement la voix du directeur de
                    *3.* (reconnaître)

mon école. Il m' _____ de venir tout de suite. J' _____ un
            *4.* (dire)                                                            *5.* (boire)

verre de jus d'orange et j' _____ du pain grillé en vitesse.
                        *6.* (prendre)

J'_____ mon imperméable et j' _____ vers ma voiture.
    *7.* (mettre)                                              *8.* (courir)

J' _____ à l'école. J' _____ la route en un quart d'heure.
        *9.* (conduire)                            *10.* (faire)

Aussitôt arrivé, j' _____ le directeur dans le couloir. Il m' _____
                    *11.* (voir)                                                              *12.* (donner)

une lettre du doyen de l'université de Paris. J' _____ l'enveloppe
                                            *13.* (ouvrir)

et j' _____ la lettre. J' _____ une bourse *(grant)* de 2.000
        *14.* (lire)                        *15.* (recevoir)

euros! Je ne l' _____ pas _____ . J' _____ sauter en l'air.
            *16.* (croire)                    *17.* (vouloir)

Je n' _____ pas _____ contenir ma joie. J' _____ vraiment stupéfait.
        *18.* (pouvoir)                                  *19.* (être)

J' _____ tout de suite écrire une lettre d'acceptation.
    *20.* (devoir)

## EXERCICE L

*Posez les questions suivantes à un(e) camarade et notez ses réponses.*

EXEMPLE:    courir dans le marathon
            **As-tu couru** dans le marathon?
            **Oui, j'ai couru** dans le marathon.
    *OU:*    **Non, je n'ai pas couru** dans le marathon.

*1.* être à la plage ce week-end

_____

_____

*2.* prendre l'autobus pour aller à l'école

_____

_____

**3.** faire les courses en ville

_____

_____

**4.** voir le nouveau film au cinéma Miramar

_____

_____

**5.** ouvrir le cadeau de ton frère

_____

_____

**6.** lire *L'Étranger* d'Albert Camus

_____

_____

# [ 3 ]   AGREEMENT OF PAST PARTICIPLES

Past participles of verbs conjugated with avoir agree in gender and number with a preceding direct object. This preceding direct object can be a noun or a pronoun.

| | |
|---|---|
| **Quelle voiture** as-tu conduite? | *Which car did you drive?* |
| Combien de **films** avez-vous vus? | *How many films did you see?* |
| J'ai pris **cette photo** et je l'ai montrée à ma famille. | *I took this picture and I showed it to my family* |
| **Les chemises?** Non, il ne **les** a pas essayées. | *The shirts? No, he didn't try them on.* |
| Il **nous** a vus, **Paul et moi.** | *He saw us, Paul and me* |
| Regarde **les fleurs qu'**elle a reçues. | *Look at the flowers she received.* |
| Voici **les poèmes que** j'ai écrits. | *Here are the poems I wrote.* |
| Nous avons écouté deux **chansons.** **Laquelle** as-tu préférée? | *We have heard two songs. Which one did you prefer?* |
| Lequel as-tu choisi parmi tous ces livres? | *Which one did you choose among all those books?* |

NOTES:

1. **Past participles already ending in *-s* remain unchanged when preceded by a masculine plural direct object.**

| | |
|---|---|
| Il a pris **le livre.** Il **l'a** pris. | *He took the book. He took it.* |
| Il a pris **les livres.** Il les a pris. | *He took the books. He took them.* |

2. **There is no agreement of past participles with a preceding indirect object, or with any object placed after the verb, or with the pronoun *en*.**

| | |
|---|---|
| J'ai parlé **à Nancy.** Je **lui** ai parlé. | *I spoke to Nancy. I spoke to her.* |

Il a téléphoné **aux filles Il leur** a téléphoné.     *He called the girls. He called them.*

Elle a préparé **des sandwichs.**     *She prepared some sandwiches*
Elle **en** a préparé.     *She prepared some.*

## EXERCICE M

*La famille Nalet a préparé un grand dîner pour célébrer Noël. Exprimez ce que chaque personne dit.*

EXEMPLE:    voici les cadeaux / le Père Noël / apporter
            Voici les cadeaux **que** le Père Noël **a apportés.**

*1.* voici les gâteaux / maman / faire

_____

*2.* montre-moi le poulet / tu / rôtir

_____

*3.* je n'ai pas vu les photos /Gaspard / prendre

_____

*4.* regarde la boîte de chocolats / papa / ouvrir

_____

*5.* as-tu goûté les desserts / Louis / préparer

_____

*6.* je vous raconte les nouvelles /je / entendre

_____

*7.* on parle des vêtements /Valérie / mettre

_____

*8.* où est la lettre /Arthur / écrire au Père Noël

_____

## EXERCICE N

*Vous quittez les États-Unis pour aller faire un stage en France. Répondez aux questions qu'un voisin curieux vous pose.*

EXEMPLE:    As-tu rangé tes affaires? *(oui) (non)*
            **Oui, je les ai rangées**
   OU:   **Non, je ne les ai pas rangées.**

*1.* As-tu vendu la maison? *(non)*

_____

*2.* As-tu averti les professeurs? *(oui)*

_____

**3.** As-tu acheté le billet d'avion? *(oui)*

_____

**4.** As-tu reçu les documents nécessaires? *(oui)*

_____

**5.** As-tu loué la villa de Mme Charpentier? *(non)*

_____

**6.** As-tu fait les réservations d'hôtel? *(non)*

_____

**7.** As-tu pris les adresses de tes amis? *(oui)*

_____

**8.** As-tu fini le livre de français? *(non)*

_____

## EXERCICE O

*Hier vous avez fait un grand effort pour aider tout le monde. Exprimez ce que vous avez fait.*

EXEMPLE:    Votre tante a oublié de préparer le dîner.
*(le cuisiner pour elle)*
**Je l'ai cuisiné pour elle.**

**1.** Votre cousine a fêté son anniversaire.

*(lui envoyer une carte)*

_____

**2.** Votre sœur a eu une entrevue pour un emploi.

*(la conduire en ville)*

_____

**3.** Vos parents ont dû faire le ménage.

*(les aider)*

_____

**4.** Vos amis n'ont pas compris la leçon de maths.

*(leur expliquer comment faire les exercices)*

_____

**5.** Votre amie a préparé son premier gâteau.

*(en goûter un morceau)*

_____

**6.** Votre cousin a perdu ses clefs dans le jardin.

*(les chercher avec lui)*

_____

**7.** Votre frère a cassé son jouet.

*(le réparer)*

_____

**8.** Votre amie a oublié son portefeuille *(wallet)*.

*(lui prêter de l'argent)*

_____

## EXERCICE P

*Complétez le récit (story) d'une aventure de nos amis parisiens en mettant les verbes au passé composé*

**1.** Samedi dernier Delphine *(téléphoner)* _____ à son amie Sophie. Elle lui *(demander)*

_____ de venir tout de suite.

**2.** Elle lui *(dire)* _____ bonjour et elle l' *(embrasser)* _____

sur les deux joues.

**3.** «Écoute! J' *(parler)* _____ avec Catherine. Ses cousins américains lui font une

visite. Ils veulent rencontrer des étudiants français. Je les *(inviter)* _____ à une

boum demain. Mes parents m' *(permettre)* _____ de le faire. Aide-moi!»

**4.** Sophie l' *(aider)* _____ ssans hésitation.

**5.** D'abord les filles *(appeler)* _____ six camarades de classe et leur *(demander)*

_____ d'inviter chacun un ou une autre camarade.

**6.** Ensuite elles *(préparer)* _____ leur fameux gâteau. Elles *(faire)*

_____ une salade de fruits et une crème à la vanille. Elles les *(goûter)*

_____ et les *(trouver)* _____ très bonnes.

**7.** Puis elles *(arranger)* _____ l'appartement. Le salon et la salle de séjour, elles les

*(ranger)* _____ . Les tapis, elles les *(rouler)* _____ . Les fleurs

qu'elles *(choisir)* _____ , elles les *(mettre)* _____ sur la table.

Les objets fragiles, elles les *(placer)* _____ dans une autre pièce.

**8.** Finalement elles *(acheter)* _____ du saucisson, du fromage et du pain. Elles

*(préparer)* _____ des petits sandwiches avec les produits qu'elles *(acheter)*

_____ et elles les *(arranger)* _____ sur un plat.

**9.** Enfin elles *(attendre)* _____ leurs invités.

## M A S T E R Y   E X E R C I S E S

## EXERCICE Q

*Lisez les situations données et dites ce que ces personnes ont fait ou n'ont pas fait.*

EXEMPLE:     Éric a eu faim. *(faire ses devoirs / manger quelque chose)*
**Il n'a pas fait ses devoirs. Il a mangé quelque chose.**

**1.** M. Hubert a eu mal à la tête. *(prendre de l'aspirine /pouvoir lire le journal)*

_____

**2.** Pierre a été en retard. *(marcher lentement /conduire sa voiture)*

_____

**3.** J'ai remarqué qu'il faisait beau. *(ouvrir les fenêtres /mettre mon manteau d'hiver)*

_____

_____

**4.** Nous avons beaucoup étudié pour notre examen de science. *(recevoir de bonnes notes / rater l'examen)*

_____

**5.** Vous avez donné une mauvaise réponse à une question. *(réfléchir / faire une faute)*

_____

**6.** Les filles ont eu très sommeil. *(dormir / apprendre la leçon)*

_____

## EXERCICE R

*Demandez à un camarade de classe s'il a fait les choses suivantes la semaine dernière et notez ses réponses.*

EXEMPLE:     jouer au tennis
**As-tu joué** au tennis?
**Oui, j'ai joué** au tennis.
OU:   **Non, je n'ai pas joué** au tennis

**1.** correspondre avec un ami étranger

_____

_____

*2.* lire le nouveau roman de science-fiction

_____

_____

*3.* être malade

_____

_____

*4.* jouer avec l'ordinateur

_____

_____

*5.* recevoir la carte postale d'un ami en vacances

_____

_____

*6.* obéir aux parents

_____

_____

*7.* acheter de nouveaux vêtements

_____

_____

*8.* célébrer l'anniversaire d'une amie

_____

_____

## EXERCICE S

*Écoutez les questions et choisissez la réponse correcte. Tracez un cercle autour de la lettre qui convient.*

1.   *a.* J'ai beaucoup dormi.
     *b.* Je n'ai pas fait mes devoirs.
     *c.* J'ai écouté attentivement en classe.

2.   *a.* Dans ma chambre.
     *b.* Dans mon portefeuille.
     *c.* Dans ma tasse.

3.   *a.* De l'eau.
     *b.* Du fromage.
     *c.* Du gâteau.

**4.** *a.* Demain.
   *b.* La semaine prochaine.
   *c.* Jeudi.

**5.** *a.* Mes copains.
   *b.* La salle de classe.
   *c.* Un taxi.

**6.** *a.* J'ai fait le ménage.
   *b.* J'ai joué dans la cours.
   *c.* J'ai beaucoup étudié.

# Chapter 6
## *Passé composé* of Verbs Conjugated with *être*

## [ 1 ]  VERBS CONJUGATED WITH *ÊTRE*

Sixteen common verbs use the helping verb *être* instead of *avoir*. Their *passé composé* is formed by combining the present tense of *être* and the past participle of the verb. Most of these verbs express motion or a change of place, state, or condition.

| INFINITIVE | | PAST PARTICIPLE | INFINITIVE | | PAST PARTICIPLE |
|---|---|---|---|---|---|
| **aller** | *to go* | *allé* | **tomber** | *to fall* | *tombé* |
| **venir** | *to come* | *venu* | | | |
| | | | **rester** | *to stay, remain* | *resté* |
| **arriver** | *to arrive* | *arrivé* | **devenir** | *to become* | *devenu* |
| **partir** | *to leave, go away* | *parti* | | | |
| | | | **revenir** | *to come back* | *revenu* |
| **entrer** | *to enter* | *entré* | **retourner** | *to go back* | *retourné* |
| **sortir** | *to go out, leave* | *sorti* | **rentrer** | *to go in again, return* | *rentré* |
| | | | | | |
| **monter** | *to go up, come up* | *monté* | **naître** | *to be born* | *né* |
| **descendre** | *to go (come) down* | *descendu* | **mourir** | *to die* | *mort* |

## [ 2 ]  AGREEMENT

Past participles of verbs conjugated with *être* agree in gender (masculine or feminine) and number (singular or plural) with the subject.

| MASCULINE SUBJECTS | FEMININE SUBJECTS | |
|---|---|---|
| **je suis arrivé** | **je suis arrivée** | *I arrived, have arrived* |
| **tu es arrivé** | **tu es arrivée** | *you arrived, have arrived* |
| **il est arrivé** | **elle est arrivée** | *he / she arrived, has arrived* |
| **nous sommes arrivés** | **nous sommes arrivées** | *we arrived, have arrived* |
| **vous êtes arrivé(s)** | **vous êtes arrivée(s)** | *you arrived, have arrived* |
| **ils sont arrivés** | **elles sont arrivées** | *they arrived, have arrived* |

| | |
|---|---|
| Elles sont sorties. | *They went out.* |
| Marie est née en avril. | *Marie was born in April.* |
| Jacques et Claudine sont arrivés. | *Jacques and Claudine have arrived.* |

NOTE:  The interrogative, negative, and negative interrogative forms of the *passé compose* of verbs conjugated with *être* follow the same rules as verbs conjugated with *avoir*.

**Est-ce qu'elle est** revenue?

**Elle est revenue?**  }  *Did she come back?*

**Est-elle** revenue?

Elle **n'**est **pas** revenue.                    *She didn't come back.*

**Est-ce qu'elle n'est pas** revenue? ⎫
**Elle n'est pas** revenue?            ⎬   *Didn't she come back?*
**N'**est**-elle pas** revenue?        ⎭

## EXERCICE A

*Exprimez comment chaque personne est arrivée à Nice.*

EXEMPLE:    Claire **est arrivée en taxi.**

**1.** Gisèle et Anne _____.

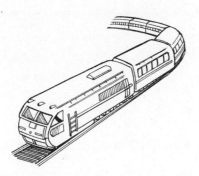

**2.** Chantal _____.

**3.** Roland et vous _____.

**4.** Je _____ .

**5.** Carine et moi, nous _____ .

**6.** Hubert et Alain _____ .

**7.** Yves _____ .

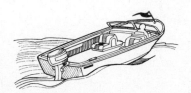

**8.** Tu _____ .

## EXERCICE B

*Exprimez à quelle heure les personnes suivantes sont parties de la boum de Marie.*

EXEMPLE:    je / 11h
Je **suis parti**(**e**) à onze heures.

*1.* vous / 11h30

_____

*2.* Laurent et Bernard / minuit

_____

*3.* tu / 11h25

_____

*4.* Aimée et Sophie / 12h15

_____

*5.* je / 12h30

_____

*6.* nous / 1h

_____

*7.* Arianne / 1h15

_____

*8.* Christine et moi / 12h30

_____

## EXERCICE C

*Exprimez ce que ces anciens élèves du lycée Jean Bart sont devenus.*

EXEMPLE:    Rémi / artiste
Rémi **est devenu** artiste.

*1.* Nicole / médecin

_____

*2.* Alice et moi / architectes

_____

*3.* tu / avocate

_____

*4.* Patrick et Régis / plombiers

_____

**5.** je / mécanicien(ne)

_____

**6.** Joséphine / programmeuse

_____

**7.** vous / électriciens

_____

**8.** Robert / professeur

_____

## EXERCICE D

_En vous servant des suggestions données, exprimez comment les personnes suivantes ont réagi quand elles se sont senties malades._

| | |
|---|---|
| aller chez le docteur | rester à la maison |
| devenir anxieux (anxieuse) | revenir plus tôt |
| monter dans sa chambre | sortir prendre l'air |
| partir du bureau de bonne heure | venir à l'hôpital |
| rentrer à la maison | |

EXEMPLE:    Mme Evans **est rentrée** à la maison.

**1.** Mme Dubin _____ .

**2.** Tu _____ .

**3.** Raymond et David _____ .

**4.** Vous _____ .

**5.** Je _____ .

**6.** Les filles Lascaux _____ .

**7.** Delphine et moi, nous _____ .

**8.** Roland _____ .

## EXERCICE E

_Les commérages **(gossip)** au bureau intéressent tout le monde. Exprimez ce qui n'est pas arrivé dans ce bureau._

EXEMPLE:    M. Patrick / sortir avec Mlle Forchet
            M. Patrick **n'est pas sorti** avec Mlle Forchet.

**1.** Lola / arriver à l'heure hier

_____

**2.** Vincent et vous / devenir copains

_____

**3.** tu / descendre parler au directeur

_____

**4.** Tom / tomber amoureux de Sarah

_____

**5.** les filles / revenir de leur voyage d'affaires

_____

**6.** nous / partir avant cinq heures

_____

**7.** je / rester tard le soir

_____

**8.** les garçons / monter parler à la secrétaire du directeur

_____

## EXERCICE F

*Vous posez des questions à votre oncle sur son passé. Exprimez vos questions et ses réponses.*

EXEMPLE:      aller au Canada *(oui) (non)*
              VOUS:            **Es-tu allé** au Canada?
              VOTRE ONCLE: **Oui, je suis allé** au Canada.
      *OU:*    VOTRE ONCLE: **Non, je ne suis pas allé** au Canada.

**1.** naître en France *(oui)*

   VOUS: _____

   VOTRE ONCLE: _____

**2.** rester longtemps en France *(non)*

   VOUS: _____

   VOTRE ONCLE: _____

**3.** devenir ingénieur *(oui)*

   VOUS: _____

   VOTRE ONCLE: _____

**4.** tomber amoureux de Tante Mireille tout de suite *(non)*

   VOUS: _____

   VOTRE ONCLE: _____

**5.** partir pendant la guerre *(oui)*

VOUS: _____

VOTRE ONCLE: _____

**6.** venir au Canada avec toute la famille *(non)*

VOUS: _____

VOTRE ONCLE: _____

**7.** arriver en bateau *(non)*

VOUS: _____

VOTRE ONCLE: _____

**8.** rentrer en France *(oui)*

VOUS: _____

VOTRE ONCLE: _____

## EXERCICE G

*Vous discutez avec vos amis d'une excursion que la classe a faite. Vous n'êtes pas sûr(e) de certains détails. Exprimez vos questions en employant* **est-ce que.**

EXEMPLE:   tu / rester avec Sharif
          **Est-ce que tu n'es pas resté(e)** avec Sharif?

**1.** nous / rester au restaurant pendant deux heures

_____

**2.** vous / arriver en retard

_____

**3.** Hélène et Josette / partir avant les autres

_____

**4.** Romain / sortir pour téléphoner à ses parents

_____

**5.** tu / tomber dans le couloir

_____

**6.** Julien et Paul / monter au deuxième étage

_____

**7.** Lucie / venir avec ses cousins

_____

## [ 3 ]   SPECIAL VERBS

The following verbs are conjugated with *avoir* instead of *être* when these verbs have a direct object. Note the differences in meanings.

| | | | |
|---|---|---|---|
| **descendre** | *to bring down* | **sortir** | *to take out* |
| **monter** | *to bring up* | | |

| | |
|---|---|
| Il est descendu de l'avion. | *He got off the plane.* |
| Il a descendu ses bagages. | *He took down his luggage.* |
| Il a descendu l'escalier. | *He went downstairs.* |
| | |
| Elle est montée chez elle. | *She went up to her place.* |
| Elle a monté ses paquets. | *She brought up her packages.* |
| Elle a monté l'escalier. | *She went upstairs.* |
| | |
| Je suis sorti(e) avec mon ami. | *I went out with my friend.* |
| J'ai sorti les clefs de ma voiture. | *I took out my car keys.* |

## EXERCICE H

*Exprimez ce que Jacqueline et Danielle ont fait hier.*

**1.** *(descendre)* Elles _____ de leur chambre à neuf heures.

**2.** *(monter)* Elles _____ les cartons au grenier *(attic).*

**3.** *(sortir)* Elles _____ ensemble déjeuner.

**4.** *(descendre)* Elles _____ leur lessive *(laundry)* avant de partir.

**5.** *(monter)* Elles _____ rendre visite à la vieille dame.

**6.** *(sortir)* Elles _____ le chien.

**7.** *(monter)* Elles _____ les achats de Madame Paquin.

## M A S T E R Y   E X E R C I S E S

## EXERCICE I

*Complétez les phrases ci-dessous en écrivant ce que vous avez fait.*

EXEMPLE:   Le week-end passé, **je suis resté(e)** à la maison.

**1.** Le week-end passé, _____.

**2.** Hier soir, _____.

**3.** Lundi dernier, _____.

4. Ce matin à 7h30, _____.

5. Hier après-midi, _____.

6. Avant-hier, _____.

7. La semaine passée, _____.

8. L'été passé, _____.

## EXERCICE J

*Exprimez ce que ces personnes ont fait ou n'ont pas fait hier.*

EXEMPLES:   nous /jouer au golf *(oui)*
            **Nous avons joué** au golf.

            vous / rester à la maison *(non)*
            **Vous n'êtes pas resté(e)(s)** à la maison.

1. vous / aller à la bibliothèque *(oui)*

   _____

2. Laurent / faire la vaisselle *(non)*

   _____

3. Georges et moi / sortir avec des copains *(non)*

   _____

4. je / lire un livre *(oui)*

   _____

5. Isabelle et Diane / arriver en retard au travail *(non)*

   _____

6. Pascal / écrire un poème *(oui)*

   _____

7. Charline et vous / être au cinéma *(non)*

   _____

8. nous / voir un film *(oui)*

   _____

9. Martin et Christophe / rentrer de bonne heure *(non)*

   _____

10. Laure / monter ranger sa chambre *(oui)*

    _____

## EXERCICE K

*Complétez les phrases en mettant les verbes entre parenthèses au passé composé.*

Enfin, le jour de la boum _____ ! Delphine et Sophie _____ tous
                              *1.* (arriver)                                        *2.* (finir)

les préparatifs. On _____ à la porte. Delphine _____ ouvrir.
                         *3.* (sonner)                              *4.* (aller)

Elle _____ «Qui est là?» Puis ses amis _____ dans l'appartement.
       *5.* (demander)                                      *6.* (entrer)

Isabelle _____ ses cousins américains. Delphine _____ le nom
           *7.* (presenter)                                           *8.* (dire)

de ses amis. Les Américains et les Français _____ amis très vite.
                                                  *9.* (devenir)

Ils _____ en mélangeant le français et l'anglais. Ils _____
      *10.* (parler)                                                      *11.* (bavarder)

longtemps. Ils _____ leurs vies et ils _____ des différences qui
                  *12.* (comparer)                         *13.* (trouver)

les _____ . Puis Delphine et Sophie _____ des boissons et des
      *14.* (intéresser)                                 *15.* (servir)

sandwichs. Tout le monde en _____ . Enfin, Sophie _____
                                 *16.* (prendre)                        *17.* (mettre)

une cassette. Elle _____ avec son copain Éric.
                       *18.* (danser)

## EXERCICE L

*Écoutez votre professeur et cochez si ces événements ont lieu au présent ou au passé.*

|     | PRÉSENT | PASSÉ |
|-----|---------|-------|
| *1.* |        |       |
| *2.* |        |       |
| *3.* |        |       |
| *4.* |        |       |
| *5.* |        |       |

6.

7.

8.

## EXERCICE M

*Vous interviewez un écrivain français qui rentre en France après avoir passé un mois aux États-Unis. Complétez cette liste avec six questions que vous lui posez sur son séjour* (stay).

**1.** _____

**2.** _____

**3.** _____

**4.** _____

**5.** _____

**6.** _____

## EXERCICE N

*Écrivez un email à un(e) ami(e) et expliquez ce que vous avez fait pendant le week-end dernier.*

# Chapter 7
# Imperfect Tense

## [ 1 ] REGULAR VERBS

The imperfect tense *(l'imparfait)* of regular verbs is formed by dropping the *-ons* ending of the *nous* form of the present tense and adding the imperfect tense endings *-ais, -ais, -ait, ions, -iez, -aient.*

| parler   *to speak* | choisir   *to choose* | attendre   *to wait* |
|---|---|---|
| *I spoke* <br> *I was speaking* <br> *I used to speak* | *I chose* <br> *I was choosing* <br> *I used to choose* | *I waited* <br> *I was waiting* <br> *I used to wait* |
| **nous parlons** | **nous choisissons** | **nous attendons** |
| je parlais <br> tu parlais <br> il/elle parlait <br> nous parlions <br> vous parliez <br> ils/elles parlaient | je choisissais <br> tu choisissais <br> il/elle choisissait <br> nous choisissions <br> vous choisissiez <br> ils/elles choisissaient | j' attendais <br> tu attendais <br> il/elle attendait <br> nous attendions <br> vous attendiez <br> ils/elles attendaient |

Quand il **faisait** beau, nous **marchions** dans les bois.

*When the weather was good, we used to walk in the woods.*

NOTES:

1.  Verbs ending in *-ions* in the present indicative have forms ending in *-iions* and *-iiez* in the imperfect: *nous étudiions, vous étudiiez.*

2.  Negative, interrogative, and negative interrogative constructions in the imperfect follow the same rules as for the present tense.

| | |
|---|---|
| Il ne faisait pas beau. | *The weather wasn't nice.* |
| Il faisait beau? | *Was the weather nice?* |
| Faisait-il beau? | *Was the weather nice?* |
| Est-ce qu'il faisait beau? | *Was the weather nice?* |
| Ne faisait-il pas beau? | *Wasn't the weather nice?* |
| Est-ce qu'il ne faisait pas beau? | *Wasn't the weather nice?* |
| Il ne faisait pas beau? | *The weather wasn't nice?* |

## EXERCICE A

*Exprimez ce que les personnes suivantes aimaient faire il y a plusieurs années.*

| | | |
|---|---|---|
| camper au bord de la mer | jouer au basket | patiner |
| écouter de la musique | monter à cheval | piloter un avion |
| étudier l'informatique | | |

EXEMPLE:   Alan **patinait.**

1. Denis et moi _____ .

2. Margot et Jeanne _____ .

3. Je _____ .

4. Vous _____ .

5. Tu _____ .

6. Bette _____ .

## EXERCICE B

*Exprimez ce que ces personnes avaient l'habitude de faire quand elles étaient plus jeunes.*

EXEMPLE:    Frédéric Sélat réussit à tous ses examens.
            Frédéric Sélat **réussissait** à tous ses examens.

1. Benoît et moi, nous bâtissons des châteaux de sable chaque été.

   _____

2. Je rôtis des châtaignes *(chestnuts)* aux fêtes de fin d'année.

   _____

3. Vous désobéissez tout le temps à vos parents.

   _____

4. Suzanne saisit toujours l'occasion de faire de bonnes actions.

   _____

5. Robert et Juliette choisissent de passer le week-end à la plage.

   _____

6. Tu réfléchis longtemps avant d'agir.

   _____

## EXERCICE C

*Exprimez ce que ces personnes étaient en train de faire au marché hier.*

EXEMPLE:    *(perdre)* M. Menard **perdait** patience.

1. *(attendre)* Tu _____ les clients.

2. *(interrompre)* Fernand _____ son travail pour bavarder avec les clients.

3. *(vendre)* Je _____ des vêtements.

**4.** *(défendre)* Vous _____ vos prix.

**5.** *(répondre)* Agathe et moi, nous _____ à beaucoup de questions.

**6.** *(rendre)* Julie et Gabrielle _____ la monnaie à Mme Lee.

## EXERCICE D

*Exprimez les souvenirs de jeunesse des personnes suivantes.*

EXEMPLE:    Luc / marcher trois kilomètres pour aller à l'école.
            Luc **marchait** trois kilomètres pour aller à l'école.

**1.** Sandrine / raconter des histoires effrayantes

_____

**2.** je / perdre souvent mon calme

_____

**3.** Aude et moi / rougir facilement

_____

**4.** elles / rompre souvent leurs promesses

_____

**5.** vous / étudier tout le temps

_____

**6.** nous / obéir à tous les règlements

_____

**7.** Thérèse et Jean / attendre toujours le bon moment pour parler

_____

**8.** tu / réagir toujours avec calme aux problèmes

_____

**9.** il / écouter ses professeurs avec attention

_____

## [ 2 ] SPELLING CHANGES IN CERTAIN *-ER* VERBS

**a.** Verbs ending in *-cer* change *c* to *ç* before *a* to keep the soft *c* sound.

commencer:   je commençais, tu commençais, il/elle commençait
             nous commencions, vous commenciez, ils/elles commençaient

**b.** Verbs ending in -*ger* insert mute *e* between *g* and *a* to keep the soft *g* sound.

nager:   je nageais, tu nageais, il/elle nageait
          nous nagions, vous nagiez, ils/elles nageaient

## EXERCICE E

*Vos amis et vous parlez de votre classe de latin et des farces* (jokes) *que vous aviez l'habitude de faire. Exprimez vos souvenirs.*

| avancer | lancer | prononcer |
|---------|--------|-----------|
| commencer | menacer | remplacer |
| effacer | placer | renoncer |

*1.* À neuf heures, la classe _____ et nous _____

aussitôt des boules de papier dans la classe.

*2.* Le professeur _____ de nous envoyer chez le directeur.

*3.* Après, le professeur _____ nos dessins sur le tableau.

*4.* Nous _____ vers la porte avant la fin du cours.

*5.* Vous _____ la craie par un crayon.

*6.* Tu _____ les livres du professeur dans la corbeille à papiers.

*7.* Mais souvent, on _____ à plaisanter et on

_____ les mots avec application pour faire plaisir au professeur.

## EXERCICE F

*Aidez-vous des suggestions pour exprimer ce que les personnes suivantes avaient l'habitude de faire.*

EXEMPLE:   Joël allait souvent à la plage. *(nager dans la mer)*
           Il **nageait** dans la mer.

*1.* Je jouais chaque jour de la trompette. *(déranger mon frère)*

_____

*2.* Vous quittiez souvent la France. *(voyager autour du monde)*

_____

*3.* Denis avait un frère jumeau *(twin)*. *(changer de place avec lui)*

_____

*4.* Tu étudiais la biologie. *(songer à devenir médecin)*

_____

**5.** Henri et Louis apprenaient l'espagnol et l'italien. *(mélanger les deux langues)*

_____

**6.** Mme Durand était directrice. *(diriger le lycée)*

_____

**7.** Nous étions très généreux. *(partager tout avec nos amis)*

_____

**8.** Les filles aimaient bien leur club. *(arranger des réunions chaque semaine)*

_____

## [ 3 ]   IMPERFECT OF IRREGULAR VERBS

The imperfect of irregular verbs, with few exceptions, is formed in the same way as the imperfect of regular verbs.

| INFINITIVE | PRESENT **nous** FORM | IMPERFECT |
|---|---|---|
| **aller**  *to go* | **allons** | j'allais, tu allais, il/elle allait<br>nous allions, vous alliez, ils/elles allaient |
| **avoir**  *to have* | **avons** | j'avais, tu avais, il/elle avait<br>nous avions, vous aviez, ils/elles avaient |
| **faire**  *to do, make* | **faisons** | je faisais, tu faisais, il/elle faisait<br>nous faisions, vous faisiez, ils/elles faisaient |
| **pouvoir**  *to be able to* | **pouvons** | je pouvais, tu pouvais, il/elle pouvait<br>nous pouvions, vous pouviez, ils/elles pouvaient |
| **venir**  *to come* | **venons** | je venais, tu venais, il/elle venait<br>nous venions, vous veniez, ils/elles venaient |
| **voir**  *to see* | **voyons** | je voyais, tu voyais, il/elle voyait<br>nous voyions, vous voyiez, ils/elles voyaient |

NOTES:

**1.** The imperfect forms of *être* (to be) are irregular.

j'étais, tu étais, il/elle était
nous étions, vous étiez, ils/elles étaient

**2.** The imperfect forms of *il faut* (it is necessary) and *il pleut* (it is raining) are:

il fallait       il pleuvait

## EXERCICE G

*Exprimez ce que ces personnes étaient en train de faire à deux heures hier après-midi.*

EXEMPLE:    Ils **étaient en train de manger.**

*1.* Ils _____ .

*2.* Vous _____ .

*3.* J' _____ .

*4.* Nous _____ .

**5.** Elle _____ .

**6.** Tu _____ .

## EXERCICE H

*Exprimez ce que vos amis et vous faisiez quand vous étiez à Paris l'année dernière.*

EXEMPLE:    Paul / vouloir aller partout tous les jours
            Paul **voulait aller** partout tous les jours.

**1.** je / dormir très peu

_____

**2.** Simon et Benjamin / boire du café au lait au petit déjeuner

_____

**3.** vous / écrire des cartes postales tous les jours

_____

**4.** tu / conduire trop vite

_____

**5.** Rosette et moi / lire des journaux français

_____

**6.** Gabrielle / prendre le métro chaque jour

_____

**7.** Éric / faire la sieste chaque après-midi

_____

**8.** Louis et Marc / préférer aller en autobus

_____

## [ 4 ] USES OF THE IMPERFECT

The imperfect tense expresses continuous, repeated, or habitual actions, events, or situations in the past. It is also used to describe circumstances surrounding a past action or event.

**a.** The imperfect is used to express what was happening, used to happen, or happened repeatedly in the past.

| | |
|---|---|
| Les enfants pleuraient. | *The children were crying.* |
| Les enfants pleuraient tous les jours. | *The children used to cry every day.* |
| Je voyageais en Europe chaque été. | *I used to travel in Europe every summer.* |
| Elle cuisinait tous les jours. | *She used to cook every day.* |

**b.** The imperfect is used to describe persons, things, or conditions in the past.

| | |
|---|---|
| Il était gentil. | *He was nice.* |
| La porte était fermée. | *The door was closed.* |
| Il faisait du vent. | *It was windy.* |

**c.** The imperfect expresses the day, the month, and the time of day in the past.

| | |
|---|---|
| C'était samedi. | *It was Saturday.* |
| C'était le mois de juin. | *It was June.* |
| Il était neuf heures. | *It was nine o'clock.* |

**d.** The imperfect expresses a physical or mental state or condition in progress in the past without indicating when it began or ended. The imperfect is often used with the verbs *aimer, croire, désirer, espérer, être, penser, pouvoir, préférer, regretter, savoir, vouloir,* and similar verbs.

| | |
|---|---|
| Je croyais (pensais, savais) que c'était urgent. | *I believed (thought, knew) that it was urgent.* |
| Elle voulait partir. | *She wanted to leave.* |
| Tu espérais gagner. | *You hoped to win.* |
| Ils préféraient voir un film d'action. | *They preferred to see an action movie.* |

**e.** The imperfect is used to describe a situation that was going on in the past when another action or event, expressed in the *passé composé,* occurred.

| | |
|---|---|
| Je quittais la maison quand le téléphone a sonné. | *I was leaving the house when the telephone rang.* |
| Elle portait des paquets quand elle est tombée. | *She was carrying packages when she fell.* |

**f.** The imperfect is used to express actions going on simultaneously in the past.

| | |
|---|---|
| Je regardais la télévision pendant que je faisais mes devoirs. | *I was watching television while I was doing my homework.* |

## EXERCICE I

*Exprimez ce que les membres de la famille Blanchet avaient l'habitude de faire le samedi.*

aller chez des parents ou des amis     faire une promenade en voiture
courir dans le parc     mettre des vêtements de sport
dormir jusqu'à midi     sortir dîner au restaurant
écrire des lettres

EXEMPLE:    Liliane **écrivait** des lettres.

*1.* M. et Mme Blanchet _____ .

*2.* Bernard _____ .

*3.* Colette et vous _____ .

*4.* Je _____ .

*5.* Georges et moi, nous _____ .

*6.* Tu _____ .

## EXERCICE J

*Caroline a photographié le pique-nique de la classe. Décrivez ce que vous voyez sur ses photos.*

EXEMPLE:    les oiseaux / voler
          Les oiseaux **volaient.**

*1.* il / commencer à faire du soleil

_____

*2.* le ciel / être bleu

_____

*3.* les garçons / courir après le ballon

_____

*4.* je / faire une partie de tennis avec Céleste

_____

*5.* nous / avoir chaud

_____

*6.* tu / manger un sandwich

_____

**7.** le professeur / finir de couper le gâteau

_____

**8.** Charles et vous / avoir l'air très sérieux

_____

## EXERCICE K

_Exprimez ce que chaque personne était en train de faire quand quelque chose est arrivé._

| | |
|---|---|
| lire un bon roman | un orage / éclater |
| faire les devoirs | François / appeler |
| écrire une lettre | des amis / venir |
| préparer un sandwich | le téléphone / sonner |
| quitter la maison | mon frère / tomber |
| prendre un bain | Régine / arriver à la maison |
| faire le ménage | Pierre / téléphoner |
| nager | le bébé / crier |
| répondre à une question | la pluie / commencer à tomber |

EXEMPLE:    Il **écrivait une lettre quand Pierre a téléphoné.**

**1.** Ils _____ .

**2.** Je _____ .

**3.** Vous _____ .

**4.** Il _____ .

**5.** Elles _____ .

**6.** Tu _____ .

**7.** Elle _____ .

**8.** Nous _____ .

## EXERCICE L

_Exprimez les sentiments des personnes suivantes._

EXEMPLE:    Ils étudiaient le français. _(aimer la beauté de cette langue)_
            **Ils aimaient** la beauté de cette langue.

**1.** Il parlait toujours sans réfléchir. _(être toujours impatient)_

_____

**2.** Nous étudiions sérieusement les maths. _(espérer devenir ingénieurs)_

_____

**3.** Tu cherchais un bon restaurant. *(vouloir goûter des spécialités françaises)*

_____

**4.** Vous écoutiez le moniteur. *(désirer skier comme un pro)*

_____

**5.** Je dansais le rock avec mon ami. *(aimer bien danser)*

_____

**6.** Elles choisissaient toujours des livres d'Isaac Asimov. *(préférer les romans de science-fiction)*

_____


## EXERCICE M

*Exprimez ce que les personnes suivantes faisaient simultanément.*

EXEMPLE:    Il **parlait** au téléphone pendant que je **regardais** la télévision.

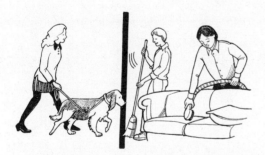

**1.** Je _____ le chien pendant que les garçons _____ la maison.

**2.** Vous _____ de la musique pendant que nous _____ .

**3.** Tu _____ au tableau pendant que le professeur _____ .

**4.** Je _____ pendant que Grand-mère _____ du piano.

**5.** Vous _____ pendant qu'elles _____ .

## M A S T E R Y   E X E R C I S E S

### EXERCICE N

*Mettez les verbes donnés entre parenthèses à l'imparfait.*

À la boum, tous les jeunes gens _____ , _____ et
                                          *1.* (danser)              *2.* (parler)

_____ à la fois. Ils _____ très heureux et de très bonne
     *3.* (plaisanter)                    *4.* (être)

humeur.  Éric _____ qu'il _____ envie d'aller travailler aux
                    *5.* (dire)                *6.* (avoir)

États-Unis et Laurent _____ que c' _____ une très bonne idée,
7. (croire) 8. (être)

mais il _____ nécessaire de bien savoir parler anglais. D'après lui, les employeurs
9. (juger)

américains _____ les candidats qui _____ parler plusieurs
10. (préférer) 11. (savoir)

langues étrangères. Pendant ce temps, les cousins américains d'Isabelle _____
12. (expliquer)

qu'ils _____ près de New York et qu'ils _____ tout le monde
13. (habiter) 14. (inviter)

à venir chez eux. Ils _____ leurs études dans un lycée qui _____
15. (faire) 16. (pouvoir)

recevoir plus de 1.000 élèves. Michel _____ seize ans et Lise quinze ans. Il
17. (favoir)

_____ au basket et Lise _____ à l'équipe de gymnastique. Michel
18. (jouer) 19. (appartenir)

_____ partie de l'orchestre de l'école. Il _____ de la trompette à
20. (faire) 21. (jouer)

tous les matchs de l'école. Éric _____ que c' _____ formidable.
22. (penser) 23. (être)

Au lycée à Paris, si les élèves _____ faire du sport, ils _____ aller
24. (vouloir) 25. (devoir)

dans un club après l'école. Éric _____ le système américain.
26. (préférer)

## EXERCICE O

*Employez les expressions données pour décrire ce que ces personnes faisaient pendant leurs vacances.*

| | |
|---|---|
| chaque matin | aller au cinéma |
| de temps en temps | dîner au restaurant |
| le samedi après-midi | faire de la planche à voile |
| rarement | lire de bons romans |
| souvent | marcher dans les bois |
| tout le temps | nager dans la piscine |
| une fois par semaine | prendre des bains de soleil |

EXEMPLE: Janine **lisait de bons romans tout le temps.**

1. Je _____ .

2. Philippe _____ .

3. Paul et moi _____ .

4. Justine et Micheline _____ .

5. Vous _____ .

6. Tu _____ .

## EXERCICE P

*Récrivez cette histoire à l'imparfait.*

**C'est** le début de l'année scolaire. Il **est** deux heures de l'après-midi. Il **fait** du vent et les feuilles **tombent** des arbres. Je **cours** à ma classe de biologie et je **songe** à tout ce que je **dois** faire. Je **suis** un peu anxieuse. Je **veux** arriver à l'heure, mais je **sais** que c'**est** impossible. En même temps, un beau garçon **avance** vers moi. Il **porte** un jean et un gros pull rouge. Il **a** les cheveux noirs et les yeux bleus. Sa barbe me **rappelle** mon frère aîné. Il **pèse** à peu près quatre-vingts kilos et il **mesure** à peu près un mètre quatre-vingts. Je **crois** qu'il ne **va** pas me voir. Je **sais** que je **désire** sortir avec lui. J'**espère** qu'il **va** me proposer un rendez-vous. C'**est** le coup de foudre *(love at first sight)*! Ce jour-là, je **suis** en retard au cours!

_____

_____

_____

_____

_____

_____

_____

_____

_____

_____

_____

_____

_____

_____

_____

## EXERCICE Q

*Écoutez votre professeur et cochez si ces personnes parlent de leurs vacances au présent ou au passé.*

|  | PRÉSENT | PASSÉ |
|---|---|---|
| *1.* | ☐ | ☐ |
| *2.* | ☐ | ☐ |
| *3.* | ☐ | ☐ |
| *4.* | ☐ | ☐ |
| *5.* | ☐ | ☐ |
| *6.* | ☐ | ☐ |

## EXERCICE R

*Faites une enquête. Demandez à six camarades de classe ce qu'ils faisaient quand le cours de français a commencé.*

EXEMPLE:   **Martine faisait les devoirs de maths.**

*1.* _____

*2.* _____

*3.* _____

*4.* _____

*5.* _____

*6.* _____

# Chapter 8
## *Passé composé* and Imperfect Tenses Compared

The basic uses of the *passé composé* and the imperfect tenses are summarized in the chart below.

PASSÉ COMPOSÉ

1. Expresses specific actions or events that were started and completed at a definite point in the past.

   Il a fait ses devoirs.
   *He did his homework.*

2. Expresses a specific action or event at a specific point in past time.

   Aujourd'hui il est arrivé à neuf heures.
   *Today he arrived at nine o'clock.*

   Elle a joué au tennis hier soir.
   *She played tennis last night.*

IMPERFECT

1. Describes ongoing or continuous actions or events in the past.

   Il faisait ses devoirs.
   *He was doing his homework.*

2. Describes habitual or repeated actions or events in the past.

   Il arrivait généralement à neuf heures.
   *He generally arrived at nine o'clock.*

   Elle jouait au tennis le matin.
   *She played tennis in the morning.*

3. Describes persons, things, or a state of mind in the past.

   Elle était nerveuse.
   *She was nervous.*

   Les oiseaux chantaient.
   *The birds were singing.*

   Il savait danser.
   *He knew how to dance.*

**NOTES:**

1. The *passé composé* expresses an action or event repeated a specific number of times in the past.

   Cet été je suis allé(e) à la plage douze fois.

   *This summer I went to the beach twelve times.*

   *BUT*

   J'allais à la plage le samedi.

   *I used to go to the beach on Saturday.*

2. **The *passé composé* is usually equivalent to an English simple past and the imperfect to the English *was (were) . . . -ing, used to,* and *would* (meaning *used to*).**

   Hier il a neigé pendant deux heures.          *Yesterday it snowed for two hours.*
   Il neigeait pendant qu'ils marchaient.          *It was snowing while they were walking.*

3. **The *passé composé* is often used with the following words and expressions:**

   | | | | |
   |---|---|---|---|
   | l'année passée (dernière) | *last year* | ensuite | *then, next* |
   | avant-hier | *the day before yesterday* | l'été (l'hiver) passé | *last summer (winter)* |
   | d'abord | *at first* | finalement | *finally* |
   | enfin | *finally* | une (deux…) fois | *once, one (two) time(s)* |

116

| | |
|---|---|
| hier  *yesterday* | un jour  *one day* |
| hier soir  *last night* | le mois passé (dernier)  *last month* |
| l'autre jour  *the other day* | la semaine passée (dernière)  *last week* |
| ce jour-là  *that day* | soudain  *suddenly* |
| plusieurs fois  *several times* | tout à coup  *suddenly, all of a sudden* |

4. **The imperfect is often used with the following adverbial expressions, when they imply repetition.**

| | |
|---|---|
| autrefois  *formerly* | fréquemment  *frequently* |
| chaque jour (semaine, mois, année)  *each day (week, month, year)* | généralement  *generally* |
| | habituellement  *habitually* |
| de temps à autre  *from time to time* | parfois  *sometimes, every now and then* |
| de temps en temps  *from time to time* | quelquefois  *sometimes* |
| d'habitude  *usually* | souvent  *often* |
| d'ordinaire  *usually, ordinarily* | toujours  *always* |
| en ce temps-là  *at that time* | tous les jours (mois)  *every day (month)* |
| en général  *generally* | tout le temps  *all the time* |

5. **The imperfect tense is used to describe an action or event that was going on in the past when another action or event took place. The action or event that took place is in the** *passé composé.*

| | |
|---|---|
| Je sortais quand Luc a téléphoné. | *I was leaving when Luc called.* |

6. **The imperfect is often used with verbs that express a state of mind over a period of time in the past.**

| | |
|---|---|
| aimer  *to like, love* | pouvoir  *to be able, can* |
| croire  *to believe* | préférer  *to prefer* |
| désirer  *to desire* | regretter  *to regret, be sorry* |
| espérer  *to hope* | savoir  *to know (how)* |
| être  *to be* | vouloir  *to wish, want* |
| penser  *to think* | |

| | |
|---|---|
| J'espérais qu'il savait le réparer. | *I hoped he knew how to fix it.* |
| Il aimait aller à la pêche. | *He liked to go fishing.* |

## EXERCICE A

*Choisissez la forme correcte du verbe entre parenthèses pour exprimer ce qui est arrivé à Mme Dupin.*

C'*(a été, était)* _____ dimanche soir. Il *(a été, était)* _____ huit
                          1.                                              2.

heures du soir. La porte d'entrée *(a été, était)* _____ ouverte parce qu'il *(a fait,*
                                                          3.

*faisait)* _____ encore beau. Je / J' *(ai lu, lisais)* _____ un livre
                    4.                                                      5.

quand, tout à coup, ma famille et moi, nous *(avons entendu, entendions)* _____
6.

un très grand bruit.  Nous *(avons cru, croyions)* _____ que c'*(a été, était)*
7.

_____ un accident de voiture.  Michel, mon plus jeune fils, *(a couru, courait)*
8.

_____ tout de suite à la porte. Éric *(l'a suivi, le suivait)* _____ .
9.                                                                                        10.

Moi, je n'*(ai eu, avais)* _____ aucune envie de voir un accident.  Cependant, Michel
11.

*(a crié, criait)* _____: «Maman, vite, viens à la porte.» Quand j'y *(suis arrivée, arrivais)*
12.

_____ je / j'*(ai commencé, commençais)* _____ à
13.                                                               14.

crier. Je *(n'ai pas pu, ne pouvais pas)* _____ en croire mes yeux. Ma belle
15.

voiture neuve, qui *(a été, était)* _____ garée *(parked)* devant la maison, *(a ressemblé,*
16.

*ressemblait)* _____ maintenant à un accordéon! Je / J' *(ai commencé, commençais)*
17.

_____ à pleurer quand Michel *(m'a dit, me disait)* _____ :
18.                                                                            19.

«Tant pis, maman! En réalité, je n' *(ai aimé, aimais)* _____ ni la couleur ni le style
20.

de cette voiture. Maintenant, nous pouvons en acheter une autre plus à mon goût.»


## EXERCICE B

*Complétez l'histoire de cette fille avec la forme correcte du verbe au passé composé ou à l'imparfait.*

C' _____ l'été. Il _____ frais et mon ami et moi, nous
1. (être)                       2. (faire)

n' _____ pas envie d'aller à la plage. Il _____ me prendre vers
3. (avoir)                                          4. (venir)

midi, mais nous ne (n') _____ pas décider ce que nous _____
5. (pouvoir)                                      6. (vouloir)

faire. Alors il _____ à conduire sans savoir où nous _____
7. (commencer)                                        8. (aller)

Tout à coup, il _____ la voiture devant un magasin où on _____
9. (arrêter)                                          10. (vendre)

des animaux domestiques. Nous _____ de la voiture et nous _____
11. (sortir)                                          12. (entrer)

dans le magasin, pleins de curiosité. Il y _____ toutes sortes d'animaux:
<br>13. (avoir)

des chiens, des chats, des lapins et des oiseaux. Nous _____ devant la cage d'un
<br>14. (arriver)

jeune chien. Il _____ petit et il _____ de grands
<br>15. (être) 16. (avoir)

yeux noirs. Je 1' _____ le moment où je le (l') _____ . Je (J')
<br>17. (aimer) 18. (voir)

_____ le prix au vendeur. Il me (m') _____ : «Vingt-cinq
<br>19. (demander) 20. (répondre)

dollars.» Je (J') _____ de l'argent à mon ami qui _____
<br>21. (demander) 22. (penser)

que j' _____ trop impulsive. Il _____ que ma mère
<br>23. (être) 24. (savoir)

n' _____ pas aimer cette idée. Tant pis, j'_____ le chien
<br>25. (aller) 26. (acheter)

quand même.

## EXERCICE C

*Décrivez ce qui est arrivé aux Barbeau. Mettez les verbes en caractères gras* (in bold type) *au passé composé ou à l'imparfait.*

C'**est** le matin de très bonne heure. Il **fait** noir. Les étoiles **brillent.** La lune **éclaire** le ciel. M. et Mme Barbeau **dorment.** Tout d'un coup, leurs deux chiens **commencent** à aboyer *(bark).* M. Barbeau ne **voit** rien, mais il **vérifie** quand même que tout **est** normal. Puis il **retourne** au lit et il **dort.** À sept heures l'alarme du réveil **réveille** les Barbeau. Ils **regardent** autour d'eux. Ils **sont** très surpris. Il **est** évident que quelque chose **manque.** M. Barbeau **crie:** «Mon Dieu! Des voleurs **viennent** pendant que nous **dormons!**» Les voleurs **prennent** de l'argent et des bijoux. Mais Mme Barbeau n'**est** pas tellement triste. Pourquoi? D'abord parce qu'elle **a** une assurance contre le vol. Ensuite parce que les voleurs ne **trouvent** pas ses bijoux de grande valeur, cachés dans l'horloge. Les voleurs ne **savent** pas que tous les bijoux qu'ils **prennent sont** faux. Quelle mauvaise surprise pour eux!

_____

_____

_____

_____

_____

_____

_____

_____

_____

_____

_____

_____

_____

_____

_____

## EXERCICE D

*Expliquez pourquoi chaque personne a fait les choses suivantes. Combinez les phrases en utilisant le passé composé et l'imparfait.*

EXEMPLE:     Je reste chez moi. J'ai beaucoup de travail à faire.
             **Je suis resté(e)** chez moi parce que **j'avais** beaucoup de travail à faire.

*1.* Jérôme téléphone à ses parents. Il va être en retard.

_____

*2.* Tu achètes une pâtisserie. Tu as faim.

_____

*3.* Nous allons en ville. Nous voulons faire des achats.

_____

*4.* Elles prennent le métro. Elles sont pressées.

_____

*5.* J'ouvre mon parapluie. Il pleut.

_____

*6.* Ils pleurent. Ils regrettent leurs paroles.

_____

*7.* Vous restez à la maison. Vous préférez être seul.

_____

*8.* Elle écrit à son petit ami. Elle pense à lui.

_____

## EXERCICE E

*Décrivez Guy et ce qu'il a fait. Mettez les verbes au passé composé ou à l'imparfait.*

EXEMPLE:     Guy / vouloir faire quelque chose
              Guy **voulait** faire quelque chose.

**1.** Guy / avoir les cheveux très longs

_____

**2.** tous ses amis / plaisanter à propos de ses cheveux

_____

**3.** il / ressembler à une star de rock

_____

**4.** un jour il / décider d'aller chez le coiffeur

_____

**5.** il / vouloir une coupe à la mode

_____

**6.** le coiffeur / dire: «Ne vous inquiétez pas.»

_____

**7.** la musique dans le salon / l'endormir

_____

**8.** une demi-heure après le coiffeur le (l') / réveiller

_____

**9.** Guy / regarder sa coiffure dans le miroir

_____

**10.** il / pousser un cri

_____

**11.** on / pouvoir maintenant voir son visage

_____

**12.** il / être beau

_____

**13.** Guy / être content

_____

**14.** tous ses amis le (l') / féliciter

_____

## EXERCICE F

*Décrivez ce qui est arrivé dans les cauchemars* (nightmares) *des personnes suivantes. Utilisez le passé composé ou l'imparfait.*

EXEMPLE:    *( faire / renverser)* Nous **faisions** du canoë quand une vague **a renversé** notre bateau.

1. *(embrasser / entrer)* J' _____ ma petite amie quand ses parents

   _____ .

2. *(aller / changer)* Martine _____ épouser Jacques lorsqu'elle

   _____ d'avis.

3. *(atterrir / éclater)* Mon avion _____ quand un ouragan _____ .

4. *(poursuivre / tomber)* Un animal sauvage me _____ lorsque je

   _____ .

5. *(manger / devenir)* Tu _____ un délicieux gâteau au chocolat quand tu

   _____ malade.

6. *(descendre /entrer)* Les garçons _____ d'une montagne au moment où un volcan

   _____ en éruption.

7. *(marcher / attaquer)* Elles _____ sur la lune quand un extraterrestre

   _____ leur vaisseau spatial.

8. *(voyager / perdre)* Gilles _____ à l'étranger quand il _____

   tous ses papiers.

## EXERCICE G

*Répondez aux questions que vos parents vous ont posées quand vous êtes rentré(e) très tard hier soir.*

1. Où étais-tu hier soir?

   _____

2. Avec qui es-tu sorti(e)?

   _____

3. Où êtes-vous allé(e)s?

   _____

4. Que faisiez-vous pendant toute la soirée?

   _____

**5.** Combien d'argent as-tu dépensé?

_____

**6.** À quelle heure es-tu revenu(e) à la maison?

_____

**7.** Pourquoi ne nous as-tu pas téléphoné?

_____

**8.** Pourquoi es-tu rentré(e) si tard?

_____

## M A S T E R Y   E X E R C I S E S

### EXERCICE H

*Écrivez un paragraphe où vous parlez de votre enfance.*

Quand j'étais petit(e), _____

_____

_____

_____

_____

_____

_____

### EXERCICE I

*Complétez l'histoire en mettant les verbes entre parenthèses au passé composé ou à l'imparfait.*

**1.** La boum *(passer)* _____ très vite. Tous les invités *(être)* _____ contents d'être venus.

**2.** Delphine et Sophie *(préparer)* _____ des sandwiches délicieux, et les invités les

*(manger)* _____ avec du coca. De plus, le gâteau *(être)* _____ un

succès et tout le monde *(prendre)* _____ des fruits et de la crème.

**3.** Les desserts *(être)* _____ vraiment délicieux. Après, la musique *(recommencer)*

_____ et les danses *(continuer)* _____ .

4. Tout le monde *(danser)* _____ quand tout à coup le téléphone *(sonner)*

   _____ . C'*(être)* _____ le voisin d'en dessous qui *(protester)*

   _____ . Il y *(avoir)* _____ trop de bruit.

5. Le voisin du dessus *(appeler)* _____ aussi. Il ne *(pouvoir)* _____

   plus supporter ce bruit.

6. Quelqu'un *(ouvrir)* _____ la porte pendant que Delphine *(répondre)*

   _____ au téléphone. C'*(être)* _____ son père. Il *(être)*

   _____ furieux.

7. Il *(expliquer)* _____ qu'ils *(ennuyer)* _____ tous les voisins.

8. Et poliment mais fermement, il *(mettre)* _____ un terme *(end)* à la fête.

9. Martin et Liliane *(dire)* _____ que les parents français *(être)* _____

   sévères.

## EXERCICE J

*Qu'est-ce qui s'est passé à la montagne? Complétez l'histoire de Lucie avec la forme correcte du verbe, au passé composé ou à l'imparfait.*

Cet été mes amies et moi _____ dans un hôtel à la montagne.
                              *1. (descendre)*

C'_____ la première fois que nous _____ ensemble
   *2. (être)*                                    *3. (voyager)*

et nous _____ toutes très heureuses. Un jour nous _____
        *4. (être)*                                              *5. (décider)*

de monter à cheval, une activité qui _____ assez cher, mais qui
                                       *6. (coûter)*

_____ d'être très amusante. Mon amie Thérèse _____
   *7. (promettre)*                                          *8. (avoir)*

un peu peur parce que c'_____ la première fois pour elle. Mais nous, nous
                          *9. (être)*

n'_____ pas peur. Nous _____ à l'écurie *(stable)* à trois heures
   *10. (avoir)*                      *11. (arriver)*

de l'après-midi et un guide nous _____ . Il nous _____ sur la
                                   *12. (parler)*              *13. (accompagner)*

route. Tout _____ parfaitement bien lorsque les chevaux _____
             *14. (aller)*                                            *15. (marcher)*

et _____ lentement. Mais après un quart d'heure assez calme, quelque chose de très
   *16. (trotter)*

effrayant _____. Un cerf *(deer)* _____ devant le cheval de
       *17. (arriver)*                        *18. (courir)*

notre guide. Ce cheval _____ peur et _____ à ruer *(kick).*
                    *19. (prendre)*                *20. (commencer)*

Nous _____ toutes très effrayées parce que les chevaux _____ et
      *21. (être)*                                              *22. (bouger)*

_____ des bruits étranges comme s'ils _____ partir
   *23. (faire)*                                *24. (aller)*

soudain à toute vitesse. Après ce qui _____ être une éternité, le calme
                              *25. (sembler)*

_____, mais nous _____ toutes d'accord. Nous ne
   *26. (revenir)*                *27. (être)*

_____ plus continuer notre promenade. Nous _____ à l'écurie
   *28. (vouloir)*                                  *29. (revenir)*

et nous _____ de cheval. Après dix minutes, nous _____ de
       *30. (descendre)*                                    *31. (éclater)*

rire parce que tout d'un coup nous _____ la situation assez comique.
                              *32. (trouver)*

C' _____ curieux, n'est-ce pas?
   *33. (être)*

## EXERCICE K

*Écoutez l'histoire et cochez si on emploie le passé composé ou l'imparfait pour exprimer chaque événement.*

|  | PASSÉ COMPOSÉ | IMPARFAIT |
|---|---|---|
| *1.* | | |
| *2.* | | |
| *3.* | | |
| *4.* | | |
| *5.* | | |
| *6.* | | |
| *7.* | | |

*8.* ⬜ ⬜

*9.* ⬜ ⬜

*10.* ⬜ ⬜

## EXERCICE L

*Regardez cette peinture et écrivez une histoire qui décrit ce que vous voyez et expliquez ce qui est arrivé. Employez le passé composé et l'imparfait.*

_____

_____

_____

_____

_____

_____

_____

## EXERCICE M

*Postez un commentaire sur votre réseau social où vous décrivez le dernier film que vous avez vu.*

_____

_____

_____

_____

_____

_____

_____

# Chapter 9
## Future Tense

## [ 1 ] FUTURE TENSE OF REGULAR VERBS

The future tense is formed by adding the following endings to the infinitive: *-ai, -as, -a, -ons, -ez, -ont.*

| danser *to dance* | obéir *to obey* | attendre *to wait* |
|---|---|---|
| *I will/shall dance* | *I will/shall obey* | *I will/shall wait* |
| je danser*ai* | j' obéir*ai* | j' attendr*ai* |
| tu danser*as* | tu obéir*as* | tu attendr*as* |
| il / elle danser*a* | il / elle obéir*a* | il / elle attendr*a* |
| nous danser*ons* | nous obéir*ons* | nous attendr*ons* |
| vous danser*ez* | vous obéir*ez* | vous attendr*ez* |
| ils / elles danser*ont* | ils / elles obéir*ont* | ils / elles attendr*ont* |

NOTES:

1. *-re* verbs drop the final *e* before the future ending.

   répondre                          je répondrai

   vendre                            je vendrai

2. Negative, interrogative, and negative interrogative constructions in the future follow the same rules as in the present tense.

   | | |
   |---|---|
   | Nous n'attendrons pas davantage. | *We will wait no longer.* |
   | Tu obéiras? | *Will you obey?* |
   | Est-ce que tu obéiras? | *Will you obey?* |
   | Ne répondrez-vous pas? | *Won't you answer?* |

## EXERCICE A

*Exprimez ce que ces personnes feront pour la fête des mères.*

EXEMPLE:   *(organiser)* **J'organiserai** la fête.

1. *(rôtir)* Nous _____ un canard.

2. *(préparer)* Tu _____ les légumes.

3. *(garnir)* Ils _____ un grand gâteau.

4. *(tondre)* Je _____ la pelouse.

5. *(choisir)* Elles _____ un joli cadeau pour leur mère.

6. *(correspondre)* Tu _____ avec ta mère.

**7.** *(pendre)* Vous _____ les nouveaux rideaux.

**8.** *(décorer)* Elle _____ la maison.

## EXERCICE B

*Exprimez quand ces personnes accompliront ce qu'elles doivent faire.*

| | |
|---|---|
| bâtir une niche pour le chien | cet après-midi |
| rendre les affaires d'une amie | demain |
| emballer les paquets | dans une heure |
| descendre faire la lessive | la semaine prochaine |
| finir les courses | demain soir |
| vider les ordures | après-demain |
| déposer ces chèques à la banque | ce soir |

EXEMPLE:    Christine **videra** les ordures demain.

**1.** Je _____ .

**2.** Nous _____ .

**3.** Arthur et Thomas _____ .

**4.** Tu_____ .

**5.** Vous _____ .

**6.** Roland_____ .

## [ 2 ] SPELLING CHANGES IN CERTAIN *-ER* VERBS

**a.** Most verbs with infinitives ending in *-yer* change *y* to *i* in the future.

nettoyer *to clean:*  je nettoierai, tu nettoieras, il/elle nettoiera
nous nettoierons, vous nettoierez, ils/elles nettoieront

NOTES:

**1.** Verbs with infinitives ending in *-ayer* may or may not change the *y* to *i* in all future-tense forms.

payer *to pay:*  je paierai (payerai), tu paieras (payeras), il/elle paiera (payera)
nous paierons (payerons), vous paierez (payerez), ils/elles paieront (payeront)

**2.** The verbs *envoyer* (to send) and *renvoyer* (to dismiss, send back) are irregular in the future.

j'enverrai, tu enverras, il/elle enverra
nous enverrons, vous enverrez, ils/elles enverront

je renverrai, tu renverras, il/elle renverra
nous renverrons, vous renverrez, ils/elles renverront

## EXERCICE C

*Exprimez ce que chaque personne fera au bureau aujourd'hui.*

EXEMPLE:   tu / employer une calculette
           Tu **emploieras** une calculette.

**1.** le patron / payer les employés

_____

**2.** je / essuyer l'écran de l'ordinateur

_____

**3.** vous / ennuyer tout le monde

_____

**4.** tu / essayer de terminer ton travail

_____

**5.** nous / employer la photocopieuse

_____

**6.** les employés / nettoyer leurs bureaux

_____


**b.** Verbs with silent *e* in the syllable before the infinitive ending change silent *e* to *è* in the future.

lever   *to raise:*   **je lèverai, tu lèveras, il/elle lèvera
nous lèverons, vous lèverez, ils/elles lèveront**

## EXERCICE D

*Exprimez ce que chaque personne fera ce soir après le travail.*

**1.** *(enlever)* Elle _____ son maquillage.

**2.** *(peser)* Je _____ le pour et le contre d'un voyage au Mexique.

**3.** *(promener)* Vous _____ vos chiens.

**4.** *(acheter)* Nous _____ des fruits et du pain pour le dîner.

**5.** *(achever)* Ils _____ la lecture de leur journal.

**6.** *(amener)* Tu _____ un ami chez toi.

**c.** Verbs like *appeler* and *jeter,* which also have a silent *e,* double the consonant *l* or *t* in the future.

appeler *to call:* j'appellerai, tu appelleras, il/elle appellera
nous appellerons, vous appellerez, ils/elles appelleront

jeter *to throw:* je jetterai, tu jetteras, il/elle jettera
nous jetterons, vous jetterez, ils/elles jetteront

## EXERCICE E

*Exprimez comment ces personnes célébreront le Nouvel An.*

| | |
|---|---|
| acheter de nouveaux vêtements | lancer des bonbons aux invités |
| amener son amie au bal | manger beaucoup |
| appeler beaucoup d'amis | nettoyer la maison |
| célébrer la nouvelle année à la maison | payer le gardien de l'immeuble |
| jeter des confettis | |

EXEMPLE:   Il **amènera** son amie au bal.

*1.* Étienne _____.

*2.* Tu _____.

*3.* Paul et Albert _____.

*4.* Vous _____.

*5.* Je _____.

*6.* Nous _____.

*7.* Marthe _____.

*8.* Solène et Mathilde _____.

## [ *3* ]   VERBS IRREGULAR IN THE FUTURE

| INFINITIVE | FUTURE | INFINITIVE | FUTURE |
|---|---|---|---|
| **aller** *to go* | **j'irai** | **mourir** *to die* | **je mourrai** |
| **avoir** *to have* | **j'aurai** | **pleuvoir** *to rain* | **il pleuvra** |
| **courir** *to run* | **je courrai** | **pouvoir** *to be able to* | **je pourrai** |
| **devoir** *to owe, have to* | **je devrai** | **recevoir** *to receive* | **je recevrai** |
| **envoyer** *to send* | **j'enverrai** | **savoir** *to know* | **je saurai** |
| **être** *to be* | **je serai** | **venir** *to come* | **je viendrai** |
| **faire** *to do* | **je ferai** | **voir** *to see* | **je verrai** |
| **falloir** *to be necessary* | **il faudra** | **vouloir** *to want* | **je voudrai** |

## EXERCICE F

*Exprimez ce qui arrivera au mariage de Roland et de Viviane.*

EXEMPLE:    les invités / arriver en voiture
            Les invités **arriveront** en voiture.

*1.* il / pleuvoir

_____

*2.* tout le monde / aller à la réception

_____

*3.* les jeunes mariés / devoir prendre une limousine

_____

*4.* ils / courir pour éviter la pluie

_____

*5.* nous / pouvoir voir la mariée de près

_____

*6.* elle / être très belle

_____

*7.* elle / avoir une jolie robe

_____

*8.* tu leur / envoyer un télégramme

_____

*9.* il / falloir les féliciter

_____

*10.* vous / vouloir les embrasser

_____

*11.* les jeunes mariés / recevoir beaucoup de cadeaux

_____

*12.* les parents / être très heureux

_____

*13.* tous leurs amis / venir à la fête

_____

*14.* les jeunes mariés / savoir très bien danser

_____

**15.** nous / voir leur départ

_____

**16.** ils / faire un voyage aux îles Caraïbes

_____

## [4] USES OF THE FUTURE

**a.** The future tense is used in French, as in English, to express what will happen.

Je partirai demain soir.            *I will leave tomorrow evening.*
Où irez-vous?                       *Where will you go?*

**b.** The future is used after *quand* (when) and *lorsque* (when), if the action refers to the future, even though the present tense may be used in English.

Je viendrai quand j'aurai le temps.   *I will come when I have the time.*
Je le saluerai lorsque je le verrai.  *I will greet him when I see him.*

### EXERCICE G

*Répondez aux questions qu'un ami vous pose.*

EXEMPLE:    Que feras-tu quand il pleuvra?
            **Quand il pleuvra, je regarderai la télé.**

**1.** Que feras-tu quand tu auras vingt et un ans?

_____

_____

**2.** Que feras-tu quand tu seras en vacances cette année?

_____

_____

**3.** Que feras-tu quand tu gagneras beaucoup d'argent?

_____

_____

**4.** Que feras-tu quand tu finiras tes études au lycée?

_____

_____

**5.** Que feras-tu quand tu auras beaucoup de temps libre?

_____

_____

## EXERCICE H

*Complétez cette carte que Gaspard écrit à son ami français avec la forme correcte des verbes au futur.*

Cher Alain,

Cet automne, j'_____ à l'université de Paris. J'y _____ le
          *1.* (aller)                               *2.* (arriver)

premier septembre. Il _____que j'apporte tous mes papiers et mes documents
                         *3.* (falloir)

américains. Je _____ la traversée en bateau. Je _____ tôt au
              *4.* (faire)                           *5.* (venir)

port parce que je _____ très anxieux de ne pas manquer le bateau. Quand
                    *6.* (être)

j'_____ le mal du pays, tu _____ me parler, d'accord? J'espère
         *7.* (avoir)                         *8.* (venir)

que je _____ bientôt de tes nouvelles. _____ -tu me montrer
         *9.* (recevoir)                       *10.* (pouvoir)

ce qu'il y a à voir à Paris? Quand il _____ , nous _____
                              *11.* (pleuvoir)          *12.* (aller)

visiter les musées. Tu _____ sûrement où nous _____ aller.
                    *13.* (savoir)                        *14.* (devoir)

                    Ton ami,
                    Gaspard

## [ 5 ]  *ALLER* + INFINITIVE

An action that is going to happen in the near future can be expressed in French with a form of the verb *aller* plus infinitive.

Qu'est-ce que **tu vas manger?**    *What are you going to eat?*
Je **vais manger** un sandwich.    *I'm going to eat a sandwich.*

## EXERCICE I

*Exprimez ce que chaque personne va faire pour la fête de l'école.*

EXEMPLE:    Georges / vendre des boissons
                  Georges **va** vendre des boissons.

*1.* tu / préparer des plats traditionnels

_____

*2.* Cassandre / apporter ses cassettes

_____

**3.** Lise et moi / ranger la salle

_____

**4.** Patricia et Lucile / organiser des jeux

_____

**5.** vous / diriger les chants

_____

**6.** je / jouer de la guitare

_____

**7.** Richard / servir les invités

_____

**8.** Denis et Damien / garer les voitures

_____

## EXERCICE J

*Exprimez ce que ces personnes ne vont pas faire cet après-midi.*

EXEMPLE:  Il **ne va pas courir.**

**1.** Paulette _____ .

**2.** Je _____ .

**3.** Nous _____.

**4.** Lise et Anne _____.

**5.** Serge _____.

**6.** Vous _____.

**7.** Serge et son frère _____.

**8.** Tu _____.

## MASTERY EXERCISES

### EXERCICE K

*Exprimez ce que ces personnes vont faire et ne vont pas faire.*

EXEMPLE:     Julien veut maigrir. *(manger de la salade / manger beaucoup de glace)*
**Il va manger de la salade. Il ne va pas manger beaucoup de glace.**

**1.** Léa est fatiguée. *(jouer au tennis / dormir)*

_____

**2.** J'ai soif. *(boire / manger)*

_____

**3.** Tu as un examen. *(étudier / regarder la télévision)*

_____

_____

**4.** Vous avez mal à la tête. *(lire le journal /prendre de l'aspirine)*

_____

_____

**5.** Les garçons sont en retard. *(marcher lentement / courir)*

_____

**6.** Nous sommes contents. *(applaudir /pleurer)*

_____

### EXERCICE L

*Écoutez votre professeur et cochez si les événements décrits ont eu lieu dans le passé ou s'ils vont arriver dans le futur.*

|  | PASSÉ | FUTUR |
|---|---|---|
| *1.* | | |
| *2.* | | |
| *3.* | | |
| *4.* | | |

5.

6.

7.

8.

9.

10.

## EXERCICE M

*Combinez les éléments ci-dessous avec* **quand** *pour exprimer ce que chaque personne fera.*

EXEMPLE:    Janine / téléphoner à ses parents / être en retard
**Janine téléphonera à ses parents quand elle sera en retard.**

1. tu / menacer tes frères / perdre patience

   _____

2. mes frères / nettoyer la maison / avoir le temps

   _____

3. je / faire une boum / célébrer mon anniversaire

   _____

4. mon amie / venir chez moi / être libre

   _____

5. vous / payer comptant *(cash)* / acheter votre nouvelle télévision

   _____

6. nous / envoyer ce paquet / recevoir toutes les informations nécessaires

   _____

7. elles / aller en ville / travailler

   _____

8. Léon maigrir / manger moins

   _____

## EXERCICE N

*Delphine, Sophie et quelques amis discutent de leurs projets d'avenir. Exprimez ce qu'ils disent en mettant les verbes a-futur.*

DELPHINE:   Quand j'_____ mon bac *(high-school degree)*, j'_____
                          1. (avoir)                                                    2. (aller)

à l'université. Je ne sais pas encore ce que j'_____.
                                            3. (étudier)

Il _____ me décider bientôt.
      4. (falloir)

SOPHIE:   Moi, je vais étudier la médecine. J'espère que je _____ comme ma mère.
                                                            5. (faire)

J'_____ mon cabinet à la maison et quand j'_____ des
      6. (installer)                                              7. (avoir)

enfants, je _____ m'occuper d'eux facilement. Ma vie professionnelle ne
                8. (pouvoir)

_____ pas ma vie familiale. Je _____ combiner les deux.
      9. (gêner)                                    10. (savoir)

SYLVIE:   Tu _____ de la chance si tu peux faire cela.  Ce ne
                11. (avoir)

_____ pas toujours facile.
      12. (être)

SOPHIE:   Évidemment, mais je _____ réussir à tout prix.
                                  13. (vouloir)

J'_____ en tout cas.
      14. (essayer)

ÉRIC:   Eh bien moi, je _____ ne pas travailler à la maison.
                          15. (préférer)

J'_____ mieux aller en ville dans un bureau. Je _____
      16. (aimer)                                              17. (prendre)

mon déjeuner au restaurant et je _____ des amis plus souvent.
                                    18. (voir)

LAURENT:   Moi, je _____ une profession où je _____
                      19. (chercher)                              20. (voyager)

tout le temps. Je _____ le monde entier.
                      21. (connaître)

## EXERCICE O

*Menez une enquête auprès de six camarades de classe et posez–leur cette question: "Qu'est-ce que tu étudieras quand tu finiras tes études de lycée? Écrivez leurs réponses.*

1. _____

2. _____

3. _____

4. _____

5. _____

6. _____

## EXERCICE P

*Répondez à cet email que votre meilleure ami(e) vous a envoyé.*

*Que feras-tu pendant les vacances?*

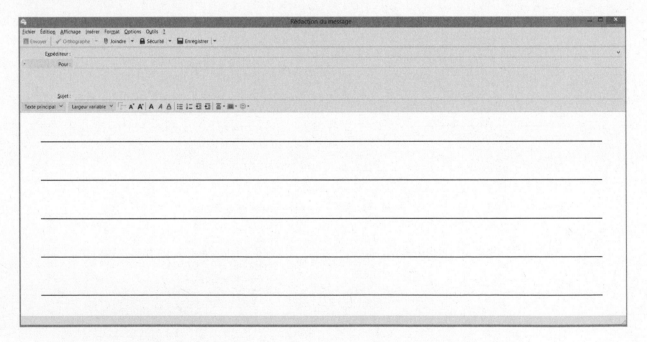

# Chapter 10
## Conditional

## [ 1 ] CONDITIONAL OF REGULAR VERBS

The conditional of regular verbs is formed with the same stem as the future tense (the infinitive of the verb), to which endings similar to those of the imperfect indicative are added: *-ais, -ais, -ait, -ions, -iez, -aient.*

| danser   *to dance* | obéir   *to obey* | attendre   *to wait* |
|---|---|---|
| *I would dance* | *I would obey* | *I would wait* |
| je danser*ais* | j' obéir*ais* | j' attendr*ais* |
| tu danser*ais* | tu obéir*ais* | tu attendr*ais* |
| il/elle danser*ait* | il/elle obéir*ait* | il/elle attendr*ait* |
| nous danser*ions* | nous obéir*ions* | nous attendr*ions* |
| vous danser*iez* | vous obéir*iez* | vous attendr*iez* |
| ils/elles danser*aient* | ils/elles obéir*aient* | ils/elles attendr*aient* |

NOTES:

1. *-re* verbs drop the final *e* before the conditional ending.

   répondre                          je répondrais

   vendre                            je vendrais

2. Negative, interrogative, and negative interrogative constructions in the conditional follow the same rules as in the present tense.

   | | |
   |---|---|
   | Nous n'attendrions pas davantage. | *We wouldn't wait any longer.* |
   | Tu obéirais? | *Would you obey?* |
   | Obéirais-tu? | *Would you obey?* |
   | Ne répondriez-vous pas? | *Wouldn't you answer?* |
   | Est-ce que vous ne répondriez pas? | *Wouldn't you answer?* |

## EXERCICE A

*Exprimez ce que vos amis et vous feriez* (would do) *si votre professeur de français était malade.*

EXEMPLE:   je / participer à la classe
            Je **participerais** à la classe.

*1.* nous / aider le remplaçant *(substitute)*

_____

*2.* les garçons / finir leur travail

_____

*3.* Aline / distribuer les livres

_____

**4.** je / répondre à toutes les questions

_____

**5.** vous / respecter les demandes du remplaçant

_____

**6.** Serge / rendre les devoirs

_____

**7.** tu / écouter attentivement

_____

**8.** Céline et Madeleine / écrire au professeur

_____

## EXERCICE B

*Exprimez ce que ces personnes feraient et ne feraient pas dans les situations suivantes.*

EXEMPLE:    *(noter la date / oublier la date)* Si vous aviez un rendez-vous,
    **vous noteriez** la date,
    **vous n'oublieriez** pas la date.

**1.** *(choisir un film d'horreur /regarder une histoire d'amour)* Si Janine avait facilement peur,

_____

_____ .

**2.** *(rentrer à la maison / avertir* (notify) *la police)* Si elles voyaient un accident,

_____

_____ .

**3.** *(le frapper / lui parler)* Si vous aviez une dispute avec un ami,

_____

_____ .

**4.** *(réussir /rater ton examen)* Si tu étudiais beaucoup,

_____

_____ .

**5.** *(le rendre à son propriétaire / le garder)* Si nous trouvions un portefeuille,

_____

_____ .

**6.** *(écouter Madonna / jouer un concerto de Bach)* Si j'aimais la musique classique,

_____

_____ .

# [ 2 ] SPELLING CHANGES IN CERTAIN *-ER* VERBS

Verbs ending in *-er* that have spelling changes in the future have similar spelling changes in the conditional.

**a.** Most verbs with infinitives ending in *-yer* change *y* to *i* in the conditional (except *envoyer*, which is irregular, and verbs ending in *-ayer*).

nettoyer   *to clean:*   **je nettoierais, tu nettoierais, il/elle nettoierait**
**nous nettoierions, vous nettoieriez, ils/elles nettoieraient**

NOTE:   In verbs with infinitives ending in *-ayer*, the change from *y* to *i* is optional.

payer   *to pay:*   **je paierais (payerais), tu paierais (payerais), il/elle paierait (payerait)**
**nous paierions (payerions), vous paieriez (payeriez), ils/elles paieraient (payeraient)**

## EXERCICE C

*Exprimez ce que tout le monde ferait pour garder la maison propre.*

| employer | essayer | nettoyer |
| ennuyer | essuyer | payer |

1. Mme Leclos n'_____ pas les domestiques.

2. Je _____ ma chambre tous les jours.

3. Les Dupont _____ bien le jardinier.

4. Nous _____ de ranger le salon chaque semaine.

5. Vous _____ la vaisselle tous les soirs.

6. Tu _____ l'aspirateur chaque jour.

**b.** Verbs with silent *e* in the syllable before the infinitive ending change silent *e* to *è* in the conditional.

acheter   *to buy:*   **j'achèterais, tu achèterais, il/elle achèterait**
**nous achèterions, vous achèteriez, ils/elles achèteraient**

**c.** Verbs like *appeler* and *jeter*, which also have a silent *e,* double the consonant *l* or *t* in the conditional.

appeler   *to call:*   **j'appellerais, tu appellerais, il/elle appellerait**
**nous appellerions, vous appelleriez, ils/elles appelleraient**

jeter   *to throw:*   **je jetterais, tu jetterais, il/elle jetterait**
**nous jetterions, vous jetteriez, ils/elles jetteraient**

## EXERCICE D

*Dites comment la vie pourrait être* (could be) *en l'an 2100.*

EXEMPLE:   *(achever)* Nous **achèverions** l'irrigation des déserts.

1. *(geler)* La Terre _____ .

2. *(élever)* Les familles _____ des enfants parfaits.

3. *(peser)* Nous _____ très peu.

4. *(mener)* On _____ une vie agréable.

5. *(acheter)* J' _____ des vêtements en plastique.

6. *(emmener)* Tu _____ tes enfants sur la lune.

7. *(appeler)* Nous _____ les Martiens au téléphone.

8. *(jeter)* On _____ tout après chaque usage.

## EXERCICE E

*Exprimez ce que feraient ces personnes si elles étaient capitaines de leur équipe de volley-ball.*

| | |
|---|---|
| amener des amis au match | employer les bons joueurs |
| appeler l'arbitre *(referee)* «monsieur» | essayer de gagner |
| avancer vite vers le filet *(net)* | jeter la balle à Michelle |
| changer de position | perfectionner la stratégie de l'équipe |
| coopérer avec les arbitres | |

EXEMPLE:   Risa **changerait** de position.

1. Roland et moi _____ .

2. Tu _____ .

3. Lise et Danelle _____ .

4. Je _____ .

5. Lucas _____ .

6. Vous _____ .

7. Élodie _____ .

8. Roger et Bernard _____ .

# [ 3 ]  VERBS IRREGULAR IN THE CONDITIONAL

| INFINITIVE | CONDITIONAL | INFINITIVE | CONDITIONAL |
|---|---|---|---|
| **aller**  *to go* | **j'irais** | **mourir**  *to die* | **je mourrais** |
| **avoir**  *to have* | **j'aurais** | **pleuvoir**  *to rain* | **il pleuvrait** |
| **courir**  *to run* | **je courrais** | **pouvoir**  *to be able to* | **je pourrais** |
| **devoir**  *to owe, have to* | **je devrais** | **recevoir**  *to receive* | **je recevrais** |
| **envoyer**  *to send* | **j'enverrais** | **savoir**  *to know* | **je saurais** |
| **être**  *to be* | **je serais** | **venir**  *to come* | **je viendrais** |
| **faire**  *to do* | **je ferais** | **voir**  *to see* | **je verrais** |
| **falloir**  *to be necessary* | **il faudrait** | **vouloir**  *to want* | **je voudrais** |

## EXERCICE F

*Expliquez ce que vous feriez si vous héritiez* (**inherit**) *une fortune. Employez les suggestions données ou vos propres idées.*

acheter une voiture de sport      être très heureux (heureuse)
aller à beaucoup de concerts      faire une grande fête
avoir un avion privé      pouvoir faire n'importe quoi
envoyer des cadeaux à tous mes amis      vouloir aider les pauvres

*1.* _____

*2.* _____

*3.* _____

*4.* _____

*5.* _____

*6.* _____

*7.* _____

*8.* _____

## EXERCICE G

*Exprimez ce que vos amis parisiens feraient si le lycée était fermé aujourd'hui.*

EXEMPLE:    ils / recevoir la nouvelle avec joie
             **Ils recevraient la nouvelle avec joie.**

*1.* Delphine / écrire à son amie américaine

_____

*2.* Sophie / faire du cheval au club

_____

*3.* Sylvie et Chantal / courir les magasins pour trouver une robe pour la soirée de Delphine

_____

_____

*4.* elles / avoir un sorbet chez Berthillon sur l'île Saint-Louis

_____

*5.* Laurent / voir un vieux film de René Clair à la Cinémathèque

_____

*6.* Éric / aller au parc jouer au tennis

_____

*7.* Bruno et Régis / acheter une pizza à la pizzeria près du lycée

_____

*8.* tous les élèves / être très content

_____

## EXERCICE H

*Exprimez ce que chaque personne ferait dans les cas suivants.*

EXEMPLE:   *(jouer au tennis / jouer aux échecs)* S'il faisait beau, je
**jouerais** au tennis,
**je ne jouerais pas** aux échecs.

*1.* *(avoir confiance / avoir peur)* Si Robert nous conduisait dans sa voiture, nous

_____

_____

*2.* *(aller au parc / aller au cinéma)* S'il pleuvait, je

_____

_____

*3.* *(devoir étudier / devoir jouer au tennis)* Si vous aviez un examen, vous

_____

_____

*4.* *(recevoir de jolies cartes postales / recevoir de jolis cadeaux)* Si elles célébraient leur anniversaire, elles

_____

_____

**5.** *(devenir avocats / devenir docteurs)* S'ils étudiaient le droit, ils

_____

_____

**6.** *(voir Big Ben / voir la tour Eiffel)* Si tu allais en France, tu

_____

_____

**7.** *(falloir aller chez le médecin / falloir aller à l'école)* Si elle était malade, il

_____

_____

**8.** *(être riche / être pauvre)* Si vous gagniez à la loterie, vous

_____

_____

**9.** *(vouloir manger quelque chose / vouloir boire un verre d'eau)* Si j'avais soif, je

_____

_____

**10.** *(savoir jouer au football / savoir jouer du piano)* Si nous étions sportifs, nous

_____

_____

# [ 4 ] USES OF THE CONDITIONAL

**a.** The conditional expresses what would happen if certain conditions were fulfilled.

Je **dormirais** si j'avais le temps.     *I would sleep if I had the time.*

**b.** The conditional also expresses what will happen in the future from a point of view in the past.

Il a dit qu'il **viendrait** demain.     *He said he would come tomorrow.*

**c.** The conditional is also used to make a request or a demand more polite.

Je **voudrais** vous parler.     *I would like to speak to you.*

Il **aimerait** sortir.     *He would like to go out.*

**Pourriez**-vous le réparer?     *Could you fix it?*

NOTE:  When **would** has the sense of **used to**, that is, when it indicates a repetitive action in the past, the imperfect is used in French.

Elle venait tous les soirs.     *She would (used to) come every evening.*

## EXERCICE I

*Vos camarades voudraient faire des projets avec vous pour le week-end. Exprimez les questions que vous aimeriez leur poser.*

EXEMPLE:    à quelle heure / partir
            À quelle heure **partiriez-vous?**

**1.** où / aller

_____

**2.** que / vouloir faire

_____

**3.** avec qui /sortir

_____

**4.** à quelle heure /venir chez moi

_____

**5.** combien de temps /pouvoir rester en ville

_____

**6.** que /acheter à manger

_____

**7.** qui /amener avec nous

_____

**8.** quand /revenir

_____


## EXERCICE J

*Vous êtes dans un grand magasin avec des amis. Exprimez ce que chacun voudrait.*

EXEMPLE:    *(vouloir)* Mathieu **voudrait** voir les chemises.

**1.** *(vouloir)* Charline et moi, nous _____ aller au rayon *(department)* des jouets.

**2.** *(pouvoir)* Le vendeur _____-il nous aider?

**3.** *(aller)* J' _____ au sous-sol voir les lampes.

**4.** *(désirer)* _____ -vous aller au restaurant?

**5.** *(avoir)* Apolline et Lydie _____ envie de quitter le magasin.

6. *(devoir)* Colette _____ -elle vite faire son choix?

7. *(aimer)* _____ -tu essayer ce pantalon?

8. *(désirer)* Régine et Suzanne _____ parler au gérant *(manager)*.

## M A S T E R Y   E X E R C I S E S

### EXERCICE K

*Écoutez votre professeur et choisissez la meilleure réponse à chaque question. Tracez un cercle autour de la lettre qui convient.*

1. *a.* Je ne tondrais pas la pelouse.

   *b.* Je sortirais la poubelle.

   *c.* Je les dérangerais.

2. *a.* J'étudierais moins.

   *b.* J'apprendrais mes leçons par cœur.

   *c.* Je plaisanterais en classe.

3. *a.* Je trahirais sa confiance.

   *b.* Je le critiquerais.

   *c.* Je lui parlerais franchement.

4. *a.* Je l'inviterais à dîner chez moi.

   *b.* Je lui dirais « bonne chance. »

   *c.* Je lui lirais un article.

5. *a.* J'achèterais des vêtements chics.

   *b.* J'étudierais davantage.

   *c.* Je ferais du sport tous le jours.

### EXERCICE L

*Chacun voudrait changer pour le mieux. Exprimez ce que vous feriez pour être une meilleure personne.*

1. _____

2. _____

3. _____

4. _____

5. _____

## EXERCICE M

*Exprimez ce que les personnes suivantes feraient si elles pouvaient réaliser un de leurs rêves.*

aller en Russie
établir un record mentionné dans le livre Guinness
faire du parachutisme
piloter un avion
pouvoir faire du ski nautique

recevoir le prix Nobel
savoir faire de la planche à voile
traverser la Manche à la nage
voir les sept merveilles du monde

EXEMPLE:    Richard **traverserait** la Manche à la nage.

1. Marc _____ .

2. Camille et Jeanne _____ .

3. Nous _____ .

4. Tu _____ .

5. Vous _____ .

6. Paul et Fabrice _____ .

7. Andrée _____ .

8. Je _____ .

## EXERCICE N

*Complétez les phrases suivantes selon votre choix.*

EXEMPLE:    S'il faisait du vent, **je ferais de la voile.**

1. Si j'étais triste, _____ .

2. S'il faisait chaud, _____ .

3. Si je gagnais à la loterie, _____ .

4. Si j'avais 21 ans, _____ .

5. Si je n'avais rien à faire, _____ .

6. Si mes parents partaient en voyage, _____ .

## EXERCICE O

*Travaillez avec un camarade de classe. Faites une liste où vous expliquez ce que vous feriez si vous étiez président des États-Unis.*

EXEMPLE:    **J'interdirais les voitures dans les centres-villes.**

1. _____

2. _____

3. _____

4. _____

5. _____

6. _____

## EXERCICE P

*Vous répondez à une annonce pour un petit emploi de baby-sitter. Écrivez un email où vous expliquez ce que vous feriez avec les enfants pour les amuser.*

# Chapter 11
# Reflexive Verbs

## [ 1 ] REFLEXIVE CONSTRUCTIONS IN SIMPLE TENSES

**a.** In a reflexive construction, the action is performed by the subject on itself. The reflexive verb has a reflexive pronoun as its object. Thus, the subject and the pronoun object refer to the same person(s) or thing(s): *I shave myself.* The reflexive pronouns *(me, te, se, nous, vous)* generally precede the verb.

| PRESENT | | | |
|---|---|---|---|
| je | *me* | **cache** | *I hide (am hiding) myself* |
| tu | *te* | **caches** | *you hide (are hiding) yourself* |
| il/elle | *se* | **cache** | *he/she hides (is hiding) himself/herself* |
| nous | *nous* | **cachons** | *we hide (are hiding) ourselves* |
| vous | *vous* | **cachez** | *you hide (are hiding) yourself/yourselves* |
| ils/elles | *se* | **cachent** | *they hide (are hiding) themselves* |

| IMPERFECT | | | |
|---|---|---|---|
| je | *me* | **cachais** | *I hid (was hiding) myself* |
| tu | *te* | **cachais** | *you hid (were hiding) yourself* |
| il/elle | *se* | **cachait** | *he/she hid (was hiding) himself/herself* |
| nous | *nous* | **cachions** | *we hid (were hiding) ourselves* |
| vous | *vous* | **cachiez** | *you hid (were hiding) yourself/yourselves* |
| ils/elles | *se* | **cachaient** | *they hid (were hiding) themselves* |

| FUTURE | | | |
|---|---|---|---|
| je | *me* | **cacherai** | *I will hide myself* |
| tu | *te* | **cacheras** | *you will hide yourself* |
| il/elle | *se* | **cachera** | *he/she will hide himself/herself* |
| nous | *nous* | **cacherons** | *we will hide ourselves* |
| vous | *vous* | **cacherez** | *you will hide yourself/yourselves* |
| ils/elles | *se* | **cacheront** | *they will hide themselves* |

| CONDITIONAL | | | |
|---|---|---|---|
| je | *me* | **cacherais** | *I would hide myself* |
| tu | *te* | **cacherais** | *you would hide yourself* |
| il/elle | *se* | **cacherait** | *he/she would hide himself/herself* |
| nous | *nous* | **cacherions** | *we would hide ourselves* |
| vous | *vous* | **cacheriez** | *you would hide yourself/yourselves* |
| ils/elles | *se* | **cacheraient** | *they would hide themselves* |

**b.** Negative, interrogative, and negative interrogative constructions follow the same rules as for non-reflexive verbs. Reflexive pronouns remain before the verb.

| | |
|---|---|
| Ils ne se cachent pas. | *They aren't hiding.* |
| Se cachent-ils? | *Are they hiding?* |

| | |
|---|---|
| Est-ce qu'ils se cachent? | *Are they hiding?* |
| Tu te caches? | *Are you hiding?* |
| Ne se cachent-ils pas? | *Aren't they hiding?* |
| Ils ne se cachent pas? | *Aren't they hiding?* |

### c. Common reflexive verbs

| | |
|---|---|
| s'acheter   *to buy for oneself* | s'habiller   *to get dressed* |
| s'améliorer   *to improve (oneself)* | s'habituer à   *to get used to* |
| s'amuser (à)   *to have a good time, enjoy oneself* | s'inquiéter (de)   *to worry (about)* |
| s'appeler   *to be called* | s'installer   *to settle down, set up shop* |
| s'approcher (de)   *to approach, come near* | se laver   *to wash (oneself)* |
| s'arrêter (de)   *to stop* | se lever   *to get up, rise* |
| s'attendre à   *to expect* | se maquiller   *to put on make up* |
| se baigner   *to bathe* | se marier (avec)   *to marry* |
| se blesser   *to hurt oneself* | se mettre à   *to begin to* |
| se bronzer   *to tan* | se moquer (de)   *to laugh at* |
| se brosser   *to brush oneself* | se peigner   *to comb one's hair* |
| se brûler   *to burn oneself* | se préparer (à)   *to prepare (to)* |
| se cacher   *to hide (oneself)* | se présenter (à)   *to introduce oneself (to)* |
| se casser   *to break* | se promener   *to take a walk* |
| se coucher   *to lie down, go to bed* | se rappeler   *to remember* |
| se déguiser (en)   *to disguise oneself (as)* | se raser   *to shave (oneself)* |
| se demander   *to wonder* | se regarder   *to look at oneself / each other* |
| se dépêcher   *to hurry* | se reposer   *to rest* |
| se déshabiller   *to get undressed* | se réveiller   *to wake up* |
| se disputer   *to quarrel* | se sauver   *to run away* |
| s'échapper   *to escape* | se sentir   *to feel* |
| s'éloigner (de)   *to move away (from)* | se servir (de)   *to use* |
| s'endormir   *to fall asleep* | se souvenir (de)   *to remember* |
| s'ennuyer   *to get bored* | se spécialiser (en)   *to specialize (in)* |
| s'exprimer   *to express oneself* | se tromper   *to make a mistake* |
| se fâcher (contre)   *to become angry (at)* | |

NOTES:

1.  Remember the spelling changes in the following reflexive verbs.

    **s'acheter**   (je m'achète)   **se lever**   (je me lève)
    **s'appeler**   (je m'appelle)   **se promener**   (tu te promènes)
    **s'ennuyer**   (il s'ennuie)

2.  Some reflexive verbs may be used with an object in addition to the reflexive pronoun. In such constructions this object is the direct object of the verb and the reflexive pronoun is the indirect object.

    Claire **se** lave.               *Claire washes herself.*
    (*Se* is the direct object because Claire is washing herself.)

Claire se lave **les cheveux.**      *Claire washes her hair.*

(***Cheveux*** is the direct object, and *se* is the indirect object: Claire is washing her hair for herself.)

Elle s'achète **une robe.**      *She buys a dress for herself.*

(***Robe*** is the direct object, and *se* is the indirect object: she is buying a dress for herself.)

3. Most French verbs that take a direct object may be made reflexive by adding a personal pronoun object that refers back to the subject. Compare:

Papa réveille **Daniel.**      *Dad wakes Daniel.*

Daniel se réveille.      *Daniel awakens (wakes himself up).*

Je regarde **mon ami.**      *I look at my friend.*

Je **me** regarde dans le miroir.      *I look at myself in the mirror.*

**d.  Reflexive expressions**

se brosser les cheveux, les dents    *to brush one's hair, teeth*

se casser le bras, la jambe    *to break one's arm, leg*

s'en aller    *to go away*

se faire des amis    *to make friends*

se faire mal (à la jambe)    *to hurt oneself (one's leg)*

se mettre en colère    *to get angry*

se mettre en rang    *to get in line*

se mettre en route    *to start out*

se rendre compte de / que    *to realize*

# EXERCICE A

*Exprimez ce que chaque personne fait en écoutant la radio.*

EXEMPLE:    Martine **se brosse les cheveux.**

*1.* Philippe _____ .

**2.** Anouk et Lucie _____ .

**3.** Je _____ .

**4.** Denise _____ .

**5.** Tu _____ .

**6.** Vous _____ .

**7.** Damien et Serge _____.

**8.** Tu _____.

## EXERCICE B

*Exprimez ce que les personnes suivantes n'avaient pas l'habitude de faire.*

| | | |
|---|---|---|
| s'amuser | se laver | se raser |
| se dépêcher | se maquiller | se tromper |
| se fâcher | se peigner | s'inquiéter |

EXEMPLE:    Le petit enfant était toujours très sale.
            **Il ne se lavait pas.**

**1.** Mariel n'avait jamais de soucis *(worry)*.

_____

**2.** J'étais toujours en retard.

_____

**3.** Gaspard et Bastien ne faisaient jamais de fautes.

_____

**4.** Laure et moi, nous n'achetions jamais de mascara.

_____

**5.** Tu étais toujours trop sérieux.

_____

**6.** Vous aviez toujours les cheveux peu soignés.

_____

**7.** Sarah et Aurélie restaient toujours calmes et ne se disputaient pas.

_____

**8.** Jean avait une moustache et une longue barbe.

_____


## EXERCICE C

*Vous faites un safari–photo en Afrique. Exprimez les questions que les touristes posent au guide.*

EXEMPLE:   où / nous / se déshabiller pour la nuit
Où **nous déshabillons-nous** pour la nuit?

**1.** quand / nous / se promener dans la savane

_____

**2.** à quelle heure / nous / se mettre en route

_____

**3.** pourquoi / ils / se dépêcher de partir

_____

**4.** de quoi / vous / s'inquiéter

_____

**5.** pourquoi / il / se sentir en danger

_____

**6.** pourquoi / vous / se cacher derrière cet arbre

_____

**7.** comment / cet animal / s'appeler

_____

**8.** comment / nous / s'approcher des lions

_____

**9.** pourquoi / vous / se sauver en criant

_____

**10.** où / les singes / s'en aller

_____

*11.* où / les touristes / se baigner après le safari

_____

*12.* pourquoi / tu / se vanter *(to boast)* d'être un bon photographe

_____

## EXERCICE D

*Utilisez les verbes donnés pour poser des questions sur les situations suivantes.*

| | | |
|---|---|---|
| s'amuser | se dépêcher | se mettre en route |
| se blesser | se fâcher | se peigner |
| se coucher | se marier | se regarder |

EXEMPLE:   *(vous)* Quand vous chantez et dansez, **ne vous amusez-vous pas?**

*1.* *(tu)* Pendant une dispute avec un ami, _____ ?

*2.* *(il)* Quand il est prêt à partir, _____ immédiatement?

*3.* *(vous)* Si vous tombez de cheval, _____ ?

*4.* *(nous)* S'il fait du vent dehors, _____ quand nous entrons

dans la maison?

*5.* *(vous)* Quand vous êtes très fatigués, _____ ?

*6.* *(ils)* Avant de sortir _____ dans la glace?

*7.* *(elle)* Quand elle est en retard _____ ?

*8.* *(tu)* Paul t'a donné une bague de fiançailles *(engagement).* _____

_____ bientôt avec lui?

## EXERCICE E

*En utilisant le verbe approprié, exprimez ce que chaque personne fait.*

*1.* *(cacher / se cacher)* Le criminel _____ l'argent volé, puis il

_____ .

*2.* *(arrêter / s'arrêter)* Il _____ de conduire trop vite quand un agent

de police _____ sa voiture.

*3.* *(acheter / s'acheter)* Je (j') _____ une montre à ma mère, puis je

_____ un bracelet en or.

**4.** *(tromper /se tromper)* Vous _____ quand vous

_____ vos amis.

**5.** *(regarder / se regarder)* Elle _____ dans le miroir, puis elle

_____ son petit ami.

**6.** *(sentir /se sentir)* Tu _____ le pollen et tout de suite après tu

_____ malade.

**7.** *(habiller /s'habiller)* Les mères _____ leurs enfants et après elles

_____ .

**8.** *(demander / se demander)* Ils _____ pourquoi ils

_____ toutes ces informations.

## [ 2 ]   REFLEXIVE CONSTRUCTIONS IN COMPOUND TENSES

Compound tenses of reflexive verbs are formed with the helping verb *être*.

| PASSÉ COMPOSÉ | | | | |
|---|---|---|---|---|
| je | *me* | *suis* | **caché(e)** | *I hid myself* |
| tu | *t'* | *es* | **caché(e)** | *you hid yourself* |
| il / elle | *s'* | *est* | **caché(e)** | *he/she hid himself/herself* |
| nous | *nous* | *sommes* | **caché(e)s** | *we hid ourselves* |
| vous | *vous* | *êtes* | **caché(e)(s)** | *you hid yourself/yourselves* |
| ils / elles | *se* | *sont* | **caché(e)s** | *they hid themselves* |

NOTES:

1.   In compound tenses, the reflexive pronoun precedes the helping verb. In the negative, *ne* precedes the reflexive pronoun, and *pas* follows the helping verb.

Je **ne** me suis **pas** habillé(e).                    *I didn't get dressed.*

2.   In interrogative constructions with inversion, the subject pronoun and the helping verb are inverted and the reflexive pronoun remains before the helping verb.

**T'es-tu** habillé(e)?                    *Did you get dressed?*
**S'est-elle** levée tôt?                    *Did she get up early?*
Ne **vous êtes-vous** pas lavés?                    *Didn't you wash yourselves?*
Ne **se sont-ils** pas trompés?                    *Didn't they make a mistake?*

3.   Questions can also be asked without inversion, by using *est-ce que* at the beginning of the sentence or by using simple intonation.

Vous vous êtes promené(e)s?                    *Did you take a walk?*
Est-ce que vous vous êtes promené(e)s?                    *Did you take a walk?*

Est-ce que tu ne t'es pas souvenu(e)?      *Didn't you remember?*

Tu ne t'es pas souvenu(e)?      *You didn't remember?*

4. The reflexive pronoun may be either a direct or an indirect object of the verb. When the reflexive pronoun is a direct object, as in *elle s'est lavée* (she washed herself), where *se* stands for "herself," the past participle agrees with the reflexive pronoun, therefore also agreeing with the subject.

Elle s'est brûlée.      *She burned herself.*

Ils **se** sont amusés hier.      *They enjoyed themselves yesterday.*

When the reflexive pronoun is an indirect object, as in *elle s'est lavé les mains,* where *se* stands for "for herself" or "of herself," and *les mains* is the direct object, the past participle remains unchanged.

Elle s'est brossé **les dents.**      *She brushed her teeth.*

Ils se sont acheté **les chemises.**      *They bought the shirts (for themselves).*

## EXERCICE F

*Exprimez ce qui est arrivé à ces personnes pendant une très mauvaise journée.*

EXEMPLE:    je / se mettre en route très tard

                Je **me suis mis(e)** en route très tard.

*1.* Émilie / se couper

_____

*2.* Jean et Louis / se blesser

_____

*3.* nous / se sentir malade

_____

*4.* je / se fâcher contre mon meilleur ami

_____

*5.* Roland / s'inquiéter de tout

_____

*6.* Sabine et Anne / se tromper

_____

*7.* vous / se brûler

_____

*8.* tu / s'exprimer incorrectement dans une composition

_____

## EXERCICE G

*Posez les questions qui correspondent aux situations données en utilisant les verbes suggérés au passé composé.*

| | | |
|---|---|---|
| s'amuser | s'endormir | se préparer à l'avance |
| se blesser le genou | s'inquiéter | se présenter à elle |
| se brosser les cheveux | se laver les dents | se tromper de date |
| se dépêcher | | |

EXEMPLES:  Tu étais en retard.
**Tu t'es inquiété(e)?**

Il n'est pas venu à la réunion.
**S'est-il trompé de date?**

1.  Le petit enfant avait très sommeil.

_____ ?

2.  Tu as mangé des oignons.

_____ ?

3.  Vous êtes tombés dans la rue.

_____ ?

4.  Les garçons avaient un examen.

_____ ?

5.  Clara et Michelle sont allées à la boum.

_____ ?

6.  Nous étions en retard à notre rendez-vous.

_____ ?

7.  Paul voulait faire la connaissance de Claude.

_____ ?

8.  Louise voulait changer de coiffure.

_____ ?

## EXERCICE H

*Exprimez ce qui est arrivé dans les situations suivantes en donnant une réponse négative.*

EXEMPLE:  *(se reposer)* J'étais fatigué(e), mais je ne me suis pas reposé(e).

1.  *(se préparer à sortir)* Yolande était malade, alors elle _____

_____ .

**2.** *(se déguiser)* Je suis allé à un bal costumé, mais je _____

_____ .

**3.** *(se présenter)* Vous aviez déjà rencontré cette personne auparavant, alors vous _____

_____ .

**4.** *(se casser la jambe)* Les filles ont eu un accident, mais heureusement elles _____

_____ .

**5.** *(se demander pourquoi)* Tu avais tort, mais tu _____

_____ .

**6.** *(se bronzer)* Il pleuvait quand nous sommes arrivés à la plage, alors nous _____

_____ .

**7.** *(se brosser les cheveux)* Les garçons étaient en retard, alors ils _____

_____ .

**8.** *(s'endormir tout de suite)* Lucien était inquiet et il _____

_____ .

## EXERCICE I

*Posez des questions selon l'exemple pour demander ce que les personnes suivantes ont fait avant de partir ce matin.*

EXEMPLE:    *(tu)* **Ne t'es-tu pas brossé les cheveux?**

**1.** *(elles)* _____

**2.** *(il)* _____

**3.** *(vous)* _____

**4.** *(elle)* _____

**5.** *(tu)* _____

**6.** *(je)* _____

## [ 3 ]  REFLEXIVE COMMANDS

In affirmative commands, reflexive pronouns follow the verb. After the verb, *toi* is used instead of *te*. In negative commands, reflexive pronouns precede the verb.

| AFFIRMATIVE IMPERATIVE | |
|---|---|
| **Cache-toi!** | *Hide!* |
| **Cachons-nous!** | *Let's hide!* |
| **Cachez-vous!** | *Hide!* |
| NEGATIVE IMPERATIVE | |
| **Ne te cache pas!** | *Don't hide!* |
| **Ne nous cachons pas!** | *Let's not hide!* |
| **Ne vous cachez pas!** | *Don't hide!* |

## EXERCICE J

*La mère et la petite amie de Georges ne sont pas d'accord. Exprimez ce qu'elles lui disent.*

EXEMPLE:    MAMAN:   Tu es sale! **Baigne-toi.**
            JULIETTE:   Tu es propre! **Ne te baigne pas.**

*1.* MAMAN:   Je déteste ta barbe! _____

JULIETTE: J'adore ta barbe! _____

*2.* MAMAN:   Tu es décoiffé! _____

JULIETTE: Tu es très bien peigné! _____

*3.* MAMAN:   Il est très tard! _____

JULIETTE: Il n'est pas tard! _____

*4.* MAMAN:   Tes mains sont sales! _____

JULIETTE: Tes mains sont propres! _____

*5.* MAMAN:   Tu es toujours en retard! _____

JULIETTE: Tu es toujours en avance! _____

*6.* MAMAN:   Tu es trop fatigué! _____

JULIETTE: Tu es en pleine forme! _____

## EXERCICE K

*Vous entrez à l'université. Exprimez les recommandations de votre conseiller.*

EXEMPLE:    se lever / tôt / tard
            **Levez-vous tôt. Ne vous levez pas tard.**

*1.* s'inquiéter / de vos examens / de vos passe-temps

_____

_____

**2.** se reposer / après vos classes / avant vos classes

_____

_____

**3.** se coucher / de bonne heure / tard

_____

_____

**4.** s'amuser / pendant le week-end / pendant la semaine

_____

_____

**5.** s'habituer / à travailler dur / à perdre votre temps

_____

_____

**6.** se préparer à / étudier le soir / danser toute la nuit

_____

_____

**7.** s'endormir / dans votre chambre / en classe

_____

_____

## EXERCICE L

*Vos amis et vous êtes en vacances, mais vous n'êtes pas d'accord sur ce que vous voulez faire. Écrivez vos suggestions et les réponses de vos amis.*

EXEMPLE:    se promener dans ce parc
            VOUS:    **Promenons-nous** dans ce parc.
            VOS AMIS: Non, **ne nous promenons pas** dans ce parc.

**1.** se mettre en route tôt le matin

VOUS: _____

VOS AMIS: _____

**2.** se baigner dans la mer

VOUS: _____

VOS AMIS: _____

**3.** s'approcher du bord de l'eau

VOUS: _____

VOS AMIS: _____

**4.** se présenter à ces filles

VOUS: _____

VOS AMIS: _____

**5.** s'éloigner de ces rochers

VOUS: _____

VOS AMIS: _____

**6.** s'installer sur cette plage-là

VOUS: _____

VOS AMIS: _____

# [ 4 ] REFLEXIVE CONSTRUCTIONS WITH INFINITIVES

**When used as object of an infinitive, the reflexive pronoun precedes the infinitive.**

Je vais **me coucher** maintenant.     *I'm going to go to bed now.*

Il ne pouvait pas **se lever**.     *He couldn't get up.*

Voudriez-vous **vous marier**?     *Would you like to get married?*

## EXERCICE M

*Exprimez ce que ces personnes voudraient faire pendant leurs vacances.*

EXEMPLE:     elle / se réveiller tard

      Elle **voudrait se réveiller** tard.

**1.** je /se bronzer

_____

**2.** elles / s'installer dans leur nouvel appartement

_____

**3.** tu / s'amuser

_____

**4.** il / se reposer

_____

**5.** nous / se promener

_____

**6.** elle / se baigner tous les jours

_____

**7.** vous / se présenter aux parents de votre amie

_____

**8.** ils / se faire des amis

_____

## EXERCICE N

*Exprimez ce que ces personnes ne pouvaient pas faire ce matin parce qu'elles étaient trop pressées.*

s'acheter le journal                    se rappeler la date
s'amuser avec le chat                   se regarder dans la glace
se baigner                              se réveiller
se mettre en route de bonne heure       s'habiller avec soin
se peigner

EXEMPLE:    Simone **ne pouvait pas se baigner.**

**1.** Cassandre _____

**2.** Vous _____

**3.** Je _____

**4.** Christian _____

**5.** Tu _____

**6.** Denise et Mireille _____

**7.** Nous _____

**8.** Gabriel et Daniel _____

## [ 5 ]   SUMMARY OF THE POSITION OF REFLEXIVE PRONOUNS

| | | |
|---|---|---|
| SIMPLE TENSES | **Tu te lèves.** | *You get up.* |
| | **Elles se levaient.** | *They were getting up.* |
| COMPOUND TENSES | **Tu t'es levé(e).** | *You got up.* |
| COMMANDS | **Lève-toi.** | *Get up.* |
| | **Levez-vous.** | *Get up.* |
| | **Ne te lève pas.** | *Don't get up.* |
| | **Ne vous levez pas.** | *Don't get up.* |
| INFINITIVE | **Tu veux te lever.** | *You want to get up.* |
| | **Il a décidé de se lever.** | *He decided to get up.* |

## MASTERY EXERCISES

### EXERCICE O

*Alice, une amie américaine, pose des questions à Delphine et à Sophie sur la vie quotidienne des jeunes Françaises. Complétez la conversation en mettant au présent les verbes entre parenthèses.*

ALICE: À quelle heure vous _____, Delphine et Sophie?
1. (se réveiller)

SOPHIE: Nous _____ à sept heures et nous
2. (se réveiller)

_____ tout de suite. Ensuite, nous
3. (se lever)

_____ rapidement.
4. (se lever)

ALICE: Comment vous _____ ?
5. (s'habiller)

DELPHINE: Moi, je _____ en jean avec une chemise et Sophie
6. (s'habiller)

_____ souvent en robe.
7. (se mettre)

ALICE: Vous _____ ?
8. (se maquiller)

SOPHIE: Non, juste du rouge à lèvres.

ALICE: Prenez-vous le petit déjeuner en famille?

DELPHINE: Oui, on _____ des croissants et du chocolat chaud.
9. (se préparer)

ALICE: À quelle heure vous _____ pour le lycée?
10. (se metter en route)

DELPHINE: À huit heures. Le lycée _____ de l'autre côté de la rue.
11. (se trouver)

C'est tout près, mais nous _____ quand même!
12. (se dépêcher)

ALICE: Comment _____ votre lycée?
13. (s'appeler)

SOPHIE: Le lycée Janson de Sailly.

ALICE: Vous _____ en classe?
14. (s'ennuyer)

DELPHINE: Non! On ne _____ jamais!
                                 *15.* (s'ennuyer)

On _____ même souvent.
            *16.* (s'amuser)

ALICE:   À quelle heure les classes _____ –elles?
                                              *17.* (se terminer)

DELPHINE: Nous _____ à cinq heures et demie. C'est une longue journée!
                    *18.* (s'en aller)

## EXERCICE P

*Complétez les phrases avec le verbe approprié au temps correct.*

| | | |
|---|---|---|
| s'amuser | se coucher | s'habiller |
| se baigner | se demander | se mettre en route |
| se cacher | se dépêcher | se servir de |
| se casser | se fâcher avec | se spécialiser en |

EXEMPLES:  J'étais en retard et je **me dépêchais.**
           Il fera une faute et il **se demandera** pourquoi.

*1.* Elle est montée à sa chambre à minuit et elle _____ .

*2.* Il a eu une dispute avec un ami et il _____ lui.

*3.* Nous irons à la fête et nous _____ .

*4.* Vous êtes tombé et vous _____ la jambe.

*5.* Tu choisissais tes vêtements parce que tu allais _____ .

*6.* Je jouais au tennis et je _____ une nouvelle raquette.

*7.* Elles ont quitté la maison et elles _____ .

*8.* Ils étudient le latin parce qu'ils _____ langues étrangères.

*9.* Ils n'ont pas voulu voir ces personnes alors ils _____ .

*10.* Éric et Solange pensaient qu'ils iraient à la plage cet été et qu'ils _____
    tous les jours.

## EXERCICE Q

*Qu'est-ce que ces personnes doivent faire dans les situations suivantes? Écoutez votre professeur et tracez un cercle autour de la meilleure réponse.*

*1.* *a.* Tu dois te brosser les dents.

    *b.* Tu dois te brosser les cheveux.

    c. Tu dois te baigner.

2. *a.* Il doit se calmer.

   *b.* Il doit s'énerver.

   *c.* Il doit se cacher.

3. *a.* Elles doivent se mettre en colère.

   *b.* Elles doivent se faire des amis.

   *c.* Elles doivent se mettre en route.

4. *a.* Vous devez vous blesser.

   *b.* Vous devez vous échapper.

   *c.* Vous devez vous reposer.

5. *a.* Nous devons nous bronzer.

   *b.* Nous devons nous peigner.

   *c.* Nous devons nous brûler.

6. *a.* Je dois me réveiller.

   *b.* Je dois me coucher.

   *c.* Je dois me cacher.

## EXERCICE R

*Racontez à un(e) ami(e) comment se passe votre matinée avant d'aller à l'école.*

EXEMPLE:   **Je ne me réveille pas très facilement le matin.**

_____

_____

_____

_____

_____

_____

_____

_____

# Chapter 12
## Subjunctive

## [ 1 ] SUBJUNCTIVE IN FRENCH

Chapters 1 to 11 in this book deal with verb constructions in the indicative mood. In this and the next chapter, you will see how the subjunctive mood enables speakers of French to express a variety of attitudes and feelings through the use of different verb forms.

The indicative mood states facts and expresses certainty or reality. The subjunctive mood expresses uncertainty and doubt, necessity, need, commands, desires, fears, and suppositions or conditions that are uncertain or contrary to fact. The subjunctive occurs much more frequently in French than in English.

## [ 2 ] PRESENT SUBJUNCTIVE OF REGULAR VERBS

The present subjunctive of most verbs is formed by dropping the -*ent* ending of the third person plural (*ils* form) of the present indicative and adding -*e*, -*es*, -*e*, -*ions*, -*iez*, -*ent*.

| travail*r* | chois*ir* | attend*re* |
|---|---|---|
| je travaille | je choisisse | j' attende |
| tu travailles | tu choisisses | tu attendes |
| il/elle travaille | il/elle choisisse | il/elle attende |
| nous travaillions | nous choisissions | nous attendions |
| vous travailliez | vous choisissiez | vous attendiez |
| ils/elles travaillent | ils/elles choisissent | ils/elles attendent |

NOTES:

1. The *nous* and *vous* forms of the present subjunctive are identical to the *nous* and *vous* forms of the imperfect indicative.

2. The present subjunctive may express actions that occur in the present or will occur in the future. Verbs in the subjunctive are generally used in dependent clauses introduced by *que*.

Il est possible **qu'**il aime Cécile.   { *It's possible that he likes Cécile.*
                                           *It's possible that he will like Cécile.*

3. Negative constructions in the present subjunctive follow the same rules as in the present indicative.

Il est possible qu'il **ne** finisse **pas**.   *It is possible he won't finish.*

## EXERCICE A

*Exprimez ce qu'il est nécessaire de faire pour être bon citoyen.*

EXEMPLE:   on / écouter les propositions du gouvernement
           **Il est nécessaire qu'on écoute** les propositions du gouvernement.

*1.* les citoyens / respecter les lois du pays

_____

*2.* nous / contrôler toutes nos dépenses

_____

*3.* je / voter aux élections

_____

*4.* vous / accepter d'être membre d'un jury

_____

*5.* tu / éviter de commettre des infractions

_____

*6.* les parents / donner de bons conseils aux enfants

_____

## EXERCICE B

*Exprimez ce qui aiderait les élèves à éviter les problèmes. Commencez chaque phrase par* **il vaut mieux** *(it would be better).*

EXEMPLE:    choisir les réponses correctes *(je)*
            **Il vaut mieux que je choisisse** les réponses correctes.

*1.* réfléchir avant de parler *(je)*

_____

*2.* réussir à l'école *(nous)*

_____

*3.* saisir chaque occasion d'apprendre *(les élèves)*

_____

*4.* finir toujours ton travail *(tu)*

_____

*5.* obéir à ses parents et à ses professeurs *(l'étudiante)*

_____

*6.* agir toujours calmement *(vous)*

_____

*7.* choisir de bons amis *(les étudiants)*

_____

## EXERCICE C

*Exprimez ce qu'il est bon de faire pour que chaque membre de la famille soit* (be) *heureux.*

EXEMPLES:   Tu n'interromps pas les conversations.
**Il est bon que tu n'interrompes pas les conversations.**

Tu défends tes idées.
**Il est bon que tu défendes tes idées.**

*1.* Nous ne perdons pas les affaires des autres.

_____

*2.* Vous attendez le dîner pour manger.

_____

*3.* Tu réponds quand on te parle.

_____

*4.* J'entends ce qu'on me dit.

_____

*5.* Les parents ne défendent pas aux enfants de sortir.

_____

*6.* On rend à chacun ce qui lui appartient.

_____

## EXERCICE D

*Exprimez ce que vous devez faire aujourd'hui.*

> *préparer un discours*
> *correspondre avec mes amis*
> *écouter les informations*
> *organiser mon travail*
> *choisir le sujet de ma composition*
> *remplir cette demande d'emploi*
> *finir mes devoirs*
> *répondre à cette lettre*
> *descendre en ville*

EXEMPLE:   **Il faut que je prépare** un discours.

*1.* _____

*2.* _____

*3.* _____

4. _____

5. _____

6. _____

7. _____

8. _____

## EXERCICE E

*Exprimez ce que le professeur conseille aux élèves de faire pour réussir.*

EXEMPLE:   écouter en classe
**Il est essentiel que vous écoutiez** en classe.

1. choisir des activités éducatives

_____

2. répondre correctement aux questions

_____

3. agir de façon raisonnable

_____

4. respecter vos camarades

_____

5. étudier chaque soir

_____

6. défendre toujours vos idées

_____

# [ 3 ]  PRESENT SUBJUNCTIVE OF VERBS WITH TWO STEMS

Some verbs have two different stems to form the present subjunctive: the third person plural (*ils / elles* form) of the present indicative for the *je, tu, il / elle,* and *ils / elles* forms, and the first person plural (*nous* form) for the *nous* and *vous* forms.

devoir   *to owe; must*
present indicative: ils doivent, nous devons
subjunctive:       je doive, tu doives, il/elle doive
                   nous devions, vous deviez, ils/elles doivent

prendre *to take*
present indicative: ils prennent, nous prenons
subjunctive:       je prenne, tu prennes, il/elle prenne
                   nous prenions, vous preniez, ils/elles prennent

voir    *to see*
present indicative:  **ils voient, nous voyons**
subjunctive:       **je voie, tu voies, il/elle voie**
                   **nous voyions, vous voyiez, ils/elles voient**

Other verbs with two stems:

| | |
|---|---|
| boire    *to drink* | **je boive, nous buvions** |
| croire    *to believe* | **je croie, nous croyions** |
| recevoir    *to receive* | **je reçoive, nous recevions** |
| venir    *to come* | **je vienne, nous venions** |

## [ 4 ]   PRESENT SUBJUNCTIVE OF VERBS WITH SPELLING CHANGES

Verbs with spelling changes follow the same rules for the formation of the subjunctive as other verbs with two stems.

| | |
|---|---|
| envoyer    *to send* | **j'envoie, nous envoyions** |
| ennuyer    *to bother* | **j'ennuie, nous ennuyions** |
| payer    *to pay* | **je paye (paie), nous payions** |
| acheter    *to buy* | **j'achète, nous achetions** |
| appeler    *to call* | **j'appelle, nous appelions** |
| jeter    *to throw* | **je jette, nous jetions** |
| préférer    *to prefer* | **je préfère, nous préférions** |

## EXERCICE F

*Exprimez ce que ces personnes doivent faire avant de partir en voyage.*

EXEMPLE:    il est urgent / vous / envoyer ces lettres
            **Il est urgent que vous envoyiez** ces lettres.

*1.* il est essentiel / tu /voir tes grands-parents avant de partir

_____

*2.* il est impératif / les garçons /acheter leurs billets à l'avance

_____

*3.* il est normal / je /recevoir une confirmation de l'hôtel

_____

*4.* il vaut mieux / je /amener ma valise rouge

_____

*5.* il est bon /Adrienne / jeter ses tickets de l'année dernière

_____

*6.* il est nécessaire / vous /répéter votre itinéraire

_____

7. il faut / nous / prendre un taxi pour aller à l'aéroport

_____

8. il est temps / elles / venir me dire au revoir

_____

9. il est important / on / appeler un taxi maintenant

_____

10. il est regrettable / tu / devoir annuler ton voyage

_____

## EXERCICE G

_Vous interviewez un athlète célèbre pour le journal de l'école. Complétez vos questions et ses réponses avec la forme correcte du verbe au subjonctif._

1. _(mener)_

   VOUS:      Quelle sorte de vie faut-il que vous _____ ?

   L'ATHLÉTE: Il faut que je _____ une vie active.

2. _(prendre)_

   VOUS:      De qui est-il nécessaire que vous _____ conseil?

   L'ATHLÉTE: Il est nécessaire que je _____ conseil de mon entraîneur.

3. _(essayer)_

   VOUS:      Est-il important que vous _____ de vous améliorer?

   L'ATHLÉTE: Il est toujours important que j' _____ de m'améliorer.

4. _(peser)_

   VOUS:      Combien faut-il que vous _____ ?

   L'ATHLÉTE: Il faut que je _____ moins de cent kilos.

5. _(coopérer)_

   VOUS:      Est-il préférable que vous _____ avec l'équipe?

   L'ATHLÉTE: Il est essentiel que je _____ avec l'équipe.

6. _(croire)_

   VOUS:      Est-il impératif que vous _____ le capitaine de l'équipe?

   L'ATHLÉTE: Oui, il est impératif que je le _____ .

**7.** *(venir)*

VOUS:       Est-il possible que vous ———————————— bientôt à Chicago?

L'ATHLÉTE: Il est possible que j'y ———————————— bientôt.

**8.** *(recevoir)*

VOUS:       Est-il surprenant que vous ———————————— tant de lounges?

L'ATHLÉTE: Il est bon que je ———————————— ces louanges.

# [ 5 ] PRESENT SUBJUNCTIVE OF IRREGULAR VERBS

### a. Verbs with one stem

faire   *to do:*   **je fasse, tu fasses, il/elle fasse**
**nous fassions, vous fassiez, ils/elles fassent**

falloir   *it is necessary:*   **il faille**

pleuvoir   *to rain:*   **il pleuve**

pouvoir   *to be able to:*   **je puisse, tu puisses, il/elle puisse**
**nous puissions, vous puissiez, ils/elles puissent**

savoir   *to know:*   **je sache, tu saches, il/elle sache**
**nous sachions, vous sachiez, ils/elles sachent**

### b. Verbs with two stems

aller   *to go:*   **j'aille, tu ailles, il/elle aille**
**nous allions, vous alliez, ils / elles aillent**

avoir   *to have:*   **j'aie, tu aies, il/elle ait**
**nous ayons, vous ayez, ils / elles aient**

être   *to be:*   **je sois, tu sois, il/elle soit**
**nous soyons, vous soyez, ils/elles soient**

vouloir   *to want:*   **je veuille, tu veuilles, il/elle veuille**
**nous voulions, vous vouliez, ils/elles veuillent**

## EXERCICE H

*Le temps est incertain. Exprimez ce que vous aimeriez.*

EXEMPLE:   il / faire beau
**J'aimerais qu'il fasse beau.**

**1.** le météorologue /savoir quel temps il fera demain

—————————————————————————————————————

**2.** il /ne pas pleuvoir demain

—————————————————————————————————————

**3.** mon frère /vouloir bien me conduire en ville

—————————————————————————————————————

**4.** il /ne pas falloir apporter de parapluie

_____

**5.** tu / aller à la plage

_____

**6.** les filles /faire du ski nautique cet après-midi

_____

**7.** nous / avoir un match de base-ball

_____

**8.** vous / pouvoir jouer au tennis

_____

**9.** Raphaël et Raymond / être contents

_____

## EXERCICE I

_Delphine téléphone à Sophie. Complétez leur conversation avec la forme correcte des verbes au subjonctif._

DELPHINE: Salut, Sophie. Ça va? Écoute! Il faut que je _____ des courses. Il faut que
                                                                    _1. (faire)_

j' _____ au Printemps. Il est nécessaire que j' _____
       _2. (aller)_                                              _3. (acheter)_

une chemise rose qui _____ de la même couleur que ma jupe.
                            _4. (être)_

SOPHIE:    Si tu veux que je _____ avec toi, il vaut mieux que tu
                                    _5. (venir)_

_____ partir tout de suite. J'ai peur qu'il _____ bientôt.
     _6. (pouvoir)_                                           _7. (pleuvoir)_

DELPHINE: C'est bête que le temps _____ si mauvais et qu'il n'y
                                          _8. (être)_

_____ pas de soleil! C'est triste que nous ne _____
     _9. (avoir)_                                               _10. (pouvoir)_

jamais sortir sans parapluie! Mais, j'apprécie que tu _____ bien venir
                                                            _11. (vouloir)_

avec moi. Merci!

SOPHIE:    Alors vite. Il faut que je _____ tôt et qu'on _____
                                          _12. (revenir)_                      _13. (faire)_

attention. Autrement mon père ne sera pas content. Il est un peu en colère contre moi

en ce moment, je ne sais pas pourquoi.

## EXERCICE J

*Maintenant vous interviewez une étudiante en médecine pour la rubrique «Futures Carrières» de votre journal. Complétez vos questions et ses réponses avec la forme correcte du verbe au subjonctif.*

**1.** *(savoir)*

VOUS: Est-il important que vous _____ ce qui est nouveau en médecine?

L'ÉTUDIANTE: Oui, il est important que je _____ guérir toutes les maladies.

**2.** *(aller)*

VOUS: Faudra-t-il que vous _____ toujours chez vos clients?

L'ÉTUDIANTE: Il faudra que j' _____ de temps en temps chez mes clients.

**3.** *(faire)*

VOUS: Qu'est-ce qu'il est bon que vous _____ ?

L'ÉTUDIANTE: Il est bon que je _____ toujours de mon mieux.

**4.** *(pouvoir)*

VOUS: Est-il possible que vous _____ vous reposer un peu au travail?

L'ÉTUDIANTE: Il est impossible que je _____ me reposer un peu quand je travaille.

**5.** *(avoir)*

VOUS: Est-il surprenant que vous _____ du temps libre?

L'ÉTUDIANTE: Oui, il est très surprenant que j' _____ du temps libre.

**6.** *(vouloir)*

VOUS: Est-il étonnant que vous _____ continuer vos études?

L'ÉTUDIANTE: Non, il n'est pas étonnant que je _____ continuer mes études.

**7.** *(être)*

VOUS: Est-il normal que vous _____ contente?

L'ÉTUDIANTE: Oui, il est normal que je _____ contente.

## M A S T E R Y   E X E R C I S E S

## EXERCICE K

*Exprimez ce que les parents de Lydie et de Marc doivent faire pour préparer leur mariage.*

EXEMPLE: il est essentiel / nous / prendre une décision
Il est essentiel **que nous prenions** une décision.

**1.** il est important / nous / choisir le traiteur *(caterer)*

_____

**2.** il est nécessaire /on /réserver une tente pour le jardin

_____

**3.** il faut / les jeunes gens /avertir la mairie _(mayor's office)_

_____

**4.** il est naturel / Lydie /dire ce qu'elle désire

_____

**5.** il est normal / vous / faire décorer la maison

_____

**6.** il est temps / Lydie et Marc / écrire les invitations

_____

**7.** il vaut mieux / tu / envoyer les invitations six semaines à l'avance

_____

**8.** il est urgent /je / chercher un bon orchestre

_____

**9.** il est essentiel / nous / savoir bientôt où organiser la réception

_____

**10.** il est préférable / nous / payer le photographe après la cérémonie

_____

# EXERCICE L

_Exprimez cinq choses que vous estimez nécessaires pour améliorer les conditions dans votre école._

EXEMPLES:  **Il est nécessaire qu'on nettoie les salles de classe.**
**Il faut qu'on achète de meilleurs livres.**

**1.** _____

**2.** _____

**3.** _____

**4.** _____

**5.** _____

## EXERCICE M

*En employant les expressions donnèes, composez huit phrases où les personnes expliquent pourquoi elles refusent une invitation.*

1. Il faut que nous _____ .

2. Il est urgent que ma sœur _____ .

3. Il est nécessaire que mes parents _____ .

4. Il est important que je _____ .

5. Il est regrettable que nous _____ .

6. Il est impossible que mes frères _____ .

7. Il vaut mieux que je _____ .

8. Il est possible que mon père _____ .

## EXERCICE N

*Écoutez les situations que votre professeur vous présente et écrivez vos remèdes en employant le subjonctif.*

EXEMPLE:     Ton frère et ta sœur se disputent.
             **Il faut que vous vous teniez tranquilles.**

1. _____

2. _____

3. _____

4. _____

5. _____

6. _____

# Chapter 13
## Uses of the Subjunctive

The subjunctive is used after impersonal expressions *(il est possible que... , il faut que... )* or in certain dependent clauses when the subject of the dependent clause is different from the subject of the main clause.

**Il** est possible qu'elle vienne.        *It's possible she will come.*

**Elle** est heureuse que **tu** sois là.        *She is happy that you are here.*

## [ 1 ] SUBJUNCTIVE AFTER IMPERSONAL EXPRESSIONS

The subjunctive is used in the dependent clause introduced by *que* after an impersonal construction expressing an opinion, a doubt, or an emotion.

| | |
|---|---|
| **il est absurde**  *it is absurd* | **il est naturel**  *it is natural* |
| **il est amusant**  *it is amusing* | **il est nécessaire**  *it is necessary* |
| **il est bon**  *it is good* | **il est normal**  *it is normal* |
| **il est curieux**  *it is curious* | **il est possible**  *it is possible* |
| **il est dommage**  *it is a pity, it is too bad* | **il est préférable**  *it is preferable* |
| **il est douteux**  *it is doubtful* | **il est regrettable**  *it is regrettable* |
| **il est essentiel**  *it is essential* | **il est surprenant**  *it is astonishing* |
| **il est étonnant**  *it is amazing* | **il est temps**  *it is time* |
| **il est étrange**  *it is strange* | **il est urgent**  *it is urgent* |
| **il est impératif**  *it is imperative* | **il est utile**  *it is useful* |
| **il est important**  *it is important* | **il faut**  *it is necessary* |
| **il est impossible**  *it is impossible* | **il semble**  *it seems* |
| **il est injuste**  *it is unfair* | **il vaut mieux**  *it is better* |
| **il est juste**  *it is fair* | **(c'est** may be used in place of **il est)** |

**Il** est préférable que tu viennes le        *It is preferable that you come as soon*
plus tôt possible.        *as possible.*

NOTES:

1. The subjunctive is not used after impersonal expressions that show certainty or probability. See Section 2, page 185.

2. The subjunctive in French is often equivalent to an infinitive in English.

   Il faut que **vous finissiez** ce travail.        *You have **to finish** this work.*

## EXERCICE A

*Une amie et vous parlez des activités de votre club de français. Exprimez vos opinions.*

EXEMPLE:        il est possible / nous / regarder une émission française
        Il est possible **que nous regardions** une émission française.

*1.* il est douteux / on / recruter de nombreux membres

_____

**2.** il faut / les programmes / être intéressants

_____

**3.** il est urgent / tu / choisir de bonnes cassettes

_____

**4.** il est important / Christine / voir le film avant de le louer

_____

**5.** il est nécessaire / je / régler notre compte au magasin

_____

**6.** il est juste / les filles / organiser une soirée

_____

**7.** il est préférable / nous / correspondre avec de jeunes Canadiens

_____

**8.** il est impératif/ vous / prendre part à toutes les activités

_____

**9.** il est possible / Serge et Jean / venir en retard

_____

**10.** il est impossible / nous / prendre l'avion pour Paris demain

_____

## EXERCICE B

*Imaginez que vous êtes un guide à l'étranger. Que dites-vous aux touristes? Employez les expressions suggérées.*

| | |
|---|---|
| Aline | coopérer avec les organisateurs |
| nous | dîner dans un restaurant célèbre |
| M. Dupont | préférer marcher beaucoup |
| tu | acheter des souvenirs |
| je | se promener dans ce parc |
| vous | employer un bon appareil photo |
| les Legrand | se mettre en route tout de suite |

EXEMPLE:   Il est naturel **qu' Aline se promène dans ce parc.**

**1.** Il est normal _____ .

**2.** Il faut _____ .

*3.* Il est essentiel _____ .

*4.* Il est important _____ .

*5.* Il est possible _____ .

*6.* Il est nécessaire _____ .

## EXERCICE C

*Donnez votre opinion en utilisant les expressions impersonnelles suggérées.*

EXEMPLE:   travailler dur *(important)*
   **Il est important que je travaille dur.**
   *ou:* **Il n'est pas important que je travaille dur.**

*1.* devoir faire de mon mieux *(normal)*

_____

*2.* envoyer des cartes d'anniversaire à mes amis *(naturel)*

_____

*3.* coopérer avec tous mes professeurs *(essentiel)*

_____

*4.* ranger ma chambre *(urgent)*

_____

*5.* mener une vie heureuse *(important)*

_____

*6.* gagner à la loterie *(douteux)*

_____

*7.* payer mes dettes *(juste)*

_____

*8.* préférer voir des films étrangers *(curieux)*

_____

*9.* rougir facilement *(étonnant)*

_____

*10.* recevoir un bon salaire *(possible)*

_____

# [2] SUBJUNCTIVE AFTER VERBS AND EXPRESSIONS OF DOUBT, DENIAL, AND DISBELIEF

The subjunctive is used after verbs and expressions of doubt, disbelief, and denial. The indicative is used after verbs and expressions of certainty or probability. However, when these verbs or expressions are used negatively or interrogatively, they imply uncertainty or doubt and are therefore followed by the subjunctive.

| INDICATIVE (certainty) | SUBJUNCTIVE (uncertainty) |
|---|---|
| **je sais**  *I know* | **je doute**  *I doubt* |
| **je suis sûr(e)**  *I am sure* | **je ne suis pas sûr(e)**  *I am not sure* |
| **je suis certain(e)**  *I am certain* | **je ne suis pas certain(e)**  *I am not certain* |
| **il est certain**  *it is certain* | **il n'est pas certain**  *it is not certain* |
| **il est clair**  *it is clear* | **il n'est pas clair**  *it is not clear* |
| **il est évident**  *it is obvious* | **il n'est pas évident**  *it is not obvious* |
| **il est exact**  *it is exact* | **il n'est pas exact**  *it is not exact* |
| **il est vrai**  *it is true* | **il n'est pas vrai**  *it is not true* |
| **il est sûr**  *it is sure* | **il n'est pas sûr**  *it is not sure* |
| **il est probable**  *it is probable* | **il est possible**  *it is possible* |
| | **il est impossible**  *it is impossible* |
| | **il se peut**  *it is possible* |
| **il paraît**  *it appears* | **il semble**  *it seems* |
| **je crois**  *I believe* | **je ne crois pas**  *I don't believe* |
| | **crois-tu?**  *do you believe?* |
| **je pense**  *I think* | **penses-tu?**  *do you think?* |
| | **je ne pense pas**  *I don't think* |
| **j'espère**  *I hope* | **espères-tu?**  *do you hope?* |
| | **je n'espère pas**  *I don't hope* |

| | |
|---|---|
| Il **est évident** que l'hiver **sera** dur. | *It is obvious winter will be hard.* |
| Il **n'est pas évident** que l'hiver **soit** dur. | *It is not obvious winter will be hard.* |
| **J'espère** que vous **viendrez.** | *I hope you will come.* |
| **Je ne pense pas** que nous **puissions** arriver avant midi. | *I don't think we can get there before noon.* |

## EXERCICE D

*La situation à votre bureau est instable. Exprimez les doutes des personnes suivantes face aux problèmes qui se posent.*

EXEMPLE:  il est possible / le directeur / avoir des problèmes
Il est possible que le directeur **ait** des problèmes.

**1.** elle doute / on / pouvoir arranger la situation

_____

**2.** il n'est pas vrai / nous / être irresponsable

_____

*3.* je ne suis pas sûr / tu / devoir accepter l'offre du directeur

_____

*4.* il n'est pas certain / ils / aller en Europe

_____

*5.* il est douteux / les employés / peser le pour et le contre

_____

*6.* le directeur / ne croit pas / nous / être responsables des problèmes

_____

*7.* il se peut / vous / recevoir une réprimande aujourd'hui

_____

*8.* il n'est pas évident / les secrétaires / vouloir partager leur travail

_____

## EXERCICE E

*En doutez-vous? Exprimez cinq choses dont vous doutez.*

EXEMPLE:    Je doute **qu'il fasse chaud dimanche.**

*1.* Je doute _____ .

*2.* Je doute _____ .

*3.* Je doute _____ .

*4.* Je doute _____ .

*5.* Je doute _____ .

## EXERCICE F

*Que pensez-vous? Exprimez cinq choses que vous pensez.*

EXEMPLE:    Je pense **que j'ai réussi mon examen.**

*1.* Je pense _____ .

*2.* Je pense _____ .

*3.* Je pense _____ .

*4.* Je pense _____ .

*5.* Je pense _____ .

## EXERCICE G

*Quelle est votre opinion? Aidez-vous des suggestions données pour compléter les phrases selon votre opinion.*

| | |
|---|---|
| croire | être probable |
| douter | ne pas être certain |
| être certain | ne pas être évident |
| être possible | penser |

EXEMPLES: **Il est certain que** le français **est** une langue musicale.
**Je doute que** les nations **soient** jamais en paix.

1. _____ que **l**a France est un beau pays.

2. _____ qu'on fasse assez attention à l'environnement.

3. _____ qu'**il** n'y ait plus jamais de guerre *(war)*.

4. _____ que les études puissent préparer à une bonne carrière.

5. _____ que les voyages sont bons pour les jeunes.

6. _____ que la nuit tous les chats soient gris.

## EXERCICE H

*Laure ne donne jamais clairement son avis. Exprimez ce qu'elle dit en regardant la répétition d'une pièce à l'école. Employez l'indicatif ou le subjonctif selon les cas en accord avec le sens de la phrase.*

EXEMPLES: Vous jouez bien ce rôle. *(je doute)*
Je doute que vous jouiez bien ce rôle.

Vous avez du talent. *(il est certain)*
Il est certain que vous avez du talent.

1. Raoul a beaucoup de confiance en lui-même. *(il semble)*

_____

2. Je suis parfaite pour ce rôle. *(il est évident)*

_____

3. Nous chantons bien. *(je sais)*

_____

4. Cette fille apprend bien son rôle. *(il est vrai)*

_____

5. Tu peux danser cette danse. *(il n'est pas certain)*

_____

**6.** Nous aimons ce personnage. *(il est impossible)*

_____

**7.** Les garçons sont attentifs. *(je suis sûre)*

_____

**8.** Marie trahit ses émotions. *(je ne crois pas)*

_____

**9.** Vous prenez cette audition au sérieux. *(il est douteux)*

_____

**10.** Tu vois l'importance de mes remarques. *(je ne pense pas)*

_____

## [ 3 ]    SUBJUNCTIVE AFTER A WISH OR A COMMAND

The subjunctive is used after verbs expressing command and request, permission or prohibition, preference or desire, and wishing.

| | | | |
|---|---|---|---|
| **aimer mieux** | *to prefer* | **insister** | *to insist* |
| **commander** | *to order* | **interdire** | *to prohibit* |
| **consentir** | *to consent* | **ordonner** | *to order* |
| **défendre** | *to forbid* | **permettre** | *to permit* |
| **demander** | *to ask* | **préférer** | *to prefer* |
| **désirer** | *to desire* | **souhaiter** | *to wish* |
| **empêcher** | *to prevent* | **vouloir** | *to wish, want* |
| **exiger** | *to demand* | | |

Il **aime mieux** que tu **fasses** les courses.      *He prefers that you do the shopping.*

Ses parents **défendent** qu'il **sorte**.      *His parents forbid him to go out.*

Il **exige** que je **réponde** à la question.      *He demands that I answer the question.*

**Veux**-tu que nous **partions?**      *Do you want us to leave?*

J'**insiste** qu'il **vienne** demain.      *I insist that he come tomorrow.*

NOTE:    In the examples above, the verb in the main clause and the verb in the dependent clause have different subjects. If both clauses have the same subject, the infinitive is generally used in French instead of *que* and the subjunctive.

Il aime mieux que **tu fasses** les courses.      *He prefers that you do the shopping.*

Il aime mieux **faire** les courses.      *He prefers to do the shopping (himself).*

**Veux**-tu que **nous partions?**      *Do you want us to leave?*

**Veux**-tu **partir?**      *Do you want to leave?*

## EXERCICE I

*Exprimez ce que les parents demandent à leurs enfants de faire.*

EXEMPLE:  mes parents / commander / je / finir toujours mes devoirs
**Mes parents commandent que je finisse** toujours mes devoirs.

**1.** maman / exiger / les enfants / faire la vaisselle

_____

**2.** papa / demander / Vincent / rentrer tôt le soir

_____

**3.** mes parents / interdire / Chloë et moi / sortir pendant la semaine

_____

**4.** maman / préférer / tu / aller dormir de bonne heure

_____

**5.** papa / vouloir / vous / recevoir de bonnes notes

_____

**6.** leurs parents / insister / ils / payer leurs sorties eux-mêmes

_____

**7.** papa / aimer mieux / je / avoir des amis sympathiques

_____

**8.** nos parents / défendre / nous / aller trop souvent au cinéma

_____

## EXERCICE J

*Exprimez les demandes faites par les personnes suivantes en utilisant les suggestions données.*

| | |
|---|---|
| agir loyalement | prendre le bus |
| boire du vin | rentrer tôt le soir |
| dire des bêtises | savoir se protéger |
| être raisonnable | se servir de la voiture |
| être respectueux (respectueuse) | sortir avec des copains |
| faire de son mieux | |

EXEMPLE:  Mon père souhaite que je **rentre** tôt le soir.

**1.** Mes parents interdisent que je _____.

**2.** Mon prof exige que nous _____.

**3.** Sa mère préfère que Lucien _____.

**4.** Vous défendez qu'elles _____.

**5.** Je désire que tu _____ .

**6.** Vos amis souhaitent que vous _____ .

**7.** Tu empêches que les garçons _____ .

**8.** Il veut que Marie _____ .

**9.** Elles ordonnent que nous _____ .

**10.** Il aime mieux que je _____ .

## [4] SUBJUNCTIVE AFTER VERBS AND EXPRESSIONS OF EMOTION AND FEELING

The subjunctive is used after verbs and expressions of feeling or emotion, such as joy, sorrow, regret, and surprise.

| | |
|---|---|
| **être content(e)** *to be happy* | **être gêné(e)** *to be bothered* |
| **être désolé(e)** *to be sorry* | **être heureux (heureuse)** *to be happy* |
| **être embarrassé(e)** *to be embarrassed* | **être irrité(e)** *to be irritated* |
| **être enchanté(e)** *to be delighted* | **être malheureux (-euse)** *to be unhappy* |
| **être ennuyé(e)** *to be annoyed* | **être ravi(e)** *to be delighted* |
| **être étonné(e)** *to be astonished* | **être surpris(e)** *to be surprised* |
| **être fâché(e)** *to be angry* | **être triste** *to be sad* |
| **être fier (fière)** *to be proud* | **avoir honte** *to be ashamed* |
| **être flatté(e)** *to be flattered* | **avoir peur** *to be afraid* |
| **être furieux (furieuse)** *to be furious,* | **s'étonner** *to be astonished* |
| *angry* | **regretter** *to be sorry* |

| | |
|---|---|
| Il **est fâché** que je **parte**. | *He is angry that I am leaving.* |
| Je **regrette** que tu ne **puisses** pas venir. | *I am sorry that you can't come.* |
| Elle **a peur** qu'il **soit** malade. | *She is afraid that he is sick.* |

### EXERCICE K

*Exprimez les sentiments des personnes suivantes dans les circonstances indiquées.*

EXEMPLE:   Je suis fâché parce qu'il reçoit une mauvaise note.
Je suis fâché **qu'il reçoive** une mauvaise note.

**1.** Je suis ennuyé parce qu'il vient en retard.

_____

**2.** Nous sommes contents parce que vous finissez le travail à l'heure.

_____

**3.** Vous êtes embarrassé parce que vos amis jettent des avions en papier.

_____

**4.** Elles sont ravies parce que tu veux bien les voir.

_____

**5.** Il s'étonne parce qu'elle reçoit le prix.

_____

**6.** Vous êtes surpris parce que nous participons au match.

_____

**7.** Ils sont heureux parce que nous achetons une nouvelle voiture.

_____

**8.** Je suis désolée parce qu'elle ne sait pas chanter.

_____

## EXERCICE L

*Exprimez ce que la candidate dit pendant la réunion électorale.*

EXEMPLES:   je suis heureuse / vous / m'écouter
Je suis heureuse **que vous m'écoutiez.**

avez-vous peur /je / faire des erreurs
Avez-vous peur **que je fasse** des erreurs?

**1.** êtes-vous surpris / je / être si jeune

_____

**2.** vous étonnez-vous / je / comprendre vos problèmes

_____

**3.** mes amis, je suis contente / vous / s'intéresser à la politique

_____

**4.** nous sommes tous furieux / mon adversaire / dire des mensonges *(lies)* sur moi

_____

**5.** je suis enchantée / les gens / me défendre

_____

**6.** je suis fière / ma campagne électorale / être honnête et transparente

_____

**7.** êtes-vous fâchés / le gouvernement / faire si peu attention aux électeurs

_____

**8.** je suis flattée / vous / vouloir voter pour moi

_____

## [5] SUBJUNCTIVE AFTER CERTAIN CONJUNCTIONS

The subjunctive is used after certain conjunctions expressing time, purpose, or condition.

| | |
|---|---|
| **avant que**  *before* | **pour que**  *so that* |
| **bien que**  *although* | **sans que**  *without* |
| **jusqu'à ce que**  *until* | |

Il est parti sans que je le sache.  *He left without my knowing it.*

J'ouvre la porte pour qu'il puisse entrer.  *I open the door so he may come in.*

NOTE: If the verbs in the main clause and in the dependent clause have the same subject, the infinitive is generally used instead of the subjunctive after *pour, sans,* and *avant de.*

J'ouvre la porte pour pouvoir entrer.  *I open the door so I may come in.*

## EXERCICE M

*Complétez les phrases en employant une des conjonctions ci-dessus.*

1. Je prends des photos _____ nous nous souvenions de nos voyages.

2. Elle est entrée _____ on l'entende.

3. Mme Dupont a expliqué la leçon _____ les élèves comprennent.

4. Il faut qu'on parte _____ il neige.

5. David viendra dimanche _____ il ait beaucoup de travail.

6. Le dîner attendra _____ tous les invités soient là.

## MASTERY EXERCISES

## EXERCICE N

*Complétez les phrases en donnant votre opinion.*

1. J'aime mieux que mes parents _____.

2. Je suis sûr(e) que mes amis _____.

3. Il est important que je _____.

4. Il faut que le président _____.

5. Je suis content(e) que mon (ma) meilleur(e) ami(e) _____

   _____.

6. Je préfère que mes amis et moi, nous _____.

**7.** Il est évident que je _____ .

**8.** Il est impossible que les États-Unis _____ .

## EXERCICE O

*Complétez les paragraphes suivants avec la forme correcte des verbes entre parenthèses.*

**A.** Émilie va à une entrevue pour un poste de secrétaire. Il faut qu'elle _____ le bus
1. (prendre)

pour y aller. Il est important qu'elle _____ ses lunettes dans son sac avant de partir.
2. (mettre)

Le directeur veut qu'elle _____ une lettre sous la dictée. Il est nécessaire qu'Émilie
3. (écrire)

_____ confiance en elle-même. Le directeur croit qu'elle _____
4. (avoir)                                5. (être)

sérieuse. Il est sûr qu'elle _____ chaque occasion de bien travailler. Il voudrait,
6. (saisir)

cependant, qu'elle _____ le français.
7. (apprendre)

**B.** C'est une journée difficile pour Mme Pierrot. Il faut qu'elle _____ à l'hôpital.
1. (aller)

Il est impératif qu'elle _____ une opération. Auparavant, il est nécessaire que les
2. (avoir)

infirmières _____ tous les renseignements nécessaires. Elles demandent que Mme
3. (prendre)

Pierrot _____ la vérité et qu'elle _____ avec elles. Mme Pierrot
4. (dire)                              5. (coopérer)

a un peu peur. L'infirmière lui dit qu'il est douteux qu'elle _____ très mal après
6. (avoir)

l'opération. Quand tout est prêt, le docteur exige que Mme Pierrot _____ ces
7. (prendre)

cachets (tablets) parce qu'il souhaite qu'elle _____ calme.
8. (être)

**C.** Les jeunes gens espèrent que le soleil _____ de derrière les nuages parce qu'ils
1. (sortir)

veulent _____ dans la rivière et, pour cela, il faut qu'il y _____
2. (nager)                                      3. (avoir)

du soleil. Boris demande que ses parents lui _____ leur voiture pour faire
4. (prêter)

l'excursion. Son père ne pense pas que Boris _____ trop vite et il veut que son
5. (conduire)

fils _____ avec ses amis.  Il exige seulement que Boris _____
    *6.* (s'amuser)                                                              *7.* (faire)

attention et qu'il ne _____ pas les limites de vitesse. Son père est sûr que les agents
                        *8.* (dépasser)

de police _____ sur la route. Il demande que Boris _____
            *9.* (être)                                                        *10.* (ramener)

la voiture avant sept heures parce qu'il faut qu'il _____ en ville.
                                                      *11.* (aller)

## EXERCICE P

*Vous et vous amis partez en colonie de vacances pendant un mois. Indiquez ce qui est **essentiel** / **évident** / **nécessaire** / **important** / **probable** / **utile** d'emporter avec vous.*

**1.** _____

**2.** _____

**3.** _____

**4.** _____

**5.** _____

**6.** _____

## EXERCICE Q

*Écoutez les opinions de votre professeur et cochez s'il les exprime en employant l'indicatif ou le subjonctif.*

INDICATIF   SUBJONCTIF

*1.*   [ ]   [ ]

*2.*   [ ]   [ ]

*3.*   [ ]   [ ]

*4.*   [ ]   [ ]

*5.*   [ ]   [ ]

*6.*   [ ]   [ ]

# Chapter 14
# Negation

## [ 1 ] NEGATIVE FORMS

**a.** The most common negatives are:

| | | | |
|---|---|---|---|
| ne... pas | *not* | ne...personne | *no one, nobody* |
| ne... jamais | *never* | ne... que | *only* |
| ne... ni... ni | *neither... nor* | ne...rien | *nothing* |
| ne... plus | *no longer, no more* | | |

**b.** Position of negatives

In simple and compound tenses, *ne* comes before the conjugated verb and pronoun objects, if any. The second part of the negative generally follows the conjugated verb (or the subject pronoun in inverted questions).

| | |
|---|---|
| Il n'est **pas** en retard. | *He isn't late.* |
| Nous n'avons **jamais** mangé ici. | *We have never eaten here.* |
| Vous **ne** vous disputez **plus**. | *You no longer quarrel.* |
| Elle **n'**y peut **rien**. | *She can't do anything about it.* |
| Je n'attendais **personne**. | *I wasn't waiting for anyone.* |
| Tu n'auras **plus** besoin de ce livre. | *You won't need this book any more.* |
| N'avez-vous **rien** vu? | *Didn't you see anything?* |
| Tu n'as **rien** vu? | *Didn't you see anything?* |

NOTES:

**1.** *Personne* follows the infinitive and the past participle.

| | |
|---|---|
| Il **ne** peut voir **personne**. | *He can't see anyone.* |
| Il n'a vu **personne**. | *He didn't see anyone.* |

**2.** *Que* directly precedes the word or words stressed.

| | |
|---|---|
| Je n'ai vu **qu'**un film. | *I saw only one film.* |
| Je **ne** vais le dire **qu'**une fois. | *I'm going to say it only once.* |

**3.** Each part of the *ni... ni* construction precedes the word or words stressed.

| | |
|---|---|
| Le film n'était **ni** bon **ni** mauvais. | *The film was neither good nor bad.* |
| Elle n'a **ni** rangé sa chambre **ni** fait son lit. | *She neither straightened her room nor made her bed.* |
| Il n'étudie **ni** le piano **ni** le violon. | *He studies neither the piano nor the violin.* |

## EXERCICE A

*Exprimez ce que ces étudiants ont promis de ne pas faire.*

EXEMPLE:    Serge / regarder la télé toute la nuit

              Serge **ne regarde pas** la télé toute la nuit.

**1.** je / interrompre mon frère

_____

**2.** Nicolas et moi / désobéir

_____

**3.** Suzette / se maquiller trop

_____

**4.** vous / faire l'idiot en classe

_____

**5.** tu / rentrer après minuit

_____

**6.** Luc et Alain / se disputer

_____

## EXERCICE B

_Exprimez ce que ces personnes ne feraient jamais à une fête._

EXEMPLE:   Albert / danser
           Albert **ne danserait jamais.**

**1.** Marc / fumer

_____

**2.** Lise et Claire / manger trop

_____

**3.** tu / s'ennuyer

_____

**4.** Laurent / boire d'alcool

_____

**5.** je / se tenir mal

_____

**6.** Jacques et Édouard / chanter

_____

**7.** vous / faire de farces

_____

**8.** Thomas et moi / crier

_____

## EXERCICE C

*Exprimez ce que les personnes suivantes n'aiment pas.*

EXEMPLE:   Je **n'aime ni le stylo ni le crayon.**

*1.* Je _____ .

*2.* Vous _____ .

*3.* Ils _____ .

**4.** Tu _____ .

**5.** Nous _____ .

**6.** Elle _____ .

## EXERCICE D

*Exprimez ce que ces personnes ne feraient plus si elles devenaient soudain très raisonnables.*

EXEMPLE: dépenser tout son argent *(il)*
**Il ne dépenserait plus tout son argent.**

**1.** agir sans réfléchir *(je)*

_____

**2.** se moquer de leurs amis *(ils)*

_____

**3.** perdre patience *(nous)*

_____

**4.** téléphoner trop tard *(Lise et Marie)*

_____

**5.** s'inquiéter pour rien *(Fabien)*

_____

**6.** se fâcher avec son frère *(Catherine)*

_____

**7.** amener votre chien à l'école *(vous)*

_____

**8.** s'endormir en classe *(je)*

_____

## EXERCICE E

*M. Robert voulait rester seul hier. Exprimez ce qu'il n'a pas fait.*

EXEMPLE:    attendre
          **Il n'a attendu personne.**

**1.** écouter

_____

**2.** interrompre

_____

**3.** menacer

_____

**4.** appeler

_____

**5.** ennuyer

_____

**6.** voir

_____

## EXERCICE F

*Exprimez ce que ces personnes faisaient quand elles étaient plus jeunes.*

boire du soda                     se baigner le matin
écouter de la musique rock        travailler le week-end
jouer au base-ball                voir des films de science-fiction
lire des bandes dessinées         voyager avec ses parents
manger des sandwichs

EXEMPLE:    Philippe **ne jouait qu'au base-ball.**

*1.* Je _____ .

*2.* Alain et moi _____ .

*3.* Aurélie _____ .

*4.* Tu _____ .

*5.* Nicole et Albertine _____ .

*6.* Vous _____ .

*7.* Les garçons _____ .

*8.* Paul _____ .

## EXERCICE G

*Quel ennui d'être malade! Toute la famille Mansard a la grippe. Exprimez comment ces personnes se sentent.*

EXEMPLE:    Céline / pouvoir / faire
          **Céline ne peut rien faire.**

*1.* Cécile / pouvoir / apprendre

_____

*2.* M. Mansard / vouloir / manger

_____

*3.* les filles / aller / faire aujourd'hui

_____

*4.* vous / souhaiter / écouter à la radio

_____

*5.* nous / désirer / regarder à la télévision

_____

*6.* tu / oser / leur dire

_____

## EXERCICE H

*Exprimez ce que ces personnes ne feront pas.*

EXEMPLE:    Il sera intimidé. *(oser danser et chanter / ni… ni)*
          **Il n'osera ni danser ni chanter.**

*1.* Il sera toujours content. *(pleurer / jamais)*

_____

**2.** Je deviendrai végétarien. *(prendre le bifteck et le rosbif / ni... ni)*

_____

**3.** Elles seront fatiguées. *(faire / rien)*

_____

**4.** Nous voudrons maigrir. *(manger / pas)*

_____

**5.** Tu seras aimable. *(menacer / personne)*

_____

**6.** Vous prendrez votre retraite. *(travailler / plus)*

_____

**7.** Elles n'auront pas faim. *(commander une salade / que)*

_____

**8.** Elle aura peur. *(dormir / pas)*

_____

**c.** *Rien* and *personne* may be used as subjects, preceding the verb. *Ne* remains before the conjugated verb.

**Rien ne** m'ennuie.     *Nothing bothers me.*

**Personne ne** parlait.     *Nobody was speaking.*

## EXERCICE I

*M. Joseph est très optimiste. Exprimez ses sentiments.*

EXEMPLE:     *(horrible)* **Rien n'est horrible.**

**1.** *(impossible)* _____

**2.** *(menaçant)* _____

**3.** *(laid)* _____

**4.** *(désespéré)* _____

**5.** *(ennuyeux)* _____

**6.** *(ridicule)* _____

## EXERCICE J

*Expliquez ce que personne n'a fait après la boum de Michel.*

EXEMPLE:   ranger les disques compacts
           **Personne n'**a rangé les disques compacts.

**1.** vider les ordures

_____

**2.** sortir la poubelle *(garbage can)*

_____

**3.** ramasser les papiers

_____

**4.** nettoyer la cuisine

_____

**5.** ranger le salon

_____

**6.** enlever les décorations

_____

**d.** Both *ne... jamais* used with a verb and *jamais* used alone without a verb mean "never." *Jamais* with a verb and without *ne* means "ever."

| | |
|---|---|
| As-tu **jamais** visité Montréal? | *Have you ever visited Montreal?* |
| Non, je **n'**ai **jamais** visité Montréal. | *No, I've never visited Montreal.* |
| **Jamais?** | *Never?* |

**e.** *Ne* is always used with a verb. However, the second part of a negative may be used without a verb. (*Pas* and *plus* need a modifier).

| | |
|---|---|
| Avec qui sors-tu samedi? | *With whom are you going out on Saturday?* |
| **Personne.** | *No one.* |
| Qu'est-ce que tu fais? | *What are you doing?* |
| **Rien.** | *Nothing.* |
| Es-tu déjà allé en France? | *Have you ever been to France?* |
| **Jamais.** | *Never?* |
| Tu joues du piano? | *Do you play the piano?* |
| **Pas très bien.** | *Not very well.* |

## EXERCICE K

*Vous êtes curieux. Formulez les questions que vous posez à vos amis et exprimez leurs réponses.*

EXEMPLE:    grimper *(climb)* au sommet d'une montagne
**As-tu jamais grimpé** au sommet d'une montagne?
**Non, jamais.**
OU:    **Oui, une fois (parfois, souvent).**

*1.* sauter en parachute

_____

_____

*2.* visiter le Canada

_____

_____

*3.* jouer à un jeu vidéo

_____

_____

*4.* être témoin *(witness)* d'un crime

_____

_____

*5.* participer à une compétition sportive

_____

_____

*6.* travailler l'été

_____

_____

## EXERCICE L

*Utilisez un seul mot négatif pour répondre aux questions que votre mère vous pose.*

EXEMPLE:    Qui t'attend?
**Personne.**

*1.* Qui t'a aidé à écrire cette composition?

_____

*2.* Qu'est-ce que tu veux manger?

_____

**3.** Quand rangeras-tu ta chambre?

_____

**4.** Qu'est-ce que tu as envie de faire ce soir?

_____

**5.** Quand deviendras-tu raisonnable?

_____

**6.** Qui va t'accompagner en ville?

_____

**f.** In the negative, the partitive and indefinite articles _du, de la, de l', un, une,_ and _des_ become _de_ (see Chapter 16).

| | |
|---|---|
| Elle a un oncle, mais elle n'a pas **de** tante. | _She has an uncle but she doesn't have an aunt._ |

NOTE: **The article is kept after _ne... que._**

| | |
|---|---|
| Il ne mange que des légumes. | _He eats only vegetables._ |

## EXERCICE M

_Exprimez ce que ces personnes ne font pas._

EXEMPLE:    Elle fait des fautes. _(pas)_
            **Elle ne fait pas de fautes.**

**1.** Elle prend des risques. _(jamais)_

_____

**2.** Nous avons de la chance. _(plus)_

_____

**3.** Tu fais du kayak. _(pas)_

_____

**4.** Vous empruntez de l'argent. _(plus)_

_____

**5.** Ils boivent de l'eau minérale. _(jamais)_

_____

**6.** Je fais une bouillabaisse. _(pas)_

_____

**g.** *Si* or *mais si* (yes) is used to contradict a negative statement or question.

| | |
|---|---|
| Elle n'est pas blonde. | *She isn't blond.* |
| **Si,** elle est blonde. | *Yes, she is blond.* |
| Ne danse-t-elle pas bien? | *Doesn't she dance well?* |
| **Mais si!** | *Why, yes!* |

## EXERCICE N

*Daniel pose des questions à son grand-père sur sa jeunesse. Formulez ses réponses.*

EXEMPLE:     N'habitais-tu pas en France?
              Mais si, j'habitais en France.

**1.** N'allais-tu jamais en vacances?

_____

**2.** Ne jouais-tu pas au base-ball?

_____

**3.** N'aimais-tu pas le jazz?

_____

**4.** N'allais-tu pas au cinéma?

_____

**5.** N'écoutais-tu pas la radio?

_____

## [ 2 ]   NEGATIVE EXPRESSIONS

**ça ne fait rien**   *it doesn't matter*

| | |
|---|---|
| Elle est en retard. | *She is late.* |
| Ça ne fait rien. | *It doesn't matter.* |

**de rien / il n'y a pas de quoi**   *you're welcome*

| | |
|---|---|
| Merci. | *Thank you.* |
| Il n'y a pas de quoi. | *You're welcome.* |
| Merci beaucoup. | *Thanks a lot.* |
| De rien. | *You're welcome.* |

**jamais de la vie!**   *never! out of the question! not on your life!*

| | |
|---|---|
| Veux-tu faire du saut en chute libre? | *Do you want to go skydiving?* |
| Jamais de la vie! | *Never!* |

**pas du tout**   *not at all*

| | |
|---|---|
| Vous vous ennuyez? | *Are you bored?* |
| Pas du tout. | *Not at all.* |

**pas encore**   *not yet*

| | |
|---|---|
| Est-il arrivé? | *Has he arrived?* |
| Pas encore. | *Not yet.* |

**pas maintenant**   *not now*

| | |
|---|---|
| Veux-tu manger? | *Do you want to eat?* |
| Pas maintenant. | *Not now.* |

## EXERCICE O

*Répondez aux personnes suivantes avec une des expressions négatives de la liste ci-dessus.*

*1.* Votre voisin vous remercie d'avoir réparé sa voiture.

Vous répondez: _____.

*2.* Votre mère vous demande si vous aimez sa robe. Vous la trouvez laide.

Vous répondez: _____.

*3.* Un ami vous demande si vous voulez traverser l'Atlantique à la nage.

Vous répondez: _____.

*4.* Votre amie dit qu'elle ne peut pas trouver son stylo.

Vous répondez: _____. Je te prêterai un de mes stylos.

*5.* Votre sœur vous demande si vous avez terminé votre conversation au téléphone.

Vous répondez: _____.

*6.* Votre ami vous demande si vous voulez aller en ville maintenant. Vous avez des devoirs à finir.

Vous répondez: _____.

## MASTERY EXERCISES

## EXERCICE P

*Répondez négativement aux questions de votre camarade.*

*1.* Aimes-tu les films de science-fiction ou les histoires d'amour?

_____

*2.* Es-tu sorti(e) avec quelqu'un hier soir?

_____

*3.* Travailles-tu après l'école?

_____

**4.** As-tu promis quelque chose à tes amis?

_____

**5.** Quelqu'un t'ennuie?

_____

**6.** Es-tu jamais allé(e) en France?

_____

**7.** Écoutes-tu des CD de musique classique?

_____

**8.** Qu'est-ce que tu prêtes à ton amie?

_____

**9.** Viendras-tu pour le déjeuner ou pour le dîner?

_____

**10.** Y a-t-il quelqu'un qui te menace?

_____

## EXERCICE Q

*Complétez l'histoire de Mme Martin avec un mot négatif dans chaque espace blanc.*

Mme Martin travaille dans un grand bureau où _____ ne s'intéresse aux autres.
                                                    1.

Naturellement, Mme Martin n'aime _____ beaucoup son poste,
                                        2.

_____ du tout. Ça n'est _____ grave, elle va chaque jour au
       3.                                   4.

bureau quand même. _____ ne lui dit bonjour. _____ ne l'aide
                          5.                                      6.

à faire son travail. Sa collègue, Mme Duval, ne fait _____ parce qu'elle parle
                                                            7.

toujours à ses amis au téléphone. Et M. Bonnet, un autre collègue, fait si peu qu'il ne travaille

_____ beaucoup. Il est trop occupé à lire son journal. De plus, le patron est très
       8.

mal élevé, il ne dit _____ «merci» ni «il n'y a _____ de quoi».
                            9.                                      10.

Ça ne fait _____ , si Mme Martin n'aime _____ les autres
                  11.                                       12.

employés _____ son patron. Tout le monde pense qu'elle ne quittera
              13.

_____ ce bureau, _____ de la vie. Quelle erreur! Car après-
14.                     15.

demain, elle quittera son poste et elle ne travaillera _____ jamais. Pourquoi? Parce
16.

qu'elle vient de gagner à la loterie et elle n'a _____ besoin de travailler.
17.

## EXERCICE R

*Écoutez ces petites histoires et choisissez la meilleure conclusion à chacune. Tracez un cercle autour de la lettre qui convient.*

1. *a.* il ne travaille plus.

   *b.* il ne fait jamais le ménage.

   *c.* il ne finit rien.

2. *a.* il ne mange rien de sucré.

   *b.* il ne prend pas de légumes.

   *c.* il ne boit jamais d'eau.

3. *a.* elle n'a plus d'argent.

   *b.* elle ne lui reste que vingt-cinq euros.

   *c.* elle n'a que cinq euros.

4. *a.* Personne n'est là.

   *b.* Rien n'est décidé.

   *c.* Il n'a attendu personne.

5. *a.* il ne consomme ni fromage ni crème.

   *b.* il ne consomme ni petit pois ni haricots verts.

   *c.* il ne consomme ni prunes ni bananes.

6. *a.* Pas maintenant.

   *b.* Ça ne fait rien.

   *c.* Il n'y a pas de quoi.

## EXERCICE S

*Faites une enquête. Interviewez six camarades de classe et demandez-leur ce qu'ils ne font jamais. Notez leurs réponses.*

_____

_____

_____

_____

_____

_____

## EXERCICE T

*Ecrivez une liste de six choses que vois faisiez lorsque vois étiez enfant et que vous ne faites plus maintenant que vous êtes plus âgé.*

_____

_____

_____

_____

_____

_____

# Part two
## Noun and Pronoun Structures; Prepositions

# Chapter 15
## Definite Article and Nouns

## [ 1 ] FORMS OF THE DEFINITE ARTICLE

**a.** The definite article, "the" in English, has four forms in French, *le*, *la*, *l'*, and *les*.

|  | MASCULINE | FEMININE |
|---|---|---|
| SINGULAR | *le* cousin | *la* cousine |
|  | *l'*ami | *l'*amie |
| PLURAL | *les* cousins | *les* cousines |
|  | *les* amis | *les* amies |

NOTES:

1. The article *l'* is used before a singular noun of either gender beginning with a vowel or silent *h*.

l'oiseau                                    *the bird*

l'homme                                   *the man*

2. The article is expressed in French before each noun, even though it may be omitted in English.

les garçons et les filles          *boys and girls*

**b.** The prepositions *à* and *de* contract with *le* and *les*.

à + le père = **au** père          *to the father*

à + les amis = **aux** amis       *to the friends*

de + le père = **du** père         *of the father*

de + les amies  = **des** amies   *of the friends*

NOTE:  There is no contraction with *la* or *l'*.

à la mère   *to the mother*         de la mère   *of the mother*

à l'élève   *to the student*          de l'élève   *of the student*

Il parle **aux** élèves.              *He speaks to the students.*

C'est la mère **du** garçon.       *She is the mother of the boy.*

## EXERCICE A

*Exprimez ce que vous voyez dans le salon des Sarlande.*

EXEMPLE:   glace *(f.)* **Je vois la glace.**

1. télévision *(f.)* _____

2. étagère *(f.)* _____

3. peintures *(f.)* _____

**4.** tapis *(m.)* _____

**5.** lampe *(f.)* _____

**6.** photos *(f.)* _____

**7.** tables *(f.)* _____

**8.** piano *(m.)* _____

**9.** fauteuil *(m.)* _____

**10.** armoire *(f.)* _____

**11.** livres *(m.)* _____

**12.** horloge *(f.)* _____

**13.** coussins *(m.)* _____

**14.** sofa *(m.)* _____

**15.** rideaux *(m. pl.)* _____

## [ 2 ]  USES OF THE DEFINITE ARTICLE

The definite article is used in French to indicate a specific being or thing, as "the" is used in English ("the table," *la table*). In addition, in French the definite article is used:

**a.** with nouns used in a general or abstract sense.

| | |
|---|---|
| L'or est un métal précieux. | *Gold is a precious metal.* |
| Il aime **le** football. | *He likes soccer.* |

**b.** with names of languages and subjects, except immediately after *parler*, after *en*, and in an adjective phrase with *de*.

| | |
|---|---|
| **La** psychologie explique tout. | *Psychology explains everything.* |
| Apprenez-vous l'italien? | *Are you learning Italian?* |
| **Le** chinois est difficile. | *Chinese is difficult.* |
| Il parle bien l'espagnol. | *He speaks Spanish well.* |

*BUT*

| | |
|---|---|
| Je **parle français**. | *I speak French.* |
| Le poème est écrit **en grec**. | *The poem is written in Greek.* |
| Voici mon livre **d'allemand**. | *Here is my German book.* |

**c.** with parts of the body, instead of the possessive adjective, when the possessor is clearly indicated.

| | |
|---|---|
| Ne tire pas **la** langue! | *Don't stick out your tongue!* |
| Il a mal à **la** tête. | *He has a headache.* |

**d.** with titles of rank and profession followed by a name, except when addressing the person.

| | |
|---|---|
| **le** sprésident Washington | *President Washington* |
| **le** roi Louis XV | *King Louis XV* |
| **le** professeur Caron | *Professor Caron* |

*BUT*

| | |
|---|---|
| «Bonjour, docteur Brun.» | *"Hello, Doctor Brun."* |

**e.** with days of the week in a plural sense.

| | |
|---|---|
| **Le** samedi, je ne travaille pas. | *On Saturday(s) I don't work.* |
| La banque est fermée **le** dimanche. | *The bank is closed on Sunday(s).* |

NOTE: **If the day mentioned is a specific day, the article is omitted.**

| | |
|---|---|
| **Je** te verrai **lundi.** | *I'll see you (on) Monday.* |
| Il a été absent **jeudi.** | *He was absent (on) Thursday.* |

**f.** with names of seasons and colors except after the preposition *en.*

| | |
|---|---|
| Je n'aime pas **l'hiver.** | *I don't like winter.* |
| J'adore **le** rouge. | *I love red.* |
| Je peins ma chambre en **jaune.** | *I am painting my room (in) yellow.* |

**g.** in certain common expressions of time or place.

| | | | |
|---|---|---|---|
| à l'école | to *(in) school* | le soir | *in the evening* |
| à l'église | to *(in) church* | le mois prochain | *next month* |
| à la maison | *at home, home* | la semaine dernière | *last week* |
| le matin | *in the morning* | l'année passée | *last week* |
| l'après-midi | *in the afternoon* | l'été prochain | *next summer* |

**h.** with dates.

| | |
|---|---|
| C'est aujourd'hui le 12 juin. | *Today is June 12.* |
| On est le **22 avril.** | *It's April 22.* |

**i.** with names of most countries, states, mountains, and rivers except after the preposition *en.*

| | |
|---|---|
| **Les** Alpes séparent la France et l'Italie. | *The Alps separate France and Italy.* |
| **La** Floride est belle. | *Florida is beautiful.* |
| J'irai **en Floride** cet hiver. | *I will go to Florida this winter.* |

## EXERCICE B

*Complétez ce dialogue entre deux étudiantes avec la forme correcte de l'article défini, si besoin est.*

MARIE: _____ politique me passionne.
         1.

JULIE: Moi aussi. Ce semestre _____ lundi et _____ mercredi, j'ai un cours de science
                                2.              3.

politique _____ matin à dix heures avec _____ professeur Junot.
          *4.*                           *5.*

MARIE: C'est un professeur de _____ université de _____ Montréal. _____ Canada
                     *6.*               *7.*               *8.*

est son pays natal. Il parle _____ français ou _____ anglais?
                         *9.*               *10.*

JULIE: Il parle _____ français, mais il écrit ses notes en _____ anglais. C'est très bizarre.
         *11.*                       *12.*

MARIE: _____ automne me fait penser à _____ politique parce qu'il faut voter. _____
      *13.*                   *14.*                         *15.*

droit de vote est un droit très important. C'est aujourd'hui _____ trente et un octobre.
                                                  *16.*

_____ élections de _____ semaine prochaine vont être très intéressantes.
      *17.*                  *18.*

JULIE: M. Junot dit qu'il faut bien considérer _____ économie de notre pays. Mais
                                           *19.*

personnellement, ce qui m'intéresse encore plus, ce sont _____ droits des femmes.
                                                        *20.*

MARIE: _____ affaires internationales m'inquiètent.
      *21.*

JULIE: Vite. Tourne _____ tête. Voilà _____ professeur Junot qui approche.
                 *22.*                *23.*

JUNOT: Bonjour, Julie.

JULIE: Bonjour, _____ professeur Junot. Je vous verrai _____ lundi prochain.
                *24.*                       *25.*

JUNOT: À _____ semaine prochaine, Julie.
       *26.*

MARIE: Il est très gentil. Je vais peut-être aller à ta classe _____ lundi prochain.
                                           *27.*

JULIE: Quelle bonne idée!

## EXERCICE C

*Répondez aux questions qu'un ami vous pose*

*1.* Quelle est la date de ton anniversaire?

_____

*2.* En quelle saison t'amuses-tu le plus?

_____

**3.** Comment s'appelle ton docteur?

_____

**4.** Quand étudies-tu d'habitude?

_____

**5.** Quelle langue parles-tu à la maison?

_____

**6.** Quel sport préfères-tu?

_____

**7.** Que fais-tu le samedi après-midi?

_____

**8.** Quelle est ta couleur préférée?

_____

## [ 3 ] GENDER OF NOUNS

French nouns are either masculine or feminine. Although there are no rules by which the gender of all nouns can be determined, the gender of many nouns can be determined by their meaning or ending. The gender of other nouns must be learned individually.

**a.** Nouns that refer to males are masculine. Nouns that refer to females are feminine.

| MASCULINE | | FEMININE | |
|---|---|---|---|
| le garçon | _boy_ | la fille | _girl_ |
| l'oncle | _uncle_ | la tante | _aunt_ |
| le roi | _king_ | la reine | _queen_ |
| le vendeur | _salesman_ | la vendeuse | _saleswoman_ |

**b.** The gender of some nouns may be determined by their ending.

| MASCULINE | | FEMININE | |
|---|---|---|---|
| -acle | réceptacle | -ade | citronnade |
| -age* | mariage | -ale | cathédrale |
| -al | hôpital | -ance | enfance |
| -eau* | gâteau | -ence | expérience |
| -et | bracelet | -ette | omelette |
| -ier | métier | -ie | bougie |
| -isme | classicisme | -ique | informatique |
| -ment | jugement | -oire | gloire |
| | | -sion | évasion |
| | | -tion | conversation |
| | | -ure | confiture |

*Note these exceptions: _la page, la plage; l'eau_ (f.), _la peau._

**c.** Some feminine nouns are formed by adding *e* to the masculine.

| MASCULINE | FEMININE | |
|---|---|---|
| l'ami | l'amie | *friend* |
| l'avocat | l'avocate | *lawyer* |
| le client | la cliente | *client, customer* |
| le cousin | la cousine | *cousin* |
| l'employé | l'employée | *employee* |
| l'étudiant | l'étudiante | *student* |
| le voisin | la voisine | *neighbor* |

NOTE: Nouns of nationality are capitalized.

Cet Américain parle français.   *That American speaks French.*

**d.** Some feminine nouns are formed by changing the masculine ending to a feminine ending.

| | MASCULINE | | FEMININE | |
|---|---|---|---|---|
| –an | paysan | –anne | paysanne | *peasant* |
| –ien | musicien | –ienne | musicienne | *musician* |
| –on | patron | –onne | patronne | *boss* |
| –er | boulanger | –ère | boulangère | *baker* |
| –ier | épicier | –ière | épicière | *grocer* |
| –eur | programmeur | –euse | programmeuse | *programmer* |
| –teur | acteur | –trice | actrice | *actress* |

**e.** Other masculine nouns and their feminine counterparts are:

| MASCULINE | | FEMININE | |
|---|---|---|---|
| le bœuf | *ox* | la vache | *cow* |
| le chat | *cat* | la chatte | *cat* |
| le chien | *dog* | la chienne | *dog* |
| le comte | *count* | la comtesse | *countess* |
| l'hôte | *host* | l'hôtesse | *hostess* |
| le maître | *master* | la maîtresse | *mistress* |
| le neveu | *nephew* | la nièce | *niece* |
| l'oncle | *uncle* | la tante | *aunt* |
| le roi | *king* | la reine | *queen* |
| le vieux | *old man* | la vieille | *old woman* |

**f.** Some nouns have the same form in the masculine and the feminine.

| | | | |
|---|---|---|---|
| l'artiste | *artist* | l'enfant | *child* |
| le (la) camarade | *friend* | la (la) malade | *patient* |
| le (la) collègue | *colleague* | le (la) secrétaire | *secretary* |
| le (la) concierge | *superintendent* | le (la) touriste | *tourist* |
| l'élève | *student* | | |

**g.** Some nouns are always masculine or feminine regardless of the gender of the person referred to.

ALWAYS MASCULINE

| | | | |
|---|---|---|---|
| l'agent de police | *police officer* | l'écrivain | *writer* |
| le bébé | *baby* | l'ingénieur | *engineer* |
| le chef | *chef, cook, chief, head* | le mannequin | *fashion model* |
| le dentiste | *dentist* | le médecin | *doctor* |
| le docteur | *doctor* | le professeur | *professor, teacher* |

ALWAYS FEMININE

| | | | |
|---|---|---|---|
| la personne | *person* | la victime | *victim* |

## EXERCICE D

*Exprimez qui est l'autre personne dans chacun des couples suivants.*

EXEMPLE:   la mère: **C'est le père.**

*1.* le comte: _____

*2.* la cliente: _____

*3.* le roi: _____

*4.* le paysan: _____

*5.* la touriste: _____

*6.* le neveu: _____

*7.* la vache: _____

*8.* le professeur: _____

*9.* le chien: _____

*10.* le vieux: _____

## EXERCICE E

*Complétez les phrases suivantes avec le nom masculin ou féminin qui convient.*

*1.* Si Bernard est le frère de Catherine, Catherine est _____ de Bernard.

*2.* Si Nicole est l'amie de Bernard, Bernard est _____ de Nicole.

*3.* Si Mme Leclerc est l'employée de M. Forin, M. Forin est _____ de Mme Leclerc.

*4.* Si Mme Gilbert est le professeur de Catherine, Catherine est _____ de Mme Gilbert.

5. Si Mlle Dupré est l'avocate des Leclerc, alors Nicole Leclerc est _____ de Mlle Dupré.

6. Si le docteur Rousseau est l'hôte, Mme Rousseau est l' _____ .

7. Si Delphine est la cousine de Catherine, le père de Delphine est _____ de Catherine

8. Si le boulanger de Bellevue est marié, sa femme est _____ de Bellevue.

## EXERCICE F

*Claudine cherche les mots qui correspondent aux définitions suivantes. Exprimez ce qu'elle trouve avec l'article défini qui convient.*

EXEMPLE:    la femme du père: **la mère**

1. l'enfant de sexe masculin: _____

2. la femme de l'oncle: _____

3. la femme qui vend dans un magasin: _____

4. le bijou qui orne le bras: _____

5. la source de lumière quand il y a une panne d'électricité *(power failure)*: _____

6. la boisson *(drink)* au citron: _____

7. on l'achète chez le pâtissier: _____

8. on la fait avec des fruits et on la met sur du pain: _____

9. elle défend l'accusé: _____

10. elle fait de la musique: _____

11. elle travaille dans un salon de coiffure: _____

12. c'est la femelle du chien: _____

13. elle dirige la cuisine dans un restaurant: _____

## [ 4 ] PLURAL OF NOUNS

**a.** The plural of most French nouns is formed by adding *s* to the singular.

| SINGULAR | PLURAL |
|---|---|
| le lit  *bed* | les lits  *beds* |
| l'oncle *(m.)*  *uncle* | les oncles  *uncles* |
| la carte  *card, map* | les cartes  *cards, maps* |

**b.** Nouns ending in *-s, -x, or -z* remain unchanged in the plural.

| SINGULAR | | PLURAL | |
|---|---|---|---|
| le repas | *meal* | les repas | *meals* |
| le prix | *price, prize* | les prix | *prices, prizes* |
| le nez | *nose* | les nez | *noses* |

**Other nouns ending in** *-s:*

| | | | | | |
|---|---|---|---|---|---|
| l'ananas *(m.)* | *pineapple* | le colis | *package* | le jus | *juice* |
| l'autobus *(m.)* | *bus* | le corps | *body* | le mois | *month* |
| l'avis *(m.)* | *opinion* | le dos | *back* | le palais | *palace* |
| le bas | *stocking* | le fils | *son* | le pardessus | *overcoat* |
| le bois | *wood* | la fois | *time* | le pays | *country* |
| le bras | *arm* | le héros | *hero* | le tapis | *carpet* |

**Other nouns ending in** *-x:*

| | | | |
|---|---|---|---|
| la croix | *cross* | la voix | *voice* |

**c.** Nouns ending in *-eau* and *-eu* add *x* in the plural.

| SINGULAR | | PLURAL | |
|---|---|---|---|
| le bateau | *boat* | les bateaux | *boats* |
| le drapeau | *flag* | les drapeaux | *flags* |
| le neveu | *nephew* | les neveux | *nephews* |

NOTE: **There is one exception:**

| | | | |
|---|---|---|---|
| le pneu | *tire* | les pneus | *tires* |

**Other nouns ending in** *-eau:*

| | | | | | |
|---|---|---|---|---|---|
| le bureau | *desk* | le couteau | *knife* | le morceau | *piece* |
| le cadeau | *gift, present* | l'eau *(f.)* | *water* | l'oiseau *(m.)* | *bird* |
| le chapeau | *hat* | le gâteau | *cake* | le rideau | *curtain* |
| le château | *castle* | le manteau | *coat* | le tableau | *painting, board* |

**Other nouns ending in** *-eu:*

| | | | | | | | |
|---|---|---|---|---|---|---|---|
| le cheveu* | *hair* | le feu | *fire* | le jeu | *game* | le lieu | *place* |

**d.** Nouns ending in *-al* change *-al* to *-aux* in the plural.

| SINGULAR | | PLURAL | |
|---|---|---|---|
| l'animal *(m.)* | *animal* | les animaux | *animals* |
| le cheval | *horse* | les chevaux | *horses* |
| le général | *general* | les généraux | *generals* |
| le journal | *newspaper* | les journaux | *newspapers* |
| l'hôpital | *hospital* | les hôpitaux | *hospitals* |
| le mal | *ache, harm* | les maux | *aches, harms* |

---

*Since *cheveu* refers to a single hair, the plural *les cheveux* is more common.

**e.** **Seven nouns ending in** *-ou* **add** *x* **in the plural:**

| | | |
|---|---|---|
| le bijou | *jewel* | les bijoux |
| le caillou | *pebble* | les cailloux |
| le chou | *cabbage* | les choux |
| le genou | *knee* | les genoux |
| le hibou | *owl* | les hiboux |
| le joujou | *toy* | les joujoux |
| le pou | *louse* | les poux |

NOTE: **All other nouns in** *-ou* **add** *s* **in the plural.**

| | | |
|---|---|---|
| le clou | *nail* | les clous |
| le trou | *hole* | les trous |

**f.** **Some nouns have irregular plurals.**

| SINGULAR | | PLURAL |
|---|---|---|
| le ciel | *sky* | les cieux |
| l'œil *(m.)* | *eye* | les yeux |
| le travail | *work* | les travaux |
| madame | *Madam, Mrs.* | mesdames |
| mademoiselle | *Miss* | mesdemoiselles |
| monsieur | *gentleman, Mr.* | messieurs |

**g** **Plurals of common compound nouns.**

| SINGULAR | | PLURAL |
|---|---|---|
| l'après-midi *(m.)* | *afternoon* | les après-midi |
| le chef-d'œuvre | *masterpiece* | les chefs-d'œuvre |
| la grand-mère | *grandmother* | les grands-mères |
| le grand-père | *grandfather* | les grands-pères |
| le gratte-ciel | *skyscraper* | les gratte-ciel |
| le hors-d'œuvre | *appetizer* | les hors-d'œuvre |
| le rendez-vous | *appointment* | les rendez-vous |
| le réveille-matin | *alarm clock* | les réveille-matin |

**h.** **A few nouns are used mainly in the plural.**

| | | | |
|---|---|---|---|
| les ciseaux *(m.)* | *scissors* | les mathématiques *(f.)* | *mathematics* |
| les gens *(m. or f.)* | *people* | les vacances *(f.)* | *vacation* |
| les lunettes *(f.)* | *eyeglasses* | | |

**Family names are unchanged in the plural.**

| | |
|---|---|
| les Masson | les Dupont |

## EXERCICE G

*Éric va chez l'opticien parce qu'il voit double de temps en temps. Exprimez ses réponses quand le docteur lui montre des images.*

EXEMPLE:    **Je vois deux tapis.**

1. _____

2. _____

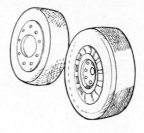

3. _____

4. _____

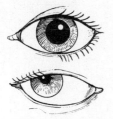

5. _____

6. _____

7. _____

8. _____

9. _____

10. _____

11. _____

12. _____

## EXERCICE H

*Vos parents vous envoient faire des courses. Exprimez ce qu'ils veulent.*

EXEMPLE:     Un clou?
             **Non, achète deux clous.**

*1.* Un gâteau?

_____

*2.* Un ananas?

_____

*3.* Un jeu de cartes?

_____

*4.* Un chou?

_____

*5.* Un journal?

_____

*6.* Un morceau de fromage?

_____

7. Un réveille-matin?

_____

8. Un chapeau?

_____

*9.* Un joujou pour le bébé?

_____

## M A S T E R Y   E X E R C I S E S

### EXERCICE I

*Complétez ce monologue en ajoutant l'article défini s'il est nécessaire.*

Je m'appelle Claudine Morpeau. Je suis étudiante à l'école Marcel Proust. C'est aujourd'hui lundi

_____ vingt-sept mai, mais je ne suis pas à _____ école. Au contraire, je reste à _____
   *1.*                           *2.*                          *3.*

maison. En général, _____ lundi je vais en classe. Mais aujourd'hui je me prépare à partir en
                       *4.*

voyage pour _____ Russie. _____ russe est mon sujet préféré. J'arrive à penser en _____
             *5.*          *6.*                             *7.*

russe et à parler _____ russe avec mon oncle qui est né dans _____ ville de Moscou. J'ai écrit
               *8.*                            *9.*

une composition de 500 mots intitulée:« _____ Russie du vingtième siècle» pour un concours.
                                  *10.*

Comme j'ai écrit _____ meilleure composition, j'ai gagné _____ grand prix qui était ce
                      *11.*                             *12.*

voyage. _____ avion part pour _____ Moscou demain à six heures. Il paraît que _____
       *13.*                   *14.*                           *15.*

printemps est _____ saison idéale pour aller en Russie. Tous mes amis m'ont souhaité bon
                  *16.*

voyage. Comme _____ culture russe me passionne, je suis impatiente d'aller découvrir
                *17.*

_____ chefs-d'œuvre des musées de Moscou.
  *18.*

## EXERCICE J

*Exprimez ce que Mme Poiret demande à ses enfants de faire.*

EXEMPLE:  nettoyer / bureau
**Nettoyez les bureaux, s'il vous plaît.**

*1.* fermer / rideau

_____

*2.* nourrir / animal

_____

*3.* préparer / hors-d'œuvre

_____

*4.* ranger / joujou

_____

*5.* ramasser / journal

_____

*6.* ouvrir / œil

_____

*7.* finir / jeu

_____

*8.* cacher / bijou

_____

*9.* regarder / ciel

_____

*10.* faire / travail

_____

## EXERCICE K

*Travaillez avec un(e) camarade de classe et faites une liste de qualités que vous cherchez dans un bon ami (une bonne amie).*

*1.* _____

*2.* _____

*3.* _____

**4.** _____

**5.** _____

**6.** _____

## EXERCICE L

*Écoutez votre professeur et complétez la phrase avec le mot qui manque.*

**1.** _____

**2.** _____

**3.** _____

**4.** _____

**5.** _____

**6.** _____

# Chapter 16
## Indefinite and Partitive Articles

The indefinite article refers to beings and things not specifically identified (*a* cake, *any* cake, not *the* chocolate cake on the table). The partitive article expresses an indefinite quantity or part of a whole (*some* cake, *a piece of* cake, *a few* cakes).

## [ 1 ] FORMS

**a.** The indefinite singular article in French has two forms, un and une, both corresponding to English "a (an)."

| ARTICLE | USED BEFORE | EXAMPLE | MEANING |
|---------|-------------|---------|---------|
| **un** | masculine singular nouns | **un livre** | *a book* |
| **une** | feminine singular nouns | **une règle** | *a ruler* |

Nicole a acheté **une** jolie robe et **un** sac rouge.

*Nicole bought a pretty dress and a red bag.*

## EXERCICE A

*Les Driscoll arrivent au nouveau centre commercial de leur ville. Exprimez ce qu'il y a à voir.*

EXEMPLE:     garage (*m.*)
             Il y a un garage.

1. parfumerie (*f.*) —————————————————————————

2. grand magasin (*m.*) —————————————————————

3. fleuriste ( *m.*) —————————————————————————

4. bureau de poste (*m.*) —————————————————————

5. pharmacie (*f.*) —————————————————————————

6. librairie (*f.*) —————————————————————————

7. banque (*f.*) —————————————————————————

8. boulangerie (*f.*) —————————————————————————

9. cinéma (*m.*) —————————————————————————

10. pâtisserie (*f.*) —————————————————————————

11. bijouterie (*f.*) —————————————————————————

12. café-restaurant (*m.*) —————————————————————

## EXERCICE B

*Exprimez avec l'article indéfini qui convient ce que M. Hernan met sur la table pour son petit déjeuner.*

M. Hernan met _____

_____

_____

_____

_____ sur la table.

**b.** The partitive is expressed by *de* + definite article.

NOTE:  *de + le = du*

| ARTICLE | USED BEFORE | EXAMPLE | MEANING |
|---------|-------------|---------|---------|
| **du** | masculine singular nouns beginning with a consonant | **du fromage** | *some cheese* |
| **de la** | feminine singular nouns beginning with a consonant | **de la glace** | *some ice cream* |
| **de l'** | any singular noun beginning with a vowel | **de l'argent** **de l'eau** | *some money* *some water* |

| | |
|---|---|
| Il achète **de la** viande. | *He is buying some meat.* |
| Prête-moi **de l'argent**. | *Lend me some money.* |
| Elle a **du** travail à faire. | *She has some work to do.* |

NOTE:  The partitive may not be omitted in French (as is *some* or *any* in English) and is repeated before each noun.

| | |
|---|---|
| Veux-tu **du** rosbif et **de la** purée de pommes de terre? | *Do you want roast beef and mashed potatoes?* |
| Non, je veux **du** bifteck et **de la** salade. | *No, I want some steak and salad.* |

## EXERCICE C

*Robert a une faim de loup. Exprimez ce qu'il prend.*

Robert prend _____

_____

_____

_____

_____ .

**c.** The plural form for both the indefinite and the partitive articles is *des. Des* expresses an unspecified amount or quantity, more than one item, and has no direct English equivalent.

| ARTICLE | USED BEFORE | EXAMPLE | MEANING |
|---------|-------------|---------|---------|
| **des** | all plural nouns, masculine or feminine | **des fruits** **des confitures** **des enfants** **des idées** | *(some) fruits* *(some) jams* *(some) children* *(some) ideas* |

| | |
|---|---|
| Les enfants ont **des** jouets. | *The children have toys.* |
| Donnez-moi **des** légumes. | *Give me some vegetables.* |
| Elle a écrit **des** poèmes. | *She wrote some poems.* |
| As-tu **des** projets? | *Do you have any plans?* |

## EXERCICE D

*Mme Bonnard prépare son sac avant de partir. Exprimez ce qu'elle choisit de prendre.*

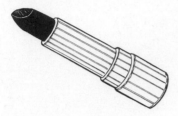

EXAMPLE:    Elle choisit du rouge à lèvres.

1. _____

2. _____

3. _____

4. _____

5. _____

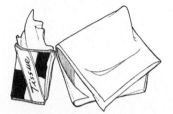

6. _____

## EXERCICE E

*Exprimez ce que les personnes suivantes vont acheter.*

EXEMPLE: Troy va décorer sa chambre.
**Il va acheter des rideaux et des coussins.**

1. Delphine va étudier l'art.

   _____

2. Tu vas préparer le petit déjeuner.

   _____

3. Nous allons avoir besoin de matériel scolaire pour l'école.

   _____

4. Vous allez célébrer Noël.

   _____

5. Les Richard vont aller en Europe.

   _____

6. Je vais aller à l'hôpital visiter mon ami.

   _____

> NOTE: When an adjective precedes a plural noun, *des* is replaced by *de* (*de* becomes d'
> before a vowel or silent *h*).
>
> Je cherche **de** vieux disques.　　*I'm looking for old records.*
> Tu portes **de** jolies bagues.　　*You're wearing nice rings.*
> Je voudrais **d'**agréables vacances.　　*I would like a pleasant vacation.*

## EXERCICE F

*Exprimez ce qu'on vend dans ce centre commercial.*

EXEMPLE:    bons chocolats
            On vend **de** bons chocolats.

**1.** jolis vêtements

_____

**2.** excellentes chaussures

_____

**3.** beaux articles de luxe

_____

**4.** nouvelles montres

_____

**5.** vieux livres

_____

**6.** beaux verres en cristal

_____

**d. In a negative sentence, all forms of the indefinite article and of the partitive become** *de* **without the article before a direct object.**

| | |
|---|---|
| Claude a **un** frère? | *Claude has a brother?* |
| Il n'a pas **de** frère. | *He doesn't have a brother.* |
| | |
| Tu as **des** cousins? | *Do you have any cousins?* |
| Non, je n'ai pas **de** cousins. | *No, I don't have any cousins.* |
| | |
| Je n'ai pas mangé **de** glace. | *I didn't eat any ice cream.* |
| Il n'a jamais **de** problèmes. | *He never has any problems.* |
| Il n'y avait plus **d'**eau. | *There was no water left.* |

## EXERCICE G

*Exprimez ce qu'on vend et ce qu'on ne vend pas dans ces magasins.*

EXEMPLE:    à la parfumerie *(glaces / parfum)*
            **On ne vend pas de glaces, mais on vend du parfum.**

**1.** à la charcuterie *(saucisson / romans)*

_____

**2.** à la librairie *(coca / livres)*

_____

*3.* à la boulangerie *(bœuf / pain)*

_____

*4.* à la station-service *(essence / œufs)*

_____

*5.* au grand magasin *(vêtements / essence)*

_____

*6.* à la fruiterie *(bijoux / pommes)*

_____

*7.* à la boucherie *(viande / croissants)*

_____

*8.* à la pharmacie *(fleurs / aspirine)*

_____

*9.* à la crémerie *(lait / jouets)*

_____

*10.* à la cafétéria *(purée de pommes de terre / bijoux)*

_____

## EXERCICE H

*Exprimez ce que ces personnes font dans les situations suivantes. Utilisez l'article indéfini ou le partitif approprié.*

EXEMPLE:   Claire prend son petit déjeuner. *(manger: bol de céréales, croissants, bifteck)*
   **Elle mange un bol de céréales. Elle mange des croissants. Elle ne mange pas de bifteck.**

*1.* Marie veut faire bonne impression à une interview pour un poste. *(mettre: robe, jean, laque (hairspray)*

_____

_____

*2.* Nous allons à une soirée. *(donner: tarte, bonbons, matériel scolaire)*

_____

_____

*3.* Gérard fait du camping. *(emporter: sac de couchage, tente, piano)*

_____

_____

*4.* Vous allez dîner chez des amis. *(apporter: fleurs, stylos, vin)*

_____

_____

**5.** Tu as très soif. *(boire: verre d'orangeade, parfum, eau)*

_____

_____

**6.** Elles veulent être aventureuses. *(faire: parachutisme, planche à voile, golf)*

_____

_____

# [ 2 ] OMISSION OF THE INDEFINITE ARTICLE

**a.** The indefinite article is omitted after *être* and *devenir* when they are followed by unmodified nouns of nationality, occupation, or profession.

| | |
|---|---|
| Nous **sommes** espagnols. | *We are Spanish.* |
| Sa mère **est** dentiste. | *Her mother is a dentist.* |

> NOTE:  The article is kept if the noun is modified or if the noun follows *c'est*.
>
> | | |
> |---|---|
> | Luc est **un bon mécanicien.** | *Luc is a good mechanic.* |
> | **C'est un programmeur.** | *He is a computer programmer.* |

**b.** The indefinite article is omitted after the exclamatory adjectives *quel, quelle, quels, quelles.*

| | |
|---|---|
| **Quels** chocolats délicieux! | *What delicious chocolates!* |

**c.** The indefinite article is omitted before the numbers *cent* and *mille*.

| | |
|---|---|
| Ce livre a **cent** pages. | *This book has one hundred pages.* |
| J'ai couru **mille** mètres | *I ran a thousand meters.* |

## EXERCICE I

*Dites quel est le métier des personnes suivantes.*

EXEMPLE:    Mme Cartier est **docteur.**

*1.* M. Lanvin est _____ .

**2.** Mme Chabert _____ .

**3.** M. Moreau _____ .

**4.** Mlle Larue _____ .

**5.** Mme Prince _____ .

**6.** Mme Richard _____ .

## EXERCICE J

*Le professeur explique le vocabulaire à la classe. Donnez le mot français.*

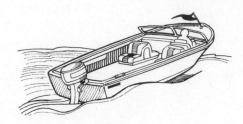

EXEMPLE: C'est un bateau.

1. _____

2. _____

3. _____

4. _____

5. _____

6. _____

7. _____    8. _____

9. _____    10. _____

## EXERCICE K

*Vous voulez obtenir un passeport. Répondez aux questions que l'employé vous pose en employant les mots indiqués.*

**1.** Quelle est votre nationalité? *(américain)*

_____

**2.** Quelle est votre profession? *(étudiant)*

_____

**3.** Combien d'argent gagnez-vous par semaine? *(cent dollars)*

_____

**4.** Quelle est la profession de votre père? *(avocat très connu)*

_____

**5.** Quelle est la profession de votre mère? *(actrice célèbre)*

_____

## [ 3 ] PARTITIVE AND THE DEFINITE ARTICLE

While the partitive is used to express some or part of something, the definite article is used with nouns in a general sense.

Le thé se fait dans une théière.    *Tea is made in a teapot.* (in general)

Donnez-moi **du** thé, s'il vous plaît    *Give me some tea, please.*

## EXERCICE L

*Une amie de Montréal vous rend visite et vous allez au supermarché ensemble. Exprimez ce que votre amie déclare aimer et suggérez-lui d'en acheter.*

EXEMPLE: J'aime **le** poulet.
Achète **du** poulet, si tu veux.

1. _____

_____

2. _____

_____

3. _____

_____

4. _____

_____

5. _____

_____

6. _____

_____

7. _____

_____

8. _____

_____

## EXERCICE M

*Exprimez quelle sorte de nourriture vous préférez. Utilisez l'article défini ou le partitif.*

1. Au restaurant, je choisis généralement _____ .

2. Je ne choisirais jamais _____ .

3. Le légume que je déteste est _____ .

4. Le fruit que je préfère est _____ .

5. Le dimanche, je prends _____ au petit déjeuner.

6. Un déjeuner typique comprend _____ .

7. Au dîner, ma mère sert _____ .

8. _____ est mon dessert préféré.

9. Quand je veux grossir, je prends _____ .

10. Je déteste manger _____ .

## [ 4 ] ADVERBS AND NOUNS OF QUANTITY

Nouns and adverbs that express quantity or measure are followed by *de* without the article before another noun. Some common nouns of quantity are:

| | | | |
|---|---|---|---|
| une boîte | *a box, a can* | un morceau | *a piece* |
| une bouteille | *a bottle* | une paire | *a pair* |
| une douzaine | *a dozen* | un paquet | *a package* |
| un gramme | *a gram* | un sac | *a bag* |
| un litre | *a liter* | une tasse | *a cup* |
| une livre | *a pound* | une tranche | *a slice* |
| un kilogramme | *a kilogram* | un verre | *a glass* |

Some common adverbs of quantity are:

| | | | |
|---|---|---|---|
| assez (de) | *enough* | peu (de) | *little, few* |
| autant (de) | *as much, as many* | plus (de) | *more* |
| beaucoup (de) | *much, many* | tant (de) | *so much, so many* |
| combien (de) | *how much, how many* | trop (de) | *too much, too many* |
| moins (de) | *less, fewer* | | |

| | |
|---|---|
| Il me faut **une douzaine** d'œufs. | *I need a dozen eggs.* |
| Elle boit **un verre d'**eau. | *She drinks a glass of water.* |
| J'achèterai **une bouteille de** soda. | *I'll buy a bottle of soda.* |
| Il a **beaucoup de** devoirs. | *He has a lot of homework.* |

NOTES:

1. **Some expressions use *de* alone.**

| | | | |
|---|---|---|---|
| avoir besoin de | *to need* | avoir envie de | *to desire* |
| plein de | *full of* | libre de | *free to* |

| | |
|---|---|
| J'**ai besoin d'**argent. | *I need money.* |
| Ce bas est **plein de** trous. | *This stocking is full of holes.* |

2. *La plupart* (most), *bien* (a good many, a good deal), and related expressions of quantity, such as *la plus grande partie, la majorité* (most), are followed by *de* + article

| | |
|---|---|
| J'aime **la plupart de** ses chansons. | *I like most of his songs.* |
| **Bien des** gens arrivent. | *Many people are arriving.* |

**3.** *Plusieurs* (several) and *quelques* (some) are adjectives and modify the noun directly.

J'ai **plusieurs** amis.               *I have several friends.*
Restez **quelques** minutes.           *Stay a few minutes.*

## EXERCICE N

*Exprimez ce dont vous avez besoin pour préparer votre dîner.*

Il me faut _____

_____

_____

_____.

## EXERCICE O

*Aidez-vous des expressions données pour exprimer ce que chaque personne fait dans les situations suivantes.*

|          |          |
|----------|----------|
| assez    | boîte    |
| beaucoup | bouteille|
| moins    | paquet   |
| peu      | sac      |
| tant     | tasse    |
| trop     | tranche  |

EXEMPLE:   Elle a / argent, mais elle s'achète / bonbons
**Elle a peu d'argent, mais elle s'achète un sac de bonbons.**

*1.* Mme Lamartine fait / fautes qu'elle utilise / gommes

_____

*2.* Joseph mange / légumes, alors il achète / vitamines

_____

*3.* J'ai / argent, alors j'achète / biscuits de plus

_____

4. Vous avez / travail, donc vous buvez / café

_____

5. Ils ont mangé / gâteau, mais ils ont quand même pris / tarte

_____

## M A S T E R Y   E X E R C I S E S

### EXERCICE P

*Décrivez le dîner d'hier soir chez les Arnoux.*

1. La plupart _____ invités ont apporté des cadeaux.

2. J'ai goûté une douzaine _____ plats différents.

3. M. Arnoux n'a pas préparé _____ poulet, mais il a servi _____ jambon.

4. Plusieurs _____ plats ont été servis froids.

5. On a servi quelques _____ tranches de tartes.

6. J'ai mangé beaucoup _____ spécialités excellentes.

### EXERCICE Q

*Vous travaillez dans un grand supermarché près de Paris. Combinez les éléments avec l'article qui convient pour exprimer ce que disent les employés.*

EXEMPLE:    nous avons beaucoup / clients
            Nous avons **beaucoup de** clients.

1. Mme Rivière achète toujours / poulet

_____

2. bien / clients choisissent / fromages variés

_____

3. Angèle Jouet a laissé tomber une douzaine / œufs

_____

4. il y a tant / travail à faire

_____

5. le pâtissier prépare / pain / croissants et / bons gâteaux

_____

**6.** la spécialité du boucher est / bœuf

_____

**7.** nous ne vendons que / légumes frais

_____

**8.** M. Richard range / eau minérale sur les rayons

_____

**9.** Michel préfère / fruits

_____

**10.** la plupart / clients font les courses le samedi

_____

## EXERCICE R

*Vous aidez avec les préparatifs de la fête du cercle français. Énumérez (list) des hors-d'œuvre et des rafraîchissements que vous devrez acheter ou préparer.*

_____

_____

_____

_____

_____

_____

_____

## EXERCICE S

*Vous et un(e) camarade de classe êtes à tour de rôle, client(e) et serveur (serveuse) dans un restaurant français. Suivez l'exemple.*

EXEMPLE:

SERVEUR (SERVEUSE):   Qu'est-ce que vous préférez?
CLIENT(E):       Je préfère le bœuf.
SERVEUR (SERVEUSE):   Alors, prenez du bœuf.

1. SERVEUR (SERVEUSE): _____

   CLIENT(E):                _____

   SERVEUR (SERVEUSE): _____

2. SERVEUR (SERVEUSE): _____

   CLIENT(E):                _____

   SERVEUR (SERVEUSE): _____

3. SERVEUR (SERVEUSE): _____

   CLIENT(E):                _____

   SERVEUR (SERVEUSE): _____

4. SERVEUR (SERVEUSE): _____

   CLIENT(E):                _____

   SERVEUR (SERVEUSE): _____

5. SERVEUR (SERVEUSE): _____

   CLIENT(E):                _____

   SERVEUR (SERVEUSE): _____

6. SERVEUR (SERVEUSE): _____

   CLIENT(E):                _____

   SERVEUR (SERVEUSE): _____

# Chapter 17
# Subject Pronouns

A pronoun is a word used in place of a noun. A subject pronoun is used instead of a subject noun.

## [ 1 ] FORMS

| SINGULAR | | PLURAL | |
|---|---|---|---|
| **je (j')** | *I* | **nous** | *we* |
| **tu** | *you (familiar)* | **vous** | *you (plural / formal)* |
| **il** | *he, it* | **ils** | *they (masculine)* |
| **elle** | *she, it* | **elles** | *they (feminine)* |
| **on** | *one, you, we, they, people* | | |

NOTES:

1. In questions with inversion, the subject pronoun follows the verb in simple tenses and the auxiliary (helping) verb in compound tenses.

   | | |
   |---|---|
   | **Tu vas** à l'école. | *You go to school.* |
   | **Vas–tu** à l'école? | *Do you go to school?* |
   | **Est-il** allé à l'école? | *Has he gone to school?* |
   | **N'as-tu** rien dit? | *Didn't you say anything?* |

   When the question is formed with *Est-ce que*, there is no inversion of the verb and pronoun.

   | | |
   |---|---|
   | Est-ce que **tu vas** à l'école? | *Do you go to school?* |
   | Est-ce qu'**elle est** allée dehors? | *Has she gone out?* |

   Inversion with *je* is rarely used and occurs only with a few verbs: *avoir, être, pouvoir,* and *savoir.*

   | | |
   |---|---|
   | **Puis-je** vous voir? | *May I see you?* |

2. Subject pronouns are omitted in the imperative.

   | | |
   |---|---|
   | **Regarde** ce programme! | *Watch that program!* |
   | **Prenons** le bus! | *Let's take the bus!* |
   | **Lisez** cet article! | *Read this article!* |

3. The familiar subject pronoun *tu* is used to address a friend, a relative, a child, and a pet, while the formal *vous* is used in the singular to show respect, to address older people and people one does not know well.

4. The third person pronoun *on* means "one" or "someone." It may also refer to an indefinite "you," "we," "they," or "people" in general.

   | | |
   |---|---|
   | **On** doit travailler. | *One has to (People have to / We have to) work.* |
   | **On** dit qu'il va neiger. | *They say it's going to snow.* |

On a trouvé mon livre. *Someone found my book.*

In spoken French, *on* is often used in place of *nous*.

On va au cinéma ce soir. Tu viens? *We're going to the movies tonight. Are you coming?*

## EXERCICE A

*Exprimez ce que ces personnes ont fait après avoir fini leurs études universitaires.*

EXEMPLE: **Nous** avons travaillé dans unc grande maison de commerce.

1. _____ s'est mariée avec Pierre Valentin.

2. _____ as voyagé en Europe.

3. _____ sont devenues avocates.

4. _____ sommes restés en Floride.

5. _____ ai cherché un poste de programmeuse.

6. _____ est allé en Californie.

7. _____ avez déménagé.

8. _____ se sont installés dans un joli atelier.

## EXERCICE B

*Complétez les phrases avec le pronom sujet approprié pour exprimer les activités de ces personnes pendant leurs vacances.*

1. Julien et Edmond sont frères. _____ voyagent toujours ensemble.

2. Nages- _____ bien? Moi, _____ suis maître-nageur.

3. Voulez- _____ faire de la planche à voile? _____ pouvons louer des planches là-bas.

4. Suzanne désire aller en ville. _____ veut acheter beaucoup de souvenirs.

5. Annie et Virginie cherchent de bons restaurants parce qu' _____ ont toujours faim.

6. Yves aime l'eau. _____ fait souvent du kayak.

7. Nous allons à la plage. _____ nageons tous les jours.

8. En général, _____ va tous camper ensemble.

**9.** On va danser à la boîte de nuit. Venez- _____ avec nous?

**10.** _____ dit qu' _____ va pleuvoir. _____ rentrons.

## EXERCICE C

*Exprimez les règles de conduite de la famille Dupont.*

EXEMPLES:    ne pas frapper les autres
**Ne frappez pas** les autres.

écouter vos parents
**Écoutez** vos parents.

**1.** ne pas manger avec les doigts

_____

**2.** parler toujours avec respect

_____

**3.** ne rien exagérer

_____

**4.** être consciencieux

_____

**5.** ne jamais éviter les responsabilités

_____

**6.** arriver toujours à l'heure

_____

# [ 2 ]   *CE + ÊTRE*

The pronoun *ce (c')* (it, this, they, these) is used most frequently with the verb *être. Ce* is used to introduce someone or something and can replace *il, elle, ils,* and *elles* in the following constructions:

**a. Before a modified noun.**

| | |
|---|---|
| C'est un problème. | *It's a problem.* |
| C'est une idée géniale. | *That's a great idea.* |
| C'est un bon dentiste. | *He's a good dentist.* |
| Ce sont de bons amis. | *They're good friends.* |

*BUT* (unmodified)

| | |
|---|---|
| Il est dentiste. | *He's a dentist.* |

## EXERCICE D

*Exprimez la philosophie de Mme Chopard.*

EXEMPLES:    la démocratie *(institution nécessaire)*
**C'est une institution nécessaire.**

les journaux *(instruments éducatifs)*
**Ce sont des instruments éducatifs.**

**1.** la vie *(cadeau précieux)*

_____

**2.** la mort *(chose inévitable)*

_____

**3.** l'amour *(émotion merveilleuse)*

_____

**4.** les politiciens *(personnes actives)*

_____

**5.** la tristesse et la joie *(sentiments naturels)*

_____

**6.** le vote et la parole *(droits importants)*

_____


**b.** Before a proper noun.

| | |
|---|---|
| Qui parle? | *Who is speaking?* |
| C'est Paul. | *It's Paul.* |
| Quel fleuve traverse Paris? | *Which river crosses Paris?* |
| C'est la Seine. | *It's the Seine.* |

## EXERCICE E

*Répondez aux questions que votre correspondant français vous pose en employant* **c'est** *ou* **ce sont.**

**1.** Qui est ton (ta) meilleur(e) ami(e)?

_____

**2.** Quelle est la capitale de ton état?

_____

**3.** Qui est ton acteur préféré?

_____

**4.** Quels sont deux monuments importants de ta ville?

_____

**5.** Quels sont tes cours favoris?

_____

**6.** Quel film as-tu préféré récemment?

_____

**c. Before a superlative.**

| | |
|---|---|
| C'est le plus intelligent de la famille. | _He's the most intelligent of the family._ |
| Ce sont les moins célèbres. | _They are the least famous._ |

## EXERCICE F

*Exprimez ce que vous lisez dans le livre Guinness des records.*

EXEMPLE:    Il y a une girafe qui mesure 20 pieds de haut. *(l'animal / grand)*
            **C'est le plus grand animal.**

**1.** Il y a une femme qui mesure 23 pouces. *(la personne / petite)*

_____

**2.** Il y a un homme qui est mort à 120 ans. *(l'être humain / vieil)*

_____

**3.** Il y a un éléphant qui pèse 26.328 livres. *(l'animal / lourd)*

_____

**4.** Il y a des pins qui ont 4.900 ans. *(les arbres / vieux)*

_____

**5.** Il y a une pizza qui mesure 80 pieds de diamètre. *(la pizza / grande)*

_____

**d. In dates.**

| | |
|---|---|
| **C'est** aujourd'hui mardi. | _Today is Tuesday._ |
| Demain **ce sera** le 10 août. | _Tomorrow will be August 10._ |

NOTE:    *Il est* **is used to express the hour of the day.**
**Il est** cinq heures.                    _It's five o'clock._

## EXERCICE G

*Exprimez ces dates importantes.*

**1.** Quand est ton anniversaire?

_____

**2.** Quand est le prochain jour de congé?

_____

**3.** Quand est le dernier jour de classe?

_____

**4.** Quand est la fête de Noël?

_____

**e.** Before a pronoun. (See Chapter 19, Stress Pronouns.)

| | |
|---|---|
| Je pense que **c'est** à vous. | *I think it's yours.* |
| **C'est** celui-ci? | *Is it this one?* |

**f.** Before a masculine singular adjective to refer to an idea or action previously mentioned.

| | |
|---|---|
| Elle est en retard. **C'est** étrange. | *She is late. That's strange.* |
| Il téléphone à midi. **C'est** normal. | *He calls at noon. That's normal.* |

NOTES:

**1.** To refer to a preceding noun and not to an entire phrase, *il* and *elle* are used.

| | |
|---|---|
| J'adore ce manteau. **Il** est si élégant. | *I love this coat. It's so elegant.* |
| Regardes-tu ce programme? **Il** est intéressant. | *Do you watch this program? It's interesting.* |

**2.** *Ceci* and *cela (ça)* may replace *ce* for emphasis or contrast. They are also used with verbs other than *être.*

| | |
|---|---|
| **Ceci** est important! | *This is important!* |
| **Ceci** est sérieux et **cela** ne l'est pas. | *This is serious and that isn't.* |
| **Cela (Ça)** ne se fait pas. | *That isn't done.* |

## EXERCICE H

*Exprimez ce que M. Brun dit de ses enfants.*

**1.** *(ce, cela)* Juliette reçoit toujours de bonnes notes. _____ est formidable.

**2.** *(ce, ceci)* Jean-Claude a obtenu un bon poste. _____ me rend heureux.

**3.** *(ce, ça)* Coralie a une bourse. _____ prouve qu'elle travaille dur.

**4.** *(ce, cela)* Qui est fier de ses enfants? _____ est moi.

**5.** *(ce, ceci)* Juliette et Coralie font tout ensemble. _____ sont de vraies amies.

**6.** *(ça, ce)* _____ va bien, mes enfants sont en bonne santé.

## M A S T E R Y   E X E R C I S E S

### EXERCICE I

*Vous êtes à une boum. Complétez les remarques faites par les invités avec* **ce (c')**, **il(s)** *ou* **elle(s)**.

**1.** Qui danse ensemble? _____ sont Marc et Diane. _____ sont amoureux.

**2.** Rosette fête son prochain voyage. _____ va en France. Quelle est la date de son départ?

_____ est le 7 juillet.

**3.** Qui vient de sonner à la porte? _____ est lui. _____ s'appelle Luc.

**4.** Regarde ce garçon qui joue de la guitare. _____ est un chanteur. _____ est mon frère Thierry.

**5.** _____ est le meilleur gâteau. Goûte-le. M. Maurice l'a préparé. _____ est pâtissier.

**6.** Regardez ces photos. _____ sont formidables. Vous voyez? _____ sont nos camarades de classe.

### EXERCICE J

*Complétez l'histoire suivante en utilisant* **ce (c')** *ou le pronom sujet approprié.*

_____ est vendredi après-midi. _____ est quatre heures. Quelqu'un sonne à la porte.
    1.                                        2.

Qui est- _____? _____ est peut-être mon ami Paul. _____ a promis de me rendre
         3.              4.                                                 5.

visite. _____ cours à la porte et _____ l'ouvre. _____ n'est pas Paul. _____ est
        6.                                  7.                        8.                            9.

M. Marin. _____ est le facteur. _____ a un petit colis dans les mains. _____ dit que
           10.                            11.                                              12.

_____ dois signer son registre. _____ est obligatoire. Finalement _____ rentre dans la
   13.                                   14.                                          15.

maison avec le paquet. De qui est- _____ ? _____ est de Paul, peut-être. Non, _____
                                    16.              17.                                        18.

doute que _____ soit lui qui m'ait envoyé cette boîte. _____ l'ouvre. _____ est une
           19.                                                  20.                      21.

boîte de chocolats suisses. _____ sont les meilleurs chocolats au monde. _____ est un cadeau
                            22.                                                   23.

de mon ami Jacques. _____ vient de rentrer d'Europe. _____ est vraiment gentil de sa part.
                     24.                                      25.

## EXERCICE K

*Écoutez votre professeur et choisissez le mot ou l'expression qui complète le mieux la phrase. Tracez un cercle autour de la lettre qui convient.*

1. *a.* Il est

   *b.* Elle est

   *c.* C'est

   *d.* Ceci est

2. *a.* Elles

   *b.* Ils

   *c.* Ce

   *d.* Cela

3. *a.* Il est

   *b.* C'est

   *c.* Ce sont

   *d.* Elles sont

4. *a.* Ils

   *b.* Ceci

   *c.* Il

   *d.* Elles

5. *a.* C'est

   *b.* Cela n'est pas

   *c.* Elles sont

   *d.* Ils ne sont pas

6. *a.* Ceci

   *b.* Ils

   *c.* Elles

   *d.* Cela

# Chapter 18
## Object Pronouns

## [ 1 ] DIRECT AND INDIRECT-OBJECT PRONOUNS

**a.** Forms

| DIRECT-OBJECT PRONOUNS | | INDIRECT-OBJECT PRONOUNS | |
|---|---|---|---|
| **me (m')** | *me* | **me (m')** | *(to) me* |
| **te (t')** | *you* (familiar) | **te (t')** | *(to) you* (familiar) |
| **le (l')** | *him, it* (masculine) | **lui** | *(to) him* |
| **la (l')** | *her, it* (feminine) | **lui** | *(to) her* |
| **se (s')** | *himself, herself, oneself* | **se (s')** | *(to) himself, (to) herself* |
| **nous** | *us, ourselves* | **nous** | *(to) us* |
| **vous** | *you* (formal, plural), *yourself* | **vous** | *(to) you* (formal, plural) |
| **les** | *them* | **leur** | *(to) them* |
| **se (s')** | *themselves* | **se (s')** | *(to) themselves* |

NOTE: The forms *me, te, se, nous,* and *vous* are both direct and indirect-object pronouns. They are also reflexive pronouns (see Chapter 11).

**b.** Uses of object pronouns

A direct-object pronoun replaces a direct-object noun and answers the questions *whom?* or *what?*

| | |
|---|---|
| Je regarde Jean. | *I look at Jean.* |
| Je **le** regarde. | *I look at him.* |
| Nous préparons la soupe. | *We prepare the soup.* |
| Nous **la** préparons. | *We prepare it.* |
| Elle voit ses amis. | *She sees her friends.* |
| Elle **les** voit. | *She sees them.* |

An indirect-object pronoun replaces an indirect-object noun and answers the question *to whom?*

| | |
|---|---|
| Il parle à ses parents. | *He speaks to his parents.* |
| Il **leur** parle. | *He speaks to them.* |
| J'écris à Monique. | *I write to Monique.* |
| Je **lui** écris. | *I write to her.* |

NOTES:

1. Some verbs, such as *attendre* (to wait for), *écouter* (to listen to), *chercher* (to look for), *payer* (to pay for), and *regarder* (to look at), take a direct object in French.

| | |
|---|---|
| Je **l'**attends. | *I'm waiting for him (her, it).* |
| Il **les** cherche. | *He's looking for them.* |

2.  Some verbs, such as *obéir à* (to obey), *désobéir à* (to disobey), *répondre à* (to answer), *ressembler à* (to resemble), and *téléphoner à* (to telephone), take an indirect object in French.

| | |
|---|---|
| Je **leur** obéis. | *I obey them.* |
| Elle **lui** téléphone. | *She calls him (her).* |

### c.  Position of object pronouns

(1)  Object pronouns, direct or indirect, including reflexive pronouns, normally precede the verb.

| | |
|---|---|
| Il **le** mange. | *He eats it.* |
| **Lui** obéissais-tu? | *Did you obey him?* |
| Les enfants **se** lèvent-ils? | *Are the children getting up?* |
| Nous **l'**avons fini. | *We finished it.* |
| Je ne **leur** écrirai pas. | *I won't write to them.* |

N O T E :   In compound tenses, past participles agree in gender and number with a preceding direct object.

| | |
|---|---|
| Ma chambre? Je **l'**ai déjà rangée. | *My room? I've already straightened it.* |
| Tes frères? Je ne **les** ai pas vus. | *Your brothers? I didn't see them.* |
| Ils **se** sont rasés. | *They shaved.* |

*BUT*

| | |
|---|---|
| Anne? Il ne lui a pas parlé. | *Anne? He didn't speak to her.* |
| Sa mère? Elle ne lui a pas obéi. | *Her mother? She didn't obey her.* |
| Elle s'est brossé les dents. | *She brushed her teeth.* |

(2)  When a direct or indirect object or reflexive pronoun is used with an infinitive construction, the pronoun precedes the verb of which it is the object, normally the infinitive.

| | |
|---|---|
| Je voudrais **te** voir. | *I would like to see you.* |
| Vas-tu **leur** écrire? | *Are you going to write to them?* |
| Il ne pouvait pas **le** faire. | *He couldn't do it.* |
| Ne comptes-tu pas **lui** parler? | *Don't you intend to speak to him?* |
| Elle sait **s'**amuser. | *She knows how to have fun.* |

(3)  In an affirmative command only, the object pronoun follows the verb and is attached to it by a hyphen. The pronouns *me* and *te* change to *moi* and *toi* after the verb.

| AFFIRMATIVE COMMAND | NEGATIVE COMMAND |
|---|---|
| Finis-**le**.   *Finish it.* | Ne **le** finis pas.   *Don't finish it.* |
| Parlez-**moi**.   *Speak to me.* | Ne **me** parlez pas.   *Don't speak to me.* |
| Habille-**toi**.   *Get dressed.* | Ne **t'**habille pas.   *Don't get dressed.* |

(4)  Object pronouns precede *voici* and *voilà*.

| | |
|---|---|
| **Les** voici. | *Here they are.* |
| **Te** voilà. | *There you are.* |

## EXERCICE A

*Vous discutez de vos habitudes avec une amie. Exprimez ses questions et vos réponses.*

EXEMPLE:    faire la vaisselle chaque soir
        L'AMIE:  La fais-tu chaque soir?
        VOUS:   Oui, je la fais chaque soir.
    *OU:*  VOUS:   Non, je ne la fais pas chaque soir.

**1.** finir les devoirs avant le dîner

    L'AMIE: _____

    VOUS: _____

**2.** tondre la pelouse le dimanche

    L'AMIE: _____

    VOUS: _____

**3.** promener le chien trois fois par jour

    L'AMIE: _____

    VOUS: _____

**4.** écouter les informations chaque jour

    L'AMIE: _____

    VOUS: _____

**5.** dire toujours la vérité

    L'AMIE: _____

    VOUS: _____

**6.** faire le lit chaque matin

    L'AMIE: _____

    VOUS: _____

## EXERCICE B

*Vous préparez un repas au barbecue avec un ami qui voudrait savoir ce que vous pouvez faire. Exprimez ses questions et vos réponses.*

EXEMPLE:    aller chercher le couteau *(oui) (non)*
        **Peux-tu aller le chercher?**
        **Oui, je peux aller le chercher.**
    *OU:*  **Non, je ne peux pas aller le chercher.**

**1.** allumer le feu *(non)*

    _____

    _____

**2.** couper les légumes *(non)*

_____

_____

**3.** assaisonner *(season)* la viande *(oui)*

_____

_____

**4.** garnir les plats *(non)*

_____

_____

**5.** mettre la table *(oui)*

_____

_____

**6.** cuire la viande *(oui)*

_____

_____

## EXERCICE C

*Ces personnes sont très changeantes. Exprimez ce qu'elles font aujourd'hui et ne feront pas demain.*

EXEMPLE:    Fabrice parle à son oncle.
            Aujourd'hui, il **lui** parle.
            Demain, il ne **lui** parlera pas.

**1.** Stéphanie obéit à sa mère.

_____

_____

**2.** Olivier téléphone à ses parents.

_____

_____

**3.** Janine écrit à son grand-père.

_____

_____

**4.** Julien lit à sa sœur cadette.

_____

_____

**5.** Christophe répond à ses frères.

_____

_____

**6.** Julie désobéit à ses grands-parents.

_____

_____

**7.** Les parents parlent gentiment aux enfants.

_____

_____

## EXERCICE D

*Lucette essaie de réconcilier ses amis avec Hélène. Exprimez ce que Lucette dit à Hélène de faire et les réponses de Hélène.*

EXEMPLE:     écrire une note à Simone
             Tu peux **lui** écrire une note.
             Je ne veux pas **lui** écrire de note.

**1.** demander pardon à Céleste et à Suzanne

_____

_____

**2.** parler sincèrement à Rémy

_____

_____

**3.** offrir des fleurs à ta copine

_____

_____

**4.** téléphoner à Lise et à Diane

_____

_____

**5.** acheter un cadeau à ton copain

_____

_____

**6.** expliquer à tes amies pourquoi tu étais en colère

_____

_____

## EXERCICE E

*Odette et ses amies sont à une grande soirée. Elles voudraient tout goûter, mais elles ont peur de trop manger. Exprimez ce qu'elles disent.*

EXEMPLE:   Quels desserts délicieux! *(goûter)*
**Goûtons-les.**
**Ne les goûtons pas.**

*1.* Quelles tartes splendides! *(manger)*

_____

_____

*2.* Quel bon pain! *(savourer)*

_____

_____

*3.* Quelle bouillabaisse odorante! *(sentir)*

_____

_____

*4.* Quel poisson délicat! *(essayer)*

_____

_____

*5.* Quels fruits merveilleux! *(regarder)*

_____

_____

*6.* Quelle mousse fragile! *(goûter)*

_____

_____

## EXERCICE F

*Vous vous préparez à aller à une fête avec vos amis. Exprimez ce que vous dites.*

EXEMPLE:   prête cette robe / à Mariette
**Prête-lui** cette robe.

*1.* montre la robe / à Laure et à moi

_____

*2.* donne des bracelets / à Chantal

_____

*3.* prête ce pull / à moi

_____

**4.** offre ces colliers / à Jacqueline et à Roxane

_____

**5.** emprunte cette veste / à Christian

_____

**6.** achète ces maillots / à Patrick et à Jim

_____

## EXERCICE G

*Vous partez en colonie de vacances. Exprimez ce que votre mère vous dit.*

EXEMPLE:   se reposer un peu, pas tout le temps
**Repose-toi** un peu, **ne te repose pas** tout le temps.

**1.** s'amuser à faire du sport, pas à faire des farces

_____

_____

**2.** se coucher de bonne heure, pas tard

_____

**3.** se laver tous les jours, pas une fois par semaine

_____

_____

**4.** se lever rapidement, pas en retard

_____

_____

**5.** se bronzer un peu, pas trop

_____

## EXERCICE H

*La chambre de votre frère est en désordre et vous l'aidez à la ranger. Répondez à ses questions.*

EXEMPLE:   VOTRE FRÈRE: Où est mon cahier?
VOUS:         Le voilà.

**1.** VOTRE FRÈRE: Où est mon portefeuille?

VOUS: _____

**2.** VOTRE FRÈRE: Où sont mes nouvelles chemises?

VOUS: _____

**3.** VOTRE FRÈRE: Où est ma chaîne en or?

   VOUS: _____

**4.** VOTRE FRÈRE: Où sont mes affiches?

   VOUS: _____

**5.** VOTRE FRÈRE: Où est ma carte d'identité?

   VOUS: _____

**6.** VOTRE FRÈRE: Où est mon portable?

   VOUS: _____

## EXERCICE I

*Un camarade de classe fait un sondage* (survey) *sur l'amitié. Exprimez ses questions et vos réponses.*

EXEMPLE:   pardonner toujours
           Tes amis **te** pardonnent toujours?
           Oui, mes amis **me** pardonnent toujours.

**1.** donner des cadeaux

_____

_____

**2.** embrasser

_____

_____

**3.** prêter de l'argent

_____

_____

**4.** écouter avec patience

_____

_____

## EXERCICE J

*Une camarade de classe vous pose des questions pour un sondage sur les relations entre vos parents et leurs enfants. Exprimez ses questions et vos réponses.*

EXEMPLE:   parler sévèrement
           Vos parents **vous** parlent sévèrement?
           Non, nos parents ne **nous** parlent pas sévèrement.

**1.** critiquer fréquemment

_____

_____

**2.** dire des mensonges

_____

_____

**3.** gronder souvent

_____

_____

**4.** emprunter de l'argent

_____

_____

## EXERCICE K

*Vous venez de passer une semaine chez un ami. Répondez aux questions que vos parents vous posent en utilisant le, la, les, lui ou leur. Faites attention à l'accord du participe passé, si nécessaire.*

EXEMPLES:  As-tu fait la lessive?
Oui, je **l'**ai fait**e**.

As-tu parlé gentiment aux enfants?
Oui, je **leur** ai parlé gentiment.

**1.** As-tu écrit une lettre à tes amis?

_____

**2.** As-tu offert un cadeau à Mme Fernand?

_____

**3.** As-tu remercié les membres de la famille?

_____

**4.** As-tu envoyé les photos?

_____

**5.** As-tu répondu sincèrement aux Fernand?

_____

**6.** As-tu fait la vaisselle?

_____

**7.** As-tu aidé les enfants?

_____

**8.** As-tu téléphoné à Charles et à Annette?

_____

**9.** As-tu rangé tes affaires?

_____

**10.** As-tu invité Charles chez nous?

_____

## [ 2 ]   PRONOUN Y

The adverbial pronoun *y* always refers to previously mentioned things or places. It generally replaces *à (au, aux)* + noun but may also replace other prepositions of position or location such as *chez, dans, en, sous,* or *sur* + noun.

| | |
|---|---|
| Je vais au parc. | *I'm going to the park.* |
| J'y vais. | *I'm going there.* |
| Tu réponds à la note. | *You answer the note.* |
| Tu y réponds. | *You answer it.* |
| Elle travaille dans le bureau. | *She works in the office.* |
| Elle y travaille. | *She works there.* |

### NOTES:

1.  The pronoun *y* most commonly means "to it / them," "in it / them," "on it / them," or "there." Sometimes the meaning of *y* is not expressed in English.

| | |
|---|---|
| Le papier est dans le livre? | *Is the paper in the book?* |
| Oui, il y est. | *Yes, it is.* |
| Tu vas chez Éric ce soir? | *Are you going to Eric's tonight?* |
| Oui, j'y vais. | *Yes, I am.* |

2.  The pronoun *y* follows the same rules of position in the sentence as direct and indirect-object pronouns.

| | |
|---|---|
| Je voulais y rester. | *I wanted to stay there.* |
| Je n'y reste pas. | *I am not staying there.* |
| (N')y restes-tu (pas)? | *Are(n't) you staying there?* |
| Est-ce que tu y restes? | *Are you staying there?* |
| Veux-tu y aller? | *Do you want to go there?* |
| Je ne compte pas y habiter. | *I don't intend to live there.* |

| Ne veut-il pas y répondre? | *Doesn't he want to answer it?* |
| Est-ce qu'il ne veut pas y répondre? | *Doesn't he want to answer it?* |
| N'y va pas. | *Don't go there.* |

3. **Affirmative familiar commands (*tu* form) of *-er* verbs retain the final *s* before *y*.**

| Vas-y! | *Go there!* |
| Restes-y. | *Stay there.* |
| *BUT* | |
| N'y **va** pas! | *Don't go there!* |

## EXERCICE L

*Vous téléphonez d'Europe à votre ami et il vous demande ce que vous faites pendant votre séjour. Exprimez ses questions et vos réponses.*

EXEMPLE:    aller à Paris *(oui) (non)*
           **Y** vas-tu?
           Oui, j'**y** vais.
    *OU:*    Non, je n'**y** vais pas.

*1.* dormir à la belle étoile *(non)*

_____

_____

*2.* entrer gratuitement au Louvre *(non)*

_____

_____

*3.* penser à acheter des livres *(oui)*

_____

_____

*4.* jouer au tennis *(oui)*

_____

_____

*5.* courir dans les cathédrales *(non)*

_____

_____

*6.* voyager en Grèce *(oui)*

_____

_____

**7.** dîner dans les grands restaurants *(non)*

_____

_____

**8.** aller à un carnaval *(oui)*

_____

_____

## EXERCICE M

*Votre ami voudrait savoir ce que vous ferez pendant les vacances d'hiver. Répondez à ses questions selon le modèle.*

EXEMPLE:     Feras–tu du ski en France? *(oui) (non)*
             Oui, j'**y** ferai du ski.
       OU:    Non, je n'**y** ferai pas de ski.

**1.** Partiras–tu à la montagne? *(oui)*

_____

**2.** Iras–tu dans les Alpes? *(oui)*

_____

**3.** Loueras–tu un chalet à Chamonix? *(non)*

_____

**4.** Passeras–tu toutes les vacances dans les Alpes? *(oui)*

_____

**5.** Logeras–tu en ville? *(non)*

_____

**6.** Resteras–tu chez des amis? *(oui)*

_____

**7.** Feras–tu attention aux risques d'avalanche? *(oui)*

_____

**8.** Assisteras–tu à la compétition? *(non)*

_____

**9.** Loueras–tu un scooter des neiges à la station de ski? *(non)*

_____

**10.** Rencontreras–tu des amis aux sports d'hiver? *(oui)*

_____

## EXERCICE N

*Vous êtes indécis(e) et vos amis ne sont d'aucune aide. Exprimez ce qu'ils vous disent de faire.*

EXEMPLE:   Je voudrais faire un pique-nique au parc.
           **Fais-y** un pique-nique.
           **N'y fais pas** de pique-nique.

*1.* Je voudrais aller faire une randonnée dans la forêt.

_____

_____

*2.* Je voudrais jouer du violon sous le balcon de mon prof de français.

_____

_____

*3.* Je voudrais passer la journée à la campagne.

_____

_____

*4.* Je voudrais lire un livre sous un arbre.

_____

_____

*5.* Je voudrais prendre un bain de soleil sur la terrasse.

_____

_____

*6.* Je voudrais organiser un dîner à la plage.

_____

_____

## [ 3 ]   PRONOUN *EN*

The adverbial pronoun *en* refers to previously mentioned places or things. It generally replaces *de* + noun. It usually means "some" or "any (of it, of them)" when it replaces the partitive article, and "about it / them," "from it / them," or "from there" when it replaces the preposition *de* in an expression.

| | |
|---|---|
| Il mange de la viande. | *He eats meat.* |
| Il **en** mange. | *He eats some.* |
| Je ne prends pas de fruits. | *I don't take any fruit.* |
| Je n'**en** prends pas. | *I don't take any.* |
| Tu parles de ton travail. | *You speak about your work.* |
| Tu **en** parles. | *You speak about it.* |

| | |
|---|---|
| Vous sortez du théâtre. | *You leave the theater.* |
| Vous **en** sortez. | *You leave it.* |
| Elle joue de la batterie. | *She plays the drums.* |
| Elle **en** joue. | *She plays them.* |

NOTES:

1. *En* is used when the noun to which it refers is omitted after a number, an adverb or noun of quantity, or an expression requiring *de*.

| | |
|---|---|
| Elles ont trois livres. | *They have three books.* |
| Elles **en** ont **trois**. | *They have three (of them).* |
| Avez-vous assez de pain? | *Do you have enough bread?* |
| Oui, j'**en** ai **assez**. | *Yes, I have enough.* |
| Venez-vous de Paris? | *Do you come from Paris?* |
| Oui, nous **en** venons. | *Yes, we do.* |

2. *En* is always expressed in French even though it has no English equivalent.

| | |
|---|---|
| Avez-vous du sel? | *Do you have any salt?* |
| Oui, j'**en** ai. | *Yes, I do (have some).* |

3. *En* follows the same rules of position in the sentence as other object pronouns.

| | |
|---|---|
| Je voulais **en** emprunter. | *I wanted to borrow some.* |
| Tu n'**en** veux pas. | *You don't want any.* |
| (N')**en** prend-il (pas)? | *Does(n't) he take some (any)?* |
| Est-ce que tu (n')**en** achètes (pas)? | *Are(n't) you buying some (any)?* |
| Peut-elle **en** voir? | *Can she see some?* |
| Nous n'allons pas **en** goûter. | *We aren't going to taste any.* |
| Ne savez-vous pas **en** jouer? | *Don't you know how to play any?* |
| Je compte **en** préparer. | *I intend to prepare some.* |

*En* precedes *voici* and *voilà*:

| | |
|---|---|
| **En** voici cinq. | *Here are five of them.* |
| **En** voilà. | *Here are some.* |

4. Affirmative familiar commands (*tu* form) of *-er* verbs retain the *s* before *en*.

| | |
|---|---|
| Prépares-**en**! | *Prepare some!* |

*BUT*

| | |
|---|---|
| **N'en** prépare pas! | *Don't prepare any!* |

5. There is no agreement of the past participle when the object of the verb is *en*.

| | |
|---|---|
| J'ai acheté des vêtements. | *I bought some clothes.* |
| J'**en** ai acheté. | *I bought some.* |

## EXERCICE O

*Rosalie s'intéresse beaucoup à la cuisine. Exprimez les questions qu'elle pose à tous ses amis et leurs réponses.*

EXEMPLE:    manger des desserts au chocolat *(oui) (non)*
**En** mangez-vous?
Oui, j'**en** mange.
*OU:*    Non, je n'**en** mange pas.

1. rechercher des produits très frais *(oui)*

_____

_____

2. utiliser des boîtes de conserve *(non)*

_____

_____

3. échanger des recettes de cuisine *(oui)*

_____

_____

4. goûter des spécialités étrangères *(oui)*

_____

_____

5. préparer des sauces compliquées *(oui)*

_____

_____

6. acheter des épices exotiques *(oui)*

_____

_____

7. mettre du sel dans tout *(non)*

_____

_____

8. collectionner des livres de cuisine *(oui)*

_____

_____

9. pouvoir recommander un livre de cuisine *(oui)*

_____

_____

## EXERCICE P

*Exprimez ce qui est arrivé à Mme Sauvage au bureau hier.*

EXEMPLE:     Elle a écrit beaucoup de lettres.
             Elle **en** a écrit beaucoup.

*1.* Elle a envoyé une douzaine de cartes postales.

_____

*2.* Elle a reçu cinq commandes.

_____

*3.* Elle a influencé plusieurs décisions.

_____

*4.* Elle a trouvé un problème.

_____

*5.* Elle a eu tant de coups de téléphone!

_____

*6.* Elle a fait peu de fautes.

_____


## EXERCICE Q

*Vous êtes invité(e) à dîner chez les Duchamp. Répondez aux questions qu'on vous pose en utilisant* **en.**

EXEMPLES:     As-tu pris de la soupe? *(oui) (non)*
              Oui, j'**en** ai pris.
    OU:    Non, je n'**en** ai pas pris.

              Veux-tu manger de la viande? *(oui) (non)*
              Oui, je veux **en** manger.
    OU:    Non, je ne veux pas **en** manger.

*1.* A-t-on servi assez de salade? *(oui)*

_____

*2.* Veux-tu goûter du pain aux raisins? *(oui)*

_____

*3.* Aimerais-tu des légumes verts? *(non)*

_____

*4.* As-tu essayé des hors-d'œuvre? *(oui)*

_____

**5.** Prendras-tu un peu de purée? *(oui)*

_____

**6.** Vas-tu mettre du poivre dans la soupe? *(non)*

_____

**7.** As-tu choisi de l'agneau? *(non)*

_____

**8.** Bois-tu du vin? *(non)*

_____

**9.** Mangeras-tu une crêpe? *(oui)*

_____

**10.** Aimes-tu beaucoup de desserts? *(oui)*

_____

## EXERCICE R

*Il fait mauvais temps aujourd'hui. Que suggérez-vous à votre ami de faire pour moins s'ennuyer?*

EXEMPLE:    Écrire des histoires drôles? *(oui) (non)*
**Écris-en.**
OU: **N'en écris pas.**

**1.** Acheter des vêtements? *(non)*

_____

**2.** Jouer de la guitare? *(oui)*

_____

**3.** Voir un film? *(oui)*

_____

**4.** Faire du bowling? *(non)*

_____

**5.** Discuter de politique? *(non)*

_____

**6.** Préparer des gâteaux? *(oui)*

_____

**7.** Regarder un bon film à la télévision? *(oui)*

_____

# [ 4 ] DOUBLE-OBJECT PRONOUNS

**a.** Order of pronouns before the verb

| me te se nous vous se | le (l') la (l') les | lui leur | y | en + verb |
|---|---|---|---|---|

| | |
|---|---|
| Tu **me l'**achètes? | *Are you buying it for me?* |
| Tu ne **me l'**achètes pas? | *Aren't you buying it for me?* |
| Il va **le lui** donner. | *He's going to give it to him (her).* |
| Est-ce qu'il va **le lui** donner? | *Is he going to give it to him (her)?* |
| **Leur en** as-tu emprunté un? | *Did you borrow one from them?* |
| Vous **les** y avez vus. | *You saw them there.* |
| **Les y** avez-vous vus? | *Did you see them there?* |
| Il **y en** a beaucoup. | *There are a lot (of them).* |
| Je ne **te l'**ai pas montré. | *I didn't show it to you.* |

**The following are the most frequent combinations:**

me le, me la, me les

te le, te la, te les

nous le, nous la, nous les

vous le, vous la, vous les

*BUT*

le lui, la lui, les lui

le leur, la leur, les leur

## EXERCICE S

*Utilisez trois pronoms dans chaque phrase et faites les accords nécessaires pour exprimer comment les personnes suivantes rendent service.*

EXEMPLES:    Le cuisinier nous prépare les repas.

**Il nous les** prépare.

Le mécanicien va réparer la voiture dans le garage.

**Il** va **l'y** réparer.

*1.* Le joueur de base-ball s'est entraîné au stade.

_____

*2.* Le programmeur veut montrer les ordinateurs à son ami.

_____

**3.** Le boucher va nous couper de la viande.

_____

**4.** Le pâtissier vous préparera deux gâteaux.

_____

**5.** Le chef m'a fait du ragoût.

_____

**6.** Le coiffeur a coupé les cheveux aux garçons.

_____

**7.** Le commerçant dit le prix au client.

_____

**8.** L'écrivain lira son poème à sa fille.

_____

**9.** Le tailleur _(tailor)_ répare les vêtements dans son magasin.

_____

**10.** Le fermier veut vendre ses produits au public.

_____

**11.** L'infirmière a donné des pilules au malade.

_____

**12.** Le juge expliquera le cas aux avocats.

_____

**b.   Order of pronouns after the verb**

| verb + | -le -la -les | -moi -toi -lui -nous -vous -leur | -y | -en |
|--------|--------------|----------------------------------|----|-----|

| | |
|---|---|
| Prête-**la-moi**. | _Lend it to me._ |
| Rends-**le-nous**. | _Give it back to us._ |
| Envoyons-**les-lui**. | _Let's send them to him (her)._ |

NOTE: _Moi + en_ **and** _toi + en_ **become** _m'en_ **and** _t'en._

| | |
|---|---|
| Donnez-**m'en** assez. | _Give me enough (of them)._ |
| Va-**t'en**. | _Go away._ |

## EXERCICE T

*Vous commencez vos cours à l'université et vous demandez des conseils à vos camarades. Exprimez comment ils répondent.*

EXEMPLE:   Je lis mon poème au prof d'anglais? *(oui) (non)*
            Oui, lis-**le-lui.**
    OU:   Non, ne **le lui** lis pas.

**1.** Je montre mes dessins au prof d'art? *(oui)*

_____

**2.** Je m'achète deux classeurs? *(oui)*

_____

**3.** J'explique mes problèmes à mon conseiller? *(non)*

_____

**4.** Je m'occupe de ces projets? *(non)*

_____

**5.** Je parle de mes idées aux étudiants? *(non)*

_____

# M A S T E R Y   E X E R C I S E S

## EXERCICE U

*Répondez aux questions qu'une amie vous pose en employant deux pronoms.*

**1.** Te souviens-tu de la date d'anniversaire de tes amis?

_____

**2.** Vas-tu envoyer une carte à ton correspondant français?

_____

**3.** T'amuses-tu aux concerts de rock?

_____

**4.** T'es-tu acheté de nouveaux vêtements?

_____

**5.** T'inquiètes-tu de tes notes?

_____

**6.** Prêterais-tu de l'argent à tes amis?

_____

**7.** Parles-tu de ton amie Janine à tes parents?

_____

**8.** Vas-tu envoyer une carte de Noël à ton prof de français?

_____

## EXERCICE V

*Pour chaque situation ci-dessous, exprimez une question et votre opinion en utilisant deux pronoms dans chaque phrase.*

EXEMPLE:    mettre son argent sous le matelas
            Doit-on **l'y** mettre?
            On ne doit pas **l'y** mettre.

**1.** offrir des cadeaux à ses professeurs

_____

_____

**2.** servir du vin aux étudiants

_____

_____

**3.** prêter ses vêtements à un ami

_____

_____

**4.** emprunter de l'argent à ses parents

_____

_____

**5.** rencontrer ses amis à une boum

_____

_____

## EXERCICE W

*Faites une enquête. Demandez à huit camarades qui fait et qui ne fait pas ces tâches domestiques chez eux. Notez leurs réponses selon l'exemple.*

EXEMPLE:    débarrasser la table
            **Qui débarrasse ta table chez toi?**
            **Je la débarrasse. Mon frère ne la débarrasse pas.**

*1.* passer l'aspirateur

_____

_____

*2.* ranger le salon

_____

_____

*3.* faire les lits

_____

_____

*4.* préparer le dîner

_____

_____

*5.* vider la poubelle

_____

_____

*6.* enlever la poussière

_____

_____

*7.* faire les courses

_____

_____

*8.* faire la vaisselle

_____

_____

# Chapter 19
## Stress Pronouns

## [ 1 ] FORMS

| | | SINGULAR | | | PLURAL |
|---|---|---|---|---|---|
| (je) | moi | *I, me* | (nous) | nous | *we, us* |
| (tu) | toi | *you (familiar)* | (vous) | vous | *you (plural, formal)* |
| (il) | lui | *he, him* | (ils) | eux | *they, them* |
| (elle) | elle | *she, her* | (elles) | elles | *they, them* |
| (on) | soi | *oneself* | | | |

## [ 2 ] USES OF STRESS PRONOUNS

A stress pronoun can be used to replace a noun used as subject or object of a verb, or as object of a preposition, or to emphasize a noun, a pronoun subject or object.

**a.** Stress pronouns are used in a compound subject or object.

| | |
|---|---|
| Arthur et **lui** parlent beaucoup. | *He and Arthur speak a lot.* |
| Je vous aime bien, **toi** et **elle**. | *I do like you, you and her.* |

NOTE: If one of the stress pronouns is *moi*, the pronoun *nous* is used to summarize the compound (the verb is put in the first person plural whether or not *nous* is expressed). If *toi* is one of the stress pronouns, *vous* summarizes the compound.

| | |
|---|---|
| Anne et moi (, **nous**) sommes tristes. | *Anne and I are sad.* |
| Guy et toi (, **vous**) êtes à l'heure. | *Guy and you are on time.* |

## EXERCICE A

*Exprimez ce que les élèves ont fait pour aider Mme Bernard à préparer la fête internationale à l'école.*

| | |
|---|---|
| acheter des boissons | envoyer les invitations |
| acheter les provisions | mettre le couvert |
| apprendre une danse folklorique | organiser le buffet |
| choisir les cassettes | préparer des spécialités françaises |
| décorer la salle | |

EXEMPLES: Charles et **vous,** vous avez acheté les provisions.
Jeanne et **lui** ont choisi les CD.

*1.* Joseph et moi _____ .

*2.* Constance et nous _____ .

*3.* Damien et eux _____ .

*4.* Pierre et elle _____

*5.* Denis et toi _____ .

*6.* Elle et moi _____ .

*7.* Aurélie et lui _____ .

**b.** Stress pronouns are used when a personal pronoun is not followed by a verb.

| | |
|---|---|
| Qui est là? | *Who's there?* |
| **Nous.** | *We (are.)* |
| Je pars. | *I'm leaving.* |
| **Eux** aussi. | *They are too.* |
| Il est plus malin que moi. | *He is more clever than I am.* |
| Elle n'aime que **lui.** | *She loves only him.* |

## EXERCICE B

*On a choisi les nouveaux membres de l'équipe de football. Vos amis vous demandent qui a été choisi. Exprimez vos réponses.*

EXEMPLE:    Mon frère et moi?
            Oui, **vous** aussi.

*1.* Éric?

_____

*2.* André et Gérard?

_____

*3.* Toi?

_____

*4.* Michel et moi?

_____

*5.* François et toi?

_____

*6.* Moi?

_____

## EXERCICE C

*M. Bobin, le professeur de français, regarde ses élèves pendant un contrôle. Exprimez ses pensées en ajoutant le pronom accentué qui convient.*

*1.* Arnaud parle beaucoup. Il est plus bavard que *(Paul)* _____ .

*2.* Cécile et Andrée sont sœurs, mais Cécile travaille mieux que / qu' *(Andrée)* _____ .

***3.*** Michel est un garçon sérieux, plus sérieux que / qu' *(Gilles et Robert)* _____ .

***4.*** Son père est professeur. Comme *(M. Bobin)* _____ .

***5.*** Chers élèves! Vous êtes quelquefois difficiles, mais personne ne me donne autant de plaisir que

*(les élèves)* _____ .

**c.** **Stress pronouns are used for emphasis of a noun or another pronoun.**

| | |
|---|---|
| **Moi,** je vais faire une randonnée. | *I'm going to go on a hike.* |
| Le garçon, **lui**, est très malin. | *The boy is very clever.* |
| Je les aime bien, **eux.** | *I do like them.* |

## EXERCICE D

*Exprimez ce que chaque personne aime faire le week-end.*

EXEMPLE:  tu / aller au cinéma
**Toi**, tu aimes aller au cinéma.

***1.*** il / regarder la télé

_____

***2.*** elles / faire des achats

_____

***3.*** nous / sortir avec des copains

_____

***4.*** je /jouer avec l'ordinateur

_____

***5.*** ils / jouer au rugby

_____

***6.*** vous / conduire votre voiture

_____

***7.*** tu / faire du patin en ligne *(in-line skating)*

_____

**d.** **Stress pronouns are used after** *ce + être.*

| | |
|---|---|
| Qui est-ce? | *Who is it?* |
| C'est **moi.** | *It's me.* |
| C'est **toi** qui as gagné. | *You won. (It is you who won.)* |
| Ce sont **eux** qui viennent. | *It is they who are coming.* |

NOTES:

1. When *ce + être* is followed by *moi, toi, nous,* or *vous,* the third person singular is always used for the verb *être.*

   Qui a mangé la tarte?       *Who ate the pie?*
   C'est nous!                 *It's us!*

2. Before the stress pronouns *eux* and *elles,* the verb *être* may be either in the singular (*c'est eux*) or in the plural (*ce sont elles*), although the singular is more commonly used.

## EXERCICE E

*Vous venez de déménager et vous êtes maintenant dans votre nouvelle maison. Vos parents demandent comment partager le travail. Exprimez qui va faire les choses suivantes.*

EXEMPLE:     Qui va nettoyer la cuisine? *(Gustave)*
             **C'est lui.**

1. Qui va ouvrir les boîtes? *(tu)*

   _____

2. Qui va acheter des provisions en ville? *(Sylvain et vous)*

   _____

3. Qui va monter ces colis? *(Alain et papa)*

   _____

4. Qui va ranger le salon? *(Bruno)*

   _____

5. Qui va nettoyer les salles de bains? *(je)*

   _____

6. Qui va vider la voiture? *(Marie-Claire)*

   _____

7. Qui va aider papa? *(les filles)*

   _____

8. Qui va préparer quelque chose à manger? *(Thérèse et moi)*

   _____

   **e.** Stress pronouns are used after a preposition* when referring to people.
   Il part **sans moi.**       *He is leaving without me.*
   Je suis allé **chez eux.**  *I went to their house.*

---

* For a list of commonly used prepositions, see the Appendix, page 566.

NOTES:

1. In place of the preposition *à* + pronoun, the indirect-object pronoun is usually used.

   donner quelque chose **à** quelqu'un   *to give something to someone*
   Nicole **me** donne un livre.        *Nicole gives me a book.*

2. Stress pronouns are used after reflexive verbs and some verbal expressions taking the preposition *à*, such as:

   | | |
   |---|---|
   | se confier à   *to confide in* | être à   *to belong to* |
   | se fier à   *to trust* | penser à   *to think about* |
   | s'intéresser à   *to be interested in* | songer à   *to think of* |

   Ce CD **est à moi.**       *This CD belongs to me.*
   Elle **songe à lui.**       *She thinks about him.*

## EXERCICE F

*Répondez aux questions que votre mère vous pose.*

EXEMPLE:   Vas-tu tondre la pelouse avec Mathieu? *(oui) (non)*
           Oui, je vais tondre la pelouse **avec lui.**
    OU:   Non, je ne vais pas tondre la pelouse **avec lui.**

*1.* Vas-tu aller en ville avec papa et moi? *(oui)*

_____

*2.* Est-ce que tu t'es fâché(e) avec Paul? *(oui)*

_____

*3.* Vas-tu faire du baby-sitting samedi soir pour les Caron? *(non)*

_____

*4.* Peux-tu faire les courses sans moi? *(oui)*

_____

*5.* Vas-tu aller chez Michelle et Lise cet après-midi? *(non)*

_____

*6.* Est-ce que tu te moques de tes parents? *(non)*

_____

*7.* Est-ce que je peux aller à la pharmacie avec toi? *(oui)*

_____

*8.* Vas-tu partir avant Julie? *(oui)*

_____

## EXERCICE G

*Répondez aux questions indiscrètes qu'un ami vous pose.*

EXEMPLE:  À qui penses-tu souvent? *(Nadine)*
Je pense souvent **à elle.**

1. À qui est ton cœur? *(Gabriel)*

   _____

2. À qui penses-tu tout le temps? *(Jean et Léon)*

   _____

3. À qui songes-tu? *(tu)*

   _____

4. À qui t'intéresses-tu? *(Robert et toi)*

   _____

5. À qui te fies-tu? *(mes parents)*

   _____

## MASTERY EXERCISES

## EXERCICE H

*Complétez cette histoire avec les pronoms qui conviennent.*

Antoine et Paul sont mes deux meilleurs amis. Je pense à _____ tout le temps. Antoine n'est
                                                              1.

pas très sportif. Paul, _____ , aime faire du foot et du basket. Nous sortons souvent tous les trois
                         2.

ensemble. Je vais avec _____ à tous les matchs de l'école. Après, Antoine et _____ ,
                        3.                                                           4.

nous félicitons Paul. Parce que, _____ , il gagne tout le temps. Nous avons aussi des amies et,
                                  5.

naturellement, nous nous intéressons beaucoup à _____ . Aline est la fille de mes rêves.
                                                  6.

Je songe à _____ tout le temps. Et _____ , est-ce que tu as de bons amis aussi?
            7.                            8.

## EXERCICE I

*Répondez aux questions ci-dessous en employant un pronom accentué.*

**1.** Habitez-vous loin de chez votre meilleur(e) ami(e)?

_____

**2.** Vous entendez-vous bien avec vos parents?

_____

**3.** Allez-vous en vacances avec vos ami(e)s?

_____

**4.** Vous, est-ce que vous aimez aller au cinéma?

_____

**5.** Vos amis et vous, est-ce que vous allez à des boums le samedi ou le dimanche?

_____

**6.** Qui d'entre vous est un(e) très bon(ne) élève?

_____

## EXERCICE J

*Écoutez votre professeur et complétez les phrases avec le pronom qui convient.*

EXEMPLE:    Vous songez à Pierre et il songe à __**vous**__.

**1.** _____

**2.** _____

**3.** _____

**4.** _____

**5.** _____

**6.** _____

**7.** _____

**8.** _____

# Chapter 20
## Relative Pronouns

A relative pronoun introduces a clause that refers to someone or something mentioned in the main clause. The person or thing the pronoun refers to is called the antecedent. A relative pronoun may serve as subject, direct object, or object of a preposition. The most common relative pronouns are *qui* and *que*.

## [ 1 ] *QUI*

*Qui* (who, which, that) serves as the subject of the verb in the relative clause that it introduces. It is used for both persons and things.

Où est le garçon qui joue si bien de la guitare?
    [antecedent] [subject] [verb]

*Where is the boy who plays the guitar so well?*

Voilà un film qui n'est pas triste.
     [antecedent] [subject] [verb]

*Here is a movie that isn't sad.*

NOTE: **The verb of a relative clause introduced by *qui* agrees with its antecedent.**

C'est elle qui a fait la tarte.
[antecedent] [subject] [verb]

*She is the one who made the pie.*

C'est vous qui êtes arrivés tôt.
[antecedent] [subject] [verb]

*You are the ones who arrived early.*

## EXERCICE A

*Vous êtes à un pique-nique. Décrivez ce qui se passe.*

EXEMPLE:    J'observe des filles. Elles servent du poulet.
             J'observe des filles **qui** servent du poulet.

*1.* Il y a deux garçons. Ils jouent au frisbee.

_____

*2.* Je vois un enfant. Il cherche ses parents.

_____

*3.* Une femme ramasse des fourchettes. Elles sont tombées.

_____

*4.* Regarde cette femme. Elle allume le barbecue.

_____

*5.* Nous mangeons des hamburgers. Ils sont délicieux.

_____

**6.** David parle à une fille. Elle est très intelligente.

_____

**7.** Voilà un marchand. Il vend des glaces.

_____

**8.** J'ai peur des abeilles *(bees)*. Elles veulent nous piquer.

_____

## EXERCICE B

*Votre professeur a été absent et les élèves ne se sont pas bien conduits. Exprimez ce que chacun admet avoir fait. Employez c'est et le pronom accentué qui convient.*

EXEMPLE:     tu / lancer des avions en papier
             **C'est toi qui** as lancé des avions en papier.

**1.** je / faire des dessins sur le tableau

_____

**2.** il / faire l'école buissonnière *(to play hooky)*

_____

**3.** elles / se maquiller en classe

_____

**4.** nous / jeter des papiers partout

_____

**5.** ils / crier si fort

_____

**6.** elle / sortir sans permission

_____

**7.** tu / s'endormir en classe

_____

**8.** vous / désobéir au remplaçant

_____

## [2]   *QUE*

*Que* (whom, which, that) serves as the direct object of the verb in a relative clause and is usually followed by a subject noun or pronoun. It is used for both persons and things.

C'est le CD que nous voulons.          *It's the CD (that) we want.*
    [antecedent] [object] [subject] [verb]

Voici la robe qu'Anne va porter.                    *Here is the dress Anne is going to wear.*
[antecedent] [object] [subject] [verb]

NOTES:

1. **The relative pronoun is always expressed in French although is it frequently omitted in English.**

   C'est la classe **que** je préfère.              *That's the class (that) I prefer.*

2. *Que* **becomes** *qu'* **before a vowel.**

   Je veux essayer le plat **qu'**il recommande.     *I want to try the dish (that) he recommends.*

3. **Since** *que* **functions as a direct object and precedes the verb, the past participle of a compound verb agrees with the antecedent of** *que.*

   Voici les chansons qu'elle a écrites.            *Here are the songs she wrote.*
   [direct object]          [p. participle]

## EXERCICE C

*Exprimez vos opinions en combinant les éléments ci-dessous.*

| | |
|---|---|
| les enfants | acheter rarement |
| les étudiants | aimer sentir |
| les filles | attendre avec impatience |
| les touristes | choisir fréquemment |
| je | préférer |
| nous | prendre souvent |
| on | respecter |
| tu | trouver amusant |
| vous | trouver important |
| tout le monde | visiter |

EXEMPLE:    La médecine est une profession **que tout le monde respecte.**

*1.* Le football est un sport _____.

*2.* Une Rolls Royce est une voiture _____.

*3.* La France est un pays _____.

*4.* La glace est un dessert _____.

*5.* Les maths sont une matière _____.

*6.* L'avion est un moyen de transport _____.

*7.* L'été est la saison _____.

*8.* La rose est une fleur _____.

*9.* Noël est une fête _____.

## EXERCICE D

*Tout le monde se vante de ses succès. Exprimez ce que chacun dit.*

EXEMPLE:  examens /je / passer
**Ce sont les examens que j'ai passés.**

**1.** voiture / elle / réparer

_____

**2.** plats / nous / préparer

_____

**3.** cartes de base-ball / il / collectionner

_____

**4.** voitures / tu / réparer

_____

**5.** le prix / ils / gagner

_____

**6.** poèmes /je / écrire

_____

**7.** boutique / vous / ouvrir

_____

**8.** maison de poupées / elles / bâtir

_____

## EXERCICE E

*Vous travaillez au MacDo à Paris. Complétez les phrases de vos collègues en utilisant* **qui** *ou* **que.**

**1.** Où sont les frites _____ tu as préparées?

**2.** Répondez au téléphone _____ sonne.

**3.** Où est le couteau _____ j'utilisais?

**4.** M. Normand est un patron _____ nous admirons.

**5.** Où est le client _____ m'appelait?

**6.** Regarde ce garçon _____ mange deux portions de frites.

**7.** Je vous donne une salade _____ est vraiment délicieuse.

**8.** Voici la fourchette _____ tu demandais.

**9.** Écoutez ce monsieur _____ vous parle.

**10.** Je vous donne les hamburgers _____ vous servirez à la table près de la fenêtre.

## [3]   QUI AND *LEQUEL* AS OBJECTS OF A PREPOSITION

**a.**  *Qui* may also serve as the object of a preposition in a relative clause referring to persons.

| | |
|---|---|
| Paul est le garçon **avec qui** je sors. | *Paul is the boy with whom I go out.* |
| La femme **chez qui** je travaille est très gentille. | *The woman at whose home I work is very nice.* |

### EXERCICE F

*Vous assistez à la fête de fin d'année au bureau avec votre ami. Vous lui donnez les renseignements suivants.*

EXEMPLE:    J'apporte le courrier à cet homme.
            Voici l'homme **à qui** j'apporte le courrier.

**1.** Je travaille pour ce vice-président.

_____

**2.** Je déjeune avec ces filles.

_____

**3.** Je peux compter sur cette secrétaire.

_____

**4.** Je me fâche toujours contre cette dame.

_____

**5.** Je parle quelquefois de cet homme.

_____

**6.** Je vais souvent chez cette fille.

_____

**b.**  *Lequel* (which) and its forms may serve as objects of a preposition in a relative clause referring primarily to things. *Lequel* agrees in gender and number with its antecedent.

| | SINGULAR | PLURAL |
|---|---|---|
| MASCULINE | lequel | lesquels |
| FEMININE | laquelle | lesquelles |

| | |
|---|---|
| Voici le journal **dans lequel** j'écris mes pensées intimes. | *Here is the journal in which I write. my personal thoughts.* |
| C'est la porte **par laquelle** nous sommes entrés. | *That's the door through which we entered.* |

NOTES:

1. Although *qui* is generally preferred for people, *lequel* and its forms may also be used. With the prepositions *entre* (between) and *parmi* (among), a form of *lequel* is always used when referring to people.

C'est la fille **de qui** je parlais.
C'est la fille **de laquelle** je parlais. } *That's the girl about whom I was speaking.*

Voici les filles **parmi lesquelles** elle se cachait.     *Here are the girls among whom she was hiding.*

Ce sont les enfants **entre lesquels** on partagera les bonbons.     *These are the children between whom we will share the candy.*

2. After the prepositions *à* and *de*, *lequel* and its forms contract as follows.

| SINGULAR | | PLURAL | |
|---|---|---|---|
| MASCULINE | FEMININE | MASCULINE | FEMININE |
| **auquel** **duquel** | **à laquelle** **de laquelle** | **auxquels** **desquels** | **auxquelles** **desquelles** |

# EXERCICE G

*Vous regardez des photos dans votre album avec une amie. Décrivez ce que vous voyez.*

EXEMPLE:     J'ai fait du foot dans ce parc.
              Voilà le parc **dans lequel** j'ai fait du foot.

*1.* Je suis allé(e) à ce lycée.

_____

*2.* Je suis tombé(e) de ce mur.

_____

*3.* J'ai travaillé dans cette boutique.

_____

*4.* J'ai joué devant ce monument.

_____

*5.* J'ai écrit des contes pour ces enfants.

_____

*6.* J'ai manifesté contre cette usine.

_____

**7.** J'ai campé dans ces bois.

_____

**8.** J'ai fait du foot dans ce parc.

_____

## [ 4 ] *CE QUI, CE QUE*

| RELATIVE PRONOUN | MEANING | USE |
|---|---|---|
| **ce qui** | *what ( = that which)* | subject of verb |
| **ce que (ce qu')** | *what ( = that which)* | object of verb |

*Ce qui* and *ce que* are used as relative pronouns when there is no specific noun or pronoun antecedent. They refer to things or ideas.

Je déteste **ce qui** est violent.   *I hate what's violent.*

J'adore **ce que** tu as lu.   *I love what you read.*

## EXERCICE H

*Dites quels sont vos goûts.*

**EXEMPLE:**   amusant
J'aime **ce qui** est amusant.
  *OU:*   Je n'aime pas **ce qui** est amusant.

**1.** difficile

_____

**2.** facile

_____

**3.** dangereux

_____

**4.** excitant

_____

**5.** traditionnel

_____

**6.** élégant

_____

## EXERCICE I

*Exprimez ce qui vous plaît, selon l'exemple.*

EXEMPLE:   lire
**Ce que** j'aime lire, c'est le journal.

*1.* manger

_____

*2.* faire

_____

*3.* regarder

_____

*4.* acheter

_____

*5.* écouter

_____

## M A S T E R Y   E X E R C I S E S

## EXERCICE J

*Exprimez vos opinions en combinant les phrases avec* **qui** *ou* **que.**

EXEMPLES:   Le français est une langue. Je parle bien cette langue.
Le français est une langue **que** je parle bien.

Les lions sont des animaux. Ils sont féroces.
Les lions sont des animaux **qui** sont féroces.

*1.* La Vénus de Milo est une sculpture. Elle est très renommée.

_____

_____

*2.* L'histoire est une matière. Nous devons étudier l'histoire avec soin.

_____

_____

*3.* L'Afrique est un continent. Je voudrais voir ce continent.

_____

_____

**4.** Les présidents sont des gens. Ils jouent un rôle important dans le monde.

_____

_____

**5.** Le parachutisme est un sport. Il est assez dangereux.

_____

_____

**6.** Le japonais est une langue. Il vaut la peine d'étudier cette langue.

_____

_____

**7.** La bouillabaisse et la quiche sont des spécialités françaises. Elles sont délicieuses.

_____

_____

**8.** Les savants sont des personnes. On doit respecter ces personnes.

_____

_____

**9.** La pollution est un problème. Il faut éliminer ce problème.

_____

_____

**10.** L'économie est une question. Elle préoccupe tout le monde.

_____

_____

## EXERCICE K

_Richard parle de son équipe de football. Combinez ses pensées en une seule phrase._

EXEMPLE:     M. Dupont est un entraîneur. Je parle avec cet entraîneur tous les jours.
             M. Dupont est un entraîneur **avec qui** je parle tous les jours.

**1.** Voici le stade. Nous allons à ce stade tous les jours.

_____

_____

**2.** Je vous présente le héros. Nous pensons à ce héros tout le temps.

_____

_____

**3.** Regarde cette équipe. Nous jouons rarement contre cette équipe.

_____

_____

**4.** Je parle souvent de cet arbitre. J'ai beaucoup d'admiration pour lui.

_____

_____

**5.** Observe les résultats. Nous parlons toujours de ces résultats.

_____

_____

**6.** Voilà les parcs. Nous nous entraînons dans ces parcs.

_____

_____

**7.** Je garde ce ballon. Je joue uniquement avec ce ballon.

_____

_____

**8.** Viens sur le terrain. Nous courons à travers ce terrain.

_____

_____

**9.** Voici un excellent joueur. Je ne voudrais pas jouer contre lui.

_____

_____

**10.** Tu te rappelles le match fantastique. Je parle souvent de ce match.

_____

_____

## EXERCICE L

*Interviewez six camarades de classe à propos des sujets suivants et notez les opinions de chaque camarade.*
*Composez les phrases avec des pronoms relatifs.*

EXEMPLE:   le racisme / problème
          REMY:   **Le racisme est un problème qu'il faut éliminer.**
          LISE:    **Le racisme est un problème qui existe de nos jours.**

*1.* Paris / ville

_____

_____


*2.* hiver / saison

_____

_____


*3.* la physique / matière

_____

_____


*4.* l'honnêteté / vertu

_____

_____


*5.* le terrorisme / problème

_____

_____


*6.* la santé / don

_____

_____

# Chapter 21
## Prepositions

Prepositions relate two elements of a sentence: noun to noun, verb to verb, or verb to noun or pronoun.

| | |
|---|---|
| la couleur **du** ciel | *the color of the sky* |
| Il a décidé de venir **chez** moi. | *He decided to come to my house.* |
| Il va **au** parc. | *He is going to the park.* |
| Je travaille **avec** lui. | *I work with him.* |

## [ 1 ] PREPOSITIONAL MODIFIERS

A preposition + noun modifying another noun is equivalent to an adjective.

| | | | |
|---|---|---|---|
| l'huile **d'olive** | *olive oil* | une montre **en or** | *a gold watch* |
| une voiture **de sport** | *a sports car* | une brosse **à dents** | *a toothbrush* |

**a.** Nouns describing the source, nature, or content of an object are usually introduced by the preposition *de*. The preposition *en* is also used sometimes.

| | | | |
|---|---|---|---|
| une chemise **de** soie | *a silk shirt* | une bouteille **de** lait | *a bottle of milk* |
| un manteau **de** fourrure | *a fur coat* | un maillot **de** bain | *a bathing suit* |
| du fromage **de** chèvre | *goat cheese* | un marchand **de** fruits | *a fruit vendor* |
| un bracelet **en** or | *a gold bracelet* | une maison **de** bois | *a wooden house* |

NOTE: When referring to something made of gold, the French prefer to use the expression *en or* to the expression *d'or*.

**b.** Generally *à* + noun is used to express use, function, or a characteristic of an object or a person.

| | | | |
|---|---|---|---|
| une boîte **aux** lettres | *a mailbox* | un bateau **à** voiles | *a sailboat* |
| une tasse **à** café | *a teacup* | une cuillère **à** café | *a teaspoon* |
| une robe **à** volants | *a dress with ruffles* | la fille **aux** cheveux blonds | *the girl with blond hair* |

**c.** The preposition *à* + verb may be used to describe the purpose of an object.

| | | | |
|---|---|---|---|
| une machine **à** laver | *a washing machine* | une crème **à** bronzer | *a tanning cream* |

**d.** The preposition *de* + noun is used to express possession or relationship.

| | |
|---|---|
| C'est la voiture **de** Julien. | *It is Julien's car.* |
| Jacqueline est la sœur **de** Marie. | *Jacqueline is Marie's sister.* |

NOTES:

**1.** The preposition *à* contracts with *le* and *les* to express "to the" or "at the." There is no contraction with *la* and *l'*.

| | |
|---|---|
| J'aime le théâtre, alors je vais **au** théâtre. | *I love theater, so I go to the theater.* |

Je vois les hommes. Je vais parler **aux** hommes.

*I see the men. I am going to speak to the men.*

Il adore la fille. Il donne des cadeaux à la fille.

*He loves the girl. He gives presents to the girl.*

2. **The preposition *de* contracts with *le* and *les* to express "of" or "from." There is no contraction with *la* and *l'*.**

Regarde le musée. Nous parlons **du** musée.

*Look at the museum. We're talking about the museum.*

C'est le jouet **de l'**enfant.

*It's the child's toy.*

Où sont les livres **des** étudiants?

*Where are the students' books?*

Voici le manteau **de la** fille.

*Here is the girl's coat.*

## EXERCICE A

*Exprimez ce que Louise rêve d'acheter.*

EXEMPLE: **Une montre en or.**

1. _____

2. _____

3. _____

4. _____

**5.** _____

**6.** _____

**7.** _____

**8.** _____

## EXERCICE B

*Exprimez à qui sont les objets suivants.*

EXEMPLE:    le cartable / garçon
                  C'est le cartable **du** garçon.

**1.** le stéthoscope / docteur

_____

**2.** le dessin / artiste

_____

**3.** l'ordinateur / programmeuse

_____

**4.** la chanson / musiciens

_____

**5.** le carnet / agent de police

_____

**6.** le fauteuil / dentiste

_____

**7.** le livre / professeur

_____

**8.** le plateau / serveuse

_____

## [ 2 ] INDIRECT OBJECT OF A VERB

Verbs constructed with an indirect object require the use of a preposition before the object. The preposition cannot be omitted in French, though it often is in English.

aller à   *to go to*                donner à   *to give*

appartenir à   *to belong to*        parler de   *to speak of*

couvrir de   *to cover with*         penser à   *to think of*

demander à   *to ask*              répondre à   *to answer*

Réponds **à** ma question!          *Answer my question!*

Elle pense **à** son examen.         *She thinks of her exam.*

## EXERCICE C

*Exprimez où vont ces personnes.*

EXEMPLE:    M. Caron **va à la bibliothèque.**

**1.** Elles _____ .

**2.** Il _____ .

**3.** Je _____ .

**4.** Nous _____ .

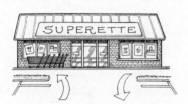

**5.** Tu _____ .

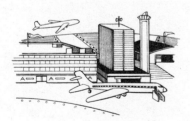

**6.** Vous _____ .

## EXERCICE D

*Exprimez de quoi parlent les personnes suivantes.*

EXEMPLE:    Simon / la mer
Simon **parle de** la mer.

1. les enfants / le spectacle de marionnettes *(puppets)*

   _____

2. le président / le gouvernement

   _____

3. tu / la classe de maths

   _____

4. nous / l'été

   _____

5. vous / les vacances

   _____

6. je / la compétition sportive

   _____

# [ 3 ] PREPOSITIONS USED BEFORE AN INFINITIVE

In French, the infinitive is the verb form that normally follows a preposition.

| | |
|---|---|
| J'ai commencé à **pleurer**. | *I began to cry.* |
| Tu rêves **de devenir** riche. | *You dream about becoming wealthy.* |

**a.** Verbs requiring *à* before an infinitive:

| | |
|---|---|
| aider à   *to help to* | enseigner à   *to teach to* |
| s'amuser à   *to have fun* | s'habituer à   *to get used to* |
| apprendre à   *to learn (teach) to* | se mettre à   *to begin to* |
| commencer à   *to begin to* | penser à   *to think about* |
| consentir à   *to consent to* | persister à   *to persist in* |
| consister à   *to consist of* | se préparer à   *to prepare to* |
| continuer à   *to continue to* | renoncer à   *to renounce, give up* |
| se décider à   *to decide to* | réussir à   *to succeed in* |
| demander à   *to ask to* | servir à   *to serve to* |
| encourager à   *to encourage to* | songer à   *to think about* |

J'apprends **à jouer** du piano.  *I am learning to play the piano.*
Mon père m'encourage à **réussir.**  *My father encourages me to succeed.*

**b.** Verbs requiring *de* before an infinitive:

| | |
|---|---|
| s'arrêter de  *to stop* | persuader de  *to persuade, convince to* |
| choisir de  *to choose to* | promettre de  *to promise to* |
| décider de  *to decide to* | refuser de  *to refuse to* |
| se dépêcher de  *to hurry to* | regretter de  *to regret to* |
| empêcher de  *to prevent from* | rêver de  *to dream about* |
| essayer de  *to try to* | risquer de  *to risk* |
| mériter de  *to deserve to* | se souvenir de  *to remember* |
| s'occuper de  *to take care of* | se vanter de  *to boast of* |
| oublier de  *to forget to* | venir de  *to have just* |
| parler de  *to speak about* | |

Il essaie de tout faire.  *He tries to do everything.*
Tu te dépêches de partir.  *You hurry to leave.*

**c.** Verbs requiring the pattern *à quelqu'un* + *de* before the infinitive:
commander (à quelqu'un) de  *to order (someone) to (do something)*
conseiller (à quelqu'un) de  *to advise (someone) to (do something)*
défendre (à quelqu'un) de  *to forbid (someone) to (do something)*
demander (à quelqu'un) de  *to ask (someone) to (do something)*
dire (à quelqu'un) de  *to tell (someone) to (do something)*
interdire (à quelqu'un) de  *to forbid (someone) to (do something)*
ordonner (à quelqu'un) de  *to order (someone) to (do something)*
permettre (à quelqu'un) de  *to allow (someone) to (do something)*
promettre (à quelqu'un) de  *to promise (someone) to (do something)*

# EXERCICE E

*Complétez avec les prépositions correctes l'histoire que le père de Laurent raconte.*

J'ai décidé _____ enseigner la conduite _____ mon fils Laurent. Il veut essayer
_____1._____ _____2._____

_____ passer son permis de conduire très vite. Depuis longtemps, il demandait _____
_____3._____ _____4._____

faire une promenade en voiture. Pendant la première leçon, j'ai dit _____ Laurent _____
_____5._____ _____6._____

s'habituer _____ utiliser les commandes *(controls)* et les pédales. Je lui ai appris _____
_____7._____ _____8._____

faire démarrer *(start)* la voiture et je l'ai encouragé _____ être prudent. Naturellement, j'ai
_____9._____

défendu _____ mon fils _____ aller trop vite et j'ai ordonné _____ ce
                  10.                    11.                                    12.

nouveau chauffeur _____ arrêter la voiture à tous les stops. J'ai essayé _____ l'aider
                        13.                                                              14.

_____ avoir confiance en lui-même. J'ai défendu _____ Laurent _____ écouter
    15.                                                        16.                  17.

la radio pour ne pas risquer _____ avoir un accident. Après une demi-heure, j'ai commencé
                                  18.

_____ m'ennuyer et je me suis décidé _____ demander _____ Laurent
    19.                                        20 .                  21.

_____ retourner à la maison. J'ai promis _____ l'aider _____ passer son examen.
    22.                                        23 .                  24.

Il a finalement consenti _____ garer la voiture dans le garage.
                              25.

## EXERCICE F

*Vous venez d'interviewer un célèbre artiste français afin d'écrire un article pour le journal de l'école.*
*Exprimez ce qu'il vous a dit en utilisant les prépositions nécessaires.*

EXEMPLE:    il / décider / raconter des histoires personnelles
            Il a décidé **de** raconter des histoires personnelles.

*1.* il / se mettre / peindre des tableaux très jeune

_____

*2.* il / rêver / visiter tous les grands musées des États-Unis

_____

*3.* il / s'amuser / faire des sculptures de bronze

_____

*4.* il / renoncer / copier les thèmes populaires

_____

*5.* il / promettre / envoyer un dessin pour le journal

_____

*6.* il / essayer / capturer l'essence de son sujet

_____

**7.** il / consentir / parler en public

_____

**8.** il / se vanter / être très sérieux

_____

**9.** il / refuser / vendre son premier tableau

_____

**10.** il / encourager les jeunes / devenir artistes aussi

_____

## EXERCICE G

*Exprimez comment ces parents élèvent leurs enfants en complétant les phrases avec à ou de si nécessaire.*

EXEMPLE:     M. Dupont défend **à** sa fille **de** parler trois heures au téléphone.

**1.** Les Merlot interdisent _____ eurs enfants _____ sortir le soir.

**2.** Mme Manon consent _____ emmener _____ Barbara au restaurant une fois par semaine.

**3.** M. Martin persiste _____ gronder _____ son fils.

**4.** Les Joubert permettent _____ leurs filles _____ prendre la voiture.

**5.** M. Leduc refuse _____ aider ses enfants _____ faire leurs devoirs.

**6.** Mme Aubin choisit _____ ne pas défendre _____ ses fils de sortir.

**7.** Les David commandent _____ leur fille _____ ranger sa chambre.

**8.** Mme Rousseau regrette _____ punir _____ sa fille.

## EXERCICE H

*Exprimez vos sentiments en complétant les phrases avec un infinitif et les prépositions nécessaires.*

EXEMPLES:   Je demande **à mon ami de m'aider à préparer mon projet de science.**
            Je réussis **à préparer un repas entier.**

**1.** Je renonce _____ .

**2.** Je me dépêche _____ .

**3.** Je m'arrête _____ .

4. Je promets _____ .

5. Je songe _____ .

6. Je me vante _____ .

7. Je conseille _____ .

8. Je me prépare _____ .

**d.** **Other prepositions commonly used before an infinitive:**

| | |
|---|---|
| afin de   *in order to* | pour   *to, in order to, for the purpose of* |
| au lieu de   *instead of* | sans   *without* |
| avant de   *before* | |

Tu te dépêches **afin d'**être à l'heure.          *You hurry in order to be on time.*
Ils jouent **au lieu de** faire leur travail.          *They play instead of doing their work.*
Je me lave **avant de** m'habiller.          *I wash myself before getting dressed.*
Il s'entraîne **pour** gagner le concours.          *He practices in order to win the contest.*
Vous agissez **sans** réfléchir.          *You act without thinking.*

## EXERCICE I

*Combinez les phrases avec la préposition entre parenthèses pour exprimer ce que ces personnes font.*

EXEMPLE:    Je me couche tard. Je regarde ce film à la télé. *(afin de)*
            **Je me couche tard afin de regarder ce film à la télé.**

1. M. Cachet va à la gare. Il ne regarde pas l'horaire des trains. *(sans)*

   _____

   _____

2. Antoine joue avec l'ordinateur. Il ne range pas sa chambre. *(au lieu de)*

   _____

   _____

3. Les petites filles regardent le feu *(traffic light)*. Elles traversent la rue. *(avant de)*

   _____

   _____

4. Arlette court vite. Elle gagne le prix. *(afin de)*

   _____

**5.** Claire et Lucie se maquillent. Elles sortent ce soir. *(pour)*

_____

**6.** Les garçons mettent des vêtements élégants. Ils vont à la fête. *(avant de)*

_____

_____

**7.** Mme Perrin quitte la maison. Elle ne prend pas ses clefs. *(sans)*

_____

**8.** Les Poussin vont en France. Ils rendent visite à leur famille. *(pour)*

_____

**9.** Lise regarde une sitcom. Elle ne passe pas l'aspirateur. *(au lieu)*

_____

**10.** Stéphane et Michel se lèvent de bonne heure. Ils aident leurs parents. *(afin de)*

_____

_____

## EXERCICE J

***Complétez les phrases selon votre choix.***

**1.** Je réfléchis avant de _____ .

**2.** Je sors avec mes copains au lieu de _____ .

**3.** Je me couche sans _____ .

**4.** Je vais à la bibliothèque pour _____ .

**5.** Je m'entraîne afin de _____ .

**e. Verbs used without a preposition before an infinitive:**

| | | |
|---|---|---|
| aimer *to like, love* | détester *to hate* | préférer *to prefer* |
| aimer mieux *to prefer* | devoir *to have to* | savoir *to know how* |
| aller *to go* | espérer *to hope* | venir *to come* |
| compter *to intend* | falloir *to be necessary* | vouloir *to wish, want* |
| désirer *to wish, want* | pouvoir *to be able* | |

Je **déteste** faire le ménage.     *I hate to do housework.*

Il ne **peut** pas sortir.     *He can't go out.*

**Préfères**-tu partir tôt?     *Do you prefer to leave early?*

## EXERCICE K

*Employez une expression de chaque colonne pour exprimer les projets des personnes suivantes pour les vacances de fin d'année.*

| | |
|---|---|
| aimer mieux | aller aux sports d'hiver |
| compter | dîner au restaurant |
| désirer | faire un voyage |
| devoir | partir dans un pays chaud |
| espérer | préparer un grand dîner |
| pouvoir | rendre visite à des cousins |
| préférer | rester en famille |
| venir | sortir avec des amis |
| vouloir | travailler |

EXEMPLE:     Adèle **doit travailler.**

1. David et Joseph _____ .

2. Il _____ .

3. Je _____ .

4. Marie et Rosalie _____ .

5. Mathieu _____ .

6. Nous _____ .

7. Tu _____ .

8. Vous _____ .

## EXERCICE L

*Complétez les phrases en employant un verbe à l'infinitif.*

1. Je sais _____ .

2. Il faut _____ .

3. J'aime _____ .

4. Je dois _____ .

5. Je déteste _____ .

6. Je vais _____ .

## [ 4 ]  NOUNS AND ADJECTIVES FOLLOWED BY PREPOSITIONS

Most nouns and adjectives are followed by *de* before an infinitive.

| | |
|---|---|
| C'est une bonne idée **de** partir. | *It's a good idea to leave.* |
| Elle est triste **de** déménager. | *She is sad about moving.* |
| Défense **de** fumer. | *No smoking.* |

NOTE: **The adjective** *prêt* (ready) is followed by the preposition *à*.

| | |
|---|---|
| Nous sommes **prêts** à commencer. | *We are ready to begin.* |

### EXERCICE M

*Complétez les phrases selon votre choix.*

*1.* Je suis fier (fière) _____ .

*2.* Je suis prêt(e) _____ .

*3.* Je suis curieux (curieuse) _____ .

*4.* J'ai peur _____ .

*5.* J'ai le temps _____ .

*6.* J'ai l'habitude _____ .

## [ 5 ]  PREPOSITIONS WITH GEOGRAPHICAL EXPRESSIONS

**a.**  To express "to" or "in" with names of places:

| | | |
|---|---|---|
| **en** | • feminine countries<br>　　continents<br>　　provinces<br>　　islands<br>• masculine countries<br>　beginning with a vowel | **en France**  *to (in) France*<br>**en Amérique**  *to (in) America*<br>**en Bretagne**  *to (in) Brittany*<br>**en Corse**  *to (in) Corsica*<br>**en Israël**  *to (in) Israel* |
| **au** | • masculine countries | **au Canada**  *to (in) Canada*<br>**au Honduras**  *to (in) Honduras* |
| **aux** | • plural countries | **aux États-Unis**  *to (in) the United States* |
| **à** | • cities | **à Paris**  *to (in) Paris* |

| | |
|---|---|
| Elle va aller **en Italie** cet été. | *She is going to Italy this summer.* |
| Il a de la famille **au Japon**. | *He has relatives in Japan.* |
| Es–tu jamais allé **à Paris**? | *Have you ever gone to Paris?* |

**b.** To express "from" with names of places:

| de | • feminine countries<br>  continents<br>  provinces<br>  islands<br>• masculine countries<br>  beginning with a vowel<br>• cities | **de France**  *from France*<br>**d'Amérique**  *from America*<br>**de Bretagne**  *from Brittany*<br>**de Corse**  *from Corsica*<br>**d'Israël**  *from Israel*<br><br>**de Paris**  *from Paris* |
|---|---|---|
| **du** | • masculine countries | **du Canada**  *from Canada*<br>**du Honduras**  *from Honduras* |
| **des** | • plural countries | **des États-Unis**  *from the United States* |

| | |
|---|---|
| Il vient **d'Allemagne**. | *He comes from Germany.* |
| Le bateau partira **du Portugal**. | *The ship will leave from Portugal.* |
| Le train est arrivé **de New York**. | *The train has arrived from New York* |

## NOTES:

1. Generally, geographical names are feminine if they end in *-e*, with the exception of *le Mexique, le Cambodge* (Cambodia), and *le Zaïre*.

2. The definite article is not used with *Israël* and *Haïti*.

   d'Israël                              d'Haïti

3. Before most modified geographical names in which the modifier is an integral part of the name, "in" or "to" is expressed by *en* without the article, and "from" is expressed by *de* without the article.

   | | |
   |---|---|
   | **en** Afrique du Nord | *in North Africa* |
   | **d'** Amérique du Sud | *from South America* |

Feminine countries, continents, provinces:

| | | | |
|---|---|---|---|
| l'Allemagne | *Germany* | Haïti | *Haiti* |
| l'Angleterre | *England* | la Hongrie | *Hungary* |
| l'Autriche | *Austria* | l'Irlande | *Ireland* |
| la Belgique | *Belgium* | l'Italie | *Italy* |
| la Chine | *China* | la Norvège | *Norway* |
| l'Écosse | *Scotland* | la Pologne | *Poland* |
| l'Egypte | *Egypt* | la Roumanie | *Rumania* |
| l'Espagne | *Spain* | la Russie | *Russia* |
| la France | *France* | la Suède | *Sweden* |
| la Grèce | *Greece* | la Suisse | *Switzerland* |

l'Afrique   *Africa*

l'Amérique du Nord   *North America*

l'Amérique du Sud   *South America*

l'Asie   *Asia*

l'Australie   *Australia*

l'Europe   *Europe*

l'Alsace   *Alsace*

la Bourgogne   *Burgundy*

la Bretagne   *Brittany*

la Champagne   *Champagne*

la Flandre   *Flanders*

la Lorraine   *Lorraine*

la Normandie   *Normandy*

la Provence   *Provence*

**Masculine countries and remaining continent:**

l'Antarcticque   *Antarctica*

le Brésil   *Brazil*

le Canada   *Canada*

le Cambodge   *Cambodia*

le Danemark   *Denmark*

les États-Unis   *the United States*

Israël   *Israel*

le Japon   *Japan*

le Maroc   *Morocco*

le Mexique   *Mexico*

le Népal   *Nepal*

les Pays-Bas   *the Netherlands*

le Portugal   *Portugal*

le Viêt-nam   *Vietnam*

le Zaïre   *Zaire*

**Mountains and waterways:**

les Alpes *( f.)*   *the Alps*

le Jura   *the Jura Mountains*

les Pyrénées *( f.)*   *the Pyrenees*

les Vosges *( f.)*   *the Vosges*

la Manche   *the English Channel*

la Méditerranée   *the Mediterranean*

la Loire   *the Loire*

le Rhin   *the Rhine*

la Seine   *the Seine*

le Rhône   *the Rhone*

la Garonne   *the Garonne*

## EXERCICE N

*Dites quel pays vous avez visité si vous avez vu les choses suivantes.*

EXEMPLE:   Je suis allé(e) **au** Mexique.

*1.* _____

2. _____

3. _____

4. _____

5. _____

6. _____

7. _____

8. _____

9. _____

10. _____

## EXERCICE O

*Exprimez de quels pays les membres du club international de votre école viennent.*

**EXEMPLE:**   Maria / Mexique
Maria est **du** Mexique.

*1.* Victoria / Angleterre

_____

**2.** Sven / Norvège

_____

**3.** Tamar / Israël

_____

**4.** Ahmed / Maroc

_____

**5.** Katie / Hongrie

_____

**6.** Nabuko / Japon

_____

**7.** Helmut /Autriche

_____

**8.** Maryann /Australie

_____

**9.** Carla / Espagne

_____

**10.** Brian / États-Unis

_____

## [ 6 ]   COMMON PREPOSITIONS

**à**   _to, at_
Il va au restaurant.                    _He is going to the restaurant._
Je le verrai à deux heures.             _I will see him at two._

**après**   _after_
Après les cours, j'irai chez moi.       _After class, I'll go home._

**autour de**   _around_
Je marche autour du jardin.             _I walk around the garden._

**avant**   _before_
Elle est arrivée avant nous.            _She arrived before we did._

**avant de** (+ infinitive)   _before_
Réfléchissez avant de parler.           _Think before you speak._

**avec**   _with_
Il sort avec moi.                       _He is going out with me._

**chez** (+ *person*) *to (at) the house (place) of (the person)*

Restes-tu chez Marie?                    *Are you staying at Marie's house?*

Nous allons chez le dentiste.            *We're going to the dentist.*

**contre** *against*

Je me suis appuyé contre le mur.         *I leaned against the wall.*

**dans** *in, into*

Ton livre est dans le salon.             *Your book is in the living room.*

Je serai prêt dans cinq minutes.         *I'll be ready in five minutes.*

**derrière** *behind*

Cherche derrière le divan.               *Look behind the sofa.*

**devant** *in front of*

Attends devant ta maison.                *Wait in front of your house.*

**en**    *in, within*

Il a fini son travail en une heure.      *He finished his work in an hour.*

**entre**    *between, among*

Il y a un mur entre les salles.          *There is a wall between the rooms.*

**loin de** *far from*

Le magasin est loin d'ici.               *The store is far from here.*

**par**    *by, through*

Sortez par cette porte.                  *Leave through that door.*

**près de** *near*

L'école est près de chez moi.            *The school is near my house.*

**sans** *without*

Je suis parti sans mes clefs.            *I left without my keys.*

Elle est sans doute arrivée.             *No doubt she has arrived.*

**sous** *under*

Regarde sous la table.                   *Look under the table.*

**sur** *on, upon*

Le document est sur votre bureau.        *The document in on your desk.*

**vers** *towards*

Il marche vers la gare.                  *He's walking toward the station.*

# EXERCICE P

*Complétez l'histoire de ce garçon avec les prépositions appropriées.*

*1.* Je monte _____ ma voiture.

*2.* Je vais aller _____ mon ami Richard.

*3.* Il n'habite pas _____ moi.

*4.* Je vais arriver _____ sa maison _____ difficulté.

*5.* Nous allons parler _____ nous.

*6.* Nous espérons finir notre travail _____ une heure.

**7.**   Ensuite nous jouerons au foot dans la rue, _____ sa maison.

**8.**   Nous jouerons _____ un groupe de jeunes gens.

**9.**   _____ de repartir _____ moi, je le remercierai.


## [ 7 ]   EXPRESSIONS INTRODUCED BY À

The preposition *à* is used in the following expressions.

**(1) Before a mode of travel, to mean "on" or "by." (Compare *en* with a means of transportation. See page 312.)**

| | |
|---|---|
| à bicyclette   *on a bicycle, by bicycle* | à pied   *on foot* |
| à cheval   *on horseback* | |
| Il va à l'école à bicyclette. | *He goes to school by bicycle.* |

**(2) Time expressions**

| | |
|---|---|
| à bientôt   *see you soon, so long* | à l'heure   *on time* |
| à demain   *see you* tomorrow | à tout à l'heure   *see you later* |
| à samedi   *good bye until Saturday* | au revoir   *good-bye, see you again* |
| à ce soir—*see you tonight* | |
| Je m'en vais. **À ce soir.** | *I'm leaving. See you tonight.* |

**(3) Expressions of position and direction**

**à côté de**   *next to, beside*
Je travaille à côté de Luc.       *I work next to Luc.*

**à droite de**   *on (to) the right*
Le marché est à droite.       *The market is on the right.*

**à gauche**   *on (to) the left*
Va à gauche.       *Go to the left.*

**à travers**   *through, across*
Marchons à travers la forêt.       *Let's walk through the forest.*

**au bas de**   *at the bottom of*
Nous l'avons rencontrée au bas       *We met her at the bottom*
de l'escalier.       *of the stairs.*

**au fond de**   *in (at) the bottom (back) of*
Mon cahier est au fond de mon sac.       *My notebook is at the bottom of my bag.*

**au milieu de**   *in the middle of*
Il est tombé au milieu de la rue.       *He fell in the middle of the street.*

**(4) Other expressions**

**à la campagne** *in (to) the country*
Hier je suis allée à la campagne.       *Yesterday I went to the country.*

**à l'école** *in (to) school*
Elle n'est pas allée à l'école.       *She didn't go to school.*

**à la maison**   *at home, home*
Ne reste pas à la maison.          *Don't stay home.*

**au contraire**   *on the contrary*
Ne sais-tu pas danser?             *Don't you know how to dance?*
Au contraire, je danse très bien.  *On the contrary, I dance very well.*

**à mon avis**   *in my opinion*
À mon avis, le président a raison.  *In my opinion, the president is right.*

**au moins**   *at least*
Elle a au moins cent dollars à      *She has at least a hundred dollars*
la banque.                          *in the bank.*

**à peu près**   *nearly, about, approximately*
Il a à peu près trois ans.          *He's about three years old.*

**à haute voix, à voix haute** *aloud, out loud, in a loud voice*
Parle à haute voix.                 *Speak out loud.*

**à voix basse**   *in a low voice*
Tu parles toujours à voix basse.    *You always speak in a low voice.*

## EXERCICE Q

*Complétez l'aventure bizarre qui est arrivée à Joseph.*

Hier après-midi, une jeune fille *(with)* _____ cheveux roux se promenait *(across)*
<br>1.

_____ la ville *(on horseback)* _____ . Elle avait *(about)*
<br>2.                                        3.

_____ quinze ans et elle était très jolie. J'étais *(at home)* _____
<br>4.                                                5.

en train de faire mes devoirs quand je l'ai vue passer *(in the middle of)* _____
<br>6.

la rue. J'étais fort étonné et j'ai couru *(to the bottom)* _____ de l'escalier vers la porte
<br>7.

de la maison. Je lui ai crié *(aloud)* _____ : *(see you later)*
<br>8.

« _____ ». Elle a répondu *(in a low voice)* _____ :
<br>9.                                                10.

*(good bye)* « _____ ». Puis elle a disparu *(to the left)* _____ .
<br>11.                                                12.

Était-elle réelle ou, *(on the contrary)* _____ était-elle un rêve? *(In my opinion)*
<br>13.

_____ , c'était un fantôme.
<br>14.

## EXERCICE R

*Complétez l'histoire de Thomas en utilisant l'expression qui convient.*

|                |               |
| -------------- | ------------- |
| à la maison    | à travers     |
| à l'heure      | à voix basse  |
| à mon avis     | au contraire  |
| à peu près     | au fond       |
| à pied         | au moins      |

**1.** Samedi soir je ne suis pas resté _____ .

**2.** _____ , je suis sorti avec des amis.

**3.** Je suis arrivé à mon rendez-vous _____ , mais personne n'était là.

**4.** _____ dix minutes plus tard, tous mes amis sont arrivés.

**5.** Il y avait _____ dix personnes dans notre groupe.

**6.** Nous avons décidé d'aller au cinéma et nous sommes partis _____ .

**7.** Nous avons couru _____ le parc pour arriver plus vite.

**8.** Comme nous étions un peu en retard, nous n'avons trouvé des places

qu'_____ de la salle.

**9.** Nous avons commenté tout le film _____ .

**10.** _____ , le film était mauvais, mais nous nous sommes bien amusés quand

même.

## [ 8 ]   EXPRESSIONS INTRODUCED BY *DE, EN,* AND *PAR*

**d'abord**   *first, at first*
D'abord, efface ton erreur.          *First, erase your mistake.*

**d'accord**   *agreed, OK*
On part. D'accord?          *We're leaving. OK?*

**de bonne heure**   *early*
Elle se lève de bonne heure.          *She gets up early.*

**de l'autre côté (de)**   *on the other side (of)*
J'habite de l'autre côté de la rue.          *I live on the other side of the street.*

**de quelle couleur…?**   *What color …?*
De quelle couleur sont tes yeux?          *What color are your eyes?*

**de rien, pas de quoi**   *you're welcome*
De rien.          *You're welcome.*
Il n'y a pas de quoi.          *Don't mention it.*

**de temps en temps** *from time to time*
Je me fâche de temps en temps.          *I get angry from time to time.*

**en** (when one is inside the means of transportation)   *by*
en voiture (automobile, auto)   *by car*
en avion   *by plane*
en train   *by train*
Vas-tu à Paris en avion?         *Are you going to Paris by plane?*

**en** (with the name of a language)   *in*
Le poème est écrit en anglais.         *The poem is written in English.*

**en bas** *downstairs*
Je vais en bas.         *I'm going downstairs.*

**en face de** *opposite*
La banque est en face du café.         *The bank is opposite the cafe.*

**en haut** *at the top of, upstairs*
Écris ton nom en haut de la page.         *Write your name at the top of the page.*
Ma chambre est en haut.         *My room is upstairs.*

**en retard** *late*
Je n'arrive jamais en retard.         *I never arrive late.*

**en ville** *downtown, in (to, into) town*
**Nous allons en ville ce matin.**         *We are going downtown this morning.*

**par exemple** *for example*
Je veux voir un bon film, une comédie,         *I want to see a good film, a comedy,*
par exemple.         *for example.*

**par jour (semaine, mois,** etc.)   *a (per) day (week, month, etc.)*
Il reçoit vingt dollars par heure.         *He receives twenty dollars an hour.*

## EXERCICE S

*Exprimez ce que ces personnes font aujourd'hui en utilisant une expression appropriée.*

| | |
|---|---|
| d'abord | en français |
| de bonne heure | en haut |
| de temps en temps | en retard |
| en bus | en ville |

*1.* M. Papillon habite à la campagne, mais aujourd'hui il descend _____ pour

aller visiter le nouveau musée.

*2.* Maman va _____ pour nettoyer les chambres.

*3.* Jacques se réveille _____ pour aller à son interview.

*4.* Suzanne va à l'école _____ parce qu'elle n'aime pas marcher.

*5.* Simon écrit un poème _____ .

6. Alain va _____ au café déjeuner, puis il va travailler.

7. Sara arrive à son rendez-vous _____ . Elle doit s'excuser.

8. Mme Moreau s'endort _____ pendant la journée.

## M A S T E R Y   E X E R C I S E S

### EXERCICE T

*Complétez les phrases selon votre choix.*

1. Je refuse _____ .

2. Je préfère _____ .

3. Je me souviens _____ .

4. Je compte _____ .

5. Je ne veux pas _____ .

6. Je m'habitue _____ .

7. Je ne sais pas _____ .

8. Je mérite _____ .

### EXERCICE U

*Complétez cette histoire avec les prépositions nécessaires.*

Tom a téléphoné _____ ses parents _____ bonne heure pour leur parler _____ sa vie
      1.                          2.                                          3.

_____ l'université. Il a mentionné qu'il avait mal _____ la gorge, ce qui l'empêchait
    4.                                                                5.

_____ parler correctement. Ses parents ont dit qu'ils voulaient _____ le voir immédiatement.
    6.                                                                          7.

Ils étaient très inquiets et ils sont vite partis _____ voiture. Ils sont arrivés _____ la porte
                                                          8.                                        9.

de leur fils. Ils ont frappé et Tom les a invités _____ entrer. Il a persisté _____ dire que
                                                              10.                                    11.

ce n'était rien et il a essayé en vain _____ changer le sujet de conversation. Enfin papa a persuadé
                                              12.

Tom _____ rentrer _____ la maison et _____ aller consulter un médecin. Tom s'est mis
  　　13.　　　　　　　　　14.　　　　　　　　　　15.

_____ protester mais, _____ une longue discussion, le garçon a consenti _____ partir. Il
  　16.　　　　　　　　　17.　　　　　　　　　　　　　　　　　　　　　　　　　　　18.

n'habitait pas _____ école et il savait qu'il pouvait _____ revenir le jour même. Ses parents
  　　　　　　　19.　　　　　　　　　　　　　　　　　20.

ont choisi _____ l'emmener _____ un médecin _____ quartier. Ce médecin a dit
  　　　　21.　　　　　　　　　22.　　　　　　　　　23.

_____ parents _____ Tom que c'était assez grave et que Tom devait rester _____ lit
  24.　　　　　　　25.　　　　　　　　　　　　　　　　　　　　　　　　　　　　　　　26.

pendant _____ moins une semaine. Il fallait aussi prendre des médicaments trois fois _____
  　　　　27.　　　　　　　　　　　　　　　　　　　　　　　　　　　　　　　　　　28.

jour. Le docteur a conseillé _____ Tom _____ s'habituer _____ un régime strict.
  　　　　　　　　　　　　　29.　　　　　　30.　　　　　　　　31.

Ce pauvre garçon studieux regrettait _____ ne pas pouvoir retourner _____ classe tout de suite.
  　　　　　　　　　　　　　　　　32.　　　　　　　　　　　　　　　33.
Il espérait qu'il allait vite se rétablir.

## EXERCICE V

*Écoutez votre professeur et choisissez l'expression qui complète le mieux les phrases. Tracez un cercle autour de la lettre qui convient.*

**1.** *a.* en haut.

  *b.* en bas.

  *c.* en ville.

  *d.* en métro.

**2.** *a.* de temps en temps.

  *b.* par semaine.

  *c.* de bonne heure.

  *d.* à l'heure.

**3.** *a.* d'abord.

  *b.* en face.

  *c.* il n'y a pas de quoi.

  *d.* au contraire.

4. *a.* à haute voix.

   *b.* à voix basse.

   *c.* en bas.

   *d.* en haut.

5. *a.* à la maison.

   *b.* à la campagne.

   *c.* de l'autre côté.

   *d.* en face.

6. *a.* à l'heure.

   *b.* de bonne heure.

   *c.* en retard.

   *d.* à pied.

# Part three
## Adjective/Adverb and Related Structures

# Chapter 22
# Adjectives

## [ 1 ] AGREEMENT OF ADJECTIVES

**a.** Gender of adjectives
Adjectives agree in gender (masculine or feminine) with the nouns they modify.

**(1)** Most adjectives form the feminine by adding *-e* to the masculine.

| MASCULINE | FEMININE | |
|-----------|----------|--|
| allemand | allemande | *German* |
| américain | américaine | *American* |
| bleu | bleue | *blue* |
| brun | brune | *brown* |
| content | contente | *glad* |
| espagnol | espagnole | *Spanish* |
| français | française | *French* |
| lourd | lourde | *heavy* |
| noir | noire | *black* |
| vrai | vraie | *true* |

NOTE: Adjectives ending in *-é* also form the feminine by adding *-e*.

| MASCULINE | FEMININE | |
|-----------|----------|--|
| âgé | âgée | *old* |
| fatigué | fatiguée | *tired* |
| passé | passée | *past* |

**(2)** Adjectives ending in silent *-e* do not change in the feminine.

| MASCULINE | FEMININE | |
|-----------|----------|--|
| aimable | aimable | *kind, pleasant* |
| confortable | confortable | *comfortable* |
| drôle | drôle | *funny, strange* |
| facile | facile | *easy* |
| honnête | honnête | *honest* |
| jaune | jaune | *yellow* |
| magnifique | magnifique | *magnificent* |
| pauvre | pauvre | *poor* |
| rouge | rouge | *red* |
| triste | triste | *sad* |

## EXERCICE A

*Exprimez comment sont les objects et les personnes illustrés.*

EXEMPLE:    brun

**La maison est brune.**

*1.* brillant

_____

*2.* triste

_____

*3.* jaune

_____

*4.* lourd

_____

**5.** fermé

_____

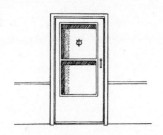

**6.** bleu

_____

**7.** confortable

_____

**8.** âgé

_____

**9.** rouge

_____

*10.* espagnol

_____

*11.* noir

_____

*12.* content

_____

**(3) Adjectives ending in *-x* form the feminine by changing *-x* to *-se*.**

| MASCULINE | FEMININE | |
| --- | --- | --- |
| ambitieux | ambitieuse | *ambitious* |
| chanceux | chanceuse | *lucky* |
| consciencieux | consciencieuse | *conscientious* |
| courageux | courageuse | *courageous* |
| dangereux | dangereuse | *dangerous* |
| furieux | furieuse | *furious* |
| généreux | généreuse | *generous* |
| heureux | heureuse | *happy* |
| malheureux | malheureuse | *unhappy, sad* |
| paresseux | paresseuse | *lazy* |
| peureux | peureuse | *fearful* |
| sérieux | sérieuse | *serious* |

## EXERCICE B

*Utilisez des adjectifs de la liste précédente pour décrire les personnes illustrées.*

EXEMPLE:    Mme Poirier **est courageuse.**

*1.* M. Rostand _____ .

*2.* Lucie et Catherine _____ .

*3.* Pierre et Richard _____ .

*4.* Nicole _____ .

**5.** Mme Nalet et Mme Pépin _____ .

**6.** Serge, Jean et Martin _____ .

**7.** Marthe et Rose _____ .

**8.** Véronique _____ .

**(4) Adjectives ending in *-f* from the feminine by changing *-f* to *-ve*.**

| MASCULINE | FEMININE | |
|-----------|----------|---|
| actif | active | *active* |
| attentif | attentive | *attentive* |
| imaginatif | imaginative | *imaginative* |
| impulsif | impulsive | *impulsive* |
| naïf | naïve | *naive* |
| neuf | neuve | *new* |
| sportif | sportive | *athletic* |
| vif | vive | *lively* |

## EXERCICE C

*Exprimez comment sont ces personnes en complétant chaque phrase avec un de ces adjectifs mis à la forme appropriée.*

| | | | |
|---|---|---|---|
| actif | imaginatif | intuitif | sportif |
| attentif | impulsif | naïf | vif |

1. Joëlle fait attention aux moindres détails. Elle est _____ .

2. Gérard croit tout ce qu'on lui dit. Il est _____ .

3. Bette et Nicole participent à toutes les compétitions d'athlétisme. Elles sont _____ .

4. Paul et Louis agissent généralement sur le moment. Ils sont _____ .

5. Mme Dubois sait à l'avance ce que les personnes feront et diront. Elle est _____ .

6. Éric a beaucoup de créativité. Il est _____ .

7. Clara participe à beaucoup d'activités. Elle est _____ .

8. Nadine et Clarisse sont très alertes. Elles sont _____ .

**(5)** Adjectives ending in *–er* form the feminine by changing *–er* to *–ère*.

| MASCULINE | FEMININE | |
|---|---|---|
| cher | chère | *dear; expensive* |
| dernier | dernière | *last* |
| entier | entière | *entire, whole* |
| étranger | étrangère | *foreign* |
| fier | fière | *proud* |
| léger | légère | *light* |
| premier | première | *first* |

**(6)** Some adjectives form the feminine by doubling the final consonant before adding *-e.*

| MASCULINE | FEMININE | |
|---|---|---|
| ancien | ancienne | *old, ancient; former* |
| bas | basse | *low* |
| bon | bonne | *good* |
| cruel | cruelle | *cruel* |
| européen | européenne | *European* |
| gentil | gentille | *nice, kind* |

**(7)** Some adjectives have irregular feminine forms.

| MASCULINE | FEMININE | |
|---|---|---|
| blanc | blanche | *white* |
| complet | complète | *complete* |

| | | |
|---|---|---|
| doux | douce | *sweet, mild, gentle* |
| faux | fausse | *false* |
| favori | favorite | *favorite* |
| frais | fraîche | *fresh, cool* |
| franc | franche | *frank* |
| inquiet | inquiète | *worried, uneasy* |
| long | longue | *long* |
| sec | sèche | *dry* |
| secret | secrète | *secret* |
| beau (bel) | belle | *beautiful* |
| nouveau (nouvel) | nouvelle | *new* |
| vieux (vieil) | vieille | *old* |

NOTE: **The adjectives *beau*, *nouveau*, and *vieux* change to *bel*, *nouvel*, and *vieil* before a masculine singular noun beginning with a vowel or silent *h*.**

| | |
|---|---|
| Cet hôtel est **beau**. | Regarde ce **bel** hôtel. |
| Cet hôpital est **nouveau**. | Regarde ce **nouvel** hôpital. |
| Cet édifice est **vieux**. | Regarde ce **vieil** édifice. |

## EXERCICE D

*Votre ami et vous êtes rarement du même avis. Écrivez ce qu'il vous dit.*

EXEMPLE:   La physique est difficile.
   **Pas du tout. La physique est facile.**

**1.** Mme Deville est cruelle.

_____

**2.** Cette idée est vieille.

_____

**3.** La lumière du soleil est dure aujourd'hui.

_____

**4.** La chemise est humide.

_____

**5.** Son histoire est vraie.

_____

**6.** Il parle à voix haute.

_____

**7.** Cet édifice est neuf.

_____

**8.** La chatte est noire.

_____

**9.** On fait une courte promenade.

_____

**10.** Cette table est bon marché.

_____

## EXERCICE E

*Complétez les phrases avec la forme correcte de l'adjectif entre parenthèses.*

**1.** *(nouveau)* J'ai un _____ appartement pour lequel j'ai acheté un

_____ divan, une _____ table et une _____

armoire. Cet appartement est _____ parce qu'on vient de le rénover.

**2.** *(beau)* J'ai fait la connaissance d'un _____ homme qui a une

_____ apparence. Trouves-tu que cet homme soit _____ ?

**3.** *(vieux)* Ce _____ docteur travaille dans un _____ hôpital. Il a

un _____ ordinateur et une _____ chaise dans son

bureau. Ce docteur est _____ parce qu'il a quatre-vingts ans.

### b. Plural of adjectives

Adjectives agree in number (singular or plural) with the nouns they modify.

**(1)** The plural of adjectives is formed by adding –s to the masculine or feminine singular form.

| SINGULAR | PLURAL | |
|----------|--------|---|
| âgé | âgés | *old* |
| blond | blonds | *blond* |
| gentille | gentilles | *kind* |
| sèche | sèches | *dry* |
| impulsive | impulsives | *impulsive* |

**(2)** Adjectives ending in –s or –x do not change in the masculine plural.

| SINGULAR | PLURAL | |
|----------|--------|---|
| gris | gris | *gray* |
| heureux | heureux | *happy* |
| malheureux | malheureux | *unhappy* |
| anglais | anglais | *English* |
| français | français | *French* |

| | | |
|---|---|---|
| frais | frais | *fresh* |
| mauvais | mauvais | *bad* |

**(3)** Most adjectives ending in *-al* change *-al* to *-aux* in the masculine plural.

| SINGULAR | PLURAL | |
|---|---|---|
| égal | égaux | *equal* |
| général | généraux | *general* |
| loyal | loyaux | *loyal* |
| national | nationaux | *national* |
| principal | principaux | *principal* |
| social | sociaux | *social* |
| spécial | spéciaux | *special* |

**(4)** The adjective *tout* is irregular in the masculine plural.

| | | |
|---|---|---|
| tout | tous | *all* |

**(5)** Both masculine forms of *beau (bel)*, *nouveau (nouvel)*, and *vieux (vieil)* have the same plural forms.

| | |
|---|---|
| un **bel** hôtel | de **beaux** hôtels |
| un **beau** jardin | de **beaux** jardins |
| un **nouvel** hôpital | de **nouveaux** hôpitaux |
| un **nouveau** docteur | de **nouveaux** docteurs |
| un **vieil** édifice | de **vieux** édifices |
| un **vieux** toit | de **vieux** toits |

NOTE:    An adjective modifying two or more nouns of different genders is always masculine plural.

L'homme et la femme sont **charmants**.        *The man and the woman are charming.*

## EXERCICE F

*Utilisez les adjectifs suggérés pour décrire ces personnes que vous connaissez.*

| | | | | |
|---|---|---|---|---|
| actif | beau | fier | imaginatif | loyal |
| âgé | bon | généreux | intelligent | sérieux |
| aimable | drôle | gentil | intéressant | |

*1.* Mes professeurs sont _____ , _____ , _____ ,

_____ , _____ , _____ ,

_____ , _____ .

*2.* Mes amies sont _____ , _____ , _____ ,

_____ , _____ , _____ ,

_____ , _____ .

**3.** Mes parents sont _____ , _____ , _____ ,

_____ , _____ , _____ ,

_____ , _____ .

## EXERCICE G

*Vous rendez visite à une amie. Décrivez les choses que vous voyez dans sa chambre.*

EXEMPLE:   Ces lits sont bas. Ces tables *(f.)* sont basses.

**1.** Ces photos sont grises. Ces tableaux *(m.)* sont _____ .

**2.** Ces lampes sont spéciales. Ces lampadaires *(m.)* sont _____ .

**3.** Ces rideaux sont blancs. Ces fenêtres *(f.)* sont_____ .

**4.** Ces chaises sont bonnes. Ces fauteuils *(m.)* sont _____ .

**5.** Ces tapis sont épais. Ces couvertures *(blankets) (f.)* sont _____ .

**6.** Ces produits sont dangereux. Ces installations *(f.)* électriques sont _____ .

**7.** Ces coussins sont neufs. Ces décorations *(f.)* sont _____ .

**8.** Ces dessins sont anciens. Ces images *(f.)* sont _____ .

**9.** Ces fleurs sont artificielles. Ces fruits *(m.)* sont _____ .

**10.** Ces affiches sont belles. Ces posters *(m.)* sont _____ .

## [ 2 ] POSITION OF ADJECTIVES

   **a.** Descriptive adjectives normally follow the noun they modify.

| | |
|---|---|
| une maison blanche | *a white house* |
| un enfant actif | *an active child* |

   **b.** Some short descriptive adjectives usually precede the noun.

| | | |
|---|---|---|
| beau | gentil | joli |
| bon / mauvais | gros | nouveau |
| court / long | jeune / vieux | petit / grand |

| | |
|---|---|
| un **court** poème | *a short poem* |
| une **belle** voiture | *a beautiful car* |

   NOTE: *Des* becomes *de* when the adjective precedes the noun except with compound nouns.

| | | | |
|---|---|---|---|
| **de** petites filles | *young girls* | **des** petites–filles | *grand daughters* |

   **c.** Following are some other common adjectives that precede the noun.

| | |
|---|---|
| autre    *other* | quelque    *some* |
| chaque    *each* | quelques *(pl.)*    *a few* |
| dernier    *last* | tel    *such* |
| plusieurs    *several* | tout    *all, whole, every* |
| premier    *first* | |
| | |
| une autre histoire | *another story* |
| plusieurs occasions | *several opportunities* |

   **d.** The adjective *tout* precedes both the noun and the definite article.

| | |
|---|---|
| **tous les** gens | *all the people* |
| **toutes les** filles | *every girl* |

   **e.** When more than one adjective describes a noun, each adjective is placed in its normal position. Two adjectives in the same position are joined by *et*.

| | |
|---|---|
| une jeune fille charmante | *a charming young girl* |
| un garçon sportif et intelligent | *an athletic, intelligent boy* |
| une grande et nouvelle maison | *a big new house* |

## EXERCICE H

*M. Prince visite son pays natal. Suivez l'exemple pour dire ce qu'il observe.*

EXEMPLE:    vignes
           Il cherche de **vieilles** vignes.
           Mais il trouve de **nouvelles** vignes.
           Ce sont de **belles** vignes.

*1.* pont

_____

_____

_____

*2.* église

_____

_____

_____

*3.* villages

_____

_____

_____

**4.** arbre

_____

_____

_____

**5.** maisons

_____

_____

_____

**6.** rue

_____

_____

_____

**7.** statue

_____

_____

_____

**8.** monuments

_____

_____

_____

# EXERCICE I

*Exprimez comment sont les choses suivantes.*

EXEMPLE:     une bouteille *(petit)*
             **une petite bouteille**

**1.** un bracelet *(joli)*

_____

**2.** des jouets *(magnifique)*

_____

**3.** une robe *(blanc)*

_____

**4.** un manteau *(gros)*

_____

**5.** des livres *(bon)*

_____

**6.** un film *(français)*

_____

**7.** des poèmes *(court)*

_____

**8.** des CD *(spécial)*

_____

## EXERCICE J

*Vous êtes allé(e) sur une île tropicale. Exprimez ce que vous y avez vu.*

EXEMPLE:    des maisons *(joli / typique)*
            J'ai vu **de jolies maisons typiques.**

**1.** une plage *(grand / blanc)*

_____

**2.** des fleurs *(joli / exotique)*

_____

**3.** des animaux *(petit / sauvage)*

_____

**4.** un pont *(vieux / magnifique)*

_____

**5.** des plantes *(gros / rouge)*

_____

**6.** des femmes *(gentil /français)*

_____

**7.** un oiseau *(beau / orange)*

_____

## EXERCICE K

*Exprimez ce que ces personnes ont lu pendant leur temps libre en formant des phrases avec tout.*

| | | |
|---|---|---|
| la revue | les bandes dessinées | les magazines |
| le poème | les cartes postales | les pièces de théâtre |
| le roman | les journaux | l'histoire |

EXEMPLE:     Jack **a lu toutes les cartes postales.**

*1.* Vous _____ .

*2.* Noah _____ .

*3.* Tu _____ .

*4.* Alice _____ .

*5.* Mes cousins et moi _____ .

*6.* Léona et André _____ .

*7.* Sébastien _____ .

*8.* Je _____ .


# M A S T E R Y   E X E R C I S E S

## EXERCICE L

*Exprimez votre opinion en utilisant au moins trois adjectifs pour décrire les personnes et les choses suivantes.*

*1.* Je suis _____ .

*2.* Mon (Ma) meilleur(e) ami(e) est _____ .

*3.* Ma chambre est _____ .

*4.* Mes opinions sont _____ .

*5.* Mes vêtements sont _____ .

*6.* Mes héros sont _____ .

## EXERCICE M

*Exprimez votre opinion en employant deux adjectifs à chaque fois.*

EXEMPLE:     la France *(un pays)*
             La France est un pays magnifique et célèbre.

*1.* le basket *(un sport)*

_____

*2.* la Porsche *(une voiture)*

_____

**3.** les cerises et les raisins *(des fruits)*

_____

**4.** le français et l'anglais *(des langues)*

_____

**5.** une montre *(un cadeau)*

_____

**6.** la médecine et le droit *(des métiers)*

_____

**7.** l'été *(une saison)*

_____

## EXERCICE N

*Votre correspondant(e) français(e) vous demande de faire le portrait de votre meilleur(e)ami(e). Écrivez-lui un email où vous décrivez les traits physiques et la personnalité de votre ami(e). Indiquez aussi ses bonnes qualités et ses défauts.*

## EXERCICE O

*Faites une enquête. Complétez chaque phrase avec les opinions de trois camarades de classe.*

EXEMPLE:    Jean dit que notre classe de français est formidable et que le prof est sévère.

**1.** Notre école est —————————————————————————————————

————————————————————————————————————————————

————————————————————————————————————————————.

**2.** Le cours de science est —————————————————————————————

————————————————————————————————————————————

————————————————————————————————————————————.

**3.** Le (La) président(e) des États-Unis est ——————————————————————

————————————————————————————————————————————

————————————————————————————————————————————.

**4.** La langue française est ———————————————————————————————

————————————————————————————————————————————

————————————————————————————————————————————.

# Chapter 23
# Adverbs

An adverb is a word that modifies a verb, an adjective, or another adverb.

## [ 1 ] FORMATION OF ADVERBS

Most French adverbs are formed by adding *-ment* to an adjective. This corresponds to adding *-ly* in English.

**a.** When a masculine singular adjective ends in a vowel, *-ment* is added to the masculine singular form.

| ADJECTIVE | | ADVERB | |
|---|---|---|---|
| **facile** | *easy* | **facilement** | *easily* |
| **poli** | *polite* | **poliment** | *politely* |
| **possible** | *possible* | **possiblement** | *possibly* |
| **probable** | *probable* | **probablement** | *probably* |
| **rapide** | *quick* | **rapidement** | *rapidly, quickly* |
| **triste** | *sad* | **tristement** | *sadly* |
| **vrai** | *true* | **vraiment** | *truly* |

## EXERCICE A

*Combinez les phrases pour exprimer comment Alice agit.*

EXEMPLE:   Elle pleure. C'est stupide.
           Elle pleure **stupidement.**

**1.** Elle répond. C'est honnête.

_____

**2.** Elle chante. C'est magnifique.

_____

**3.** Elle s'exprime. C'est facile.

_____

**4.** Elle soupire *(sighs)*. C'est triste.

_____

**5.** Elle s'habille. C'est joli.

_____

**6.** Elle se présente. C'est poli.

_____

**b.** When a masculine singular adjective ends in a consonant, -*ment* is added to the feminine singular.

| ADJECTIVE | | ADVERB | |
|---|---|---|---|
| MASCULINE | FEMININE | | |
| actif | active | activement | *actively* |
| certain | certaine | certainement | *certainly* |
| correct | correcte | correctement | *correctly* |
| cruel | cruelle | cruellement | *cruelly* |
| doux | douce | doucement | *softly, gently* |
| fier | fière | fièrement | *proudly* |
| franc | franche | franchement | *frankly* |
| heureux | heureuse | heureusement | *happily, fortunately* |
| tel | telle | tellement | *so* |
| seul | seule | seulement | *only* |
| Exceptions: | | | |
| gentil | | gentiment | *nicely* |
| bref | | brièvement | *briefly* |

## EXERCICE B

*Stéphane apprend à jouer au golf. Remplacez les adjectifs par les adverbes correspondants pour exprimer comment sa leçon se passe.*

EXEMPLE:    Stéphane écoute les instructions. Il est attentif.
Stéphane écoute **attentivement** les instructions.

*1.* Stéphane comprend. Il est rapide.

_____

*2.* Stéphane réfléchit. Il est consciencieux.

_____

*3.* L'instructeur lui parle. Il est gentil.

_____

*4.* Stéphane agit. Il est impulsif.

_____

*5.* Il s'applique. Il est sérieux.

_____

*6.* Il réussit. Il est fier.

_____

*7.* Il parle à l'instructeur. Il est poli.

_____

*8.* Stéphane joue. Il est énergique.

_____

*9.* Le jeu s'arrête. Il est bref.

_____

*10.* Son père l'encourage. Il est sincère.

_____

**c.** A few adjectives change mute *-e* to *-é* before adding *-ment*.

| ADJECTIVE | ADVERB | |
|-----------|--------|--|
| **aveugle** | **aveuglément** | *blindly* |
| **énorme** | **énormément** | *enormously* |
| **précis** | **précisément** | *precisely* |
| **profond** | **profondément** | *profoundly* |

**d.** Adjectives ending in *-ant* and *-ent* have adverbs ending in *-amment* and *-emment*.

| ADJECTIVE | ADVERB | |
|-----------|--------|--|
| **constant** | **constamment** | *constantly* |
| **courant** | **couramment** | *fluently* |
| **différent** | **différemment** | *differently* |
| **évident** | **évidemment** | *evidently* |
| **récent** | **récemment** | *recently* |
| Exception: | | |
| **lent** | **lentement** | *slowly* |

## EXERCICE C

*Votre correspondant français vient d'arriver chez vous. Exprimez ce qu'il fait en répondant aux questions avec des adverbes.*

**EXEMPLE:**    Quand parle-t-il français? *(constant)*
               Il parle **constamment** français.

*1.* Quand est-il arrivé? *(récent)*

_____

*2.* Est-ce qu'il parle français? *(évident)*

_____

*3.* Comment trouve-t-il son chemin? *(aveugle)*

_____

**4.** Comment s'explique-t-il? *(différent)*

_____

**5.** Comment répond-il? *(précis)*

_____

**6.** Comment parle-t-il anglais? *(courant)*

_____

**7.** Comment pense-t-il? *(profond)*

_____

**8.** Comment mange-t-il? *(énorme)*

_____

**e.** Some adverbs have forms distinct from the adjective forms.

| ADJECTIVE | | ADVERB | |
|---|---|---|---|
| **bon** | *good* | **bien** | *well* |
| **mauvais** | *bad* | **mal** | *badly* |
| **meilleur** | *better* | **mieux** | *better* |
| **petit** | *little* | **peu** | *little* |

Luc a de **bonnes** notes parce qu'il travaille **bien**.

*Luc has good grades because he works well.*

Anne chante **mieux** parce qu'elle a une **meilleure** voix.

*Anne sings better because she has a better voice.*

## EXERCICE D

*Exprimez comment sont les étudiants dans la classe de Louise en utilisant l'adverbe et la forme correcte de l'adjectif entre parenthèses.*

**1.** *(petit, peu)* Charles est un _____ garçon qui écoute _____ le prof.

**2.** *(mauvais, mal)* Rachel apprend _____ parce qu'elle est _____ élève.

**3.** *(bon, bien)* Anne et Jeanne sont de _____ mathématiciennes parce qu'elles comprennent _____ les leçons.

**4.** *(meilleur, mieux)* Lise a de _____ notes que sa sœur parce qu'elle étudie

_____ .

**5.** *(petit, peu)* Daniel écrit _____ avec son _____ stylo.

**6.** *(bon, bien)* Roger traite _____ les autres parce qu'il est un

_____ ami.

**7.** *(mauvais, mal)* François et Nicolas sont de _____ garçons qui se comportent

_____ .

**8.** *(meilleur, mieux)* Romain joue _____ du piano parce qu'il a un

_____ professeur.

**f.** **Other common adverbs and adverbial expressions:**

| | | |
|---|---|---|
| alors *then* | hier *yesterday* | puis *then* |
| après *afterward* | ici *here* | quelquefois *sometimes* |
| assez *enough, quite* | là *there* | si *so* |
| aujourd'hui *today* | loin *far* | souvent *often* |
| aussi *also, too* | longtemps *a long time* | surtout *especially* |
| beaucoup *much* | maintenant *now* | tard *late* |
| bien *well, very* | mal *badly* | tôt *soon* |
| bientôt *soon* | même *even* | toujours *always, still* |
| comme *as* | moins *less* | tout *quite, entirely* |
| déjà *already* | parfois *sometimes* | tout à coup *suddenly* |
| demain *tomorrow* | partout *everywhere* | tout à fait *entirely* |
| encore *still, yet, again* | peut-être *perhaps, maybe* | tout de suite *immediately* |
| enfin *at last* | plus *more* | très *very* |
| ensemble *together* | près de *near* | trop *too much* |
| ensuite *then, afterwards* | presque *almost* | vite *quickly* |

## EXERCICE E

*Récrivez l'histoire de Mme Rouget en utilisant des adverbes qui ont le même sens que les mots en caractères gras.*

**1.** Mme Rouget conduit **rapidement** parce qu'elle est en retard.

_____

**2.** Elle est **tellement** nerveuse qu'elle ne fait pas attention.

_____

**3.** Elle veut arriver **immédiatement.**

_____

**4.** **Soudainement,** elle entend la sirène de la police.

_____

**5.** Elle est **complètement** bouleversée *(upset)*.

_____

**6.** **À présent,** elle arrête sa voiture.

_____

**7.** L'agent lui donne une contravention *(ticket)*. Ils discutent **tous les deux** de la sécurité routière.

_____

**8.** **Ensuite** l'agent lui ordonne de conduire moins vite.

_____

**9.** **De temps en temps,** la vie est injuste.

_____

**10.** **Ce jour-ci,** Mme Rouget n'a pas de chance.

_____

**g.** Some adverbial expressions are formed by combining prepositions with other words.

**(1) Preposition + noun or noun phrase**

à droite (gauche)   *to the right (left)*

à la fin   *finally*

à la fois   *at the same time*

à l'heure   *on time*

à peine   *hardly, scarcely*

à présent   *now, at present*

d'avance   *in advance, beforehand*

de jour en jour   *from day to day*

de temps en temps (de temps à autre)
  *from time to time*

d'habitude   *generally, usually*

du matin au soir   *from morning to night*

en retard   *late*

par hasard   *by chance*

par jour (semaine, mois, etc.)   *per / a day*
  *(week, month, etc.)*

sans doute   *without a doubt, undoubtedly*

L'église est **à gauche** et le café **à droite**.   *The church is on the left and the cafe on the right.*

Il est **à la fois** gentil et aimable.   *He is nice and friendly at the same time.*

Elle peut **à peine** parler.   *She can hardly speak.*

**À présent,** je ne travaille pas.   *Presently I am not working.*

Tu changes **de jour en jour.**   *You change from day to day.*

Il a plu **du matin au soir.**   *It rained from morning to night.*

**(2) Preposition + adjective**

d'ordinaire   *usually*

de nouveau   *again*

en général   *in general, generally*

par conséquent   *therefore, consequently*

**D'ordinaire** elle est là à l'heure.   *Usually she is there on time.*

**En général** je suis content.   *I am generally happy.*

### (3) Preposition + adverb

à jamais *forever*  
du moins *at least, in any case*

au moins *at least*

Il m'aimera **à jamais**. *He will love me forever.*  
Je vois **au moins** deux erreurs. *I see at least two mistakes.*  
**Du moins** il est très heureux. *In any case he is very happy.*

### (4) Preposition + adjective + noun

à tout prix *at any cost*  
de bon appétit *heartily, with a good appetite*

de bon cœur *willingly, gladly*  
de bonne heure *early*  
en même temps *at the same time*

Je dois te voir **à tout prix**. *I have to see you at any cost.*  
Mange **de bon appétit**. *Eat with a hearty appetite.*  
Je t'aiderai **de bon cœur**. *I'll help you gladly.*

**h.** The following are other common adverbial expressions formed with several words.

encore une fois *again*  
peu à peu *little by little, gradually*  
peut-être *perhaps*

tant mieux *so much the better*  
tant pis *too bad, so much the worse*  
tout à l'heure *presently*

Répétez **encore une fois**, s'il vous plaît. *Please repeat it again.*

Il neige. Tant mieux. *It's snowing. So much the better.*  
Lise est sortie; elle reviendra tout à l'heure. *Lise went out; she'll be back presently.*

## EXERCICE F

*Complétez l'histoire de cet homme avec l'expression française correcte qui correspond au mot donné entre parenthèses.*

_____ , M. Dupin mange dans notre restaurant trois fois _____ .
  1. (In general)                                                                                          2. (per week)

_____ il nous téléphone _____ parce que nous sommes ici tous
  3. (Usually)                                 4. (in advance)

les jours _____ . _____ , quand il arrive chez
         5. (from morning to evening)           6. (Consequently)

nous, son dîner est prêt. _____ , il vient _____ pour
                            7. (From time to time)                 8. (early)

profiter _____ du silence et du calme. _____ il mange
        9. (without a doubt)                          10. (At present)

_____ . Il mange _____ ses légumes, mais il mange
  11. (with a good appetite)              12. (hardly)

_____ la viande. _____ de chaque repas, _____
  13. (at least)              14. (At the end)                      15. (very quickly)

il a envie de partir; il laisse _____ un pourboire généreux _____
16. (gladly)                                    17. (to the right)

de son assiette. Il aime _____ le service plus que la nourriture.
18. (perhaps)

_____ pour nous! Nous espérons le revoir _____ cette semaine.
19. (So much the better)                                    20. (again)

## [ 2 ] ADVERBS OF QUANTITY

Certain adverbs expressing quantity are followed by *de*, without an article, before a noun.

| | | | |
|---|---|---|---|
| assez de | *enough* | peu de | *little, few* |
| beaucoup de | *much, many* | plus de | *more* |
| combien de | *how much, how many* | tant de | *so much, so many* |
| moins de | *less, fewer* | trop de | *too much, too many* |

As–tu **beaucoup de** problèmes?        *Do you have a lot of problems?*

J'ai **moins de** travail que toi.        *I have less work than you.*

### EXERCICE G

*Exprimez ce que les jeunes gens apportent au pique-nique.*

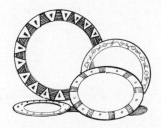

EXEMPLE:    assez

**Ils apportent assez d'assiettes.**

*1.* beaucoup

_____

*2.* assez

_____

**3.** tant

_____

**4.** trop

_____

**5.** peu

_____

## [ 3 ] POSITION OF ADVERBS

**a.** An adverb modifying a verb in a simple tense is usually placed directly after the verb.

Il **boit rarement** du jus de citron.    *He rarely drinks lemon juice.*

Vas–tu **travailler sérieusement?**    *Are you going to work seriously?*

**b.** In the *passé composé* the position of the adverb varies. Most adverbs generally follow the *past participle*. A few common ones, such as *bien, mal, souvent, toujours, déjà,* and *encore*, as well as adverbs of quantity, usually precede the past participle.

Hier, Jean est venu **tôt.**    *Yesterday, Jean came early.*

Il a **beaucoup** travaillé en classe.    *He worked a lot in class.*

### EXERCICE H

*Georges est allé voir une amie malade. Exprimez ce qu'il a fait en mettant l'adverbe à sa place.*

**1.** Il lui a téléphoné. *(souvent)*

_____

2. Il est allé chez elle. *(immédiatement)*

_____

3. Il lui a parlé. *(doucement)*

_____

4. Il lui a envoyé trois cartes. *(déjà)*

_____

5. Il l'a écoutée. *(attentivement)*

_____

6. Il a compris ses problèmes. *(mal)*

_____

7. Il l'a aidée. *(sérieusement)*

_____

8. Il est parti de sa maison. *(lentement)*

_____

# M A S T E R Y   E X E R C I S E S

## EXERCICE I

*Interviewez un(e) camarade de classe. Demandez-lui de répondre à vos questions en utilisant le maximum d'adverbes possible. Notez ses réponses.*

1. Que fais-tu d'habitude le dimanche?

_____

2. Comment travailles-tu?

_____

3. Qui aimeras-tu à jamais?

_____

4. Que manges-tu de bon appétit?

_____

5. Qu'est-ce que tu apprends peu à peu?

_____

6. Quand parles-tu franchement?

_____

7. Comment agis-tu?

   _____

8. Quand parles-tu sévèrement?

   _____

## EXERCICE J

*Complétez les phrases avec un adverbe qui convient.*

1. Claudette ne va pas toujours à la bibliothèque. Elle y va _____ .

2. Céleste n'aime pas du tout cuisiner. Alors elle prépare _____ le dîner.

3. Mme Bonnet ne savait pas quels numéros on allait choisir. Elle a gagné _____ à la loterie.

4. Je ne sais pas quel jour je viendrai, mais ne vous inquiétez pas, je vous téléphonerai

   _____ .

5. Marc voudrait aller à une bonne université. Pour cette raison il travaille _____ .

6. Si Danielle recevait le trophée après le match de tennis, elle le montrerait _____ à ses amis.

7. Théo a _____ de devoirs qu'il ne peut pas regarder la télé ce soir.

8. La première fois, Raymond n'a pas pu trouver la réponse correcte. Alors il a dû essayer

   _____ .

9. Mme Grassin marche _____ parce qu'elle a très mal à la jambe.

10. Christophe ne peut pas trouver ses clefs. Elles sont _____ dans sa poche.

## EXERCICE K

*Complétez les phrases avec des adverbes qui décrivent le mieux vos sentiments.*

1. Je fais mes études _____

2. Je parle français _____

3. Je mange _____

4. Je m'explique _____

5. Je danse _____

6. Je chante _____

# EXERCICE L

*Écoutez votre professeur et choisissez l'expression qui complète le mieux les phrases. Tracez un cercle autour de la lettre qui convient.*

**1.** *a.* tout à fait.

   *b.* tout à coup.

   *c.* tout de suite.

   *d.* toujours.

**2.** *a.* partout.

   *b.* trop.

   *c.* de temps en temps.

   *d.* maintenant.

**3.** *a.* parfois.

   *b.* à la fois.

   *c.* à la fin.

   *d.* à présent.

**4.** *a.* à la fois.

   *b.* d'habitude.

   *c.* de nouveau.

   *d.* par hasard.

**5.** *a.* d'avance.

   *b.* au moins.

   *c.* peu à peu.

   *d.* de nouveau.

**6.** *a.* tout à fait.

   *b.* tout à coup.

   *c.* partout.

   *d.* enfin.

# Chapter 24
## Comparison

## [ 1 ] COMPARISON OF INEQUALITY

**a.** Adjectives are compared as follows.

| | |
|---|---|
| POSITIVE | **intelligent (-e, -s, -es)**   *intelligent* |
| COMPARATIVE | **plus intelligent (-e, -s, -es) que**   *more intelligent than*<br>**moins intelligent (-e, -s, -es) que**   *less intelligent than* |
| SUPERLATIVE | **le (la, les) plus intelligent (-e, -s, -es) de**   *the most intelligent in (of)*<br>**le (la, les) moins intelligent (-e, -s, -es) de**   *the least intelligent in (of)* |

| | |
|---|---|
| Emma est **intelligente.** | *Emma is intelligent.* |
| Emma est **plus (moins)** intelligente **que** Marie. | *Emma is more (less) intelligent than Marie.* |
| Emma est la **plus (moins)** intelligente **de** la classe. | *Emma is the most (least) intelligent in the class.* |

NOTES:

1. *Que* (than) introduces the second element in the comparative construction.

2. The second element of a comparison may be a noun, a stress pronoun, an adjective, an adverb, or a clause.

| | |
|---|---|
| Je suis plus petite **que ma sœur.** | *I am shorter than my sister.* |
| Tu es plus sérieux **que moi.** | *You are more serious than I.* |
| Elle est plus gênée **que fâchée.** | *She is more annoyed than angry.* |
| Il a travaillé plus **qu'avant.** | *He worked more than before.* |
| C'est le plus grand édifice **que nous ayons jamais vu.** | *It's the tallest building (that) we ever saw.* |

3. Comparative and superlative forms of adjectives agree in number and gender with the nouns they modify.

| | |
|---|---|
| La souris est plus petite que le chat. | *The mouse is smaller than the cat.* |
| Ces garçons sont plus forts que ces filles. | *Those boys are stronger than those girls.* |

4. The preposition *de* + article *(du, de l', de la)* follows the superlative to express "in" or "of."

| | |
|---|---|
| La France est-elle le plus beau pays **du** monde? | *Is France the most beautiful country in the world?* |
| Je cherche la plus grande chambre **de l'**hôtel. | *I'm looking for the biggest room in the hotel.* |

5. In the superlative, the adjective generally retains its normal position.

| | |
|---|---|
| C'est une belle voiture. | *It's a beautiful car.* |
| C'est **la plus belle voiture.** | *It's the most beautiful car.* |

**6.** When a superlative adjective follows the noun, the article is repeated.

C'est l'homme **le** plus charmant.    *He's the most charming man.*

## EXERCICE A

*Vos amis ont des personnalités différentes. Exprimez ce que vous pouvez dire d'eux en utilisant les suggestions entre parenthèses.*

EXEMPLES:    Eugénie est égoïste. (+ / *Paul)*
Eugénie est **plus égoïste que** Paul.

Robert est paresseux. (− / *Gerry)*
Robert est **moins paresseux que** Gerry.

**1.** Gabrielle est polie. (− / *Delphine)*

_____

**2.** Maxime est honnête. (− / *Christian)*

_____

**3.** Anne est ambitieuse. (+ / *Marie)*

_____

**4.** Jean est intuitif. (− / *Marc)*

_____

**5.** Julie est gentille. (− / *Jean-Claude)*

_____

**6.** Bertrand est fier. (+ / *Danielle)*

_____

**7.** Carine est belle. (− / *Françoise)*

_____

**8.** Lucile est impulsive. (+ / *Roger)*

_____

## EXERCICE B

*Exprimez votre opinion sur les articles suivants en comparant le premier élément avec le second.*

EXEMPLES:    un livre de contes / un dictionnaire
Un livre de contes est **moins (plus) utile qu'**un dictionnaire.

**1.** une radio / un lecteur MP3

_____

**2.** une télévision / une radio

_____

**3.** une bicyclette / une voiture

_____

**4.** un portable / un ordinateur de table

_____

**5.** un four à micro-ondes / un barbecue électrique

_____

**6.** un quatre-quatre / une voiture se sport

_____

**7.** un texto / un email

_____

**8.** un bateau / un avion

_____

## EXERCICE C

_Faites la comparaison des personnes que vous connaissez en utilisant les adjectifs donnés._

| actif   | drôle   | franc   | intéressant | sympathique |
|---------|---------|---------|-------------|-------------|
| âgé     | égoïste | gentil  | populaire   | vieux       |
| aimable | fort    | honnête | sérieux     |             |

EXEMPLE:   ma mère / mon père
           Ma mère est **plus gentille que** mon père.
           Mon père est **moins drôle que** ma mère.

**1.** mon docteur / mon dentiste

_____

_____

**2.** mon prof de science / mon prof de français

_____

_____

**3.** mon ami(e) / mon (ma) voisin(e)

_____

_____

**4.** mon cousin / ma cousine

_____

_____

**5.** mon oncle / ma tante

_____

_____

**6.** mes parents / mes grands-parents

_____

_____

## EXERCICE D

*Exprimez votre opinion la plus positive et la plus négative pour chaque catégorie.*

EXEMPLE:     la langue / facile
             **La langue la plus facile est le français.**
             **La langue la moins facile est le russe.**

**1.** l'acteur / comique

_____

_____

**2.** le film / effrayant

_____

_____

**3.** la chanson / populaire

_____

_____

**4.** les plats / délicieux

_____

_____

**5.** la voiture / rapide

_____

_____

**6.** les matières / intéressantes

_____

_____

**7.** le sport / dangereux

_____

_____

**8.** l'animal / beau

_____

_____

## EXERCICE E

*Exprimez quel est, à votre avis, l'ordre d'importance des éléments de chaque catégorie.*

EXEMPLE:    un sport populaire *(le tennis, le golf, le basket)*
  **Le golf est un sport populaire.**
  **Le tennis est un sport plus populaire.**
  **Le basket est le sport le plus populaire.**

**1.** un métier important *(être savant, être docteur, être président)*

_____

_____

_____

**2.** une langue utile *(l'anglais, le français, l'espagnol)*

_____

_____

_____

**3.** un trait indésirable *(être malhonnête, être égoïste, être paresseux)*

_____

_____

_____

**4.** un rêve réalisable *(devenir astronaute, hériter beaucoup d'argent, aller à Paris)*

_____

_____

_____

**5.** un espoir général *(éliminer la violence, éliminer la guerre, éliminer le racisme)*

_____

_____

_____

**b. A few adjectives have irregular comparatives and superlatives.**

| POSITIVE | COMPARATIVE | SUPERLATIVE |
|---|---|---|
| **bon (-ne, -s, - nes)** *good* | **meilleur (-e, -s, -es)** *better* | **le (la) meilleur(e)** *best*<br>**les meilleur(e)s** *best* |
| **mauvais (-e, -es)** *bad* | **plus mauvais (-e, -es)**<br>*worse*<br>**pire(s)** *worse* | **le (la) plus mauvais(e)**<br>*(the) worst*<br>**les plus mauvais(es)**<br>*(the) worst*<br>**le (la) pire** *(the) worst*<br>**les pires** *(the) worst* |

Tu as **la meilleure** attitude.  *You have the best attitude.*
Ses problèmes sont **les pires.**  *His (Her) problems are the worst.*

## EXERCICE F

*Exprimez quel choix est, à votre avis, le meilleur et le pire de chaque catégorie.*

EXEMPLE  acteur
**Brad Pitt est le meilleur acteur.**
**Mon cousin Henri est le pire.**

*1.* pays à visiter

_____

_____

*2.* spécialité française

_____

_____

*3.* restaurant

_____

_____

*4.* sport

_____

_____

*5.* divertissement

_____

_____

*6.* instrument de musique

_____

_____

**7.** langue à étudier

_____

_____

**c.** Adverbs are compared as follows.

| | | |
|---|---|---|
| POSITIVE | **rapidement** | *rapidly* |
| COMPARATIVE | **plus (moins) rapidement** | *more (less) rapidly* |
| SUPERLATIVE | **le plus (moins) rapidement** | *the most (least) rapidly* |

| | |
|---|---|
| Je conduis **moins lentement** que lui. | *I drive less slowly than he.* |
| Il travaille **plus sérieusement** que toi. | *He works more seriously than you.* |
| Luc joue **le plus consciencieusement**. | *Luc plays the most conscientiously.* |

NOTES:

1. The preposition *de,* or any of its forms, may follow the superlative adverb to mean "in" or "of"

   | | |
   |---|---|
   | Il parle le plus couramment du groupe. | *He speaks the most fluently of the group.* |

2. Since there is no agreement of adverbs, the article in the superlative is always *le.*

   | | |
   |---|---|
   | Mes cousines courent le plus vite. | *My cousins run the fastest.* |
   | Marie agit le plus méthodiquement de toutes. | *Marie acts the most methodically of all.* |

**d.** A few adverbs have irregular comparatives and superlatives.

| POSITIVE | COMPARATIVE | SUPERLATIVE |
|---|---|---|
| **bien** *well* | **mieux** *better* | **le mieux** *(the) best* |
| **mal** *badly* | **plus mal** *worse* | **le plus mal** *(the) worst* |
| | **pis** *worse* | **le pis** *(the) worst* |
| **beaucoup** *much* | **plus** *more* | **le plus** *(the) most* |
| **peu** *little* | **moins** *less* | **le moins** *(the) least* |

| | |
|---|---|
| Je travaille **mieux** que toi. | *I work better than you.* |
| Anne chantait **le mieux** de sa classe. | *Anne sang the best in her class.* |
| Malheureusement, il se sentait **plus mal**. | *Unfortunately, he felt worse.* |
| Malheureusement, il se sentait **pis**. | *Unfortunately, he felt worse.* |

NOTE: **The expressions *plus mal* and *le plus mal* are generally preferred to *pi* and *le pis***

## EXERCICE G

*Les membres de l'équipe de foot s'entraînent. Exprimez les observations de leur entraîneur.*

EXEMPLE: Richard apprend d'une façon facile. *(+ / Robert)*
Richard apprend **plus facilement que** Robert.

**1.** Antoine court d'une façon lente. *( − / Roger)*

_____

**2.** Henriette s'entraîne d'une façon consciencieuse. (+ / *Agathe*)

_____

**3.** Clément s'explique d'une façon précise. (+ / *Georges*)

_____

**4.** Capucine joue d'une façon sérieuse. ( − / *Léa*)

_____

**5.** Daniel critique les autres d'une façon intelligente. (+ / *Paul*)

_____

**6.** Carine réfléchit d'une façon profonde. ( − / *Ninon*)

_____

**7.** Andrée s'exprime d'une façon franche. *(+ / Laure)*

_____

**8.** Achille parle d'une façon rapide. ( − / *Alain*)

_____

## EXERCICE H

*Des professeurs se souviennent de leurs anciens élèves. Exprimez ce qu'ils disent en utilisant les verbes entre parenthèses*

EXEMPLE: Joseph était plus lent que Jean. *(écrire)*
**Il écrivait plus lentement que Jean.**

**1.** Élise était plus discrète que sa meilleure amie. *(parler)*

_____

**2.** Marc était plus élégant que Gilbert *(s'exprimer)*

_____

**3.** Annette était moins attentive que Victoire *(écouter)*

_____

4. Georges était moins soigneux que son frère. *(travailler)*

_____

5. Charline était plus gentille que Lise *(se comporter)*

_____

6. Claudette était moins agressive que Zélie *(se disputer)*

_____

## EXERCICE I

*Exprimez en quoi les membres de l'orchestre se distinguent.*

EXEMPLE:    Lucienne / se comporter / d'une façon respectueuse (+)
**Lucienne se comporte le plus respectueusement de l'orchestre.**

1. Lily / s'exercer / d'une façon sérieuse (+)

_____

2. Michèle / apprendre / d'une façon rapide ( − )

_____

3. Romane / jouer / d'une façon facile ( − )

_____

4. Claire / écouter / d'une façon attentive (+)

_____

5. Arthur / travailler / d'une façon consciencieuse (+)

_____

6. Alain / s'appliquer / d'une façon constante ( − )

_____

## EXERCICE J

*Exprimez ce que vous pensez des acteurs de votre école.*

EXEMPLE:    Qui joue bien? *(Georges / Paul / Raoul)*
**Georges joue bien.**
**Paul joue mieux.**
**Raoul joue le mieux.**

1. Qui répète peu? *(Albert / Éric / Pascal)*

_____

_____

_____

**2.** Qui se dispute beaucoup? *(Suzanne / Juliette / Adriène)*

_____

_____

_____

**3.** Qui chante mal? *(Pierre / Louis / Fabrice)*

_____

_____

_____

**4.** Qui danse bien? *(Lise / Christine / Lina)*

_____

_____

_____

**e.** Comparison of Nouns

| COMPARATIVE | SUPERLATIVE |
| --- | --- |
| **plus (moins) de** *more (less)* | **le plus (moins) de** *the most (the least)* |

Elle mange **plus de** légumes **que** de fruits.    *She eats more vegetables than fruits.*
Je lis **plus de** romans **que** de poèmes.    *I read more novels than poems.*
Tu fais **le plus de** travail **des** ouvriers.    *You do the most work of the workers.*

## EXERCICE K

*Joseph et Daniel sont deux amis qui comparent toujours ce qu'ils ont. Exprimez ce qu'ils disent.*

EXEMPLE:    je / − / problèmes / toi
         **J'ai moins de problèmes que toi.**

**1.** je / + / vêtements / toi

_____

**2.** tu / − / temps libre / moi

_____

**3.** tu / + / mauvaises habitudes / moi

_____

**4.** il / + / ennemis / moi

_____

**5.** nous / − / disputes / nos amis

_____

**6.** je / + / chance / toi

_____

**7.** il / − / dettes / moi

_____

**8.** nous / − / travail / elles

_____

# [ 2 ] COMPARISON OF EQUALITY

**a.** _Aussi_ + adjective or adverb + _que_ (as ... as)

| | |
|---|---|
| Il est **aussi** poli **que** toi. | _He is as polite as you._ |
| Elles sont **aussi** heureuses **que** moi. | _They are as happy as I._ |
| Tu joues **aussi** bien **qu'elle.** | _You play as well as she._ |

NOTE:   _Si_ usually replaces _aussi_ in **négative comparisons.**

| | |
|---|---|
| Nous ne sommes pas si malheureux qu'eux. | _We aren't as unhappy as they._ |

## EXERCICE L

_Vos amis ont des points communs entre eux et avec vous. Exprimez lesquels._

EXEMPLE:   Lucie est sérieuse. Tu es sérieux aussi.
Lucie est **aussi sérieuse que** toi.

**1.** Marcel est gentil. Je suis gentil(le) aussi.

_____

**2.** Danielle est intuitive. Il est intuitif aussi.

_____

**3.** Mathieu est poli. Tu es poli aussi.

_____

**4.** Claire est ambitieuse. Les garçons sont ambitieux aussi.

_____

**5.** Robert est franc. Nous sommes francs aussi.

_____

**6.** Janine est fière. Vous êtes fiers aussi.

_____

**b.** *Autant de* + noun + *que* (as much / as many ... as)

| | |
|---|---|
| J'ai **autant de** chance **que** toi. | *I have as much luck as you.* |
| Elle a **autant de** frères **que** Luc. | *She has as many brothers as Luc.* |

*Autant que* + **pronoun or noun (as much / as many ... as)**

| | |
|---|---|
| Il travaille **autant que** Marie et moi. | *He works as much as Marie and I.* |

## EXERCICE M

*Tout le monde est égal. Exprimez que vous avez autant de choses que vos amis.*

EXEMPLE:    J'ai des problèmes. Jake a des problèmes.
             J'ai **autant de problèmes que** lui.

**1.** J'ai de l'argent. Émilie a de l'argent.

_____

**2.** J'ai des CD. Tu as des CD.

_____

**3.** J'ai des amis. André et Michel ont des amis.

_____

**4.** J'ai de bonnes notes. Charles a de bonnes notes.

_____

**5.** J'ai de l'expérience. Les filles ont de l'expérience.

_____

**6.** J'ai de la chance. Vous avez de la chance.

_____

## [ 3 ] COMPARATIVE AND SUPERLATIVE EXPRESSIONS

| | |
|---|---|
| **faire de son mieux**    *to do one's best* | |
| Je fais toujours de mon mieux. | *I always do my best.* |
| **le plus (moins) possible**    *as much (little) as possible* | |
| Il travaille le plus possible. | *He works as much as possible.* |
| **le plus (moins)... possible**    *as ... as possible* | |
| Je cours le plus vite possible. | *I run as quickly as possible.* |
| **de plus en plus**    *more and more* | |
| Elle se repose de plus en plus. | *She rests more and more.* |
| **de moins en moins**    *less and less* | |
| Nous mangeons de moins en moins. | *We eat less and less.* |
| **de mieux en mieux**    *better and better* | |
| Vous parlez français de mieux en mieux. | *You are speaking French better and better.* |

     **tant mieux (pis)** *so much the better (worse)*
     Elle part tout de suite. Tant mieux.    *She's leaving right now. So much the better.*
     Tu ne peux pas venir? Tant pis.        *You can't come? Too bad.*

## EXERCICE N

*Répondez aux questions qu'une amie vous pose.*

**1.** Quel sport fais-tu de mieux en mieux?

_____

**2.** Quel émission de télévision regardes-tu de moins en moins souvent?

_____

**3.** Qu'est-ce que tu manges de plus en plus souvent?

_____

**4.** En quelle classe fais-tu de ton mieux?

_____

**5.** Que fais-tu le plus vite possible?

_____

**6.** Quel genre de films regardes-tu le plus possible?

_____

# MASTERY EXERCISES

## EXERCICE O

*Exprimez votre opinion en comparant le premier élément avec le second.*

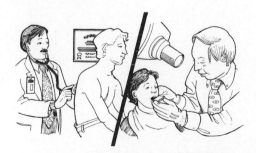

EXEMPLE:    *(important)* **Un docteur est aussi important qu'un dentiste.**

EXEMPLE:     *(difficile)* **Marcher est moins difficile que courir.**

*1. (grand)* _____ .

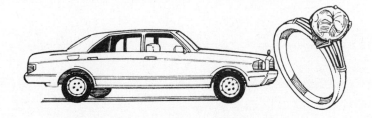

*2. (cher)* _____ .

*3. (intéressant)* _____ .

**4.** *(amusant)* _____ .

**5.** *(délicieux)* _____ .

**6.** *(ennuyeux)* _____ .

## EXERCICE P

*Vous travaillez dans une agence de voyages. Composez deux listes où vous décrivez les avantages et les inconvénients de chaque séjour en le comparant à l'autre. Utilisez autant de formes de comparaisons que vous pouvez.*

EXEMPLE:     **Aller sur une île tropicale est plus relaxant qu'aller en ville.**

*1.* _____

_____

*1.* _____

_____

2. _____     2. _____

_____        _____

3. _____     3. _____

_____        _____

4. _____     4. _____

_____        _____

5. _____     5. _____

_____        _____

6. _____     6. _____

_____        _____

# EXERCICE Q

*D'abord faites votre propre description. Puis comparez-vous à vos amis, votre frère, votre sœur ou à vos parents.*

EXEMPLE:     **Je suis nerveux. Ma meilleure amie est moins nerveuse que moi.**
             **Ma mère est la personne la plus calme de la famille.**

_____

_____

_____

_____

_____

_____

_____

# Chapter 25
# Numbers

## [ 1 ] CARDINAL NUMBERS

| | | | | | |
|---|---|---|---|---|---|
| 0 | zéro | 20 | vingt | 88 | quatre-vingt-huit |
| 1 | un(e) | 21 | vingt et un | 90 | quatre-vingt-dix |
| 2 | deux | 22 | vingt-deux | 95 | quatre-vingt-quinze |
| 3 | trois | 30 | trente | 100 | cent |
| 4 | quatre | 31 | trente et un | 101 | cent un |
| 5 | cinq | 33 | trente-trois | 200 | deux cents |
| 6 | six | 40 | quarante | 316 | trois cent seize |
| 7 | sept | 45 | quarante-cinq | 500 | cinq cents |
| 8 | huit | 48 | quarante-huit | 527 | cinq cent vingt-sept |
| 9 | neuf | 50 | cinquante | 580 | cinq cent quatre-vingts |
| 10 | dix | 51 | cinquante et un | 1.000 | mille |
| 11 | onze | 57 | cinquante-sept | 1.001 | mille un |
| 12 | douze | 60 | soixante | 1.100 | mille cent/onze cents |
| 13 | treize | 61 | soixante et un | 1.200 | mille deux cents/douze cents |
| 14 | quatorze | 70 | soixante-dix | 3.000 | trois mille |
| 15 | quinze | 71 | soixante et onze | 3.210 | trois mille deux cent dix |
| 16 | seize | 75 | soixante-quinze | 10.000 | dix mille |
| 17 | dix-sept | 77 | soixante-dix-sept | 100.000 | cent mille |
| 18 | dix-huit | 80 | quatre-vingts | 1.000.000 | un million |
| 19 | dix-neuf | 81 | quatre-vingt-un | *one billion* | un milliard |

NOTES:

1. The conjunction *et* is used in 21, 31, 41, 51, 61, and 71. In all other compound numbers through 99, the hyphen is used. *Un* becomes *une* before a feminine noun.

   vingt et un garçons, vingt et une filles          *twenty-one boys, twenty-one girls*

2. *Quatre-vingts* and the plural of *cent* drop the *-s* before another number.

   | | |
   |---|---|
   | quatre-vingts euros | *eighty* euros |
   | **quatre-vingt-deux** euros | *eighty-two* euros |
   | quatre cents euros | *four hundred* euros |
   | quatre **cent cinquante** euros | *four hundred fifty* euros |

3. *Cent* and *mille* are not preceded by the indefinite article.

   | | |
   |---|---|
   | cent ans | *a (one) hundred years* |
   | mille personnes | *a (one) thousand people* |

4. *Mille* does not change in the plural.

   sept **mille** dollars          *seven thousand dollars*

5. *Mille* becomes *mil* in dates.

   Je suis né en deux mille trois.          *I was born in 2003.*

6. *Million* is a noun. It adds an *-s* in the plural, and must be followed by *de* if another noun follows it.

| | |
|---|---|
| un million **de** gens | *a (one) million people* |
| deux millions **de** fleurs | *two million flowers* |

7. **In numerals and decimals, where English uses periods, French uses commas and vice versa.**

| FRENCH | ENGLISH |
|---|---|
| 10.000 dix mille | *10,000 ten thousand* |
| 0,5 zéro virgule cinq | *0.5 (zero) point five* |
| 2,80€ deux euros quatre-vingts | *2.80€ two euros and eighty cents* |

## EXERCICE A

*Exprimez combien coûtent (en euros) ces boissons au café.*

| | |
|---|---|
| *Orangina* ............................... | **1€** |
| *Coca* ............................... | **0,80€** |
| *Eau minérale* ............................... | **0,25€** |
| *Café français* ............................... | **1,25€** |
| *Limonade* ............................... | **0,50€** |
| *Thè* ............................... | **0,40€** |
| *Café crème* ............................... | **1,20€** |

EXEMPLE:　Un Orangina **coûte un euro.**

1. Un café français _____ .

2. Un coca _____ .

3. Un café crème _____ .

4. Un thè _____ .

5. Une eau minérale _____ .

6. Une limonade _____ .

## EXERCICE B

*Exprimez les notes que Régine a reçues dans chaque matière.*

| Physique | 10 |
|---|---|
| Mathématiques | 15 |
| Espagnol | 17 |
| Art | 11 |
| Histoire | 16 |
| Musique | 19 |
| Science | 14 |
| Français | 12 |
| Anglais | 20 |
| Latin | 18 |
| Éducation physique | 13 |

EXEMPLE:    **Elle a reçu dix en physique.**

1. _____

2. _____

3. _____

4. _____

5. _____

6. _____

7. _____

8. _____

9. _____

10. _____

## EXERCICE C

*Exprimez combien coûtent (en euros) ces spécialités du menu.*

---

### *Cbez Pauline*

#### *Nos Viandes Garnies*

| | |
|---|---|
| *T'Bon Steak Royal* .................... | *15,00* |
| *Contrefilet à l'Os* .................... | *12,00* |
| *Entrecôte Grillée* .................... | *9,25* |
| *Brochette de Merguez* ............... | *8,00* |
| *Filet au Poivre* .................... | *14,50* |
| *Escalope à la Crème* .................. | *12,60* |
| *Bavette à l'Échanaise* ............... | *10,00* |
| *Escalop Milanaise* .................. | *8,00* |
| *Volaille Rôtie aux Herbes* .......... | *5,40* |
| *Steak Tartare* ......................... | *9,00* |
| *Hamburger Œuf à Cheval* .......... | *6,70* |
| | |
| *Frites* ................................ | *2,70* |
| *Salade de Saison* .................... | *2,70* |
| *Fromage* ............................ | *3,00* |

*Service 15% compris*

---

EXEMPLE:   volaille rôtie aux herbes
   **Ça coûte cinq euros quarante.**

1. escalope milanaise *(veal scallop)*

_____

2. filet au poivre *(beef tenderloin)*

_____

3. fromage

_____

4. brochette de merguez *(sausage)*

_____

5. bavette à l'échalotte *(steak with shallots)*

_____

**6.** hamburger œuf à cheval *(with a fried egg)*

_____

**7.** frites

_____

**8.** contrefilet à l'os *(sirloin)*

_____

**9.** escalope à la crème

_____

**10.** T'bon steak royal

_____


## EXERCICE D

*Écrivez en français les numéros des autobus qui donnent accès aux bateaux-mouches et les numéros de téléphone qu'il faut appeler.*

---

# BATEAUX-MOUCHES
# GRANDE TRAVERSÉE DE PARIS
**Commentee en 5 Langues**
**Concerts**
**Dejeuners**
**Diners**
**Parkings · Bars · Attente · Toilettes**

Traversee . . . . . . . . . . . . . . . . . . . . . . . . . . . . . . . . .5€
Metro . . . . . . . . . . . . . . . . . . . . . . . . . Alma-Marceau, Ligne 9
RER . . . . . . . . . . . . . . . . . . .Ligne C, Versailles Rive Gauche
Autobus . . . . . . . . . . . . . . . . . . . . . 42, 92, 63, 72, 80, 83, 28, 40
Tel . . . . . . . . . . . . . . 00.42.25.96.10 – 00.43.59.30 – 00.42.25.22.55

---

Autobus:

_____

Numéros de téléphone:

_____

_____

## EXERCICE E

*Exprimez pendant combien de minutes chaque employé a parlé au téléphone hier.*

EXEMPLE:   Mme Castagne / 32
   **Mme Castagne a parlé pendant trente-deux minutes.**

*1.* M. Girard / 67

_____

*2.* Mme Remont / 93

_____

*3.* Mlle Schubert / 84

_____

*4.* M. Villain / 72

_____

*5.* Mme Hubert / 15

_____

*6.* Mlle Lillet / 41

_____

*7.* M. Moreau / 56

_____

*8.* Mme Lavoix / 39

_____

*9.* M. Lemaire / 28

_____

*10.* Mlle Goudeau / 16

_____

## EXERCICE F

*Exprimez pour quelle chambre d'hôtel vous avez la clef.*

EXEMPLE:   Pour la chambre **trois cent seize.**

1. _____

2. _____

3. _____

4. _____

5. _____

6. _____

7. _____

8. _____

9. _____

10. _____

11. _____

12. _____

## EXERCICE G

*Exprimez le prix de ces valeurs* (stocks) *à la Bourse* (stock market) *à Paris.*

| | |
|---|---|
| Mut.Maris | |
| Mut.Unies Select . . . . . . . . . . | 156,19 |
| Natio Court Terme . . . . . . . . . | 2258,75 |
| Natio-Epargne . . . . . . . . . . . . | 14244,28 |
| Natio Eparg.Trésor . . . . . . . . . | 6363,51 |
| Natio-Inter . . . . . . . . . . . . . . . | 1200,83 |
| Natio Monétaire . . . . . . . . . . | 20439,40 |
| Natio Obligations . . . . . . . . . . | 547,33 |
| Natio-Patrimoine . . . . . . . . . . | 1514,47 |
| Natio-Placements . . . . . . . . . . | 66579,26 |
| Natio Revenus . . . . . . . . . . . . | 1021,23 |
| Natio Sécurité . . . . . . . . . . . . | 11365,80 |
| Natio-Valeurs . . . . . . . . . . . . | 884,04 |
| . . . . . . Dévelop . . . . . . . . . | 1244,13 |
| . . . . . | 118,05 |

EXEMPLE:     Natio Court Terme

**deux cent cinquante huit euros soixante-quinze**

1. Natio-Épargne

_____

2. Natio-Éparg. Trésor

_____

3. Natio-Inter

_____

4. Natio Monétaire

_____

5. Natio Obligations

_____

6. Natio-Patrimoine

_____

7. Natio-Placements

_____

8. Natio Revenus

_____

9. Natio Sécurité

_____

10. Natio-Valeurs

_____

## [ 2 ] ARITHMETIC

**The following expressions are used in arithmetic problems in French.**

| et | *plus* | moins | *minus* |
|----|--------|-------|---------|
| fois | *multiplied by, times* | divisé par | *divided by (in French:)* |
| font | *equals* | | |

| | |
|---|---|
| Cinq et quatre font neuf. | $5 + 4 = 9$ |
| Trois fois cinq font quinze. | $3 \times 5 = 15$ |
| Six moins deux font quatre. | $6 - 2 = 4$ |
| Vingt divisé par deux font dix. | $20 \div 2 = 10$ |

## EXERCICE H

*Vous travaillez dans un bureau de change en France. Exprimez les opérations que vous devez faire aujourd'hui.*

*1.* 192 + 475 = 667

_____

*2.* 5.586 − 2.351 = 3.235

_____

*3.* 914 × 5 = 4.570

_____

*4.* 4.400 ÷ 5 = 880

_____

*5.* 634 + 468 = 1.102

_____

*6.* 10.008 − 4.103 = 5.905

_____

*7.* 221 × 13 = 2.873

_____

*8.* 25.000 ÷ 10 = 2.500

_____

## [ 3 ] ORDINAL NUMBERS

| | | | | | |
|---|---|---|---|---|---|
| *1st* | **premier (première)** | *7th* | **septième** | *17th* | **dix-septième** |
| *2nd* | **deuxième, second(e)** | *8th* | **huitième** | *20th* | **vingtième** |
| *3rd* | **troisième** | *9th* | **neuvième** | *21st* | **vingt et unième** |
| *4th* | **quatrième** | *10th* | **dixième** | *34th* | **trente-quatrième** |
| *5th* | **cinquième** | *11th* | **onzième** | *100th* | **centième** |
| *6th* | **sixième** | *16th* | **seizième** | *103rd* | **cent-troisième** |

NOTES:

1.  Ordinal numbers agree in gender and number with the noun they modify. *Premier* and *second* are the only ordinal numbers to have a feminine form different from the masculine form.

    Elle était la **première** à arriver et          *She was the first one to come*
    **la seconde** à partir.                              *and the second one to leave.*

2. Except for *premier* and *second,* ordinal numbers are formed by adding *–ième* to the cardinal numbers. Silent *e* is dropped before *–ième.*

3. Note the *u* in *cinquième* and the *v* in *neuvième.*

4. *Second(e)* generally replaces *deuxième* in a series which does not go beyond two items.

   C'est sa seconde voiture.        *It's his second car.*

5. The final *-a* or *-e* of the preceding word or article is not dropped before *huit, huitième, onze, and onzième.*

   le huit juin                 *the eighth of June*
   la onzième année             *the eleventh year*

6. Ordinal numbers are abbreviated as follows in French.

   premier 1$^{er}$ (première 1$^{re}$)    dixième 10$^e$           seizième 16$^e$
   deuxième 2$^e$                     cinquantième 50$^e$      centième 100$^e$

7. Cardinal numbers precede ordinal numbers in French.

   les **deux premiers** rangs        *the first two rows*

## EXERCICE I

*Exprimez quel anniversaire de mariage chaque couple célèbre.*

EXEMPLE:    Les Jarreau / 8e
            Ils célèbrent leur **huitième** anniversaire de mariage.

*1.* Les Richard / 5$^e$

_____

*2.* Les Le Floch / 21$^e$

_____

*3.* Les Flammand / 1$^{er}$

_____

*4.* Les Oudart / 15$^e$

_____

*5.* Les Langlois / 50$^e$

_____

*6.* Les Martin / 4$^e$

_____

**7.** Les Pagnol / 36$^e$

_____

**8.** Les Lacombe / 9$^e$

_____

**9.** Les Rousselle / 16$^e$

_____

**10.** Les Lacour / 47$^e$

_____

## EXERCICE J

*Exprimez le rang de chaque élève de la classe.*

EXEMPLE:  Irène / 2$^e$
          Irène est la **deuxième** de la classe.

**1.** Brigitte / 1$^{re}$

_____

**2.** Yves / 11$^e$

_____

**3.** Monique / 35$^e$

_____

**4.** Caroline / 13$^e$

_____

**5.** Gilles / 24$^e$

_____

**6.** Nathalie / 46$^e$

_____

**7.** Olivier / 17$^e$

_____

**8.** Marc / 12$^e$

_____

## EXERCICE K

*Exprimez à quel étage de la tour de la Défense à Paris se trouvent les bureaux que vous cherchez.*

| | |
|---|---|
| BUREAU DES AFFAIRES INTERNATIONALES | 17 |
| BUREAU D'AIDE SOCIALE | 61 |
| BUREAU DES CONCERTS | 52 |
| BUREAU DU TOURISME | 91 |
| BUREAU DE CHANGE | 74 |
| BUREAU D'AIDE FINANCIÈRE | 96 |
| BUREAU D'ÉTUDES TECHNIQUES | 89 |
| BUREAU D'EXPORTATION | 101 |

EXEMPLE:    Où est le bureau des affaires internationales?
            Il est au **dix-septième** étage.

*1.* Où est le bureau du tourisme?

_____

*2.* Où est le bureau d'exportation?

_____

*3.* Où est le bureau de change?

_____

*4.* Où est le bureau d'aide sociale?

_____

*5.* Où est le bureau d'aide financière?

_____

*6.* Où est le bureau des concerts?

_____

*7.* Où est le bureau d'études techniques?

_____

## [ 4 ]    MULTIPLES

French multiple numerals are used in the same manner as their English equivalents.

une fois    *once*
deux fois    *twice*
trois fois    *three times*

| | |
|---|---|
| Je l'ai répété **une fois.** | *I repeated it once (one time).* |
| Il a été en retard **deux fois.** | *He was late twice.* |

## EXERCICE L

*Exprimez combien de fois vous avez fait les activités suivantes.*

EXEMPLE:   Combien de fois as-tu joué aux dames *(checkers)?* *(8)*
**Huit fois.**

**1.** Combien de fois as-tu fait du ski? *(1)*

_____

**2.** Combien de fois es-tu monté à cheval? *(9)*

_____

**3.** Combien de fois as-tu patiné? *(100)*

_____

**4.** Combien de fois as-tu joué au hockey? *(15)*

_____

**5.** Combien de fois as-tu fait du camping? *(21)*

_____

**6.** Combien de fois as-tu joué au basket? *(50)*

_____

# M A S T E R Y   E X E R C I S E S

## EXERCICE M

*Écrivez les nombres appropriés pour compléter chaque phrase.*

**1.** Il y a _____ lettres dans l'alphabet.

**2.** Il y a _____ heures dans un jour.

**3.** Il y a _____ secondes dans une heure.

**4.** Il y a _____ mois dans une année.

**5.** Il y a _____ jours au mois d'août.

**6.** Il y a _____ états aux États-Unis.

**7.** Il y a _____ arrondissements à Paris.

**8.** Il y a _____ ans dans un siècle.

**9.** Il y a _____ élèves dans la classe de français.

**10.** Il y a _____ chapitres dans ce livre.


## EXERCICE N

*Vous achetez de nouveaux vêtements. Exprimez combien il faut payer les choses suivantes.*

EXEMPLE:     Il faut payer **cinquante-huit dollars.**

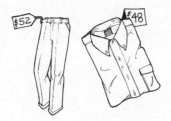

1. _____

2. _____

3. _____

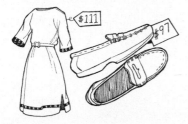

**4.** _____

**5.** _____

**6.** _____

## EXERCICE O

*Écrives en toutes lettres les dates de ces événements.*

**1.** En 1066 Guillaume le Conquérant a fait la conquête de l'Angleterre.

_____

**2.** Jeanne d'Arc est morte en 1431.

_____

**3.** Le 14 juillet 1789 le peuple parisien a attaqué la Bastille et la Révolution française a commencé.

_____

**4.** En 1815 on a vaincu Napoléon Bonaparte à Waterloo.

_____

**5.** En 1958 Charles de Gaulle est devenu premier président de la Cinquième République.

_____

**6.** La France a adopté l'euro comme monnaie en 1999.

_____

# Chapter 26
# Time; Dates

## [ 1 ] TIME

| | |
|---|---|
| **Quelle heure est-il?** | *What time is it?* |
| **Il est une heure.** | *It is one o'clock.* |
| **Il est trois heures cinq.** | *It is 3:05.* |
| **Il est six heures dix.** | *It is 6:10.* |
| **Il est sept heures et quart.** | *It is 7:15.* |
| **Il est onze heures vingt.** | *It is 11:20.* |
| **Il est une heure vingt-cinq.** | *It is 1:25.* |
| **Il est deux heures et demie.** | *It is 2:30.* |
| **Il est trois heures moins vingt-cinq.** | *It is 2:35.* |
| **Il est cinq heures moins vingt.** | *It is 4:40.* |
| **Il est deux heures moins le quart.** | *It is 1:45.* |
| **Il est deux heures moins dix.** | *It is 1:50.* |
| **Il est une heure moins cinq.** | *It is 12:55.* |
| | |
| **Il est midi.** | *It is twelve o'clock (noon).* |
| **Il est minuit.** | *It is twelve o'clock (midnight).* |
| **Il est midi (minuit) et demi.** | *It is 12:30.* |

NOTES:

1. To express time after the hour, the number of minutes is added. The conjunction *et* is used only with *quart* and *demi(e)*. To express time before the hour, *moins* is used.

2. *Midi* (noon) and *minuit* (midnight) are masculine.

## [ 2 ] TIME EXPRESSIONS

| | |
|---|---|
| **à quelle heure?** | *at what time?* |
| **à deux heures** | *at two o'clock* |
| **quatre heures du matin** | *four o'clock in the morning, 4:00 A.M.* |
| **trois heures de l'après-midi** | *three o'clock in the afternoon, 3:00 P.M.* |
| **huit heures du soir** | *eight o'clock in the evening, 8:00 P.M.* |
| **vers dix heures** | *about ten o'clock* |
| **un quart d'heure** | *a quarter of an hour* |
| **une demi-heure** (*pl.*: **les demi-heures**) | *a half hour* |

NOTES:

1. The official twenty-four-hour system is commonly used in public announcements, such as timetables, with midnight as the zero hour. In this official system, all times are expressed in full numbers.

| | | |
|---|---|---|
| 21h55 | vingt et une heures cinquante-cinq | *9:55 P.M.* |
| 0h20 | zéro heure vingt | *12:20 A.M.* |

| 16h | seize heures | *4:00 P.M.* |
| 23h45 | vingt-trois heures quarante-cinq | *11:45 P.M.* |

2.  There is no agreement for the word *demi* when it is placed before the noun and joined to it by a hyphen. When it is placed after the noun and joined to it by the conjuction *et, demi* agrees with the gender (masculine or feminine) of the noun but remains singular.

| Il arrivera dans une **demi**-heure. | *He will arrive in half an hour.* |
| Elle appelle tous les jours à trois heures et **demie**. | *She calls every day at half past three.* |
| Il était minuit et **demi**. | *It was half past midnight.* |

## EXERCICE A

*Exprimez les heures que marquent les horloges ci-dessous.*

EXEMPLE:  **Il est huit heures moins vingt.**

1. _____

2. _____

3. _____

4. _____

5. _____

6. _____

7. _____

8. _____

9. _____

10. _____

## EXERCICE B

*Exprimez en système officiel les heures indiquées sur ces montres digitales.*

EXEMPLE: **Il est quatre heures trente-sept.**

1. _____

2. _____

3. _____

4. _____

5. _____

6. _____

## EXERCICE C

*Exprimez à quelle heure vous faites les choses suivantes.*

EXEMPLE: **Je vais à l'école à sept heures et demie.**

1. _____

2. _____

3. _____

4. _____

5. _____

6. _____

7. _____

8. _____

9. _____

10. _____

## EXERCICE D

*Exprimez à quelles heures ces vols partiront de Fort-de-France vers les villes indiquées.*

| Compagnies | Départs | Destinations |
|---|---|---|
| AIR FRANCE | 8h50 | Pointe-à-Pitre / San Juan / Haïti |
| | 11h10 / 17h30 | Pointe-à-Pitre |
| | 17h50 | Paris-Orly |
| | 19h10 | Cayenne |
| | 20h40 | Bordeaux / Lyon |
| AMERICAN AIRLINES | 7h25 | S.-Thomas / Miami / New York |
| | 10h30 | Miami |
| | 21h40 | Sainte-Lucie |
| AIR MARTINIQUE | 9h00 | S.Lucie / Grenade / Trinité |
| | 13h15 | Dominique |

EXEMPLE:     vers Pointe-à-Pitre, San Juan et Haïti
            **Ce vol partira à neuf heures moins dix.**

*1.* vers Pointe-à-Pitre

_____

*2.* vers Paris-Orly

_____

*3.* vers Cayenne

_____

*4.* vers Bordeaux et Lyon

_____

*5.* vers Saint Thomas, Miami et New York

_____

*6.* vers Miami

_____

*7.* vers Sainte-Lucie

_____

*8.* vers Sainte-Lucie, Grenade et Trinité

_____

*9.* vers Dominique

_____

## EXERCICE E

*Vous êtes en vacances et vous voulez nager dans la mer tous les jours. Consultez l'horaire des marées (tides) pour connaître les heures des hautes et des basses mers.*

|            | Heures | Hauteurs en Mètres |
|------------|--------|--------------------|
| Samedi 3   | 3h47   | 0,8                |
|            | 11h34  | 0,4                |
|            | 19h18  | 0,7                |
|            | 23h00  | 0,6                |
| Dimanche 4 | 4h36   | 0,7                |
|            | 12h03  | 0,5                |
|            | 19h36  | 0,7                |
| Lundi 5    | 0h00   | 0,6                |
|            | 5h25   | 0,7                |
|            | 12h28  | 0,5                |
|            | 19h52  | 0,7                |
| Mardi 6    | 1h01   | 0,6                |
|            | 6h16   | 0,7                |
|            | 12h48  | 0,5                |
|            | 20h10  | 0,7                |

EXEMPLE:    samedi 3
Haute mer: **à quatre heures moins treize du matin et à sept heures dix-huit du soir**
Basse mer: **à midi moins vingt-six et à onze heures du soir**

*1.* dimanche 4

_____

_____

_____

*2.* lundi 5

_____

_____

_____

*3.* mardi 6

_____

_____

_____

**EXERCICE F**

*Vos parents voudraient savoir où vous serez avec vos amis à certaines heures de la journée. Répondez à leurs questions.*

*1.* À huit heures moins vingt-cinq vous irez à la station-service pour vérifier le moteur de la voiture. Vous comptez y rester quarante-cinq minutes. À quelle heure rentrerez-vous?

_____

*2.* Vos amis et vous ferez du karaté à la M.J.C. à onze heures. Le cours durera une heure et demie. À quelle heure quitterez-vous la M.J.C.?

_____

*3.* Vous irez chez le docteur à deux heures et quart. La visite durera une demi-heure. À quelle heure quitterez-vous le cabinet du docteur?

_____

*4.* Le match que vous irez voir commencera à trois heures et quart. Il durera une heure quarante-cinq minutes. A quelle heure est-ce que le match finira?

_____

*5.* La boum se terminera à dix heures. Il vous faudra trente minutes pour revenir à la maison. À quelle heure rentrerez-vous?

_____

# [3] DAYS, MONTHS, SEASONS

| LES JOURS DE LA SEMAINE | LES MOIS DE L'ANNÉE | LES SAISONS DE L'ANNÉE |
|---|---|---|
| **lundi** *Monday* | **janvier** *January* | **le printemps** *spring* |
| **mardi** *Tuesday* | **février** *February* | **l'été** *summer* |
| **mercredi** *Wednesday* | **mars** *March* | **l'automne** *autumn* |
| **jeudi** *Thursday* | **avril** *April* | **l'hiver** *winter* |
| **vendredi** *Friday* | **mai** *May* | |
| **samedi** *Saturday* | **juin** *June* | |
| **dimanche** *Sunday* | **juillet** *July* | |
| | **août** *August* | |
| | **septembre** *September* | |
| | **octobre** *October* | |
| | **novembre** *November* | |
| | **décembre** *December* | |

NOTES:

1. Days, months, and seasons are all masculine. They are not capitalized in French.

2. To express in which months and seasons something takes place, *en* is used, except with *printemps*, when *au* is used.

| | |
|---|---|
| en juin *in June* | en été *in (the) summer* |
| en avril *in April* | en automne *in (the) autumn* |
| en septembre *in September* | en hiver *in (the) winter* |
| en mai *in May* | en printemps *in (the) spring* |

**3.** For the use of the article with days of the week, see page 211, section e.

## EXERCICE G

*Vous aurez du temps libre pendant les vacances de fin d'année. Utilisez ce calendrier pour exprimer quand vous irez voir les personnes indiquées.*

| L | M | M | J | V | S | D |
|---|---|---|---|---|---|---|
| | | 1 | 2 | 3 | 4 | 5 *Nathalie* |
| 6 *Caroline* | 7 | 8 | 9 | 10 *Martin* | 11 | 12 |
| 13 | 14 | 15 | 16 *Richard* | 17 | 18 | 19 |
| 20 | 21 *Martha* | 22 | 23 | 24 | 25 *Aileen* | 26 |
| 27 *Brenda* | 28 | 29 *France* | 30 | 31 | | |

EXEMPLE:   Caroline
          **J'irai voir Caroline le lundi 6.**

*1.* Richard

_____

*2.* Nathalie

_____

*3.* Aurore

_____

*4.* France

_____

**5.** Bette

_____

**6.** Martin

_____

## EXERCICE H

*Vous expliquez quelles sont les fêtes américaines à votre correspondant suisse. Exprimez quand chaque fête est célébrée en complétant les phrases avec le mois approprié.*

**1.** On célèbre la fête des Pères en _____ .

**2.** On célèbre Noël en _____ .

**3.** On célèbre l'anniversaire de Washington en _____ .

**4.** On vote en _____ .

**5.** On commémore les soldats morts à la guerre en _____ .

**6.** On célèbre Pâques généralement en _____ .

**7.** On célèbre le Nouvel An en _____ .

**8.** On fête la Saint-Patrick en _____ .

**9.** On met des costumes pour fêter Halloween en _____ .

**10.** On célèbre l'indépendance des États-Unis en _____ .

**11.** On célèbre la fête du Travail en _____ .

**12.** On est en plein été en _____ quand il n'y a pas de fêtes.

## EXERCICE I

*Exprimez à votre amie française en quelle(s) saison(s) on pratique ces sports.*

EXEMPLE:　**On fait du volley-ball au printemps et en été.**

1. _____

2. _____

3. _____

4. _____

5. _____

6. _____

7. _____

## [4] DATES

| | |
|---|---|
| **Quelle est la date d'aujourd' hui?** | *What is today's date?* |
| **Quel jour (de la semaine) est-ce aujourd'hui?** <br> **Quel jour sommes-nous aujourd'hui?** | *What day of the week is today?* |
| **C'est aujourd'hui jeudi.** <br> **Nous sommes jeudi.** | *Today is Thursday.* |
| **C'est aujourd'hui le premier juin.** <br> **Aujourd'hui, nous sommes le premier juin.** | *Today is June 1 (the first of June).* |
| **en dix-neuf cent quatre-vingt-seize** <br> **en mil neuf cent quatre-vingt-seize** | *en 1996* |
| **le dix juin dix-neuf cent soixante** <br> **le 10 juin 1960** | *June 10, 1960* |
| **le trente septembre deux mille quinze** | *September 30, 2015* |

NOTES:

1. In dates, *le premier* is used to express the first day of the month. For all other days, cardinal numbers are used.

2. Years are commonly expressed in hundreds, as in English. The word for "one thousand" in dates, if used, is generally written *mil*.

3. When written in numbers, the date follows the sequence day, month, year.

   12 / 1 / 45 = January 12, 1945

   7 / 8 / 69 = August 7, 1969

## EXERCICE J

*Exprimez sous quelle date de votre agenda vous noterez les commentaires suivants.*

EXEMPLE:   fête de la Saint-Patrick
           **le dix-sept mars.**

*1.* Noël

_____

*2.* Jour d'action de grâce *(Thanksgiving)*

_____

*3.* Pâques

_____

*4.* rentrée des classes

_____

*5.* début des vacances d'été

_____

*6.* élections gouvernementales

_____

*7.* célébration de l'arrivée de Christophe Colomb au Nouveau Monde

_____

*8.* fête des Mères

_____

*9.* fête des Pères

_____

*10.* Saint-Valentin

_____

## EXERCICE K

*Votre famille de France compte venir vous rendre visite cette année. Exprimez quand chaque personne viendra.*

EXEMPLE:   Oncle Dominique — 7 / 5
           **Oncle Dominique viendra le sept mai.**

*1.* Cousine Brigitte — 31 / 8

_____

**2.** Oncle Bruno — 16 / 1

_____

**3.** Cousin Benjamin — 3 / 5

_____

**4.** Tante Lise — 4 / 9

_____

**5.** Grand-mère Rose — 11 / 12

_____

**6.** Cousin Charles — 28 / 2

_____

**7.** Grand-père Marcel — 8 / 6

_____

**8.** Cousine Nadine — 15 / 10

_____

**9.** Tante Nathalie — 24 / 11

_____

**10.** Cousin Gilbert — 12 / 3

_____

**11.** Oncle Fernand — 1 / 7

_____

**12.** Cousine Bette — 5 / 4

_____

## EXERCICE L

_Exprimez en français les dates de mariage des membres de la famille Juneau._

EXEMPLE:    Pierre et Marie: 13 / 10 / 1945
            **le treize octobre mil neuf cent quarante-cinq**

**1.** Albert et Sophie: 1 / 2 / 1986

_____

**2.** Maurice et Sylvie: 12 / 6 / 1974

_____

*3.* Vincent et Christine: 21 / 12 / 1980

_____

*4.* Thierry et Claire: 20 / 4 / 2014

_____

*5.* Nicole et Arthur: 30 / 9 / 2008

_____

*6.* Jeffrey et Michèle: 31 / 3 / 1957

_____

## MASTERY EXERCISES

### EXERCICE M

*Vous regardez votre album de photos. Donnez la date et l'heure à laquelle chaque photo a été prise.*

Halloween, Wed., Oct. 31, 1983—9:15

EXEMPLE:   **C'est le mercredi trente et un octobre mil neuf cent quatre-vingt-trois, à neuf heures et quart.**

New Year—Friday, Jan. 1, 1989—half-past midnight

*1.* _____

_____

**2.** _____

_____

**3.** _____

_____

**4.** _____

_____

## EXERCICE N

*Exprimez en français quand ces personnages historiques sont nés.*

Thurs. Nov. 22, 1890

EXEMPLE: **De Gaulle est né le samedi vingt-deux novembre mil huit cent quatre-vingt-dix.**

Sun. Aug. 15, 1769

1. _____

_____

Fri. Feb. 12, 1809

2. _____

_____

Sat. Feb. 22, 1732

3. _____

_____

Sat. May 29, 1917

4. _____

_____

Mon. Jan. 15, 1929

5. _____

_____

## EXERCICE O

*Vous êtes à l'aéroport où vous écoutez des annonces sur le haut-parleur. Remplissez le tableau des arrivées avec l'horaire (schedule), le numéro du vol, et le numéro de la porte que vous entendez.*

| AÉROPORT INTERNATIONAL | | | |
|---|---|---|---|
| Arrivées – Arrivals | | | |
| HEURE | CIE | VOL | PORTE |
| 3:45 | Aer Lingus | 652 | 13 |
| 11:45 | Lufthansa | 2006 | 85 |
| 5:55 | Continental | 173 | 57 |
| 9:27 | Iberia | 1896 | 14 |
| 6:40 | Air Canada | 415 | 66 |

# Chapter 27
## Interrogatives and Exclamations

## [ 1 ]    INTERROGATIVE ADVERBS

| | | | |
|---|---|---|---|
| **combien?** | *how much? how many?* | **d où?** | *from where?* |
| **comment?** | *how?* | **pourquoi?** | *why?* |
| **où?** | *where (to)?* | **quand?** | *when?* |

Interrogative adverbs are used with inversion as well as with *est-ce que* to form questions.

**Quand** partira-t-il?

**Quand** est-ce qu'il partira? } *When will he leave?*

**Comment** est-elle?

**Comment est-ce** qu'elle est? } *What is she like?*

NOTES:

1. With *combien, comment, où, d'où,* and *quand,* when the subject is a noun, and the verb has no object, a question may be formed by inverting the order of subject and verb.

   **Combien coûte ce livre?**      *How much does this book cost?*

   **Comment s'appelle ce café?**      *What's the name of this café?*

2. In colloquial spoken French, questions are often formed by placing an interrogative adverb after the verb.

   Tu **vas où?**      *Where are you going?*

   Ce livre **coûte combien?**      *How much does this book cost?*

## EXERCICE A

*Vous êtes fort curieux (curieuse). Posez des questions à votre ami qui vient d'acheter de nouveaux vêtements.*

EXEMPLE:    Je suis allé en ville en bus. *(comment)*
**Comment es-tu allé en ville?**
**Comment est-ce que tu es allé en ville?**

1. Je suis allé à la Samaritaine. *(où)*

   _____

   _____

2. J'ai choisi ces chaussettes parce que j'aime la couleur. *(pourquoi)*

   _____

   _____

**3.** Je suis allé en ville hier *(quand)*

_____

_____

**4.** J'ai trouvé ce chapeau avec l'aide du vendeur. *(comment)*

_____

_____

**5.** J'ai payé cette cravate vingt dollars. *(combien)*

_____

_____

## EXERCICE B

*Exprimez autant de questions que vous pouvez en vous basant sur ces paragraphes.*

EXEMPLE:    Vendredi après-midi, Vincent, un touriste qui est des États–Unis, s'arrête tout d'un coup devant une boutique parce qu'il a envie d'acheter de jolis souvenirs.
**D'où est Vincent?**
**Quand s'arrête-t-il devant la boutique?**
**Comment s'arrête-t-il?**
**Où s'arrête-t-il?**
**Pourquoi s'arrête-t-il?**

**1.** Louis quitte rapidement sa dernière classe à trois heures et demie de l'après-midi parce qu'il sait que deux équipes de football vont entrer dans le stade pour jouer.

_____

_____

_____

_____

**2.** À sept heures du soir, dans sa chambre, Éliane apprend consciencieusement cinq vieilles chansons populaires de France parce qu'elle va chanter en public samedi matin.

_____

_____

_____

_____

## [ 2 ]  INTERROGATIVE ADVERBS

The interrogative adjective *quel* (which? what?) agrees with the noun it modifies.

|  | MASCULINE | FEMININE |
|---|---|---|
| SINGULAR | **quel** | **quelle** |
| PLURAL | **quelle** | **quelles** |

**Quelle** chanson préfère-t-il?        *Which song does he prefer?*

NOTES:

1. The only verb that may follow *quel* directly is *être*.

   **Quelle** est ton adresse?        *What is your address?*

2. *Quel* may be preceded by a preposition.

   **De quels** livres parlez-vous?     *About which books are you speaking?*
   **À quelle** heure viendrais-tu?     *At what time would you come?*

## EXERCICE C

*Votre amie et vous allez faire des achats en ville. Demandez-lui ce qu'elle va acheter.*

EXEMPLE:   **Quel** CD vas-tu acheter?

1. _____

2. _____

3. _____

4. _____

5. _____

6. _____

## EXERCICE D

*Complétez les questions qu'un camarade de classe vous pose pour un sondage.*

1. _____ est ton prénom?

2. _____ âge as-tu?

3. _____ sont tes passe-temps préférés?

4. _____ revues préfères-tu?

5. _____ cuisine aimes-tu le mieux?

6. _____ sports regardes-tu à la télé?

7. _____ revues as-tu envie d'acheter?

8. _____ matière préfères-tu?

## [3]  INTERROGATIVE PRONOUNS

|  | PEOPLE | THINGS |
|---|---|---|
| SUBJECT OF A VERB | **qui?**  *who?*<br>**qui est-ce qui**  *who?* | **qu'est-ce qui?**  *what* |
| DIRECT OBJECT OF A VERB | **qui?**  *whom?*<br>**qui est-ce que?**  *whom?* | **que?**  *what?*<br>**qu'est-ce que?**  *what?* |
| OBJECT OF A PREPOSITION | **qui?**  *who?*<br>**qui est-ce que?**  *who?* | **quoi?**  *what?* |

NOTE: The *e* of *que* is dropped before a word beginning with a vowel. The *i* of *qui* is never dropped.

| | |
|---|---|
| Qu'a-t-il cherché? | *What did he look for?* |
| Qui a-t-il cherché? | *Whom did he look for?* |

**a.** Interrogative pronouns as subjects

Qui and qui est-ce qui (who?) are used for people. Qu'est-ce qui (what?) is used for things. These forms are followed by the third person singular (il or elle) of the verb.

| | |
|---|---|
| Qui arrivera avec toi? | |
| Qui est-ce qui arrivera avec toi? | *Who will arrive with you?* |
| Qu'est-ce qui arrive? | *What is happening?* |

## EXERCICE E

*Votre professeur a été absent pendant quelques semaines. Exprimez les questions qu'elle a posées à son retour.*

EXEMPLE:     Claire a effacé le tableau.
              **Qui** a effacé le tableau?

Diane et Claudette ont aidé le remplaçant.

1. _____

Paul a vidé les ordures.

2. _____

Nous avons écouté attentivement.

3. _____

Tout le monde a coopéré.

4. _____

J'ai ramassé les papiers tous les jours.

5. _____

Cassandre et Claire ont organisé les groupes.

6. _____

## EXERCICE F

*Mme Venable n'a pas pu travailler. Elle vous dit pourquoi, mais vous lui demandez de répéter.*

EXEMPLE:     Le tonnerre a retenti *(resounded)*
              **Qu'est-ce qui** a retenti?

Un coup de téléphone a interrompu le silence.

1. _____

Le courrier est arrivé.

2. _____

Des alarmes de voiture se sont mises à sonner.

3. _____

Le vent a dispersé mes papiers.

4. _____

Mes stylos ont disparu.

5. _____

Un klaxon *(horn)* de voiture m'a empêchée de se concentrer.

6. _____

## EXERCICE G

*Votre mère voudrait savoir ce qui est arrivé pendant son absence. Complétez ses questions avec* **qui est-ce qui** *ou* **qu'est-ce qui.**

1. _____ est arrivé dans le courrier?

2. _____ a téléphoné?

3. _____ a fait le ménage?

4. _____ s'est passé dans ce quartier?

5. _____ a aidé ta grand-mère?

6. _____ a eu lieu devant la mairie?

7. _____ est tombé en panne *(broke down)*?

8. _____ a nettoyé la maison?

**b.** Interrogative pronouns as direct objects

*Qui* and *qui est-ce que* (whom?) are used for people. *Que* and *qu'est-ce que* (what?) are used for things.

| | |
|---|---|
| **Qui** vois-tu? | |
| **Qui est-ce que** tu vois? | *Whom do you see?* |
| **Que** vois-tu? | |
| **Qu'est-ce que** tu vois? | *What do you see?* |

NOTES:

1. After the short forms *qui* and *que*, the word order is inverted. After the long form, the word order is regular.

2. When the subject is a noun, the following constructions are possible:

| | |
|---|---|
| **Qui** David **regarde-t-il?** | |
| **Qui est-ce que** David regarde? | *Whom is David looking at?* |
| **Que** regarde David? | |
| **Qu'est-ce que** David regarde? | *What is David looking at?* |

## EXERCICE H

*Exprimez les questions que vous posez à votre nouvelle amie.*

EXEMPLE:    *(ennuyer)* **Qui est-ce que** tu ennuies?

1. *(déranger)* _____

2. *(embrasser)* _____

3. *(étonner)* _____

4. *(saluer)* _____

5. *(chercher)* _____

6. *(écouter)* _____

## EXERCICE I

*Votre ami voudrait améliorer son français. Demandez-lui comment il le fera.*

EXEMPLE:    J'écouterai des disques compacts français
           **Qu'est-ce que** tu écouteras?

Je lirai des magazines français.

1. _____

Je répéterai les mots difficiles.

2. _____

J'étudierai la grammaire.

3. _____

Je verrai des films français.

4. _____

J'achèterai des CD françaises.

5. _____

J'apprendrai des expressions françaises.

6. _____

## EXERCICE J

*Utilisez **qui** ou **que (qu')** pour poser ces questions à vos amis au sujet de la fête française à votre école.*

1. _____ prépareras-tu?

2. _____ aideras-tu?

3. _____ attendras-tu?

4. _____ feras-tu pour aider le prof?

5. _____ apporteras-tu comme dessert?

6. _____ salueras-tu?

7. _____ goûteras-tu?

8. _____ inviteras-tu?

## EXERCICE K

*Vous faites des projets avec une amie. Exprimez vos questions en utilisant* qu'est-ce qui *ou* qu'est-ce que.

1. _____ se passera au carnaval?

2. _____ tu voudrais faire ce week-end?

3. _____ te ferait le plus plaisir?

4. _____ serait amusant de faire?

5. _____ tu voudras manger ce soir?

6. _____ tu proposes d'autre?

**c.** Interrogative pronouns as objects of prepositions

A preposition + *qui* is used to refer to people.

À **qui** pense-t-elle?               *Whom is she thinking about?*

De **qui** as-tu besoin?            *Whom do you need?*

A preposition  + *quoi* is used to refer to things.

À **quoi** pense-t-elle?              *What is she thinking about?*

De **quoi** as-tu besoin?          *What do you need?*

NOTES:

1. *Est-ce que* may be used in place of inversion.

À **qui** est-ce qu'elle pense?    De **qui** est-ce que tu as besoin?

À **quoi** est-ce qu'elle pense?   De **quoi** est-ce que tu as besoin?

2. *À qui* (whose?) is used to show possession. *De qui* (whose?) is used to show relationship.

À **qui** est ce livre?               *Whose book is this?*

De **qui** es-tu la petite amie?    *Whose girlfriend are you?*

## EXERCICE L

*Lucien et ses collègues travaillent pour améliorer la société. Exprimez les questions que vous lui posez en employant* **quoi.**

EXEMPLE:     Nous comptons sur les contributions de tous les habitants.
              **Sur quoi** comptez-vous?

Nous luttons contre la pollution.

1. _____

Nous avons besoin de votre aide.

2. _____

Nous travaillons avec un ordinateur.

3. _____

Nous manifestons souvent devant la mairie.

4. _____

Nous pensons à l'avenir de la planète.

5. _____

Nous laissons nos brochures dans les boîtes aux lettres.

6. _____

## EXERCICE M

*Corinne travaille cet été. Posez-lui des questions sur son expérience en vous basant sur les expressions en caractères gras et en utilisant* **qui.**

Au travail, je suis polie **envers les employés,** mais je me fâche souvent **contre Jean-Paul.** Je travaille **pour M. Fortin.** J'obéis toujours **à mon patron** car j'ai peur **de lui.** Le week-end, je m'amuse **avec mes amis** et je vais **chez mes grands-parents.** L'été va vite passer!

EXEMPLE:     **Envers qui es-tu polie?**

1. _____

2. _____

3. _____

4. _____

5. _____

6. _____

## EXERCICE N

*Vous cherchez à mieux connaître le nouveau membre de votre équipe de foot. En utilisant une préposition suivie de **qui** ou **quoi**, posez-lui les questions qui correspondent à ses réponses.*

EXEMPLE:    J'ai peur de me blesser.
    **De quoi as-tu peur?**

Je me dispute avec l'arbitre.

1. _____

J'obéis toujours aux règles.

2. _____

Je rêve de devenir célèbre.

3. _____

Je m'exerce avec des haltères *(weights)* tous les jours.

4. _____

Je me renseigne sur les projets de l'équipe.

5. _____

J'ai de l'admiration pour toi.

6. _____

Je me défends contre les attaquants de l'autre équipe.

7. _____

Je m'indigne contre les décisions injustes de l'arbitre.

8. _____

Je pense aux autres membres de l'équipe.

9. _____

Je compte sur mes copains.

10. _____

Je me méfie des stratégies trop complexes.

11. _____

Je me plains du gardien de but *(goalie)*.

12. _____

## [4]   VARIABLE INTERROGATIVE PRONOUNS

The interrogative pronoun *lequel* (which? which one[s]?) agrees in number and gender with the noun to which it refers.

|          | MASCULINE | FEMININE   |
|----------|-----------|------------|
| SINGULAR | **lequel**    | **laquelle**   |
| PLURAL   | **lesquels**  | **lesquelles** |

| | |
|---|---|
| **Lequel** de ces livres as-tu lu? | *Which (one) of these books did you read?* |
| **Lesquels** de ces livres as-tu lus? | *Which (ones) of these books did you read?* |
| **Laquelle** de ces chansons préfères-tu? | *Which (one) of these songs do you prefer?* |
| **Laquelles** de ces chansons préfères-tu? | *Which (ones) of these songs do you prefer?* |

N O T E :  When *à* and *de* are used before forms of *lequel*, the usual contractions take place.

|          | MASCULINE | FEMININE    |
|----------|-----------|-------------|
| SINGULAR | **auquel**    | **à laquelle**  |
|          | **duquel**    | **de laquelle** |
| PLURAL   | **auxquels**  | **auxquelles**  |
|          | **desquels**  | **desquelles**  |

| | |
|---|---|
| **Auquel** de tes amis as-tu parlé? | *To which one of your friends did you speak?* |
| **Desquelles** de ces filles se souvient-il? | *Which ones of these girls does he remember?* |

## EXERCICE O

*Une amie vous raconte ce qu'elle a fait en France. Posez-lui des questions.*

EXEMPLE:     J'ai visité une tour.
            **Laquelle?**

*1.* J'ai acheté des chemises.

_____

*2.* J'ai lu des journaux français.

_____

*3.* J'ai vu un film.

_____

*4.* J'ai visité des monuments.

_____

*5.* J'ai loué une voiture.

_____

**6.** J'ai traversé un fleuve.

_____

**7.** J'ai célébré une fête.

_____

**8.** J'ai goûté des spécialités.

_____

## EXERCICE P

_Vous cherchez à savoir quels goûts vous avez en commun avec vos amis. Demandez-leur des précisions sur ce qu'ils aiment et ce qu'ils font en utilisant les formes appropriées de_ **lequel.**

EXEMPLE:    Nous allons à la pâtisserie tous les jours.
            **À laquelle allez-vous?**

**1.** Nous jouons souvent aux jeux vidéos.

_____

**2.** Hugo pense toujours à une copine.

_____

**3.** Je m'intéresse aux nouvelles technologies.

_____

**4.** Luc et moi, nous participons de temps en temps à un débat politique.

_____

**5.** Elles aiment participer à des conférences.

_____

**6.** Mariel va au cinéma tous les samedis.

_____

## EXERCICE Q

_Bertrand est assez vague quand il parle de lui-même. Demandez-lui des précisions en posant des questions avec les formes appropriées de_ **lequel.**

EXEMPLE:    Je me souviens de mes vacances.
            **Desquelles te souviens-tu?**

**1.** Je discute de mes problèmes avec mes parents.

_____

**2.** Je joue d'un instrument de musique.

_____

**3.** Je m'occupe de plusieurs organisations.

_____

**4.** Je suis membre d'une troupe de théâtre.

_____

**5.** Je me moque de mon copain.

_____

# [5]    EXCLAMATIONS

The forms of *quel* are used in exclamations to express "what a ... !" or "what ... !"

| | |
|---|---|
| **Quel** beau film! | *What a beautiful film!* |
| **Quels** bâtiments modernes! | *What modern buildings!* |

NOTE:   In an exclamation with quel, the adjective in the sentence stays in its usual position.

| | |
|---|---|
| Quelle **belle femme**! | *What a beautiful woman!* |
| Quelles **fleurs superbes**! | *What marvelous flowers!* |

## EXERCICE R

*Tout vous enthousiasme! Exprimez comment vous vous exclamez en voyant les choses suivantes.*

EXEMPLE:   luxueux
            **Quello voiture luxueuse!**

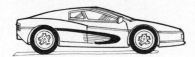

**1.** passionnant

_____

**2.** charmant

_____

**3.** appétissant

_____

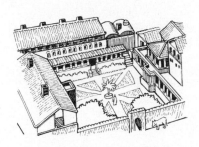

**4.** ancien

_____

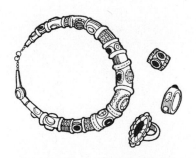

**5.** précieux

_____

**6.** formidable

_____

**7.** vieux

_____

**8.** puissant

_____

# M A S T E R Y   E X E R C I S E S

## EXERCICE S

*Exprimez autant de questions possibles en vous basant sur les situations décrites.*

**1.** Richard prend la voiture de son père. Il conduit David en ville. Ils décident d'aller à un match de foot parce que leur équipe, les Loups, participe au championnat. Ce match sera vraiment excellent. Les deux garçons rentreront après minuit.

_____

_____

_____

_____

_____

**2.** Margot reçoit un cadeau de son petit ami Paul. Quand elle déballe *(unwraps)* le paquet, une carte tombe par terre. Elle lit la carte et elle est très heureuse. Paul dit qu'il l'adore. Margot est très curieuse. Elle ouvre son cadeau. Quelle surprise! Paul lui a acheté une jolie bague en or.

_____

_____

_____

_____

_____

_____

## EXERCICE T

*Mme Rose est une dame de 85 ans qui est toujours très alerte. Complétez les questions que des amis se posent à son égard. Utilisez l'expression interrogative appropriée.*

| | | |
|---|---|---|
| à qui | desquels | quelles |
| à quoi | laquelle | qu'est-ce qui |
| auxquels | que | qui |
| de quoi | quel | sur qui |

1. _____ téléphone-t-elle quand elle a des problèmes? À ses voisins ou à ses enfants?

2. _____ compte-t-elle dans un cas d'urgence? Sur sa meilleure amie ou sur sa fille?

3. _____ s'occupe-t-elle pendant son temps libre? De sa maison ou de son club?

4. _____ de ses petits-enfants se vante-t-elle toujours? De ses petits-fils ou de ses petites-filles?

5. _____ l'intéresse le plus? L'art ou la musique?

6. _____ émissions de télévision préfère-t-elle? Les documentaires ou les comédies?

7. _____ de ses filles lui rend toujours visite? Annette ou Marie?

8. _____ des magasins du quartier va-t-elle tous les jours?

9. _____ fait-elle toute la soirée? Regarde-t-elle la télé ou écoute-t-elle la radio?

10. _____ s'occupe d'elle quand elle est malade? Sa sœur ou sa cousine?

11. _____ pense-t-elle souvent? Au passé ou au présent?

12. _____ est son passe-temps favori? Tricoter *(to knit)* ou lire?

## EXERCICE U

*Faites une enquête et ensuite exprimez l'opinion d'un(e) de vos camarades de classes en employant la forme correcte de quel.*

**EXEMPLE:**

**Quel repas somptueux.**

1. _____

2. _____

3. _____

4. _____

5. _____

6. _____

# Chapter 28
## Possession

## [ 1 ] EXPRESSING POSSESSION

**a.** In French, possession and relationship are expressed by the préposition *de*.

| | |
|---|---|
| la voiture **d'**Henri | *Henri's car* |
| les poupées **de** Michèle | *Michèle's dolls* |
| le cabinet **du** doctor | *the doctor's office* |
| le toit **de la** maison | *the roof of the house* |
| la maîtresse **des** élèves | *the pupils' teacher* |

NOTE: *De* is repeated before each noun.

le père **de** Marc et **de** Jean    *Marc and John's father*

## EXERCICE A

*Vous êtes en vacances avec des amis. Expliquez à qui appartiennent les objets qui se trouvent dans votre chambre.*

EXEMPLES:  le tee-shirt / Dominique          les maillots de bain / garçons
C'est le tee-shirt **de** Dominique.    Ce sont les maillots de bain **des** garçons

*1.* le bikini / Caroline

_____

*2.* les lunettes de soleil / Jacques

_____

*3.* la lotion / filles

_____

*4.* le CD / mon ami

_____

*5.* les chemises / garçons là-bas

_____

*6.* la raquette / instructeur

_____

*7.* la planche à voile / directeur des sports

_____

*8.* la chemise / fille

_____

**b.** The idiom *être à* (to belong to) is also used to express possession.

| | |
|---|---|
| Ce livre **est à** Jeanne. | *This book belongs to Jeanne.* |
| Ces magazines **sont à** eux. | *These magazines belongs to them.* |

NOTES:

**1.** *À* is repeated before each noun

| | |
|---|---|
| Ces CD sont **à** Charles et **à** Mathieu | *These CD belong to Charles and Mathieu.* |

**2.** In questions, forms of *être à* are used as follows.

| | |
|---|---|
| **À qui est** ce chapeau? | *To whom does this hat belong?* |
| | *(Whose hat is this?)* |
| **À qui sont** ces stylos? | *To whom do these pens belong?* |
| | *(Whose pens are these?)* |

## EXERCICE B

*Vous travaillez au bureau des objets trouvés à l'aéroport. Exprimez à qui appartiennent les choses oubliées par certains voyageurs.*

EXEMPLES:   M. Olivier
**À qui est l'agenda?**
**Il est à M. Olivier.**

filles
**À qui sont les magazines?**
**Ils sont aux filles.**

*1.* Paul

_____

_____

*2.* garçon là-bas

_____

_____

**3.** touristes français

_____

_____

**4.** cette dame

_____

_____

**5.** femmes assises à droite

_____

_____

**6.** la jeune Anglaise

_____

_____

## EXERCICE C

*Vous demandez à des amis à qui sont toutes les choses que vous avez trouvées dans votre garage. Exprimez leurs réponses.*

EXEMPLE:   Ces livres sont à Gérard?
           Oui, ils **sont à** lui.

**1.** Cette bicyclette est à toi, Rosalie?

_____

**2.** Ces valises sont à Clara et à Marie?

_____

**3.** Cette serviette est à Lise?

_____

**4.** Ces jouets sont à Aurélie et à moi?

_____

**5.** Ces affiches sont à Jacques et à Thomas?

_____

**5.** Ces outils sont à vous, Paul et Richard?

_____

**7.** Ce tableau est à M. Deschamps?

_____

**8.** Ces boîtes sont à moi?

_____

# [ 2 ] POSSESSIVE ADJECTIVES

| SINGULAR | | PLURAL | |
|---|---|---|---|
| MASCULINE | FEMININE | | |
| **mon** | **ma** | **mes** | *my* |
| **ton** | **ta** | **tes** | *your* (familiar) |
| **son** | **sa** | **ses** | *his, her, its* |
| **notre** | **notre** | **nos** | *our* |
| **votre** | **votre** | **vos** | *your* (formal) |
| **leur** | **leur** | **leurs** | *their* |

NOTES:

1. Possessive adjectives, like other adjectives, agree with the nouns they modify. They are repeated before each noun.

   | | |
   |---|---|
   | **ma** tante et **mon** oncle | *my aunt and uncle* |
   | **vos** cahiers et **votre** manuel | *your notebooks and your textbook* |
   | **leurs** amis et **ta** cousine | *their friends and your cousin* |

2. The forms *mon, ton,* and *son* are used instead of *ma, ta,* and *sa* before a féminine singular noun beginning with a vowel or a silent *h*.

   | | |
   |---|---|
   | **mon** hôtesse | *my hostess* |
   | **ton** amitié | *your friendship* |
   | **son** étudiante | *his (her) student* |

3. With parts of the body, the possessive adjective is frequently replaced by the definite article if the possessor is clear.

   | | |
   |---|---|
   | J'ai mal à **la** gorge. | *My throat is sore.* |
   | Il porte son sac sur **le** dos | *He carries his bag on his back.* |

## EXERCICE D

*Vous êtes très en retard pour un rendez-vous en ville. Exprimez les questions que vous posez à votre mère et ses réponses.*

EXEMPLE: Où est **mon** jean?
**Ton** jean? Le voici.

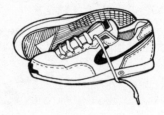

1. _____

2. _____

_____

_____

3. _____

4. _____

_____

_____

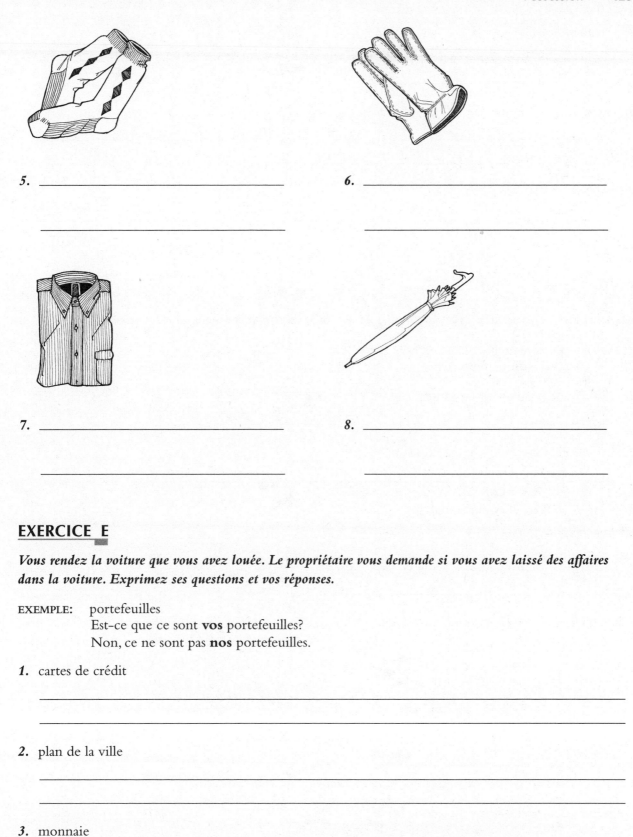

5. _____

_____

6. _____

_____

7. _____

_____

8. _____

_____

## EXERCICE E

*Vous rendez la voiture que vous avez louée. Le propriétaire vous demande si vous avez laissé des affaires dans la voiture. Exprimez ses questions et vos réponses.*

EXEMPLE:    portefeuilles
            Est-ce que ce sont **vos** portefeuilles?
            Non, ce ne sont pas **nos** portefeuilles.

**1.** cartes de crédit

_____

_____

**2.** plan de la ville

_____

_____

**3.** monnaie

_____

_____

**4.** chèques de voyage

_____

_____

**5.** agenda

_____

_____

**6.** journaux

_____

_____

## EXERCICE F

*Brigitte est très curieuse à propos des familles de ses amis. Exprimez les réponses à ses questions.*

EXEMPLE:    Le père de Nicole est riche?
            Oui, **son** père est riche.

**1.** La mère de Damien est française?

_____

**2.** Les cousines de Diane sont ambitieuses?

_____

**3.** L'oncle de Rachel est ingénieur?

_____

**4.** Les grands-parents de Martin sont en bonne santé?

_____

**5.** Le fils aîné de M. Moulin est en Afrique?

_____

**6.** La sœur de Catherine est blonde?

_____

## EXERCICE G

*Ces personnes sont parties en voyage. Exprimez ce qu'elles ont emporté avec elles.*

EXEMPLE:    Laure et Viviane / plans de la ville
            Elles ont emporté **leurs** plans de la ville.

**1.** Mathilde et Lise / journal intime

_____

**2.** les Charpentier / caméra

_____

**3.** les grands-parents de Maurice / médicaments

_____

**4.** Odile et Louis / réveille-matin

_____

**5.** tous les voyageurs / valises

_____

**6.** M. et Mme Solange / cartes de crédit

_____

**7.** Benjamin et Étienne / dictionnaire bilingue

_____

**8.** les Jarreau / guide gastronomique

_____

## EXERCICE H

*Exprimez comment vous avez aidé votre copain à préparer sa surprise-partie en utilisant les pronoms possessifs corrects dans vos réponses.*

EXEMPLES:  Tu as dépensé l'argent de Suzanne?
           Oui, j'ai dépensé **son** argent.

           Tu as rangé le salon des Arnaud?
           Oui, j'ai rangé **leur** salon.

**1.** Tu as invité les amis de Nancy?

_____

**2.** Tu as emprunté la table de M. Léon?

_____

**3.** Tu as pris les CD de Clémence et de Jean?

_____

**4.** Tu as suivi les instructions de Paul?

_____

**5.** Tu as trouvé le numéro de téléphone de Jérôme?

_____

**6.** Tu as emballé les cadeaux de Tom et de Robert?

_____

**7.** Tu as emprunté l'appareil-photo de Nathalie et d'Arthur?

_____

**8.** Tu as décoré la maison des Arnaud?

_____

## EXERCICE I

_Exprimez de quoi ces personnes parlent lors d'une discussion personnelle._

EXEMPLE:    Richard parle de **ses** disputes.

**1.** Benjamin parle de _____ famille.

**2.** Vous parlez de _____ rêves.

**3.** Tu parles de _____ espoirs.

**4.** Marc et Laurent parlent de _____ bonheur.

**5.** Je parle de _____ peur de l'altitude.

**6.** Lydie et Claire parlent de _____ idées.

**7.** Nous parlons de _____ problème.

**8.** Jeanne exprime _____ opinion personnelle.

## EXERCICE J

_Exprimez ce qui est arrivé à ces personnes maladroites. Complétez les phrases avec un article défini ou un pronom possessif selon le cas._

**1.** Florin s'est coupé _____ doigt alors qu'il préparait une salade.

**2.** Les filles ont laissé tomber _____ livres quand elles couraient vers le bus.

**3.** Hélène s'est blessée à _____ main pendant un match de volley-ball.

**4.** Christophe a perdu _____ clef quand il traversait le parc.

**5.** Les garçons ont oublié _____ ballon quand ils sont partis du stade.

**6.** Georges a laissé tomber _____ lunettes au café.

## M A S T E R Y   E X E R C I S E S

### EXERCICE K

*Robert et Julie bavardent devant leurs maisons. Robert, qui n'arrive pas à entendre à cause du bruit, pose des questions à son amie. Complétez leur conversation.*

EXEMPLE:   JULIE:   Jacqueline a un problème. Elle va le résoudre.
  ROBERT:   Qu'est-ce qu'elle va résoudre?
  JULIE:   **Son problème.**

*1.* JULIE:   Martin a une nouvelle chemise. Il va la prêter à Pierre.

  ROBERT:   Qu'est-ce qu'il va prêter à Pierre?

  JULIE:   _____

*2.* JULIE:   J'ai un nouveau CD. Je vais l'écouter dans un moment.

  ROBERT:   Qu'est-ce que tu vas écouter?

  JULIE:   _____

*3.* JULIE:   Georges et Paul ont un chien. Ils le promènent chaque jour au parc.

  ROBERT:   Qu'est-ce qu'ils promènent au parc?

  JULIE:   _____

*4.* JULIE:   Nous avons des compositions à écrire. Nous pouvons les écrire ensemble.

  ROBERT:   Qu'est-ce que nous pouvons écrire ensemble?

  JULIE:   _____

*5.* JULIE:   Claire a de nouveaux vêtements. Elle va les mettre pour ma boum.

  ROBERT:   Qu'est-ce qu'elle va mettre pour ta boum?

  JULIE:   _____

*6.* JULIE:   Louis et Didier ont deux vieilles voitures. Ils vont les réparer.

  ROBERT:   Qu'est-ce qu'ils vont réparer?

  JULIE:   _____

*7.* JULIE:   Grégoire a reçu une écharpe d'Anne. Il l'a perdue.

  ROBERT:   Qu'est-ce qu'il a perdu?

  JULIE:   _____

*8.* JULIE:   Tu as des parents sympathiques. Tu dois les écouter.

  ROBERT:   Qui est-ce que je dois écouter?

  JULIE:   _____

## EXERCICE L

*Aline aime bien parler de sa famille avec ses amis. Complétez sa conversation avec les adjectifs possessifs appropriés.*

ALINE: Mes cousins et moi, nous passons tout _____ temps libre ensemble.
1.

DIANE: Vous avez les mêmes goûts?

ALINE: Oui. Tiens, maintenant je vais assister à la compétition de nation de _____ cousin Robert.
2.

_____ équipe a gagné le championnat l'année passée. Demain je vais aller voir _____
3.                                                                                4.

cousine Danielle jouer dans une pièce à l'école. _____ rôle est très important. _____
5.                                          6.

profs disent qu'elle pourrait devenir actrice. Et ce week-end, mes cousins viendront voir

_____ match de tennis. _____ adversaire ne joue pas si bien que moi.
7.                          8.

DIANE: Tes cousins habitent-ils loin de _____ maison?
9.

ALINE: Non, _____ quartier n'est pas loin du tout. De plus, _____ parents travaillent avec
10.                                                              11.

_____ père et _____ frères. Comme tu vois, _____ famille est trè proche.
12.           13.                                14.

## EXERCICE M

*Écrivez un email à votre correspondant(e) français(e) où vous parlez de votre famille et de vos amis.*

# Chapter 29
# Demonstratives

## [ 1 ] DEMONSTRATIVE ADJECTIVES

Demonstrative adjectives indicate or point out the person or thing referred to *(this, that, these, those)*.

| | | | |
|---|---|---|---|
| **ce** | before a masculine singular noun beginning with a consonant | **ce lieu** | *this (that) place* |
| **cet** | before a masculine singular noun beginning with a vowel or a silent **h** | **cet océan** **cet hôtel** | *this (that) ocean* *this (that) hotel* |
| **cette** | before a feminine singular noun | **cette fille** **cette amie** | *this (that) girl* *this (that) girlfriend* |
| **ces** | before all plural nouns | **ces lieux** **ces océans** **ces hôtels** **ces filles** **ces amies** | *these (those) places* *these (those) oceans* *these (those) hotels* *these (those) girls* *these (those) girlfriends* |

| | |
|---|---|
| **Cette** robe est très élégante. | *This (That) dress is very elegant.* |
| **Cet** avion est moderne. | *This (That) plane is modern.* |
| J'aime **ce** style. | *I like this (that) style.* |
| As-tu vu **ces** films? | *Have you seen these (those) films?* |

NOTES:

1. Demonstrative adjectives precede and agree with the nouns they modify.

2. The demonstrative adjective is repeated before each noun.

| | |
|---|---|
| **cet** homme et **cette** femme | *that man and that woman* |
| **ces** poèmes et **ces** pièces | *these poems and plays* |

3. If it is necessary to distinguish between "this" and "that" or between "these" and "those," *ci* and *là* are added with hyphens to the nouns that are being compared for clarity, emphasis, or contrast. For "this" or "these," *-ci* is added; for "that" or "those," *-là* is added.

| | |
|---|---|
| **Cette** chemise**-ci** ou **cette** chemise**-là**? | *This shirt or that shirt?* |
| **Ces** légumes**-ci** et **ces** légumes**-là**. | *These vegetables and those vegetables.* |

## EXERCICE A

*Vous voulez redécorer votre chambre. Demandez les prix de ces articles que vous aimeriez acheter.*

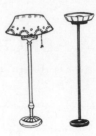

EXEMPLES:    Combien coûte **ce** lit?          Combien coûtent **ces** lampadaires?

1. _____    2. _____

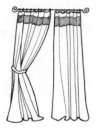

3. _____    4. _____

5. _____    6. _____

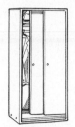

7. _____

8. _____

9. _____

10. _____

## EXERCICE B

*Vous faites le tour de Paris avec des amis. Exprimez ce que vous vous exclamez durant votre promenade.*

EXEMPLE:     boulevard magnifique
              Regardez **ce** boulevard magnifique!

*1.* jolie tour

_____

*2.* immeuble moderne

_____

*3.* rues étroites

_____

*4.* édifices incomparables

_____

*5.* musée renommé

_____

*6.* avenue grandiose

_____

**7.** magasins élégants

_____

**8.** arbres fleuris

_____

## EXERCICE C

_Vous êtes dans une boutique française et vous voulez voir tous les vêtements à la mode cet été. Exprimez ce que vous dites au vendeur._

EXEMPLE:    ici

                  **Montrez–moi ces baskets–ci.**

**1.** ici

_____

**2.** là

_____

**3.** là

_____

**4.** ici

_____

**5.** là

_____

**6.** là

_____

**7.** là

_____

**8.** ici

_____

## EXERCICE D

*Exprimez votre opinion sur ces choses françaises en formant des phrases avec des adjectifs de votre choix.*

EXEMPLE:    tour Eiffel: monument
                **Ce** monument est grand.

*1.* le football: sport

_____

*2.* Charles de Gaulle: aéroport

_____

*3.* la quiche et la bouillabaisse: plats

_____

*4.* Paris: ville

_____

*5.* les Champs Élysées: avenue

_____

*6.* le Sacré-Cœur et Notre Dame: églises

_____

*7.* l'eau minérale Évian: boisson

_____

*8.* le centre Pompidou: édifice

_____

## [ 2 ]    DEMONSTRATIVE PRONOUNS

Demonstrative pronouns also indicate or point ont the person or thing referred to.

|  | MASCULINE | FEMININE |  |
|---|---|---|---|
| SINGULAR | **celui** | **celle** | *this one, that one, the one* |
| PLURAL | **ceux** | **celles** | *these, those, the ones* |

Je vais lire ce poème et **celui** de Jan.        *I am going to read this poem and Jan's.*
Il préfère ces plantes-ci à **celles**-là.        *He prefers these plants to those.*

**a.** Demonstrative pronouns agree with the nouns they refer to.

Donnez-moi ces pommes-ci et **celles**-là.        *Give me these apples and those.*
J'adore ce pantalon-ci et **celui**-là.        *I love this pair of pants and that one.*

**b.** *Celui* and its forms are not used alone. They are generally used with one of the following: *de, -ci, -là, qui, que.*

(1) **celui de, celle de** — *the one of, that of*
**ceux de, celles de** — *the ones of, those of*

Je cherche mon livre et **celui** de Paul. — *I'm looking for my book and Paul's.*

(2) **celui-ci, celle-ci** — *this (one), the latter*
**ceux-ci, celles-ci** — *these, the latter*
**celui-là, celle-là** — *that (one), the former*
**ceux-là, celles-là** — *those, the former*

Regarde ces robes. Préfères-tu **celles-ci** ou **celles-là?** — *Look at these dresses. Do you prefer these or those?*
Le prof parle de Rodin et de Degas. **Celui-ci** était peintre et **celui-là** était sculpteur. — *The teacher is talking about Rodin and Degas. The latter was a painter and the former was a sculptor.*

(3) **celui qui, celle qui** — *the one that* (subject)
**ceux qui, celles qui** — *the ones (those) that* (subject)
**celui que, celle que** — *the one that* (object)
**ceux que, celles que** — *the ones (those) that* (object)

Je préfère **celui qui** est sur la table. — *I prefer the one that is on the table.*
**Celui que** j'aime est sur la table. — *The one I like is on the table.*

## EXERCICE E

*Vos parents voudraient déménager. Ils comparent des photos de deux maisons qu'ils ont vues. Exprimez ce que vous pensez de chaque maison.*

EXEMPLE: Il y a une piscine. *(économique / jolie)*
**Celle-ci** est plus économique.
**Celle-là** est plus jolie.

**1.** Il y a un garage. *(haut / large)*

**2.** Il y a une cuisine. *(moderne / ancienne)*

**3.** Il y a des cheminées. *(utiles / décoratives)*

**4.** Il y a un jardin. *(classique / naturel)*

_____

_____

**5.** Il y a une entrée. *(petite / grande)*

_____

_____

**6.** Il y a des escaliers. *(étroits / dangereux)*

_____

_____

**7.** Il y a des salles de bains. *(anciennes / pratiques)*

_____

_____

**8.** Il y a des balcons. *(larges / ensoleillés)*

_____

_____

## EXERCICE F

*Nadine compare ses amis. Complétez ses phrases avec les formes correctes de* **celui-ci** *ou de* **celui-là***.*

**1.** Nicolas et Julien font de la musculation tandis que Bernard et Charles dorment. _____

sont faibles et _____ sont plus forts.

**2.** Lise prête toutes ses affaires à ses amies tandis que Lucie ne veut rien partager. _____ est

généreuse et _____ est égoïste.

**3.** Michel réfléchit toujours avant d'agir. Son frère, lui, prend ses décisions spontanément.

_____ est impulsif et _____ est sérieux.

**4.** Marie et sa sœur sont polies tandis que Lilou et sa sœur ne le sont pas. _____ sont mal

élevées et _____ sont bien élevées.

**5.** Les Marchand viennent de France tandis que les Smith viennent des États-Unis. _____

sont américains et _____ sont européens.

## EXERCICE G

*Une camarade de classe discute avec vous. Exprimez ce qu'elle dit pour vous impressionner.*

EXEMPLE: Le poste de ma mère est important.
**Celui** de ma mère est encore plus important.

*1.* La maison de mes grands-parents est splendide.

_____

*2.* L'écran de ma télé est grand.

_____

*3.* Les voitures de mes parents sont luxueuses.

_____

*4.* Le jardin de ma maison est magnifique.

_____

*5.* L'ordinateur de mon frère est sophistiqué.

_____

*6.* Les musiciens de mon groupe de rock sont doués *(talented)*.

_____

*7.* L'usine de mon père est renommée.

_____

*8.* Les amies de ma sœur sont jolies.

_____

## EXERCICE H

*Comparez la ville de Paris avec celle de New York en utilisant un pronom démonstratif.*

EXEMPLES: La population de Paris est diverse.
**Celle** de New York est aussi diverse.
Le climat de Paris est doux.
**Celui** de New York est moins doux.

*1.* Le maire de Paris est consciencieux.

_____

*2.* Les édifices de Paris sont modernes.

_____

*3.* Les fêtes de Paris sont formidables.

_____

*4.* La vie intellectuelle de Paris est impressionnante.

_____

*5.* La circulation de Paris est intense.

_____

*6.* Les restaurants de Paris sont chers.

_____

## EXERCICE I

*Exprimez votre opinion en choisissant la forme correcte du pronom démonstratif.*

EXEMPLES:   (la femme)  **Celle** qui chante bien est Pauline.
                (le livre)    Ce livre n'est pas **celui** que je veux.

*1.* (le dessert)   C'est _____ que je choisis.

*2.* (l'ami)      Jean est _____ qui aide les autres.

*3.* (le docteur)   _____ qui guérit les malades est un bon docteur.

*4.* (la fille)     C'est _____ qui sourit toujours.

*5.* (les films)   Je préfère _____ qui sont amusants.

*6.* (les garçons)  _____ que nous connaissons sont sympathiques.

## [ 3 ] *CECI, CELA, ÇA*

The démonstrative pronouns *ceci* (this) and *cela / ça* (that) refer to things indicated or pointed to but not named. *Cela* refers to something already mentioned and ceci introduces something new.

| | |
|---|---|
| Montrez-lui **ceci.** | *Show him this.* |
| Qui a écrit **ceci?** | *Who wrote this?* |
| **Cela (Ça)** me rend triste. | *That makes me sad.* |
| Qu'est-ce que c'est que **cela (ça)?** | *What is that?* |

NOTES:

1. *Ça* often replaces *cela* in spoken French.

2. *Ceci* refers to an object near the speaker, *cela* to one distant.

| | |
|---|---|
| Quand il prépare son dîner sur la cuisinière et dans le four à micro-ondes il dit: «**Ceci** est plus efficace que **cela**.» | *When he préparés his dinner on the stove and in the microwave oven he says, "This is more efficient than that."* |

## EXERCICE J

*Mme Maupin aime parler de tout à ses voisins. Complétez ses phrases en utilisant* ceci *ou* cela.

1. _____ va te choquer. Thierry quitte son poste.

2. Il va se passer _____ : on va fermer l'usine de la ville.

3. Claire a reçu son diplôme. _____ m'a surprise.

4. M. Fanon fait les courses pour sa femme. _____ m'amuse.

5. Les Carter déménagent? _____ m'est égal.

6. Écoutez _____ : les Brassard vont aller aux Caraïbes!

7. Paul a réussi son bac. _____ me semble parfaitement naturel.

8. Vous ne voulez pas entendre _____ ? Quel dommage!

## EXERCICE K

*Exprimez les sentiments de Lucien en formant des phrases avec* ça.

EXEMPLE:  Tu veux monter en haut de la tour Eiffel? *(non / rendre nerveuse)*
Non, **ça** me rend nerveuse.

1. Tu veux aller au match de foot? *(oui / amuser)*

   _____

2. Tu veux une grosse tranche de gâteau au chocolat avec de la glace? *(non / rendre malade)*

   _____

3. Tu veux monter en haut de la statue de la Liberté? *(non / donner le vertige)*

   _____

4. Tu veux faire du parachutisme? *(non / faire peur)*

   _____

5. Tu veux aller à un concert de rock? *(oui / passionner)*

   _____

6. Tu veux aller voir une exposition? *(oui / intéresser)*

   _____

# MASTERY EXERCISES

## EXERCICE L

*Vous venez de recevoir vos cadeaux de Noël. Décrivez huit de ces cadeaux en utilisant des adjectifs démonstratifs.*

| | |
|---|---|
| affiche | montre |
| carte cadeau | portable |
| chemises | robe de chambre |

EXEMPLE:    **Ce** livre est intéressant.

1. _____

2. _____

3. _____

4. _____

5. _____

6. _____

7. _____

8. _____

## EXERCICE M

*Comparez ces personnes et ces situations.*

EXEMPLE:    **Celui-ci** est aimable. **Celui-là** est méchant.

1. _____

2. _____

3. _____

4. _____

5. _____

**6.** _____

**7.** _____

**8.** _____

## EXERCICE N

*Faites une enquête. Poses ces questions à des camarades et notez leurs réponses.*

EXEMPLE:   Lequel de ces spectacles préférerais-tu voir? Un film ou un concert?
**Louis préférerait voir celui-là (celui-ci).**

**1.** Lequel de ces  genres de film préféreriez-vous voir? Un film d'horreur ou une comédie?

_____

**2.** Laquelle de ces voitures achèterais-tu? Une Porsche ou une Jaguar ?

_____

**3.** Lesquels de ces desserts choisirais-tu? Des fruits ou des gâteaux ?

_____

**4.** Lesquels de ces cadeaux aimerais-tu mieux recevoir? Des CD ou des vêtements?

_____

**5.** Laquelle de ces choses voudrais-tu posséder? La santé ou la richesse?

_____

**6.** Lequel de ces sports regarderais-tu à la télé? Le tennis ou le base-ball?

_____

# Part four
## Word Study

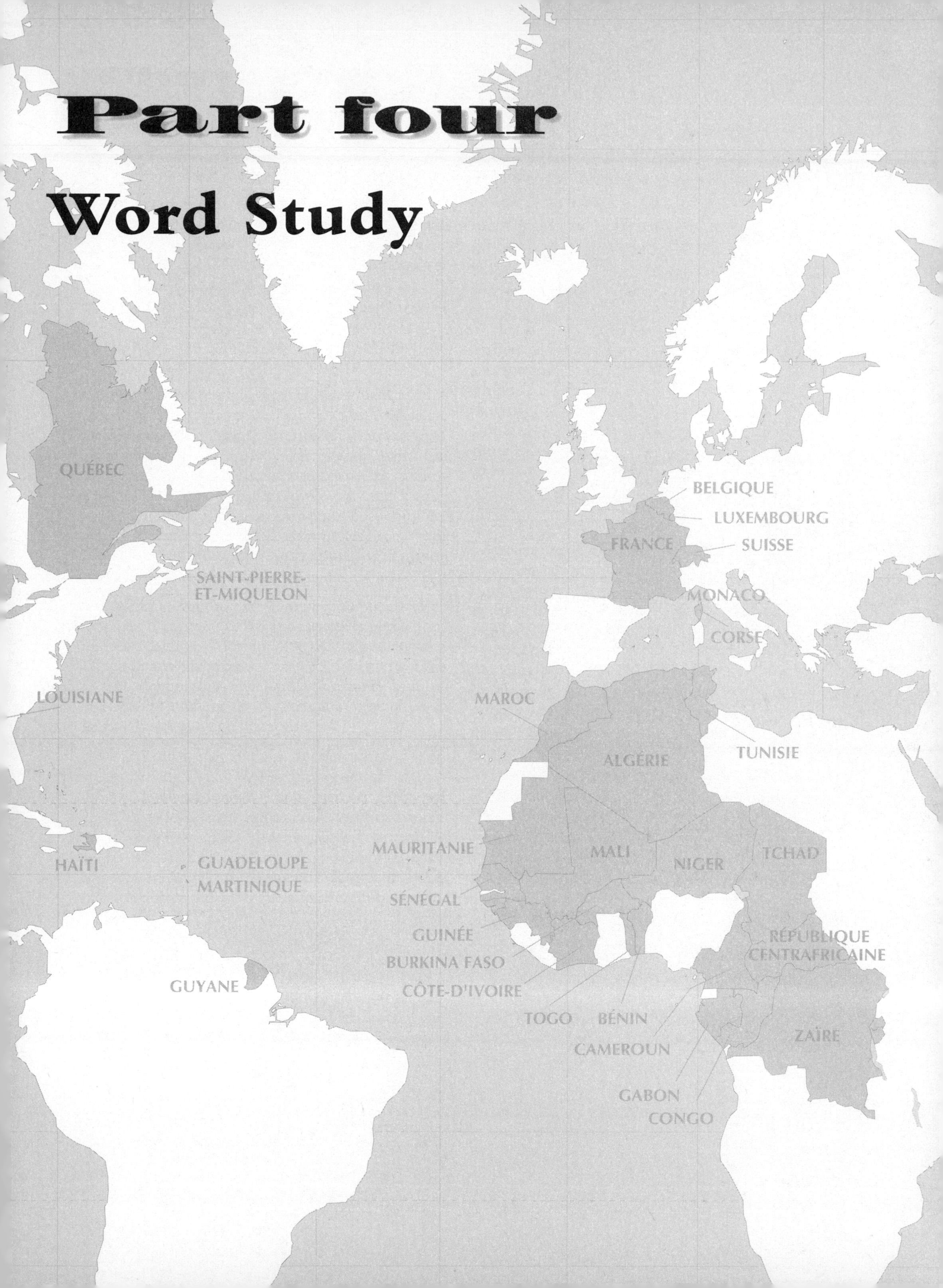

QUÉBEC

BELGIQUE

LUXEMBOURG

FRANCE

SUISSE

SAINT-PIERRE-
ET-MIQUELON

MONACO

CORSE

LOUISIANE

MAROC

ALGÉRIE

TUNISIE

MAURITANIE

MALI

NIGER

TCHAD

HAÏTI

GUADELOUPE

MARTINIQUE

SÉNÉGAL

GUINÉE

BURKINA FASO

CÔTE-D'IVOIRE

RÉPUBLIQUE
CENTRAFRICAINE

GUYANE

TOGO

BÉNIN

ZAÏRE

CAMEROUN

GABON

CONGO

# Chapter 30
## Antonyms and Synonyms

## [ 1 ] *CONTRAIRES*/ANTONYMS (OPPOSITES)

### a. Nouns

l'ami *(m.)* *friend*
le copain (la copine) *friend* } l'ennemi *(m.)* *enemy*

l'automne *(m.)* *autumn* — le printemps *spring*

le bruit *noise* — le silence *silence*

le début *beginning*
le commencement *beginning* } la fin *end*

l'été *(m.)* *summer* — l'hiver *(m.)* *winter*

la guerre *war* — la paix *peace*

la jeunesse *youth* — la vieillesse *old age*

le jour *day* — la nuit *night*

le lendemain *next day* — la veille *eve*

le matin *morning* { le soir *evening*
l'après-midi *(m.)* *afternoon*

midi *noon* — minuit *midnight*

le nord *north* — le sud *south*

l'ouest *(m.)* *west* — l'est *(m.)* *east*

le plancher *floor* — le plafond *ceiling*

la question *question* — la réponse *answer*

le soleil *sun* — la lune *moon*

la terre *the earth, land* { la mer *the sea*
le ciel *heaven, sky*

la vie *life* — la mort *death*

la ville *city* — la campagne *country*

### b. Adjectives

absent *absent* — présent *present*

ancien(ne) *old* { nouveau (nouvelle) *new*
récent *recent*
moderne *modern*

bas(se) *low* — haut *high*

beau (belle) *beautiful* — laid *ugly*

blanc (-che) *white* — noir *black*

bon(ne) *good* — mauvais *bad*

chaud *hot* — froid *cold*

cher (chère) *expensive, dear* — bon marché *cheap*

court *short* — long(ue) *long*

| | |
|---|---|
| droit *right* | gauche *left* |
| facile *easy* | difficile *difficult* |
| fort *strong* | faible *weak* |
| grand *big* | petit *little* |
| heureux (-se) *happy* | malheureux (-se) *unhappy* |
| large *wide* | étroit *narrow* |
| léger (-ère) *light* | lourd *heavy* |
| mort *dead* | vivant *alive* |
| paresseux (-se) *lazy* | travailleur (-euse) *hardworking* |
| pauvre *poor* | riche *rich* |
| plein *full* | vide *empty* |
| poli *polite* | impoli *impolite, rude* |
| possible *possible* | impossible *impossible* |
| premier (-ère) *first* | dernier (-ère) *last* |
| propre *clean* | sale *dirty* |
| utile *useful* | inutile *useless* |
| | jeune *young* |
| vieux (vieille) *old* | neuf (-ve) *new* |
| | nouveau (nouvelle) *new* |
| vrai *true* | faux (fausse) *false, fake* |

### c. Verbs

| | |
|---|---|
| accepter *to accept* | refuser *to refuse* |
| acheter *to buy* | vendre *to sell* |
| aimer *to love, to like* | détester *to hate* |
| s'amuser *to have fun* | s'ennuyer *to be bored* |
| apparaître *to appear* | disparaître *to disappear* |
| arriver *to arrive* | partir *to leave* |
| | finir *to finish* |
| commencer *to begin* | terminer *to end* |
| donner *to give* | recevoir *to receive* |
| emprunter *to borrow* | prêter *to lend* |
| enlever *to remove, take off* | mettre *to put on* |
| entrer *to enter* | sortir *to go out* |
| fermer *to close* | ouvrir *to open* |
| jouer *to play* | travailler *to work* |
| monter *to go up* | descendre *to go down* |
| obéir *to obey* | désobéir *to disobey* |
| | trouver *to find* |
| perdre *to lose* | gagner *to win* |
| | rire *to laugh* |
| pleurer *to cry* | rater *to fail* |
| réussir *to succeed, pass* | |
| vivre *to live* | mourir *to die* |

**d.** Adverbs

| | |
|---|---|
| aujourd'hui *today* | ⎰ hier *yesterday* |
| | ⎱ demain *tomorrow* |
| beaucoup *a lot, much, many* | peu *little, few* |
| bien *well* | mal *badly* |
| enfin *finally* | d'abord *first, at first* |
| ici *here* | là *there* |
| oui *yes* | non *no* |
| plus *more* | moins *less* |
| souvent *often* | rarement *rarely* |
| vite *quickly* | lentement *slowly* |

**e.** Prepositions

| | |
|---|---|
| avant *before* | après *after* |
| avec *with* | sans *without* |
| devant *in front of* | derrière *behind, in back of* |
| près de *near* | loin de *far from* |
| sur *on* *(top of)* | sous *under* |
| voici *here is, are* | voilà *there is, are* |

## EXERCICE A

*Vous faites du baby-sitting. Corrigez les phrases que les enfants vous disent en donnant le contraire du mot en caractères gras.*

**1.** Les hiboux dorment **la nuit.**

_____

**2.** La France est à **l'est** de la Suisse.

_____

**3.** **Le ciel** est rond.

_____

**4.** Quand les pays sont en désaccord, ils sont en état de **paix.**

_____

**5.** Il fait chaud **en hiver.**

_____

**6.** On met des tapis au **plafond.**

_____

**7.** Halloween est **le lendemain** de la Toussaint.

_____

**8.** Un homme de cent ans est en pleine **jeunesse.**

_____

**9.** La nuit, à la campagne, il y a du **bruit.**

_____

**10.** On mange le dessert **au début** du repas.

_____

## EXERCICE B

*Vous aimez contredire votre frère pour l'ennuyer. Exprimez ce que vous lui dites.*

EXEMPLE:    Il fait chaud.
                Non, il fait **froid.**

**1.** Notre rue est large.

_____

**2.** Emma est polie.

_____

**3.** Cette chambre est propre.

_____

**4.** Notre école est ancienne.

_____

**5.** Claire écrit de la main gauche.

_____

**6.** On joue le premier film de Godard.

_____

**7.** Gaston est heureux.

_____

**8.** La voiture de M. Antoine est noire.

_____

**9.** La tour Eiffel est basse.

_____

**10.** Madeleine est petite.

_____

## EXERCICE C

*Gabriel et Julien font souvent le contraire, mais ils s'entendent très bien. Exprimez ce que Gabriel fait parallèlement à Julien.*

EXEMPLE:   Julien **monte** l'escalier.
           **Gabriel descend l'escalier.**

*1.* Julien **pleure** quand le film est triste.

_____

*2.* Julien a**chète** de la glace.

_____

*3.* Julien **donne** de l'argent à ses parents.

_____

*4.* Julien **obéit** toujours.

_____

*5.* Julien **réussit** à ses examens.

_____

*6.* Julien **s'amuse** au lycée.

_____

*7.* Julien **aime** l'hiver canadien.

_____

*8.* Julien **met** sa casquette pour sortir.

_____

*9.* Julien **prête** tout.

_____

*10.* Julien **perd** ses affaires.

_____

## EXERCICE D

*Récrivez l'histoire de M. Prévert en remplaçant les mots en caractères gras par leur contraire.*

*1.* Aime-t-il conduire sa voiture? **Non.**

_____

*2.* Il conduit **lentement.**

_____

*3.* Il habite **loin de** son bureau.

_____

*4.* Ces derniers jours, il parle **plus** à ses collègues.

_____

*5.* Il travaille **souvent** après cinq heures du soir.

_____

*6.* Il sort déjeuner **après** midi.

_____

*7.* Il parle **bien** de son patron.

_____

*8.* Il gagne **beaucoup.**

_____

*9.* Il quitte son bureau **sans** ses amis.

_____

*10.* Il attend le bus **derrière** son bureau.

_____

# [ 2 ] SYNONYMES / SYNONYMS

### a. Nouns

le bâtiment, l'édifice *(m.)*   *building*          le médecin, le docteur   *doctor*

le chemin, la route   *road*                        le milieu, le centre   *middle*

l'endroit *(m.)*, le lieu   *place*                  le miroir, la glace   *mirror*

l'espèce *(f.)*, la sorte, le genre   *kind, type*   la nation, le pays   *country*

la façon, la manière   *way, fashion, manner*       le palais, le château   *palace, castle*

la faute, l'erreur *(f.)*   *mistake*               les vêtements *(m.)*, les habits *(m.)*   *clothes*

la figure, le visage   *face*

### b. Adjectives

célèbre, fameux (-se), renommé   *famous*          heureux (-se), content   *happy, pleased*

certain, sûr   *certain, sure*                      méchant, mauvais   *nasty, bad*

favori(te), préféré   *favorite*                    triste, malheureux (-se)   *sad, unhappy*

grave, sérieux (-se)   *grave, serious*

### c. Verbs

employer, utiliser, se servir de   *to use*        préférer, aimer mieux   *to prefer*

finir, terminer, achever   *to finish*             rompre, casser   *to break*

habiter, demeurer   *to live, dwell*               vouloir, désirer   *to wish, want*

**d.** Adverbs

| | | | |
|---|---|---|---|
| auparavant, autrefois | *previously, in the past* | seulement, ne... que | *only* |
| immédiatement, tout de suite | *immediately* | soudainement, tout à coup | *suddenly* |
| puis, ensuite, après | *then, afterwards* | vite, rapidement | *quickly* |
| quelquefois, parfois | *sometimes* | | |

**e.** Prepositions

| | | | |
|---|---|---|---|
| entre, parmi | *among* | pendant, durant | *during* |
| excepté, sauf | *excepted* | selon, d'après | *according to* |

## EXERCICE E

*Décrivez cet athlète en donnant les synonymes des mots en caractères gras.*

**1.** Claude est un joueur de foot assez **célèbre.**

_____

**2.** Il **veut** participer à la Coupe du Monde avec son pays.

_____

**3.** Chaque jour, il se lève **tout de suite** pour s'entraîner.

_____

**4.** Le stade Pelé est **le lieu** où il s'entraîne.

_____

**5.** **Pendant** les compétitions, il ne fait jamais de **fautes.**

_____

**6.** Le foot est son sport **favori.**

_____

**7.** Il court très **vite.**

_____

**8.** Il reste calme dans les situations **graves.**

_____

**9.** Il **demeure** en ville, mais il **préfère** la campagne.

_____

**10.** Il va régulièrement chez le **docteur** pour être **sûr** de sa bonne condition physique.

_____

## M A S T E R Y   E X E R C I S E S

### EXERCICE F

*Complétez chaque analogie avec le mot qui manque.*

1. petit : grand :: étroit : _____

2. léger : lourd :: vide : _____

3. vie : mort :: début : _____

4. figure : visage :: miroir : _____

5. triste: malheureux :: content : _____

6. avec : sans :: avant : _____

7. sous : sur :: devant : _____

8. chemin : route :: bâtiment : _____

9. vouloir : désirer :: rompre : _____

10. milieu : centre :: lieu : _____

11. ouvrir : fermer :: entrer : _____

12. parfois : quelquefois :: immédiatement : _____

13. finir : terminer :: habiter : _____

14. nuit : jour :: lune : _____

15. pauvre : riche :: mort : _____

16. jouer : travailler :: apparaître : _____

17. grave : sérieux :: mauvais : _____

18. après : ensuite :: autrefois : _____

19. pendant : durant :: entre : _____

20. excepté : sauf :: selon : _____

## EXERCICE G

*Exprimez les synonymes pour chaque paire.*

EXEMPLE: **le château, le palais**

1. _____

2. _____

3. _____

4. _____

5. _____

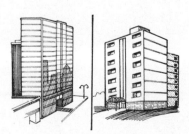

6. _____

7. _____

8. _____

## EXERCICE H

*Écrivez les antonymes pour chaque paire.*

EXEMPLE:   **court, long**

1. _____

2. _____

3. _____

4. _____

5. _____

6. _____

7. _____

8. _____

# Chapter 31
## Thematic Vocabulary

## [ 1 ] PERSONAL IDENTIFICATION

### a. Les informations biographiques / *Biographical information*

**(1) Les nationalités / *Nationalities***

| | | |
|---|---|---|
| africain *African* | chinois *Chinese* | indien(ne) *Indian* |
| allemand *German* | espagnol *Spanish* | italien(ne) *Italian* |
| américain *American* | européen(ne) *European* | japonais *Japanese* |
| anglais *English* | français *French* | sud-américain |
| asiatique *Asian* | grec(que) *Greek* |    *South American* |
| canadien(ne) *Canadian* | haïtien(ne) *Haitian* | |

**(2) La famille / *Family***

| | | |
|---|---|---|
| le cousin *cousin* | le frère *brother* | le neveu *nephew* |
| la cousine *cousin* | le garçon *boy* | la nièce *niece* |
| l'enfant (*m.* or *f.*) *child* | la grand-mère *grandmother* | l'oncle *uncle* |
| la famille *family* | le grand-père *grandfather* | les parents *parents* |
| la femme *wife; woman* | les grands-parents *grandparents* | le père *father* |
| la fille *daughter; girl* | le mari *husband* | la sœur *sister* |
| le fils *son* | la mère *mother* | la tante *aunt* |

### b. Les caractéristiques physiques / *Physical characteristics*

| | | |
|---|---|---|
| âgé *old* | grand *tall* | maigre *skinny* |
| aveugle *blind* | gros (se) *fat* | mince *thin* |
| beau (belle) *beautiful* | handicapé *handicapped* | petit *short* |
| chauve *bald* | jeune *young* | sourd *deaf* |
| faible *weak* | joli *pretty* | vieux (vieille) *old* |
| fort *strong* | laid *ugly* | |

avoir… ans *to be … years old*

avoir les cheveux blonds *to have blond hair*

avoir les cheveux châtains *to have brown hair*

avoir les cheveux noirs *to have black hair*

avoir les cheveux roux *to have red hair*

avoir les cheveux bouclés *to have curly hair*

avoir les cheveux frisés *to have curly hair*

avoir les cheveux raides *to have straight hair*

avoir les yeux bleus *to have blue eyes*

avoir les yeux marron *to have brown eyes*

avoir les yeux noirs *to have black eyes*

avoir les yeux noisette *to have hazel eyes*

avoir les yeux verts *to have green eyes*

### c. Les caractéristiques psychologiques / *Psychological characteristics*

| | | |
|---|---|---|
| actif (–ve) *active* | drôle *funny* | intuitif (–ve) *intuitive* |
| aimable *friendly* | égoïste *selfish* | malheureux (–se) *unhappy* |
| ambitieux (–se) *ambitious* | fier (–ère) *proud* | méchant *mean* |
| amusant *fun* | franc (he) *frank* | naïf (–ve) *naive* |
| antipathique *nasty* | furieux (–se) *furious* | paresseux (–se) *lazy* |
| attentif (–ve) *attentive* | généreux (–se) *generous* | poli *polite* |
| bon(ne) *good* | gentil (le) *kind* | sérieux (–se) *serious* |
| consciencieux (–se) *conscientious* | heureux (–se) *happy* | sociable *sociable* |
| | honnête *honest* | sportif (–ve) *athletic* |
| content *happy* | imaginatif (–ve) *imaginative* | superstitieux (–se) *superstitious* |
| courageux (–se) *courageous* | impulsif (–ve) *impulsive* | |
| cruel (le) *cruel* | intelligent *intelligent* | sympathique *nice, congenial* |
| curieux (–se) *curious* | intéressant *interesting* | triste *sad* |

### d. Les émotions et les sentiments / *Emotions and feelings*

| | | |
|---|---|---|
| l'amour *(m.)* *love* | la honte *shame* | le plaisir *pleasure* |
| le bonheur *happiness* | la joie *joy* | la tristesse *sadness* |
| la haine *hate* | la peur *fear* | |

## EXERCICE A

*Vous écrivez une note à votre nouvelle correspondante française où vous exprimez quelles sont vos caractéristiques physiques et psychologiques ainsi que vos émotions.*

_____

_____

_____

_____

_____

_____

_____

_____

_____

# [ 2 ] HOUSE AND HOME

### a. Le logement et les pièces / *Lodging and rooms*

l'appartement *(m.)* apartment

l'ascenseur *(m.)* elevator

le bail *lease*

le balcon *balcony*

la cave *cellar*

la chambre (à coucher) *bedroom*

la cheminée *fireplace, chimney*

le couloir *corridor, hallway*

la cour *courtyard*

la cuisine *kitchen*

l'escalier *(m.)* stairs

l'étage *(m.)* floor, story

la fenêtre *window*

le garage *garage*

le grenier *attic*

l'immeuble *(m.)* apartment house

le jardin *garden*

le / la locataire *tenant*

le loyer *rent*

la maison *house*

le mur *wall*

la pelouse *lawn*

la penderie *clothes closet*

la pièce *room*

le placard *closet, cabinet*

le plafond *ceiling*

le plancher *floor*

la porte *door*

le / la propriétaire *owner*

le rez-de chaussée *ground floor*

la salle à manger *dining room*

la salle de bains *bathroom*

la salle de séjour *living room*

le salon *living room*

le sous-sol *basement*

la terrasse *terrace*

les toilettes *(f.)* toilet

le toit *roof*

### b. Les meubles et les appareils ménagers / *Furniture and appliances*

l'armoire *(f.)* wardrobe

l'aspirateur *(m.)* vacuum cleaner

le canapé *sofa*

la chaîne stéréo *stereo*

la chaise *chair*

la commode *dresser*

le congélateur *freezer*

la cuisinière *stove*

  à gaz *gas*

  électrique *electric*

l'étagère *(f.)* bookcase

le fauteuil *armchair*

le four *oven*

  à micro-ondes *microwave oven*

la glace *mirror*

l'horloge *(f.)* clock

le lampadaire *floor lamp*

la lampe *lamp*

le lave-vaisselle *dishwasher*

le lit *bed*

la machine à laver *washing machine*

le meuble *(m.)* piece of furniture

le miroir *mirror*

la moquette *carpet*

l'ordinateur *(m.)* computer

la pendule *clock*

le piano *piano*

le réfrigérateur *refrigerator*

le réveil (-matin) *alarm clock*

le rideau *curtain*

le sèche-linge *clothes dryer*

la table *table*

la table de nuit *night table*

le tableau *painting, picture*

le tapis *rug*

la télévision *television*

## EXERCICE B

*Exprimez ce que vous voyez dans chaque pièce.*

Je vois _____

_____

_____

_____

_____ .

Je vois _____

_____

_____

_____

_____ .

## EXERCICE C

*Complétez chaque phrase avec le mot approprié.*

1. On se lave dans _____ .

2. Aux États-Unis, _____ , en dessous du rez-de-chaussée, est souvent une salle de récréation.

3. Quand on entre dans la maison, on range son manteau dans _____ .

4. On prépare les repas dans _____ .

5. Quand il y a une grande fête, on mange le repas dans _____ .

6. Le week-end on tond _____ .

7. On gare la voiture au _____ .

8. On met les malles et les vieux meubles au _____ .

9. On plante des fleurs dans _____ .

10. On met un piano dans _____ .

11. On prend _____ pour monter aux étages d'un grand immeuble.

12. L'été, quand il fait beau, on mange sur _____ dehors.

13. Quand on loue un appartement, on signe _____ .

14. Aux États-Unis, le premier étage correspond au _____ en France.

## [ 3 ] HOUSEWORK

| | |
|---|---|
| cuisiner *to cook* | mettre le couvert *to set the table* |
| débarrasser la table *to clear the table* | nettoyer la maison *to clean the house* |
| faire les courses *to go shopping* | passer l'aspirateur *to vacuum* |
| faire le ménage *to do the housework* | repasser les vêtements *to iron the clothes* |
| faire la vaisselle *to do the dishes* | tondre la pelouse *to mow the lawn* |
| garder les enfants *to watch the children* | vider les ordures *to throw out the garbage* |

## EXERCICE D

*Exprimez ce que chacun fait à la maison.*

EXEMPLE:　Maman **nettoie la maison.**

*1.* Je _____

*2.* Bette et Diane _____

*3.* Les garçons _____

*4.* Papa _____

*5.* Maman _____

*6.* Nous _____

**7.** Vous _____     **8.** Tu _____

# [4] COMMUNITY; NEIGHBORHOOD; PHYSICAL ENVIRONMENT

### a.  La ville / *City*

l'aéroport *(m.)*  *airport*

l'avenue *(f.)*  *avenue*

la banlieue  *suburb*

la banque  *bank*

le bâtiment  *building*

la bibliothèque  *library*

la bijouterie  *jewelry store*

la boucherie  *butcher shop*

la boulangerie  *bakery*

le boulevard  *boulevard*

la boutique  *shop*

le bureau de poste  *post office*

le café  *cafe*

le carrefour  *intersection, crossroads*

la cathédrale  *cathedral*

le centre commercial  *mall*

le cinéma  *movies*

le citadin  *city dweller*

l'école *(f.)*  *school*

l'édifice *(m.)*  *building*

l'église *(f.)*  *church*

l'épicerie *(f.)*  *grocery store*

le / la fleuriste  *florist*

la fruiterie  *fruit store*

la gare  *station*

le gratte-ciel  *skyscraper*

l'hôpital *(m.)*  *hospital*

l'hôtel *(m.)*  *hotel*

l'hypermarché *(m.)*  *large supermarket*

le jardin public  *public garden*

la librairie  *bookstore*

le lycée  *high school*

le magasin  *store*

la mairie  *town hall*

la maison des jeunes  *youth center*

le marché  *market*

le monument  *monument*

le musée  *museum*

le palais de justice  *courthouse*

le parc  *park*

la parfumerie  *perfume shop*

la pâtisserie  *pastry shop*

la pharmacie  *drugstore*

la piscine  *swimming pool*

la place  *square*

le pont  *bridge*

le quartier  *neighborhood*

le restaurant  *restaurant*

la rue  *street*

le stade  *stadium*

la station-service  *gas station*

le supermarché  *supermarket*

le théâtre  *theater*

le trottoir  *sidewalk*

l'usine *(f.)*  *factory*

le village  *village*

**b.** **Les matériaux de construction** / *Building materials*

l'acier *(m.)* *steel*     le fer *iron*
le bois *wood*            la pierre *stone*
la brique *brick*

# EXERCICE E

*Exprimez ce qu'on achète aux endroits illustrés ci-dessous.*

EXEMPLE:     **Dans une boutique, on achète des vêtements.**

1. _____

2. _____

3. _____

4. _____

5. _____

6. _____

7. _____

8. _____

**9.** _____

**10.** _____

### c.  La nature / *Nature*

| | | |
|---|---|---|
| l'arbre *(m.)*  *tree* | le fleuve  *river* | la plage  *beach* |
| le bétail  *livestock* | la forêt  *forest* | la plante  *plant* |
| les bois *(m.)*  *woods* | l'herbe *(f.)*  *grass* | la pluie  *rain* |
| la campagne  *country* | l'île *(f.)*  *island* | la rive  *bank, shore* |
| le champ  *field* | le lac  *lake* | la rivière  *stream* |
| le ciel  *sky* | la lune  *moon* | le ruisseau  *stream* |
| la colline  *hill* | la mer  *sea* | le sable  *sand* |
| la côte  *coast* | le monde  *world* | le soleil  *sun* |
| le désert  *desert* | la montagne  *mountain* | la terre  *earth* |
| l'étoile *(f.)*  *star* | la neige  *snow* | le vent  *wind* |
| la feuille  *leaf* | l'océan *(m.)*  *ocean* | |
| la fleur  *flower* | le paysage  *landscape* | |

### d.  Les animaux / *Animals*

| | | |
|---|---|---|
| l'âne *(m.)*  *donkey* | le cygne  *swan* | l'ours *(m.)*  *bear* |
| la baleine  *whale* | l'éléphant *(m.)*  *elephant* | la panthère  *panther* |
| le bœuf  *ox* | la girafe  *giraffe* | la poule  *hen* |
| le chat  *cat* | le kangourou  *kangaroo* | le renard  *fox* |
| le cheval  *horse* | le lapin  *rabbit* | le serpent  *snake* |
| la chèvre  *goat* | le léopard  *leopard* | le singe  *monkey* |
| le chien  *dog* | le lion  *lion* | le tigre  *tiger* |
| le cochon  *pig* | le loup  *wolf* | la tortue  *turtle* |
| le coq  *rooster* | le mouton  *sheep* | la vache  *cow* |
| le crocodile  *crocodile* | l'oiseau *(m.)*  *bird* | le zèbre  *zebra* |

## EXERCICE F

*Citez au moins six animaux que vous trouveriez dans chaque endroit mentionné.*

À la ferme _____

_____

_____

_____

_____

Au zoo _____

_____

_____

_____

_____

Dans la jungle _____

_____

_____

_____

_____

## EXERCICE G

*Vous faites un voyage en avion et vous êtes assis(e) à côté de la fenêtre. Faites une liste de tout ce que vous pouvez voir pendant que l'avion survole (flies over) une île tropicale.*

EXEMPLE:   **du bétail**
          **des fleurs,** etc.

1. _____     2. _____

3. _____     4. _____

5. _____     6. _____

7. _____     8. _____

9. _____     10. _____

11. _____    12. _____

# [5] MEALS; FOOD; DRINK

## a. Les repas / *Meals*

| | | |
|---|---|---|
| l'addition *(f.)* *bill* | la cuiller *spoon* | le petit déjeuner *breakfast* |
| l'appétit *(m.)* *appetite* | le déjeuner *lunch* | le pourboire *tip* |
| l'assiette *(f.)* *plate* | le dîner *dinner* | le repas *meal* |
| la bouteille *bottle* | la fourchette *fork* | la serviette *napkin* |
| la carte *menu* | le menu *menu* | la tasse *cup* |
| le couteau *knife* | la nappe *tablecloth* | le verre *glass* |

## b. La nourriture / *Food*

| | |
|---|---|
| l'abricot *(m.)* *apricot* | le ketchup *ketchup* |
| l'agneau *(m.)* *lamb* | le lait *milk* |
| l'artichaut *(m.)* *artichoke* | les légumes *(m.)* *vegetables* |
| la banane *banana* | la limonade *lemon soda* |
| le beurre *butter* | l'œuf *(m.)* *egg* |
| le bifteck *steak* | l'orangeade *(f.)* *orange soda* |
| le bœuf *beef* | la mayonnaise *mayonnaise* |
| les bonbons *(m.)* *candies* | la moutarde *mustard* |
| la brioche *sweet roll* | le pain *bread* |
| le café *coffee* | le pain grillé *toast* |
| la carotte *carrot* | la pêche *peach* |
| les céréales *(f.)* *cereal* | les petits pois *(m.)* *peas* |
| la cerise *cherry* | la pizza *pizza* |
| le chocolat *chocolate* | la poire *pear* |
| le citron *lemon* | le poisson *fish* |
| la citronnade *lemonade* | le poivre *pepper* |
| la confiture *jam* | la pomme *apple* |
| le croissant *crescent roll* | la pomme de terre *potato* |
| l'eau minérale *(f.)* *mineral water* | le poulet *chicken* |
| les épinards *(m.)* *spinach* | le raisin *grape* |
| la fraise *strawberry* | le riz *rice* |
| les frites *(f.)* *french fries* | la salade *salad* |
| le fromage *cheese* | le sandwich *sandwich* |
| le fruit *fruit* | la saucisse *sausage* |
| les fruits de mer (m.) *seafood* | le sel *salt* |
| le gâteau *cake* | la soupe *soup* |
| la glace *ice cream* | le sucre *sugar* |
| le hamburger *hamburger* | le thé *tea* |
| les haricots verts *(m.)* *green beans* | la tomate *tomato* |
| le hors-d'œuvre *appetizer* | le veau *veal* |
| le jambon *ham* | la viande *meat* |
| le jus *juice* | le vin *wine* |

## EXERCICE H

*Vous dînez dans un restaurant élégant. Exprimez ce que vous voyez sur la table.*

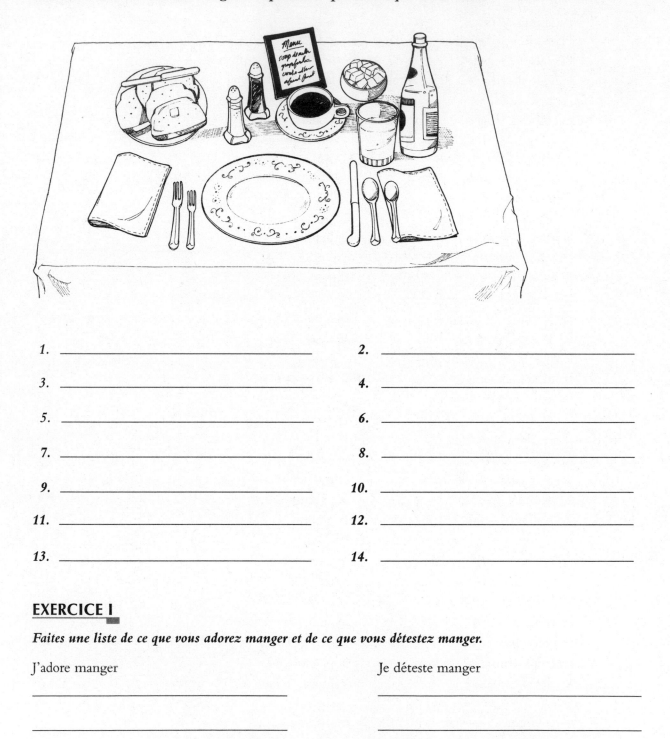

1. _____    2. _____

3. _____    4. _____

5. _____    6. _____

7. _____    8. _____

9. _____    10. _____

11. _____    12. _____

13. _____    14. _____

## EXERCICE I

*Faites une liste de ce que vous adorez manger et de ce que vous détestez manger.*

J'adore manger                          Je déteste manger

_____    _____

_____    _____

_____    _____

_____    _____

# [6] HEALTH AND WELFARE

### a. Les parties du corps / *Parts of the body*

| | | |
|---|---|---|
| la barbe *beard* | l'estomac *(m.)* *stomach* | le nez *nose* |
| la bouche *mouth* | la figure *face* | l'œil *(m.)* *eye* |
| le bras *arm* | le front *forehead* | l'oreille *(f.)* *ear* |
| les cheveux *(m.)* *hair* | le genou *knee* | l'orteil *(m.)* *toe* |
| le cœur *heart* | la gorge *throat* | la peau *skin* |
| le corps *body* | la jambe *leg* | le pied *foot* |
| le cou *neck* | la joue *cheek* | la poitrine *chest* |
| le coude *elbow* | la langue *tongue* | le sang *blood* |
| la dent *tooth* | la lèvre *lip* | la tête *head* |
| le doigt *finger* | la main *hand* | le ventre *stomach* |
| le dos *back* | le menton *chin* | le visage *face* |
| l'épaule *(f.)* *shoulder* | la moustache *mustache* | |

### b. Les maladies / *Illnesses*

avoir mal à l'estomac   *to have a stomach ache*
avoir mal au ventre   *to have a stomach ache*
avoir mal à la gorge   *to have a sore throat*
avoir mal au pied   *to hurt in the foot*
avoir mal à la tête   *to have a headache*

| | |
|---|---|
| l'accident *(m.)* *accident* | le médicament *medicine* |
| l'ambulance *(f.)* *ambulance* | les oreillons *(m.)* *mumps* |
| l'angine *(f.)* *tonsillitis* | la piqûre *injection* |
| l'appendicite *(f.)* *appendicitis* | la pneumonie *pneumonia* |
| l'aspirine *(f.)* *aspirin* | le repos *rest* |
| l'asthme *(m.)* *asthma* | le rhume *cold (illness)* |
| la brûlure *burn* | la rougeole *measles* |
| le coup de soleil *(m.)* *sunburn* | la santé *health* |
| la douleur *pain* | le soin *care* |
| l'énergie *(f.)* *energy* | la sueur *sweat* |
| la fièvre *fever* | la température *temperature* |
| la force *strength* | la toux *cough* |
| la fracture *fracture* | le traitement *treatment* |
| la grippe *flu* | l'urgence *(f.)* *emergency* |
| la guérison *recovery, cure* | le vaccin *vaccine* |
| le malade *patient* | la varicelle *chicken pox* |

## EXERCICE J

*La petite Charline, âgée de cinq ans, voudrait devenir docteur. Aidez-la à identifier les différentes parties du corps.*

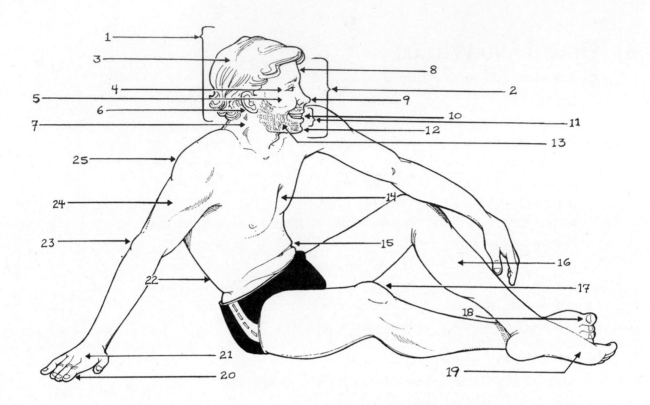

## EXERCICE K

*Vous devez remplir un formulaire médical. Faites la liste des maladies que vous avez eues.*

J'ai eu _____

_____

_____

# [ 7 ] EDUCATION

### a.  L'école / School

| | |
|---|---|
| le banc  *seat, bench* | le cartable  *satchel* |
| le bureau  *desk* | la carte  *map* |
| le cahier  *notebook* | les ciseaux *(m.)  scissors* |
| la calculette  *calculator* | la classe  *class* |
| le calendrier  *calendar* | le classeur  *ring binder* |

la cloche   *bell*

conseiller (-ère)   *counselor*

la cour   *courtyard*

la craie   *chalk*

le crayon   *pencil*

les devoirs *(m.)*   *homework*

la dictée   *dictation*

le dictionnaire   *dictionary*

directeur (-trice)   *principal*

l'école *(f.)*   *school*

l'élève *(m. or f.)*   *pupil*

l'emploi du temps *(m.)*   *class schedule*

l'erreur *(f.)*   *error*

l'étude *(f.)*   *study*

l'étudiant(e)   *student*

l'examen *(m.)*   *test*

l'exercice *(m.)*   *exercise*

l'explication *(f.)*   *explanation*

la faute   *mistake*

la gomme   *eraser*

la grammaire   *grammar*

l'instituteur (-trice)   *elementary school teacher*

la leçon   *lesson*

la lecture   *reading*

la ligne   *line*

le livre   *book*

le lycée   *high school*

le manuel (scolaire)   *textbook*

le matériel scolaire   *school supplies*

le mot   *word*

la note   *grade*

la page   *page*

le papier   *paper*

la phrase   *sentence*

la poésie   *poetry*

le professeur   *teacher*

la question   *question*

la règle   *ruler*

la réponse   *answer*

le résumé   *summary*

le sac à dos   *backpack*

la salle de classe   *classroom*

le Scotch   *Scotch tape*

le stylo   *pen*

le sujet   *subject, topic*

le tableau   *blackboard*

le travail   *work*

la trousse   *pencil case*

le vocabulaire   *vocabulary*

**b.** **Les matières scolaires** / *School subjects*

l'anglais *(m.)*   *English*

la biologie   *biology*

la chimie   *chemistry*

le dessin   *drawing*

l'éducation physique *(f.)*   *gym*

l'espagnol *(m.)*   *Spanish*

le français   *French*

la géographie   *geography*

l'histoire *(f.)*   *history*

l'informatique *(f.)*   *computer science*

le latin   *latin*

les mathématiques *(f.)*   *math*

la physique   *physics*

la science   *science*

la technologie   *technology*

les travaux manuels *(m.)*   *shop, arts & crafts*

**c.** **Les activités scolaires** / *School activities*

le cercle   *club*

le cercle dramatique   *drama club*

le cercle français   *French club*

le cercle international   *international club*

le cercle de maths   *math club*

l'équipe de base-ball   *baseball team*

l'équipe de football   *soccer team*

la fanfare   *band*

l'orchestre *(m.)*   *orchestra*

le tableau d'honneur   *honor roll*

## EXERCICE L

*Faites la liste du matériel scolaire dont vous avez besoin pour tous vos cours.*

1. _____   2. _____

3. _____   4. _____

5. _____   6. _____

7. _____   8. _____

9. _____   10. _____

11. _____   12. _____

## EXERCICE M

*Identifiez les matières et les activités offertes au lycée Marcel Pagnol.*

EXEMPLE:   **Il y a des cours de français.**

1. _____

2. _____

3. _____

4. _____

**5.** _____

**6.** _____

**7.** _____

**8.** _____

**9.** _____

**10.** _____

## [8]   EARNING A LIVING

acteur (–trice)   *actor*

l'agent *(m.)* de police   *policeman*

l'artiste *(m. or f.)*   *artist*

l'avocat(e)   *lawyer*

boucher (–ère)   *butcher*

boulanger (–ère)   *baker*

le chef   *chef*

chercheur (–euse)   *researcher*

coiffeur (–euse)   *hair stylist*

le commerçant   *merchant*

cuisinier (–ière)   *cook*

le /la dentiste   *dentist*

directeur (–trice)   *manager (of a company)*

l'écrivain *(m.)*   *writer*

l'épicier (–ière)   *grocer*

facteur (factrice)   *mail carrier*

fermier (–ière)   *farmer*

le garçon   *waiter*

gérant(e)   *manager (of shop, restaurant)*

l'infirmier (–ière)   *nurse*

l'ingénieur *(m.)* *engineer*              poète (poétesse) *poet*

le juge *judge*                            le président *(m. or f.)* *president*

le médecin *doctor*                        le professeur *teacher*

le métier *trade, profession*              programmeur (–euse) *programmer*

musicien(ne) *musician*                    le savant *scientist, scholar*

l'ouvrier (–ière) *factory worker*         le / la secrétaire *secretary*

le peintre *painter*                       serveur (–se) *waiter, waitress*

le pilote *pilot*                          vendeur (–euse) *salesperson*

## EXERCICE N

*Identifiez les professions illustrées.*

EXEMPLE:    **C'est un docteur.**

1. _____

3. _____

2. _____

4. _____

5. _____

6. _____

7. _____

8. _____

## [9] LEISURE

### a. Les loisirs / *Leisure activities*

le bal  *ball*

le ballet  *ballet*

la campagne  *country*

le carnaval  *carnival*

les cartes (f.)  *cards*

le centre commercial  *mall*

le cinéma  *movies*

le concert  *concert*

la discothèque  *discotheque*

l'exposition (f.)  *exhibit, show*

la fête  *holiday, celebration*

le parc zoologique, le zoo  *zoo*

la plage  *beach*

la promenade  *walk*

le sport  *sport*

la foire  *fair*

l'île tropicale (f.)  *tropical island*

le jour de congé  *day off*

le jour férié  *legal holiday*

le match  *match*

la M.J.C. (maison des jeunes et de la culture)
  *youth center*

la montagne  *mountain*

le musée  *museum*

l'opéra (m.)  *opera*

le parc national  *national park*

le stade  *stadium*

la télévision  *television*

le théâtre  *theater*

les vacances (f.)  *vacation*

**b.  Les sports** / *Sports*

| | |
|---|---|
| l'alpinisme *(m.)*  *mountain climbing* | le hockey  *hockey* |
| l'athlétisme *(m.)*   *track and field* | la natation  *swimming* |
| le base-ball  *baseball* | la pêche  *fishing* |
| le bateau à voiles  *sailboat* | le rugby  *rugby* |
| le bowling  *bowling* | le ski  *skiing* |
| le football  *soccer* | le ski nautique  *waterskiing* |
| le football américain  *football* | le tennis  *tennis* |
| le golf  *golf* | le volley-ball  *volleyball* |

## EXERCICE O

*Faites la liste des sports que vous faites et de ceux que vous ne faites pas.*

EXEMPLE:   **Je fais du ski. Je ne fais pas de golf.**

Je fais                                           Je ne fais pas

_____            _____

_____            _____

_____            _____

_____            _____

_____            _____


## EXERCICE P

*Exprimez où il faut aller pour faire ou voir les choses mentionnées.*

EXEMPLE:    pour faire du sport après l'école
              **Il faut aller au parc.**

*1.*  pour voir un match de foot

_____

*2.*  pour voir une pièce

_____

*3.*  pour nager dans l'océan

_____

*4.*  pour voir un film

_____

5. pour voir jouer vos musiciens préférés

_____

6. pour faire de l'alpinisme

_____

7. pour visiter une ferme

_____

8. pour voir des animaux sauvages

_____

9. pour voir des danseuses classiques

_____

10. pour voir des tableaux de maître

_____

# [10] PUBLIC AND PRIVATE SERVICES

### a. Le téléphone / *Telephone*

l'annuaire *(m.)* *phone book*

l'appel *(m.)* *call*

le bottin *phone book*

la cabine téléphonique *phone booth*

le céllulaire *cell phone*

décrocher *to pick up (the phone)*

l'opérateur (-trice) *operator*

le portable *cell phone*

raccrocher *to hang up*

le récepteur *receiver*

le répondeur *answering machine*

le texto *sms, text message*

### b. La poste / *Post office*

l'adresse *(f.)* *address*

la boîte aux lettres *mailbox*

la carte postale *postcard*

le code postal *zip code*

le colis *parcel, package*

la correspondance *letters*

le courrier *mail*

l'enveloppe *(f.)* *envelope*

le facteur, la factrice *mail carrier*

le guichet *window (for service)*

la lettre *letter*

le paquet *package*

par avion *air mail*

la poste restante *post office box*

le télégramme *telegram*

le timbre *stamp*

### c. La banque / *Bank*

l'argent *(m.)* *money*

l'argent liquide *cash*

le carnet de chèques *checkbook*

le billet *bill*

la caisse *cash register*

les fonds *(m.)* *funds*

le chèque (de voyage)  *(traveler's) check*    le guichet  *window*

le chéquier  *checkbook*    la monnaie  *change*

le coffre-fort  *safe*    le retrait  *withdrawal*

le compte-chèques  *checking account*    la signature  *signature*

le compte épargne  *savings account*    le taux d'intérêt  *interest rate*

la devise  *currency*    le versement  *deposit*

l'emprunt *(m.)*  *loan*    le virement  *transfer*

changer  *to change*    payer en liquide  *to pay in cash*

endosser  *to endorse*    signer  *to sign*

faire un versement  *to make a deposit*    toucher un chèque  *to cash a check*

payer en espèces  *to pay in cash*

**d. Autres services publics / *Other public services***

l'agence *(f.)* de voyages  *travel agency*    le douanier  *customs official*

la douane  *customs*    la sécurité sociale  *social security*

## EXERCICE Q

*Exprimez ce que vous avez fait hier.*

**1.** Hier, je suis allé(e) à *(the bank)* _____ . Je me suis dirigé(e) vers

*(a window)* _____ avec mon *(money)* _____ et

mon *(checkbook)* _____ . J'ai aussi demandé à déposer des bijoux dans

*(the safe)* _____ .

**2.** Je suis allé(e) à *(the post office)* _____ où il n'y avait pas d' *(phone book)*

_____ . Alors j'ai décroché *(the receiver)* _____

du *(phone)* _____ et j'ai demandé le numéro que je cherchais à

*(the operator)* _____ .

**3.** Ensuite, je suis allé(e) au *(service window)* _____ de *(the post office)*

_____ avec des *(letters)* _____ , des *(postcards)*

_____ et *(a package)* _____ . J'ai pris mon

*(mail)* _____ , j'ai cherché *(the zip code)* _____

de mon ami et j'ai acheté des *(stamps)* _____ . J'ai mis une lettre dans

*(the mailbox)* _____ .

# [11] SHOPPING FOR CLOTHING

### a. Les vêtements / *Clothing*

les baskets *(f.)*  *sneakers*
la blouse  *blouse*
les bottes *(f.)*  *boots*
la casquette  *cap*
le chapeau  *hat*
les chaussettes *(f.)*  *socks*
les chaussures *(f.)*  *shoes*
la chemise  *shirt*
le chemisier  *blouse*
les collants *(m.)*  *pantyhose*
le complet  *suit* (man's)
le costume  *suit*
la cravate  *tie*
l'écharpe *(f.)*  *scarf*
les gants *(m.)*  *gloves*
les habits *(m.)*  *clothing*
l'imperméable *(m.)*  *raincoat*

le jean  *jeans*
la jupe  *skirt*
le maillot de bain  *bathing suit*
le manteau  *coat*
le pantalon  *pants*
le pardessus  *overcoat*
la poche  *pocket*
le pull  *sweater*
la robe  *dress*
les sandales *(f.)*  *sandals*
le short  *shorts*
les souliers *(m.)*  *shoes*
le tailleur  *suit* (woman's)
le tee-shirt  *T-shirt*
les tennis *(f.)*  *tennis sneakers*
le veston  *jacket*
les vêtements *(m.)*  *clothing*

### b. Les couleurs / *Colors*

blanc(he)  *white*
bleu  *blue*
brun  *brown*
gris  *gray*

jaune  *yellow*
noir  *black*
orange  *orange*
rose  *pink*

rouge  *red*
vert  *green*
violet(te)  *purple*

### c. Les tissus et les matériaux / *Fabrics and materials*

le coton  *cotton*
le cuir  *leather*
le daim  *suede*
la dentelle  *lace*
le feutre  *felt*

la flanelle  *flannel*
la fourrure  *fur*
la laine  *wool*
le lin  *linen*
le nylon  *nylon*

le satin  *satin*
la soie  *silk*
le velours  *velvet*

### d. Les bijoux / *Jewelry*

l'alliance *(f.)*  *wedding ring*
l'anneau *(m.)*  *ring* (without stone)
la bague  *ring* (with stone)
les boucles d'oreilles *(f.)*  *earrings*
le bracelet  *bracelet*

la broche  *brooch, pin*
la chaîne  *chain*
le collier  *necklace*
la montre  *watch*

### e. Pierres précieuses et métaux / *Gems and metals*

le diamant  *diamond*
l'émeraude *(f.)*  *emerald*

l'opale *(f.)*  *opal*
la perle  *pearl*

le rubis  *ruby*          la topaze  *topaz*

le saphir  *sapphire*

l'argent *(m.)*  *silver*      l'or *(m.)*  *gold*      le platine  *platinum*

## EXERCICE R

*Vous allez passer une année à l'étranger pour étudier le français. Faites la liste des vêtements que vous emporterez avec vous. Mentionnez également la couleur et le tissu de chaque article.*

EXEMPLE:    **un tee-shirt jaune en coton**

1. _____          2. _____

3. _____          4. _____

5. _____          6. _____

7. _____          8. _____

9. _____         10. _____

## [ 12 ]  TRAVEL AND TRANSPORTATION

| | |
|---|---|
| l'aéroport *(m.)*  *airport* | le décollage  *takeoff* |
| l'arrêt *(m.)*  *stop* | le départ  *departure* |
| l'arrivée *(f.)*  *arrival* | la gare  *train station* |
| l'atterrissage *(m.)*  *landing* | la gare routière  *bus station* |
| l'auberge *(f.)*  *inn* | le guichet  *ticket window* |
| l'autobus *(m.)*  *bus* | le guide  *guide* |
| l'automobile *(f.)*  *car* | l'horaire *(m.)*  *schedule* |
| l'autoroute *(f.)*  *highway* | l'itinéraire *(m.)*  *itinerary* |
| l'avion *(m.)*  *airplane* | le logement  *lodging* |
| les bagages *(m.)*  *luggage* | la malle  *trunk* |
| le bateau  *boat* | le métro  *subway* |
| la bicyclette  *bicycle* | la mobylette  *moped* |
| le billet  *ticket* | la moto  *motorcycle* |
| la boussole  *compass* | le moyen de transport  *means of transportation* |
| le camion  *truck* | le / la pensionnaire  *boarder, guest* |
| la camionnette  *van* | la place  *seat* |
| la carte routière  *road map* | la porte  *gate* |
| le chemin  *road* | la promenade  *walk* |
| le chemin de fer  *railroad* | le quai  *pier* |
| le compartiment  *compartment* | la route  *route, road* |
| la couchette  *berth* | le scooter  *scooter* |

| | |
|---|---|
| le séjour   *stay* | la valise   *suitcase* |
| la station   *station, resort* | le vélo   *bicycle* |
| la station balnéaire   *seaside resort* | la vitesse   *speed* |
| la station de ski   *ski resort* | la voie   *track* |
| le tarif   *rate, price* | la voiture   *car* |
| le taxi   *taxi* | le vol   *flight* |
| le ticket   *ticket* | le voyage   *trip* |
| le train   *train* | le voyageur   *traveler* |
| le tramway   *streetcar* | le wagon   *wagon, coach, car* |

## EXERCICE S

*Exprimez comment vous pouvez vous rendre à chaque endroit mentionné en faisant la liste des moyens de transport à votre disposition.*

EXEMPLE:   Au centre commercial
J'y vais **en scooter, en vélo, en voiture.**

*1.* Au lycée

_____

_____


*2.* À Walt Disney World

_____

_____


*3.* En Europe

_____

_____


# [13] CURRENT EVENTS

### a.  La politique / *Politics*

| | |
|---|---|
| l'aide militaire *(f.)*   *military aid* | le candidat   *candidate* |
| l'ambassade *(f.)*   *embassy* | le chef d'État   *head of state* |
| l'ambassadeur *(m.)*   *ambassador* | la conférence   *conference* |
| l'armée *(f.)*   *army* | le congrès   *congress* |
| l'assemblée *(f.)*   *assembly* | la démocratie   *democracy* |
| le député   *representative* | le parlement   *parliament* |
| la dictature   *dictatorship* | le parti   *party* |
| les droits   *rights* | le pouvoir exécutif   *executive power* |

l'économie *(f.)*  *economy*
la frontière  *border*
le gouvernement  *government*
le gouverneur  *governor*
la guerre  *war*
l'inflation *(f.)*  *inflation*
les informations *(f.)*  *news*
l'interview *(f.)*  *interview*
le journal  *newspaper*
le / la journaliste  *journalist*
le magazine  *magazine*
le maire  *mayor*
la mairie  *town hall*
le ministre  *minister*
la monarchie  *monarchy*
les nouvelles *(f.)*  *news*

le président  *president*
le programme  *program, platform*
la rébellion  *rebellion*
la reine  *queen*
le reportage  *news report*
le reporter  *reporter*
la république  *republic*
la révolte  *revolt*
la révolution  *revolution*
le roi  *king*
le sénat  *senate*
le sénateur  *senator*
les (gros) titres *(m.)*  *headlines*
le traité  *treaty*
l'urne *(f.)*  *ballot box*
le vice-président  *vice president*

**b.  La vie culturelle** / *Cultural life*

l'auditorium *(m.)*  *auditorium*
l'acte *(m.)*  *act*
l'artiste *(m. or f.)*  *artist*
les arts *(m.)*  *arts*
l'auteur dramatique *(m.)*  *playwright*
le ballet  *ballet*
la comédie  *comedy*
le compositeur  *composer*
le concert  *concert*
la culture  *culture*
l'exposition *(f.)*  *exhibit*
musicien(ne)  *musician*
la musique  *music*
l'opéra *(m.)*  *opera*
l'orchestre *(m.)*  *orchestra*

l'ouvreur (-euse)  *usher*
le peintre  *painter*
la peinture  *painting*
le personnage  *character*
la pièce de théâtre  *play*
la poésie  *poetry*
poète (poétesse)  *poet*
la représentation  *performance (show)*
la scène  *scene, stage*
le sculpteur  *sculptor*
la sculpture  *sculpture*
le spectacle  *show*
le théâtre  *theater*
la vedette  *star*
le vers  *line, verse*

## EXERCICE T

*Répondez aux questions suivantes.*

*1.* Quels sont les membres principaux du gouvernement américain?

_____

_____

*2.* Qui dirige la ville et qui dirige l'état?

_____

*3.* Quels sont les différents genres de gouvernement?

_____

_____

## EXERCICE U

*Pour chaque catégorie, donnez le plus de noms possibles de Français célèbres.*

*1.* Auteurs dramatiques

_____

_____

*2.* Sculpteurs

_____

_____

*3.* Peintres

_____

_____

*4.* Poètes

_____

_____

*5.* Compositeurs

_____

_____

# MASTERY EXERCISES

## EXERCICE V

*Complétez chaque phrase avec un mot approprié.*

*1.* On entend avec _____ .

2. Pour donner un coup de téléphone, décrochez _____ .

3. _____ nous donne des œufs.

4. Vous ouvrez un compte épargne à _____ .

5. Pour chercher la définition d'un mot, on regarde dans _____ .

6. Mon père est _____ de ma mère.

7. Une personne mariée porte _____ au doigt.

8. L'omelette est faite avec _____ .

9. _____ d'une école honore les étudiants qui ont les meilleures notes.

10. Dans une boulangerie, on vend du _____ .

11. Pour conserver la glace, on la met au _____ .

12. _____ dirige les affaires d'une grande compagnie.

13. L'Empire State Building est un _____ très connu.

14. _____ est un jour où il n'y a ni classes ni travail.

15. _____ écrit des pièces.

16. Après le dîner, on _____ la table.

17. L'homme qui apporte le courrier est _____ .

18. Si un homme ne se rase pas, il aura _____ .

19. Pour savoir utiliser un ordinateur, il faut étudier _____ .

20. À l'aéroport, _____ vous demande d'ouvrir vos bagages.

21. La Martinique est _____ tropicale.

22. Si vous voulez attraper des poissons, allez à _____ .

23. Pour savoir à quelle heure part votre train, il faut consulter _____ .

24. À la fin d'un repas, on laisse _____ de 15% au serveur.

25. Quand il pleut, je mets mon _____ .

## EXERCICE W

*Identifiez les illustrations.*

EXEMPLE:   **C'est un homme.**

1. _____

2. _____

3. _____

4. _____

5. _____

6. _____

7. _____

8. _____

9. _____

10. _____

11. _____

12. _____

13. _____

14. _____

**15.** _____

**16.** _____

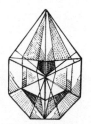

**17.** _____

**18.** _____

**19.** _____

**20.** _____

## EXERCICE X

*Écrivez un email à votre correspondant(e) où vous décrivez votre quartier ou voisinage.*

# Part five
# French Civilization

QUÉBEC

SAINT-PIERRE-
ET-MIQUELON

LOUISIANE

BELGIQUE

LUXEMBOURG

FRANCE          SUISSE

MONACO

CORSE

MAROC

ALGÉRIE                TUNISIE

HAÏTI        GUADELOUPE

MARTINIQUE

MAURITANIE

SÉNÉGAL

GUINÉE

BURKINA FASO

CÔTE-D'IVOIRE

GUYANE

MALI

NIGER          TCHAD

RÉPUBLIQUE
CENTRAFRICAINE

TOGO      BÉNIN

CAMEROUN

GABON

CONGO

ZAÏRE

# Chapter 32
# La Langue française

Le français, comme l'italien, l'espagnol, le portugais et le roumain *(Romanian)* est une langue romane *(Romance language)* dérivée surtout du latin populaire parlé par les Romains. Il y a plus de 2.000 ans, les Romains, avec leur chef Jules César, ont fait la conquête de la Gaule, appelée aujourd'hui la France. Les Gaulois, qui étaient un peuple celtique, ont adopté la langue des Romains victorieux.

Pendant longtemps, on a parlé des dialectes différents dans les régions de France. C'est le dialecte de l'Île-de-France, où se trouvait la cour des rois, qui est devenu la langue officielle du pays. On trouve encore aujourd'hui des traces de ces anciens dialectes. Le breton, par exemple, est une langue celtique. Le français a aussi emprunté beaucoup de termes modernes à l'anglais, comme les mots **club, détective, match, steak, jazz, parking, tunnel, interview** et **week-end.**

La langue française est connue pour sa clarté de pensée et d'expression. Pour conserver et perfectionner cette langue, le cardinal de Richelieu a fondé l' **Académie française** en 1635. Les membres de l'Académie sont appelés «les quarante immortels» et ils publient le dictionnaire officiel et la grammaire de la langue française.

Le français a exercé une influence profonde sur la langue anglaise. Cette influence est la conséquence de l'invasion de l'Angleterre en 1066 par Guillaume le Conquérant, duc de Normandie. Après cette conquête, le français est devenu la langue officielle de la cour royale, des nobles et de la justice en Angleterre. Beaucoup de mots français ont été adoptés par la langue anglaise. Ainsi, certains mots anglais ressemblent à des mots français. En général, le mot anglais et le mot français sont de la même origine. Voici quelques exemples de mots alliés *(cognates):*

| FRANÇAIS | ANGLAIS | FRANÇAIS | ANGLAIS |
|----------|---------|----------|---------|
| **année** | *annual* | **livre** | *library* |
| **campagne** | *campaign* | **main** | *manual* |
| **chien** | *canine* | **moins** | *minus* |
| **dormir** | *dormitory* | **nez** | *nasal* |
| **faible** | *feeble* | **penser** | *pensive* |
| **fleur** | *florist* | **seul** | *solitude* |
| **hiver** | *hibernate* | **vie** | *vital* |

L'anglais a également emprunté beaucoup d'expressions au français, comme:

**à la carte** *term used in dining when items are ordered individually from the menu*

**bon voyage** *"Have a good trip."*

**coup d' état** *violent overthrow of a government*

**déjà vu** *sense of already having seen or heard something*

**demitasse** *small cup of black coffee*

**de rigueur** *prescribed by custom; proper*

**encore** *repeat performance*

**esprit de corps** *enthusiastic group spirit*

**faux pas** *social blunder*

**gourmet** *person who knows and appreciates fine food*

**nom de plume** *pen name assumed by an author*

**rendezvous** *meeting place, appointment*

**R.S.V.P.** *(répondez, s'il vous plaît) "Please reply."*

**sabotage** *malicious destruction of property*

**tête-à-tête** *private conversation between two people*

## LA LANGUE FRANÇAISE DANS LE MONDE

Il y a des francophones (des personnes qui parlent français) un peu partout dans le monde. Plus de 200 million d'habitants, dans plus de 50 pays et territoires et sur les sept continents parlent français comme langue maternelle ou comme deuxième langue.

Le français est une des langues officielles de l'ONU (Organisation des Nations Unies) et de l'Union Européenne.

## AUX ÉTAT-UNIS

De nos jours, le français subsiste encore au Maine, au New Hampshire, au Vermont, au Massachusetts et surtout en Louisiane où le français est enseigné dans les écoles. En 1755, quand les Anglais ont chassé les cajuns de l'Acadie, leur territoire à l'est du Canada, ceux-ci se sont réfugiés en Louisiane, autour de La Nouvelle-Orléans. Ils ont établi un grand nombre de villes et, pour cette raison, beaucoup de leurs traditions et coutumes survivent aujourd'hui.

## AU CANADA

85 Au Canada, à peu près un tiers de la population parle français, surtout dans la province de **Québec**, où le français est la langue officielle depuis 1974.

Les Québécois soutiennent la langue, les traditions, et les coutumes françaises. Il y a des différences entre la langue française qu'on parle au 90 Canada et celle qu'on parle en France. D'abord, l'évolution de la langue dans les pays a été différente. Ensuite, au Canada on emprunte beaucoup de mots et d'expressions à l'anglais.

## AUX ANTILLES FRANÇAISES ET EN AMÉRIQUE DU SUD

Les îles de la **Martinique** et de la **Guadeloupe** 95 sont des départements d'outre-mer *(overseas)* (D.O.M) de la France. Leurs habitants sont des citoyens français: ils ont les mêmes droits, les mêmes privilèges, les mêmes lois, le même gouvernement, le même système d'éducation, et 100 les mêmes responsabilités que les citoyens français.

On parle français aussi dans **la République d'Haïti**, un pays qui partage **l'île d'Hispaniola** avec **la République Dominicaine**. L'Haïti est indépendant de la France mais le français est sa 105 langue officielle et l'influence française y joue un rôle important. La plupart des haïtiens parlent créole, un dialecte influencé par des éléments africains.

**La Guyane française**, un autre département d'outre-mer de la France, est située entre le 110 Surinam et le Brésil en Amérique du Sud. Le français est la langue officielle de la Guyane française et ses habitants sont des citoyens français.

## EN EUROPE

Le français est non seulement la langue de la France, mais aussi celle de la **Belgique**, du **Luxembourg**, 115 de la **Suisse**, de la principauté de **Monaco**, et d'une île à l'ouest de l'Italie, **la Corse**.

La Belgique a plus de 10 millions d'habitants. Sa capitale, Bruxelles, est le siège de l'OTAN *(NATO)*. Le français est la langue officielle des 120 Wallons, les habitants du sud du pays.

Le Luxembourg, un des plus petits et plus anciens pays indépendants de l'Europe, est très industrialisé. La Cour de Justice européenne siège à Luxembourg, la capitale.

Environ 20% des habitants de la Suisse, ceux 125 qui habitent près de la frontière avec la France, parlent français. Genève est le siège européen des Nations Unies.

Monaco est un état indépendant sous la protection de la France Situé sur la côte sud de la France, 130 Monaco attire beaucoup de touristes.

La Corse, une île au sud de la France, est française depuis 1767.

## À L'EXTRÊME-ORIENT ET AU MOYEN-ORIENT

Malgré leur indépendance de la France, en **Indochine**, la culture française subsiste encore au 135 **Vietnam**, au **Laos**, et au **Cambodge**. On parle français aussi au **Liban** et en **Égypte**.

**Tahiti** et **la Nouvelle Calédonie**, des îles dans l'océan Pacifique, sont des territoires d'outre-mer de la France. Les habitants n'ont pas de voix dans 140 la politique française mais ils gardent des liens avec la France.

## EN AFRIQUE

Toutes les anciennes colonies africaines de la France sont devenues indépendantes entre 1956 et 1962, sauf **la Réunion** (un département d'outre-mer), et 145 **Mayotte**, une des îles des Comores. La plupart de ces nations gardent des liens culturels et économiques avec la France et ils ont choisi de garder le français comme langue officielle. La France leur donne de l'aide économique et technique, surtout dans les 150 domaines de la santé et de l'éducation.

**L'Algérie**, **le Maroc** et **la Tunisie** font partie d'une région appelée **Maghreb** (le soleil se couche). Ces trois pays maintiennent l'usage de la langue française et ils ont gardé le système d'éducation 155 français.

Au **Sénégal**, on maintient de fortes relations avec la France. Dakar est sa capitale. Son premier président, Léopold Senghor, était un grand écrivain.

En **Côte d'Ivoire** les habitants maintiennent 160 des liens avec la France et parlent français comme langue officielle.

On parle français aussi au **Madagascar**, au **Mali**, au **Niger**, au **Tchad**, au **Congo français**, et dans la **République Démocratique du Congo**, qui est 165 le pays francophone le plus peuplé après la France.

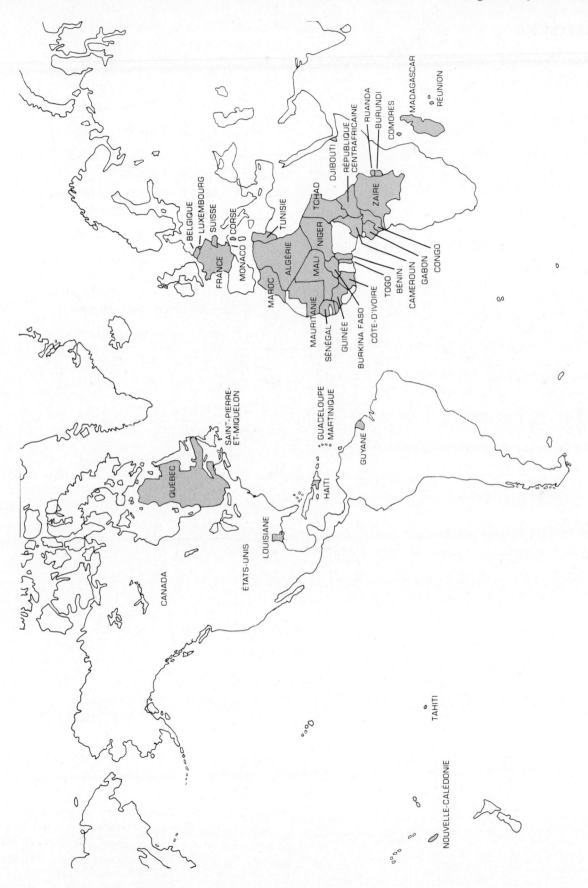

## EXERCICE A

*Écrivez la lettre désignant le mot qui correspond à chaque définition de la colonne de gauche.*

1. langue des anciens Romains _____
2. ancien nom de la France _____
3. chef des Romains _____
4. qualité de la langue française _____
5. duc de Normandie _____
6. pays où le français est la langue officielle _____
7. membres de l'Académie française _____
8. langue celtique _____
9. pays conquis *(conquered)* par les Normands _____
10. langue romane _____

a. l'Angleterre
b. la Côte-d'Ivoire
c. la clarté
d. le latin
e. l'italien
f. les quarante immortels
g. la Gaule
h. Guillaume le Conquérant
i. Jules César
j. le breton

## EXERCICE CRÉATIF

*Choisissez une des activités suivantes.*

1. Travaillez avec un(e) camarade de classe. Préparez une annonce publicitaire pour des vacances dans un pays francophone.

2. Écrivez une liste de dix mots ou expressions que l'anglais a empruntés du français. Échangez votre liste avec un(e) camarade de classe. Employez chaque mot ou expression dans une phrase.

3. Choisissez une ville francophone et tracez son histoire.

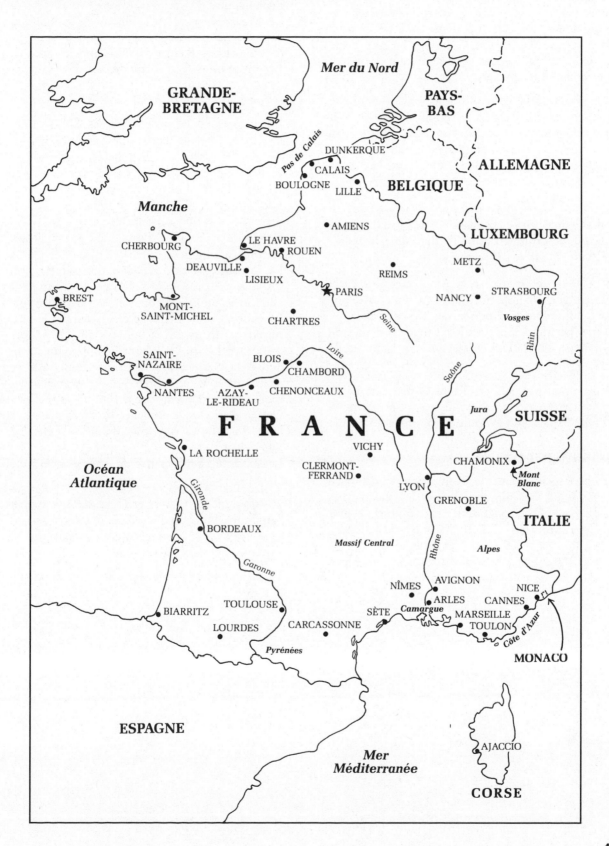

## SUPERFICIE, POPULATION, FRONTIÈRES ET CLIMAT

1   la France est un pays remarquable par la variété de son climat, de son paysage, de ses industries et de ses produits. Avec une superficie *(area)* de 213.000 milles carrés *(square miles),* la France est plus petite
5   que le Texas. Elle a une population d'un peu plus de 66 millions d'habitants.

La France a la forme d'un hexagone, une figure géométrique à six côtés. Trois de ces côtés sont des frontières maritimes: **la mer du Nord** et **la**
10  **Manche** au nord-ouest, **l'océan Atlantique** à l'ouest et **la mer Méditerranée** au sud. La France a donc des côtes maritimes étendues et de nombreux ports.

La France a aussi des frontières avec **la Belgique**
15  et **le Luxembourg** au nord, **l'Allemagne, la Suisse** et **l'Italie** à l'est, et **l'Espagne** au sud.

Le pays est en zone tempérée, presque à égale distance entre le pôle nord et l'équateur. Cette position, ainsi que l'influence des mers et du Gulf
20  Stream, permet à une grande partie de la France de bénéficier d'un climat généralement doux et de pluies suffisantes.

Il ne faut pas oublier que **la Corse,** une île de la Méditerranée au sud-est du pays, fait partie de
25  la France. C'est en Corse que Napoléon I^er est né.

## MONTAGNES

1.  **Les Alpes** servent de frontière entre la France et l'Italie. Ces montagnes sont les plus élevées du pays. **Le mont Blanc,** le sommet le plus élevé d'Europe (15.780 pieds ou 4.807 mètres),
30  est situé dans les Alpes françaises.
2.  **Les Pyrénées** sont moins hautes que les Alpes. Elles séparent la France de l'Espagne.

3.  **Le Jura** est la frontière principale entre la France et la Suisse.
4.  **Les Vosges** se trouvent en Alsace, près de   35 l'Allemagne.
5.  **Le Massif central** est la chaîne de montagnes la plus ancienne du pays. On y trouve de nombreux volcans éteints *(extinct),* appelés «puys». **Les Cévennes** font partie du Massif central.   40

## FLEUVES

1.  **La Seine** est le fleuve le plus navigable et le plus important au point de vue commercial. La Seine naît *(originates)* dans le centre-est de la France. Elle traverse Paris, puis la Normandie et se jette dans la Manche, près du Havre.   45
2.  **La Loire** est le plus long fleuve français. Elle naît dans le Massif central et se jette dans l'Atlantique. Il y a beaucoup de châteaux célèbres le long de la vallée de la Loire.
3.  **La Garonne** vient d'Espagne. Elle se jette dans   50 l'Atlantique près de la ville de **Bordeaux,** où elle forme un bras de mer appelé **la Gironde.**
4.  **Le Rhône** est le fleuve le plus rapide et le plus turbulent. Il prend sa source dans les Alpes suisses. À **Lyon,** le Rhône s'unit à un autre   55 fleuve, **la Saône,** puis continue pour aller se jeter dans la Méditerranée près de Marseille. La région du delta formé par le Rhône s'appelle **la Camargue.** Il y a plusieurs barrages *(dams)* le long du Rhône qui fournissent de l'énergie   60 hydroélectrique.
5.  **Le Rhin** sépare la France de l'Allemagne.

La France possède beaucoup de canaux qui unissent les fleuves et les rivières. L'ancien **canal du Midi** est l'un des mieux connus. Il   65 relie *(connects)* la Méditerranée à la Garonne et, par conséquent, à l'Atlantique.

Le tourisme fluvial est un grand développement.

## LES PROVINCES

70 Avant la Révolution de 1789, la France était divisée en 32 **provinces.** Chaque province avait ses traditions et ses coutumes particulières. Aujourd'hui, les provinces n'existent plus. Le pays est divisé en **régions** et en **départements.** Pourtant, les Français 75 emploient encore le nom des anciennes provinces pour désigner certaines régions.

Chaque ancienne province avait un costume spécifique, que l'on porte parfois aujourd'hui à l'occasion d'une fête régionale. On peut encore voir la coiffe (chapeau traditionnel pour les 80 femmes) et les sabots (chaussures de bois).

Voici quelques-unes des anciennes provinces:

**1. La Bretagne** *(Brittany)* est la péninsule au nord-ouest du pays qui s'avance dans l'Atlantique.

PROVINCES

85 C'est une province pittoresque où on trouve beaucoup de pêcheurs et de marins *(sailors)*. C'est aussi une région agricole.

90 La tradition et le folklore jouent un rôle important dans la vie des Bretons. Beaucoup parlent encore l'ancien dialecte celtique. On appelle **pardons** les fêtes religieuses que les Bretons célèbrent chaque année. Parmi les curiosités de cette province, il faut noter les assemblages mystérieux de grosses pierres 95 préhistoriques, souvent groupées en ligne, les **menhirs.**

2. **La Normandie,** au nord-ouest de la France, est située sur la Manche. Le long des côtes normandes on trouve des ports de commerce et des plages 100 renommées. La Seine traverse cette région de champs *(fields)* fertiles et de pâturages *(pastures)*. La Normandie est connue pour ses produits laitiers comme **le beurre** et **le fromage.** On y trouve aussi de grands centres industriels.

105 Deux événements historiques rappellent cette province: la conquête de l'Angleterre en 1066 par le duc de Normandie, **Guillaume le Conquérant,** et **le débarquement** *(landing)* des forces alliées pour libérer l'Europe pendant la 110 Seconde Guerre mondiale.

3. **L'Île-de-France,** province des rois de France, est le centre administratif du pays. **Paris,** la capitale de la France, est situé en Île-de-France.

4. **L'Alsace** et **la Lorraine,** au nord-est du pays, 115 sont deux provinces qui ont été disputées pendant des siècles par la France et l'Allemagne. L'Alsace est importante au point de vue agricole. La Lorraine, région industrielle, possède de très riches mines de fer.

5. **La Provence,** au sud-est de la France, se trouve 120 entre la Méditerranée, les Alpes et le Rhône. Cette province fleurie au doux climat possède beaucoup de monuments romains. Un grand nombre d'habitants parlent **provençal,** l'ancien dialecte de la province. La célèbre **Côte d'Azur** 125 **(la Riviera)** est située le long de la Méditerranée entre Marseille et la frontière italienne.

6. **La Touraine,** dans la vallée de la Loire, est surnommée *(nicknamed)* «le jardin de la France» à cause des quantités de fruits et de légumes qui 130 y sont produits. La vallée de la Loire est célèbre pour ses châteaux splendides, comme **Blois, Chambord** et **Chenonceaux.**

7. **La Bourgogne** *(Burgundy)* et **la Champagne** sont deux régions fertiles, connues pour 135 leurs vins.

8. **L'Auvergne,** dans le Massif central, est une région montagneuse d'origine volcanique.

9. **La Savoie,** à l'est du pays, est la principale province des Alpes françaises. Le mont Blanc y 140 est situé.

10. **La Flandre, l'Artois** et **la Picardie** sont des plaines fertiles et des régions industrielles. La Flandre, qui forme la frontière avec la Belgique, est la région industrielle la plus importante de 145 France.

11. **La Gascogne** et **Le Languedoc** se trouvent dans **le Midi** (le sud) près des Pyrénées et de l'Atlantique, dans la région qu'on appelle «**le pays basque»**. Les Basques parlent une langue 150 différente dont l'origine est inconnue. Ils portent le béret et leur jeu régional, la pelote, est très populaire.

## EXERCICE A

*Identifiez les montagnes et les fleuves de la France, en écrivant en face de chaque nom donné le numéro qui correspond à son emplacement sur la carte suivante.*

**1.** la Loire _____

**2.** la Garonne _____

**3.** le Massif central _____

**4.** le Jura _____

**5.** la Seine _____

**6.** les Alpes _____

**7.** le Rhône _____

**8.** le Rhin _____

**9.** les Vosges _____

**10.** les Pyrénées _____

## EXERCICE B

*Utilisez la carte de l'exercice A pour reporter les lettres qui correspondent aux locations des frontières françaises suivantes.*

1. l'océan Atlantique _____    6. l'Espagne _____

2. l'Allemagne _____    7. la Belgique _____

3. la mer Méditerranée _____    8. l'Italie _____

4. la Manche _____    9. le Luxembourg _____

5. la Suisse _____

## EXERCICE C

*Écrivez la lettre désignant le mot qui correspond à chaque définition de la colonne de gauche.*

1. montagnes les plus hautes de France _____    *a.* le Jura

2. île française de la Méditerranée _____    *b.* la Loire

3. fleuve français le plus navigable _____    *c.* le mont Blanc

4. plus haut sommet des Alpes _____    *d.* les Vosges

5. plus long fleuve français _____    *e.* la Camargue

6. montagnes d'Alsace _____    *f.* le Massif central

7. fleuve qui vient d'Espagne _____    *g.* la Corse

8. frontière entre la France et la Suisse _____    *h.* la Seine

9. région du delta du Rhône _____    *i.* les Alpes

10. plus anciennes montagnes _____    *j.* la Garonne

## EXERCICE D

*Donnez le nom de chaque province qui correspond à la définition.*

1. _____ est l'ancienne province où se trouve Paris.

2. _____ est dans la vallée de la Loire, le pays des châteaux.

3. _____ , près de l'Allemagne, est riche en mines de fer.

**4.** _____ est une péninsule au nord-ouest de la France où la pêche est une industrie importante.

**5.** _____ , au centre de la France, est une région volcanique.

**6.** _____ est la province où il y a beaucoup de monuments romains.

**7.** _____ , à l'est de la France, est connue pour la beauté de ses montagnes, les Alpes.

**8.** _____ , sur la Manche, est une région agricole très riche.

**9.** _____ et la _____ produisent des vins renommés.

**10.** _____ , près de la Belgique, est une région industrielle.

## EXERCICE CRÉATIF

*Choisissez une des activités suivantes.*

**1.** Choisissez une province de la France et écrivez un email à votre correspondant(e) français(e) et expliquez pourquoi vous avez envie de visiter cette province.

**2.** Faites une brochure illustrée d'une des provinces.

**3.** Faites une carte de la France où vous indiquez les montagnes, les fleuves et les villes importantes.

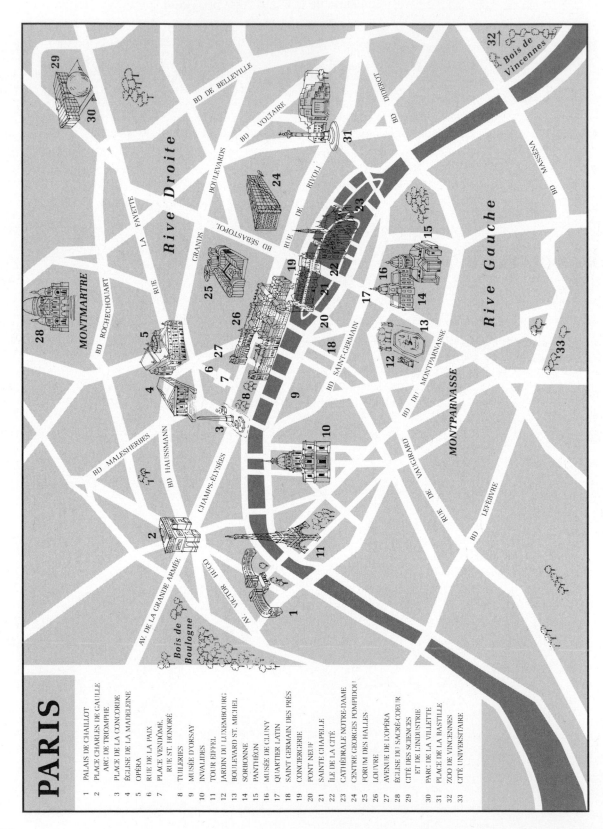

# PARIS

1 **Paris** est la **capitale** politique, économique et intellectuelle de la France. C'est le premier centre commercial et industriel du pays, le centre de la mode et le premier port français de navigation inté-
5 rieure. La ville même a une population de moins de 3 millions d'habitants, mais avec la banlieue *(suburbs)* elle forme une concentration de plus de 10 millions d'habitants.

**La Seine** divise la ville en deux parties: **la rive**
10 **droite,** au nord, et **la rive gauche,** au sud. La rive droite est plus grande et plus animée. C'est le centre des affaires: maisons de commerce, grands magasins, théâtres, hôtels, restaurants et grands boulevards. Le quartier pittoresque de **Montmartre**
15 est situé sur la rive droite. Sur la rive gauche se trouve le **Quartier latin,** centre de l'enseignement et des activités culturelles. La plupart des grandes écoles, comme **la Sorbonne, le Collège de France** et **l'École de Médecine** sont dans le Quartier latin.

20 **Le Pont-Neuf** est le plus ancien pont de Paris. Il traverse la Seine à l'île de la Cité.

Pour son administration, Paris est divisé en vingt **arrondissements.** Paris, qu'on appelle «**la Ville Lumière**», est une des plus belles villes du
25 monde, connue pour son architecture, ses monuments, ses musées, ses places et ses jardins.

## MUSÉES

1. Le musée du **Louvre** est le musée le plus important de France. Cet ancien palais des rois de France est l'un des plus grands musées d'art du
30 monde. On y trouve des chefs-d'œuvre *(master-pieces)* comme **la Joconde** (le portrait de Mona Lisa) de Léonard de Vinci, **la Vénus de Milo** et **la Victoire de Samothrace.** Une pyramide de verre sert d'entrée au musée.
35 2. **L'hôtel des Invalides** contient la tombe en marbre rouge de Napoléon I^er et un musée militaire.
3. **Le Panthéon,** au Quartier latin, a été construit pour être une église en l'honneur de sainte
40 Geneviève, la patronne *(patron saint)* de Paris. Dans ce monument se trouvent aujourd'hui les tombeaux de nombreux Français et Françaises illustres, comme Voltaire, Jean-Jacques Rousseau, Victor Hugo, Émile Zola, Sophie Berthelot et
45 Marie Curie.

4. Le musée de **Cluny,** au Quartier latin, contient une collection d'objets d'art du Moyen Âge et de la Renaissance.
5. Le **Centre national d'art et de culture Georges-Pompidou** est une structure métal-
50 lique d'une architecture très moderne. Le **centre Pompidou,** qu'on appelle aussi le **centre Beaubourg** à cause du quartier où il se trouve, est un complexe d'activités diverses: un musée d'art moderne, une grande bibliothèque,
55 un centre de création industrielle et un institut pour l'expérimentation musicale.
6. Le **musée d'Orsay,** installé dans l'ancienne gare d'Orsay, contient des collections qui illustrent la création artistique de la seconde moitié du XIX^e
60 siècle et des premières années du XX^e siècle.
7. **La Cité des sciences et de l'industrie** est un musée très moderne. On y présente des exposi-tions relatives aux sciences et aux technologies d'aujourd'hui. Dans son théâtre spectaculaire, la
65 **Géode,** on joue des films en relief *(3-D).*
8. **Le Musée d'histoire naturelle** est un grand centre scientifique. En 1994 on a rénové la grande **galerie de l'Évolution,** un espace d'exposition qui traite de l'évolution et de la
70 diversité des espèces.
9. **Le Musée Picasso** réunit plus de 5000 œuvres de l'artiste et la collection permet d'apprecier tout l'œuvre peint, sculpté, gravé et dessiné de Picasso.
75 10. En 2014 **la Fondation Louis Vuitton** a ouvert un musée, imaginé par l'architecte Frank Gehry, dédiée à l'art contemporain.

## ÉGLISES

1. La cathédrale **Notre-Dame,** commencée dans l'île de la Cité au XII^e siècle, est un chef-d'œuvre
80 d'architecture gothique.
2. **La Madeleine** est une église élégante qui ressemble à un temple grec.
3. **La basilique du Sacré-Cœur,** qui date du XIX^e siècle, a la forme d'une mosquée. Située
85 sur la butte *(small hill)* Montmartre, cette église blanche domine la ville entière.
4. **La Sainte-Chapelle,** construite pour saint Louis (le roi Louis IX), est célèbre pour ses beaux vitraux *(stained-glass windows).* Ce «bijou de l'architecture
90 gothique» se trouve sur l'île de la Cité.
5. L'église romane de **Saint-Germain-des-Prés,** au Quartier latin, est une des plus anciennes de Paris.

## JARDINS ET BOIS

**1.** **Le jardin des Tuileries** se trouve près de la Seine, entre le Louvre et la place de la Concorde. C'était l'un des jardins favoris des rois de France.

**2.** **Le bois de Boulogne** était une forêt. C'est maintenant le plus grand parc de Paris. Il est situé à l'ouest de la ville.

**3.** **Le jardin du Luxembourg,** sur la rive gauche, est le rendez-vous préféré des étudiants du Quartier latin.

**4.** **Le bois de Vincennes,** avec son célèbre zoo, est un parc au sud-est de Paris.

**5.** **Le parc André Citroën,** inauguré en 1992, est le site de nombreux arbres exotiques, des plantes rares et un ballon à gaz proposant une ascension de 150 mètres de hauteur.

**6.** **Le parc de la Villette** avec **la Cité de la musique** est orné de petits pavillons fantastiques.

**7.** **La Promenade Plantée,** inauguré en 1993, traverse tout le 12e arrondissement. C'est un parc élevé sur une ancienne voie ferrée *(railway track).*

**8.** **Le Parc de Bercy** est un merveilleux jardin moderne.

## PLACES

**1.** **La place de la Concorde** est la plus vaste et la plus belle place de Paris. Après la Révolution de 1789, on y a guillotiné beaucoup de Français. Au centre de la place s'élèvent un obélisque égyptien et deux fontaines magnifiques. La place est entourée de statues colossales qui représentent des grandes villes de France.

**2.** **La place Charles-de-Gaulle** s'appelait place de l'Étoile jusqu'en 1970 parce que douze avenues y convergent vers **l'Arc de Triomphe** qui est au centre de la place. L'arc commémore les victoires de Napoléon I$^{er}$. Sous l'arc il y a le tombeau du Soldat inconnu et une flamme éternelle.

**3.** **La place de l'Opéra,** toujours pleine d'activité, est dominée par l'opéra. Cet édifice de la seconde moitié du XIX$^e$ siècle est connu pour ses façades sculptées, son grand escalier de marbre et son foyer splendide. À côté de la place se trouve le célèbre **Café de la Paix.**

**4.** **La place Vendôme** a beaucoup de magasins élégants. Au centre de la place se trouve la fameuse **colonne Vendôme,** faite avec le bronze des canons pris à l'ennemi par Napoléon I$^{er}$. La statue de l'empereur est au sommet de la colonne.

**5.** C'est sur **la place de la Bastille** que se trouvait autrefois la prison que les Parisiens ont prise et détruite en 1789. Aujourd'hui, **la colonne de Juillet** est au centre de la place. Elle a été élevée à la mémoire des Parisiens tués *(killed)* durant la Révolution de juillet 1830. Le nouvel opéra de la Bastille se trouve tout près.

## AUTRES MONUMENTS

**1.** **La tour Eiffel,** construite en acier par l'ingénieur **Gustave Eiffel,** date de l'exposition de 1889. La tour mesure 1.109 pieds (336 mètres) de haut et sert de poste émetteur de radio et de télévision.

**2.** **La Sorbonne,** fondée en 1257 par **Robert de Sorbon,** le chapelain du roi Louis IX, est la partie la plus ancienne de l'université de Paris.

**2.** **Le palais de Chaillot,** en face de la tour Eiffel, contient plusieurs musées et un théâtre.

**4.** **La cité universitaire,** composée de nombreux édifices, sert de résidence aux étudiants français et étrangers.

**5.** **La Conciergerie** est l'ancienne prison dans l'île de la Cité. Pendant la Révolution, un grand nombre de personnes y ont passé leurs derniers jours.

**6.** **Le Forum des Halles** est un centre commercial et de loisirs, construit à l'emplacement des Halles, l'ancien marché central de Paris.

**7.** Parmi les grands magasins de Paris on remarque **les Galeries Lafayette, le Bon Marché** et le **Printemps.**

**8.** Deux palais célèbres se trouvent près de la capitale: **Versailles,** le palais magnifique construit sur l'ordre de Louis XIV et **Fontainebleau,** le château préféré de Napoléon I$^{er}$.

## RUES

**1.** **L'avenue des Champs-Élysées** va de la place de la Concorde à la place Charles-de-Gaulle. Quand on se promène le long de cette large avenue bordée d'arbres, on peut voir des hôtels, des théâtres, des cafés, des cinémas et de beaux magasins.

**2.** **L'avenue de l'Opéra et la rue de la Paix** sont connues pour leurs magasins de luxe.

3. **La rue de Rivoli,** avec ses arcades, longe
185 *(goes alongside)* les Tuileries. On y trouve des
boutiques élégantes.

4. **Les Grands Boulevards** sont de belles et larges
avenues. **Le boulevard Saint-Michel** est la rue
principale du Quartier latin.

190 5. **Les quais** sont les rues qui bordent les deux
rives de la Seine. Le long des quais se trouvent
**les bouquinistes,** des marchands qui vendent de
vieux livres.

## TRANSPORTS

La situation commerciale de Paris est excellente.
195 C'est le premier port fluvial *(river)* de France et le
centre du réseau *(network)* routier. La ville a deux
aéroports: **Charles-de-Gaulle,** qui est un vaste
aéroport international, et **Orly.** Toutes les grandes
lignes de chemin de fer passent par Paris. Le T.G.V.,
200 **Train à Grande Vitesse,** relie *(connects)* Paris
à cinquante villes dont *(of which)* cinq en Suisse.
Quelques-unes des villes reliées sont Lille, Calais,
Lyon, Marseille, Genève et Le Mans.

Pour se déplacer dans Paris, il y a **les transports
en commun** *(public transportation):*
225 1. **Le métro** est le chemin de fer souterrain. Ce
vaste réseau relie tous les points de la ville.

2. **Le R.E.R.** (Réseau Express Régional) est un
ensemble de lignes qui relient Paris et la banlieue. Ce «super-métro» a un système de con-
230 trôle unique automatisé.

3. Un réseau **d'autobus** sert la ville entière et les
banlieues.

4. On peut faire une belle excursion sur **les
bateaux-mouches** qui descendent et remon-
235 tent la Seine. Ils permettent d'admirer plusieurs
monuments historiques de la ville.

5. Et maintenant, Paris est directement relié à
Londres, en Angleterre, grâce à **l'Eurotunnel.**
Inauguré en 1994, ce tunnel permet de passer
240 en train sous la Manche. Avec le T.G.V. et
l'Eurotunnel, Paris est maintenant à trois heures
de Londres.

# AUTRES VILLES FRANÇAISES

Lyon, Marseille, Lille, Toulouse, Bordeaux et
Nice sont parmi les autres villes françaises les plus 205
peuplées.

## PORTS

1. **Marseille,** sur la Méditerranée près de l'embouchure *(mouth)* du Rhône, est le plus grand
port de mer français. C'est aussi une ville
industrielle et le centre d'un grand commerce 210
avec l'Afrique du Nord et l'Orient.

2. **Le Havre,** à l'embouchure de la Seine, est le
plus grand port sur la Manche. **Cherbourg,
Boulogne** et **Calais** sont d'autres ports sur la
Manche. 215

3. **Dunkerque** est un port important sur la mer du
Nord.

4. **Bordeaux,** à l'embouchure de la Garonne, est
le port d'où l'on exporte les vins célèbres de la
région. 220

5. **Nantes,** à l'embouchure de la Loire, est un centre de construction navale.

## VILLES INDUSTRIELLES

1. **Lyon** se trouve au confluent *(junction)* du
Rhône et de la Saône. C'est une ville commerciale et le centre traditionnel des industries de 245
la soie et de la rayonne.

2. **Lille,** au nord-est, est le centre de l'industrie
textile. On y fabrique aussi des machines.

3. **Strasbourg,** capitale de l'Alsace, est un port sur
le Rhin. Dans sa cathédrale gothique se trouve 250
une célèbre horloge astronomique.

4. **Rouen** est un port sur la Seine en Normandie.
C'est dans cette ville que Jeanne d'Arc a été
exécutée.

5. **Grenoble,** au cœur des routes qui mènent aux 255
Alpes, est un centre intellectuel, économique et
touristique. C'est aussi un centre scientifique
avec de nombreux laboratoires de recherche.

6. **Toulouse,** sur la Garonne, est un marché
important de la région. On y fabrique les 260
avions de l'Airbus Industrie.

7. **Reims** est le centre de la production du vin de
champagne. La ville est également connue pour
sa cathédrale gothique où l'on couronnait les
rois de France. 265

8. **Nancy** et **Metz**, en Lorraine, sont des centres de constructions mécaniques comme les automobiles.

9. **Clermont-Ferrand**, dans le centre du pays, est la métropole française du caoutchouc. On y fabrique des pneus *(tires)*.

## STATIONS D' ÉTÉ ET D' HIVER

1. **Nice** est la plus grande ville de la Côte d'Azur. Nice et la ville de **Cannes** sont deux stations balnéaires *(seaside resorts)* qui attirent beaucoup de touristes. Chaque année, à Cannes, il y a le fameux festival international du cinéma.

2. **Deauville** et **Trouville** sont des plages populaires de Normandie, sur la Manche.

3. **Chamonix**, au pied du mont Blanc, est une belle station de ski *(ski resort)*. On y fait aussi de l'alpinisme.

4. **Vichy**, dans le Massif central, est la station thermale *(spa)* la plus célèbre du pays. Ses eaux minérales se boivent partout dans le monde.

5. **Biarritz** est une station balnéaire sur l'Atlantique, près de l'Espagne.

## VILLES HISTORIQUES

1. **Carcassonne**, dans le Midi de la France, est une ville fortifiée datant du Moyen Âge et parfaitement conservée.

2. Le **Mont-Saint-Michel** est situé sur une petite île de la Manche, entre les côtes de Bretagne et de Normandie. Cette ville fortifiée est dominée par une abbaye qui date du Moyen Âge. C'est une des merveilles du monde.

3. **Lourdes**, dans les Pyrénées, est un grand centre religieux. Des milliers de catholiques y viennent chaque année en pèlerinage *(pilgrimage)*.

4. **Avignon**, sur le Rhône en Provence, est célèbre pour son **palais des Papes** (popes). Les papes ont habité cette ville au XIV$^e$ siècle.

5. À **Nîmes** et à **Arles**, deux villes provençales, on trouve quelques-uns des monuments romains les mieux conservés. La **Maison carrée**, à Nîmes, est un ancien temple romain. À Arles, **les arènes** et **le théâtre** antique sont des merveilles d'architecture romaine. Près de Nîmes se trouve le célèbre aqueduc romain appelé le pont du Gard.

## EXERCICE A

*Écrivez la lettre désignant le mot qui correspond à chaque définition de la colonne de gauche.*

| | | |
|---|---|---|
| *1.* église en forme de temple grec | _____ | *a.* centre Pompidou |
| *2.* nom du tunnel sous la Manche | _____ | *b.* Galeries Lafayette |
| *3.* complexe moderne d'art et de culture | _____ | *c.* cité universitaire |
| *4.* boulevard principal du Quartier latin | _____ | *d.* Eurotunnel |
| *5.* poste émetteur de télévision | _____ | *e.* tour Eiffel |
| *6.* partie de l'université de Paris | _____ | *f.* Cluny |
| *7.* chemin de fer souterrain | _____ | *g.* la Madeleine |
| *8.* grand magasin | _____ | *h.* métro |
| *9.* musée d'art médiéval dans le Quartier latin | _____ | *i.* Saint-Michel |
| *10.* résidence pour étudiants | _____ | *j.* la Sorbonne |

## EXERCICE CRÉATIF

*Choisissez une des activités.*

1. Écrivez un email à votre correspondant(e) français(e) où vous indiquez huit centres d'intérêt que vous avez envie de visiter à Paris. Notez pourquoi vous avez fait ce choix.

2. Faites une brochure publicitaire pour une ville importante en France.

3. Faites un plan de la ville de Paris et notez où se trouvent selon vous les dix attractions touristiques les plus populaires.

PAYS-BAS
ANGLETERRE
ALLEMAGNE
BELGIQUE
LUXEMBOURG
Brest · Paris · Strasbourg ·
AUTRICHE
FRANCE
· Nantes
SUISSE

# Chapter 35
# L'Histoire de la France

## LA PRÉHISTOIRE

1  La France a un passé préhistorique très riche. On découvre encore de nombreux objets datant de cette époque. Les grottes de **Lascaux** sont célèbres dans le monde entier pour leurs magnifiques dessins
5  *(drawings)* préhistoriques. En 1994, on a découvert une autre grotte dans la région du Rhône. Appelée grotte de **Chauvet,** elle présente des exemples uniques de l'art préhistorique. En **Bretagne,** on trouve d'immenses blocs de pierre alignés datant de
10  plus de trois mille ans. On ignore toujours qui a dressé *(erected)* ces pierres et pourquoi.

## LA GAULE

Au premier siècle avant Jésus-Christ, la France s'appelait la **Gaule. Les Gaulois** étaient essentiellement un peuple d'agriculteurs *(farmers)* qui pratiquaient
15  aussi le commerce. Il y avait de nombreuses tribus qui se faisaient parfois la guerre. Leurs prêtres, appelés **druides,** occupaient une place importante dans leur société. Les druides étaient les chefs religieux. Ils étaient aussi chargés de l'éducation des
20  jeunes et de l'application de la justice. Ils adoraient la nature et croyaient qu'à la mort, l'âme *(soul)* partait dans un nouveau corps.

## LES ROMAINS

Le général romain **Jules César** a commencé à conquérir la Gaule en 58 av.J.-C. *(B.C.).* **Vercingétorix,**
25  un brave et intelligent chef gaulois, a réussi à unir son peuple contre les légions romaines. Mais après sa défaite à Alésia en 52 av. J.-C., Vercingétorix a été emmené à Rome où les Romains l'ont emprisonné puis exécuté. Vercingétorix est consi-
30  déré comme le premier héros national français. Il est mort en 46 av.J.-C.

Le gouvernement romain a duré près de 400 ans. Il a apporté la prospérité et la paix à la Gaule. Durant cette occupation, les Gaulois ont adopté la culture
35  plus développée des Romains. Ils ont adopté leurs coutumes, leur religion, leur code de justice et leur langue, le latin. Les Romains ont développé l'agriculture et le commerce et ils ont construit des routes, des aqueducs, des amphithéâtres et beaucoup
40  d'autres monuments remarquables.

## LES FRANCS

C'est l'invasion de la Gaule par des tribus barbares, Wisigoths, Vandales, Burgondes, Huns, qui a terminé l'occupation romaine. Au V^e siècle, **les Francs,** une tribu germanique, se sont installés en Gaule. Ils ont donné leur nom au pays: **la France. Clovis**  45
(465–511), roi des Francs, a chassé *(ousted)* les Romains et il a étendu *(spread)* son autorité à tout le territoire de la Gaule. Il a fondé ensuite une dynastie puis a introduit le christianisme qui est devenu la religion officielle du pays  50

Au V^e siècle, **les Huns,** une tribu barbare, a menacé d'attaquer Paris, alors appelée **Lutèce.** Une jeune fille, Geneviève, a dit aux habitants de ne pas avoir peur. Elle les a rassurés et leur a donné courage. Elle avait raison car les Huns n'ont  55
pas attaqué la ville. C'est pourquoi **sainte Geneviève** est, aujourd'hui encore, la patronne *(patron saint)* de la ville de **Paris.**

En 732, Charles Martel a sauvé la France d'une invasion musulmanne.  60

## LES CAROLINGIENS

**Charles I^er le Grand,** appelé **Charlemagne,** a été le plus puissant *(powerful)* empereur du Moyen Âge. Couronné *(crowned)* empereur d'Occident à Rome le jour de Noël de l'an 800, il a régné sur un immense empire. Il a fondé de nombreuses écoles car il  65
encourageait l'éducation. Il a essayé d'améliorer les conditions de vie de ses sujets. Ses exploits militaires sont racontés dans une histoire du Moyen Âge appelée *La Chanson de Roland.* Cette histoire est considérée comme le premier chef-d'œuvre de  70
la littérature française. Malheureusement, l'empire de Charlemagne a été divisé quelques années après sa mort.

## LES NORMANDS

À la fin du IX^e siècle, **les Normands** ont envahi *(invaded)* la France. Ces hommes du nord, arrivés  75
par la mer, ont remonté les fleuves en pillant *(looting)* tout sur leur passage. Certains sont restés dans la région qu'on appelle aujourd'hui **la Normandie.**

80 En 1066, **Guillaume le Conquérant,** duc de Normandie, est devenu roi d'Angleterre après avoir fait la conquête de ce pays.

**Louis IX,** aussi appelé **saint Louis,** est connu pour son amour de la justice et de la paix. Il était l'ami 85 des pauvres. Très religieux, il a participé activement aux **croisades** *(Crusades)* du XIIIe siècle. Durant son règne, Louis IX a consolidé l'autorité royale.

## LA GUERRE DE CENT ANS

La France a connu ensuite une longue période de guerre. Les Anglais ont revendiqué *(claimed)* le trône 90 de France, ce qui a mené à **la guerre de Cent Ans,** de 1337 à 1453. Les armées anglaises ont envahi le pays qui a été sauvé grâce à **Jeanne d'Arc,** une jeune paysanne française. Jeanne d'Arc est née en 1412 à **Domrémy,** en Lorraine. Persuadée qu'elle avait pour 95 mission divine d'aider le roi de France, elle a commandé les troupes qui ont délivré *(liberated)* la ville d'**Orléans**. Ses victoires militaires ont permis au roi de se faire couronner à Reims. Mais le 23 mai 1430, Jeanne a été faite prisonnière des Anglais. 100 Accusée de sorcellerie *(witchcraft),* elle a été brûlée vive *(alive)* le 28 mars 1431 à **Rouen**. Après sa mort, les Français, inspirés par son courage, ont chassé les Anglais de France.

## DU XVIe AU XVIIIe SIÈCLE

Au XVIe siècle, l'économie française s'est consi- 105 dérablement développée. Le roi **François Ier** a agrandi *(increased)* le territoire et centralisé l'administration. C'est l'époque de **la Renaissance.** Grand admirateur des arts, François Ier a reçu à sa cour des poètes, des écrivains, des savants et de grands artistes italiens dont 110 **Léonard de Vinci.** C'est François Ier qui a acheté le portrait de Mona Lisa au peintre.

François Ier aimait aussi l'architecture. Il a fait construire de magnifiques châteaux le long de la Loire et a modernisé le palais du Louvre. Il a 115 également encouragé l'exploration du Nouveau Monde. En 1534, **Jacques Cartier** a pris possession du **Canada** au nom de François Ier.

**Henri IV** a été appelé **le bon roi Henri** parce qu'il aimait son peuple et gouvernait avec huma- 120 nité. Il était protestant, mais il s'est converti au catholicisme pour mettre fin aux guerres de religion. Son célèbre **édit de Nantes** de 1598, a donné aux protestants le droit de pratiquer leur religion en toute liberté. Henri IV a développé l'industrie, le commerce 125 et l'agriculture. **Samuel de Champlain,** un de ses capitaines, a fondé la ville de **Québec** en 1608.

**Le cardinal de Richelieu** était le Premier ministre de Louis XIII. Homme d'État intelligent, il a augmenté la puissance *(power)* et le prestige de la France. Il a développé et imposé l'autorité royale. 130 Excellent administrateur, grand stratège *(strategist)* militaire et ami des arts, il a transformé la France en une des plus grandes nations de l'époque. Il a fondé **l'Académie française** en 1635.

**Louis XIV,** appelé **le Roi-Soleil,** a régné en 135 maître absolu sur la France pendant 72 ans. C'était un roi très puissant. Il a dirigé le royaume fermement et seul. Il a dit : «L'État, c'est moi». Son splendide **palais de Versailles** était le centre politique, culturel et social de la France. Il a encouragé les arts et 140 développé le commerce et l'industrie. Mais ce roi égoïste, ambitieux et agressif a mené des guerres aux conséquences désastreuses pour le pays. Le luxe de Versailles et ces guerres ont fini par ruiner l'économie du pays. De plus, en 1685, Louis XIV a révoqué 145 *(revoked)* l'édit de Nantes, ce qui a mené à la persécution des protestants.

Son successeur, **Louis XV,** préférait s'occuper de ses propres plaisirs que des affaires d'État. C'est à cette époque que la France a perdu le Canada. Les 150 dépenses et la vie luxueuse du roi ont augmenté la colère du peuple, ce qui a contribué à provoquer **la Révolution française.**

## LA RÉVOLUTION DE 1789

**Louis XVI** est monté sur le trône quand le pays était en pleine crise économique. Cet homme doux 155 et honnête était aussi faible et ne savait pas gouverner. Sa femme, la frivole **Marie-Antoinette,** n'était pas aimée du peuple à cause de ses dépenses extravagantes.

Louis XVI n'a pas pu résoudre la crise finan- 160 cière, politique et sociale qui troublait le pays. **Le 14 juillet 1789,** le peuple de Paris, fatigué de souffrir de la pauvreté et de la faim, a attaqué **la prison de la Bastille.** L'assaut et la prise de cette prison, symbole des abus du pouvoir, a marqué le début de **la** 165 **Révolution française** et la fin de la monarchie.

**La Déclaration des droits de l'homme et du citoyen,** écrite en 1789, a proclamé les droits fondamentaux de chaque individu. **La Ire République française** est établie le 21 septembre 1792 et en 170 1793 le roi et la reine, qui étaient prisonniers, sont condamnés à mort puis guillotinés. La nouvelle société est basée sur l'égalité de tous les citoyens. Mais les premières années de la république ont été une période de crises, de violence et de guerres. 175

Beaucoup ont été guillotinés sous le nouveau régime appelé **la Terreur** et mené par **Robespierre.**

## NAPOLÉON BONAPARTE

**Napoléon Bonaparte** est né en 1769, à Ajaccio en Corse. Il s'est distingué comme général dans l'armée française sous la Révolution. Il a pris le pouvoir après un coup d'État et, en 1804, il s'est fait couronner empereur sous le nom de **Napoléon I$^{er}$.**

Génie militaire et ambitieux, Napoléon a conquis la plus grande partie de l'Europe occidentale. Il a finalement perdu face aux Anglais à **Waterloo** en 1815. Exilé par les Anglais, il est mort sur l'île de **Sainte-Hélène** en 1821. Ses cendres *(ashes)* sont à l'hôtel des Invalides à Paris.

Les guerres napoléoniennes ont coûté cher au peuple français. Beaucoup sont morts. Mais Napoléon I$^{er}$ a mis au point des réformes encore utilisées de nos jours. Les lois françaises sont toujours basées sur **le Code Napoléon** qui a reformé le système de justice. Il a également réorganisé l'instruction publique en créant **les lycées** et en réorganisant l'université de Paris. Il a aussi créé **la Banque de France** et **la Légion d'honneur,** la plus haute distinction française. Il a vendu la **Louisiane** aux États-Unis en 1803.

## LE XIX$^e$ SIÈCLE

Après un bref retour de la monarchie, **la II$^e$ République** est proclamée en 1848. **Louis Napoléon,** le neveu de Napoléon Bonaparte, est élu président. Comme son oncle, il s'est fait couronner empereur en 1852 après un coup d'État. Il a pris le nom de **Napoléon III** et a fondé le **Second Empire.** Il a donné à Paris son aspect d'aujourd'hui en modernisant la ville.

Après la défaite de la France face à l'Allemagne en 1871, Napoléon III est obligé d'abdiquer et la III$^e$ République est établie.

## LES DEUX GUERRES MONDIALES

**La Grande Guerre** entre la France et l'Allemagne a commencé en 1914. Cela a marqué le début de **la Première Guerre mondiale** *(World War I).* Le maréchal **Ferdinand Foch** a commandé toutes les troupes alliées, y compris les troupes américaines. En 1918, après quatre ans de guerre, les armées alliées ont obligé l'Allemagne à se rendre. Elle a signé l'armistice le 11 novembre 1918.

**La Seconde Guerre mondiale** a commencé en 1939. En 1940, les troupes d'Hitler ont envahi la France. L'occupation du pays par les Allemands marque la fin de la III$^e$ République.

**Le maréchal Pétain** est nommé chef du gouvernement. Installé à **Vichy,** le gouvernement collabore avec l'Allemagne. **Le général Charles de Gaulle,** qui a réussi à se réfugier en Angleterre, a pris la tête d'un mouvement de résistance contre l'Allemagne. Le 18 juin 1940, il a encouragé le peuple français à résister en lançant un appel à la radio de Londres: «La France a perdu une bataille! Mais la France n'a pas perdu la guerre!»

C'est **le débarquement** *(landing)* des forces alliées en **Normandie** le 6 juin 1944 qui a permis la libération de la France puis de l'Europe entière. **La IV$^e$ République** française est établie en 1947.

## LA V$^e$ RÉPUBLIQUE

**Le général de Gaulle,** héros de la Seconde Guerre mondiale, est élu président de **la V$^e$ République** en 1958. Les Français ont aussi approuvé une nouvelle constitution. Le général a quitté la présidence en 1969.

Depuis 1969, il y a eu six présidents en France: **Georges Pompidou** (1969–1974), **Valéry Giscard d'Estaing** (1974–1981), **François Mitterrand** (1981–1995), **Jacques Chirac** (1995–2007), **Nicolas Sarkozy** (2007-2012), et François Hollande (2012- ).

## LES INSTITUTIONS POLITIQUES

1. La France est **une république démocratique et sociale.** Elle garantit l'égalité devant la loi de tous ses citoyens. Le suffrage *(vote)* est universel, égal et secret. Tous les citoyens français âgés de plus de dix-huit ans ont le droit de voter.

2. **Le pouvoir exécutif** appartient au Président de la République et aux ministres qui sont dirigés par le Premier ministre.

**Le Président de la République** est le véritable chef du gouvernement. Il représente l'État. Il est élu pour cinq ans par vote direct. Il est le chef des armées et il assure le fonctionnement de l'État. Il nomme **le Premier ministre** et les différents **ministres** du gouvernement. Il supervise les nouvelles lois et il a le droit de dissoudre *(dissolve)* le Parlement et de demander de nouvelles élections ou un référendum (vote direct du peuple pour ou contre une loi spécifique). La résidence du Président est **le palais de l'Élysée** à Paris.

265 **Le Premier ministre** et **le Conseil des ministres** composent le gouvernement. Le Premier ministre recommande au Président le choix des nouveaux ministres. Les ministres assurent l'exécution des lois et conduisent la politique de la
270 nation. Le gouvernement est responsable devant **l'Assemblée nationale** qui peut décider par vote de révoquer *(impeach)* les ministres. Mais ce procédé *(process)* est difficile, ce qui assure la stabilité du gouvernement. Les ministres, n'étant pas élus
275 au Parlement, ils sont libres des pressions *(pressures)* des campagnes électorales.

**3.** **Le pouvoir législatif** est exercé par **le Parlement** qui comprend **l'Assemblée nationale** et **le Sénat.** L'Assemblée nationale est
280 la plus importante. **Les députés** de l'Assemblée nationale sont élus au suffrage direct pour cinq ans. **Les sénateurs,** eux, sont élus pour neuf ans au suffrage indirect. Ils représentent les départements français et les Français à l'étranger.
285 Le Parlement vote les lois et autorise la déclaration de guerre.

**Le Conseil constitutionnel** assure le respect de la Constitution et la régularité des élections et des référendums.

290 **4.** **Le pouvoir judiciaire** est détenu *(held)* par **les tribunaux.** Son indépendance est garantie par la Constitution. **La Cour de cassation,** qui siège à Paris, est le tribunal suprême.

**5.** La France est divisée en 96 **départements**
295 plus quatre départements d'outre-mer (la Guadeloupe, la Martinique, la Réunion et la Guyane française), deux collectivités territoriales (Mayotte et Saint-Pierre-et-Miquelon) et quatre territoires d'outremer qui ont un statut *(status)*
300 spécial (les îles Wallis-et-Futuna, la Nouvelle-Calédonie, la Polynésie française et les Terres australes et antarctiques françaises).

Chaque département est dirigé par un **préfet,** qui est nommé par le gouvernement. Les
305 départements sont regroupés en 22 **régions,** formées plus ou moins d'après les anciennes provinces. Ceci a permis de décentraliser le gouvernement. À la tête des régions sont les **conseils régionaux,** créés en 1982, présidés
310 par les **présidents de région.**

**6.** L'emblème national est **le drapeau tricolore:** bleu, blanc et rouge. La devise *(motto)* nationale est **«Liberté, Égalité, Fraternité»** qui était la devise de la Révolution de 1789. L'hymne
315 national est **la Marseillaise,** une marche militaire composée en 1792 par **Rouget de Lisle**. La fête nationale est **le 14 juillet.** Cette date commémore le jour de la prise de **la Bastille** par le peuple de Paris en 1789. La Bastille était
320 la prison royale et le symbole de la tyrannie. On célèbre ce jour en dansant dans les rues. Il y a aussi des défilés *(parades)* militaires et des feux d'artifice *(fireworks)* dans toute la France.

## LA FRANCE ET L'AMÉRIQUE DU NORD

Les explorateurs français ont joué un rôle impor-
325 tant dans l'histoire de l'Amérique du Nord.

**Jacques Cartier** a pris possession du **Canada** au nom du roi François I**er** en 1534. Puis, il a remonté le fleuve Saint-Laurent jusqu'à une montagne qu'il a appelée mont Royal, connue aujourd'hui sous le
330 nom de Montréal. Jacques Cartier a été surnommé «le découvreur du Canada».

**Samuel de Champlain** a fondé la ville de **Québec** en 1608 et a découvert le lac auquel il a donné son nom.

**Jacques Marquette** est un missionnaire qui
335 a descendu le cours du **Mississippi** avec **Louis Joliet** en 1673.

**René Robert Cavelier de La Salle** a descendu le Mississippi du Canada jusqu'au golfe du Mexique. En 1681, il a pris possession du territoire qu'il a
340 appelé **la Louisiane** en l'honneur du roi Louis XIV.

Trois nobles français ont activement aidé les colonies américaines pendant **la guerre de l'Indépendance.** Ils ont contribué à la défaite des Anglais à la bataille de **Yorktown** en 1781.
345

**1.** **Le marquis de La Fayette** était un ami personnel de **George Washington**. Après la guerre de l'Indépendance, il est retourné en France où il a défendu les causes libérales pendant
350 la Révolution française. Il a donné la clef de la prison de la Bastille à George Washington. On peut voir cette clef dans la maison de Washington à Mount Vernon en Virginie.

**2.** **Le comte de Rochambeau** a dirigé le bataillon français envoyé pour aider les Américains.
355

**3.** **Le comte François de Grasse** était un amiral qui a commandé les navires français.

## EXERCICE A

*Mettez dans l'ordre chronologique.*

cardinal de Richelieu       Jacques Chirac
Clovis                      Jeanne d'Arc
Ferdinand Foch              Louis XVI
François I$^{er}$           Napoléon III
Guillaume le Conquérant     saint Louis

1. _____          2. _____

3. _____          4. _____

5. _____          6. _____

7. _____          8. _____

9. _____         10. _____

## EXERCICE CRÉATIF

*Choisissez une activité.*

1. Faites une chronologie historique (time line) des événements les plus importants de l'histoire de la France.

2. Écrivez une biographie d'un personnage historique ou d'un explorateur qui vous intéresse

3. Faites une liste des similarités et des différences entre les institutions politiques américaines et celles de la France

# Chapter 36
# L'Économie française

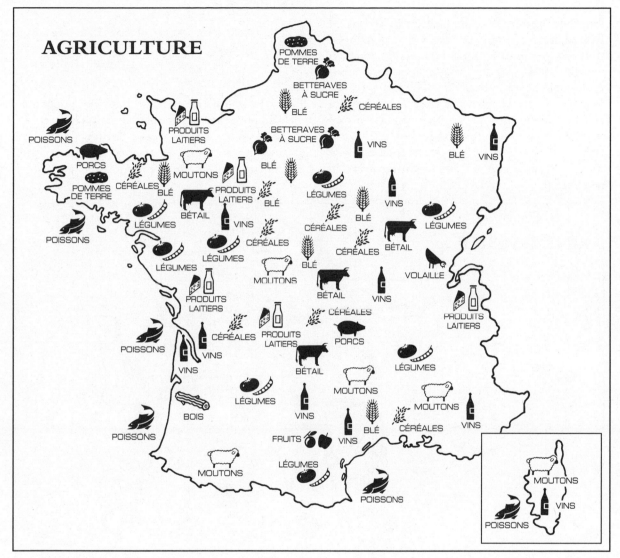

bétail *livestock;* **betteraves à sucre** *sugar beets;* **volaille** *poultry*

## L' AGRICULTURE

1. Il y a en France un bon équilibre entre la vie agricole et la vie industrielle. L'adoption des techniques modernes d'agriculture et un sol *(soil)* fertile permettent à la France d'être presque indépendante au point de vue agricole.

2. Le blé *(wheat)* est le principal produit agricole. C'est avec le blé qu'on fait le pain, un des aliments de base des Français. On cultive aussi une variété abondante de fruits et de légumes.

Les vastes forêts sont la source d'une grande quantité de bois.

3. La France est le premier pays du monde pour la production des vins. Quelques vins connus dans le monde entier sont le **champagne,** le **bordeaux** et le **bourgogne.** On produit aussi du **cidre** en Normandie et des **eaux minérales** dont Vichy, Évian et Perrier sont les sources principales.

4. La **Côte d'Azur** fournit une abondance de fleurs. À **Grasse,** près de Nice, on extrait *(extracts)*

**517**

20 les essences des fleurs pour la parfumerie. La fabrication des parfums est achevée *(completed)* à Paris, centre de l'industrie cosmétique. Parmi les parfumeurs célèbres on trouve **Chanel, Guerlain** et **Lancôme**.

25 **5.** Une des ressources principales de la France est **l'élevage** des animaux *(livestock farming)*. Le pays est renommé pour l'excellence de son volaille *(poultry)* et son bétail *(livestock)*: vaches, moutons, chèvres, porcs et chevaux. La France
30 fournit à peu près un quart de la viande bovine consommée en Europe. La Normandie, en particulier, est une région de production laitière très riche. Les Français fabriquent des **fromages** de toutes sortes comme **le brie, le camembert, le**
35 **roquefort** *(blue cheese)* et le chèvre *(goat)*.

**6.** Les produits de la mer sont également appréciés des Français. **La pêche** est une industrie importante, principalement en **Bretagne**.

## L'INDUSTRIE

**1.** L'industrie française est diverse. Elle varie de la grande usine moderne à l'atelier du petit artisan. 40 En 2015, la France est la sixième puissance mondiale mondiale.

**2. La métallurgie** est une industrie importante. L'industrie lourde comprend la production de machines, de locomotives et d'armes. On produit 45 aussi des appareils électriques et électroniques. La France est un grand producteur d'acier *(steel)*.

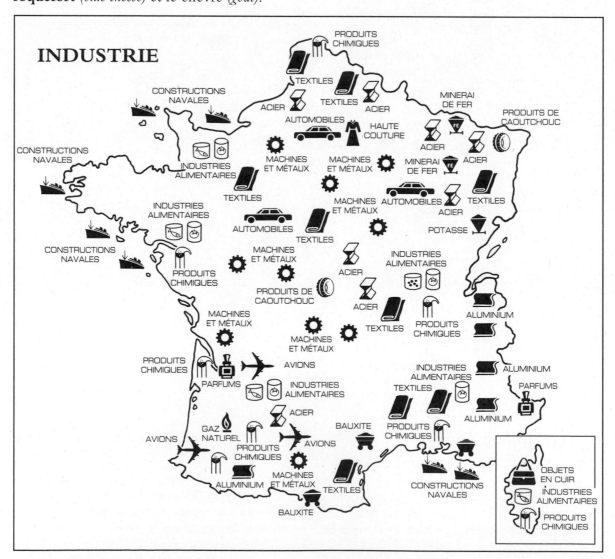

industries alimentaries *food processing;* minerai de fer *iron ore;* potasse *potash;* produits de caoutchouc *rubber goods*

3. Les principaux centres de l'**industrie textile** se trouvent au nord-est, près de **Lille**. La France fabrique des textiles de coton, de laine et de lin *(linen)* ainsi que des textiles synthétiques. La région de **Lyon** produit la plus grande partie de la soie française, naturelle et artificielle.

4. **L'industrie automobile** exporte des voitures presque partout dans le monde. Les marques principales sont **Peugeot–Citroën et Renault**.

5. **Les sources d'énergie** sont limitées en France, mais elle a des gisements *(deposits)* de gaz naturel et elle produit de l'énergie hydroélectrique, solaire et marémotrice *(tidal)*. Aussi, c'est le deuxième pays producteur d'énergie nucléaire au monde après les États-Unis et le premier pays producteur d'uranium en Europe occidentale. Par contre, la France doit importer la majeure partie de son pétrole.

6. **L'industrie chimique** est très développée et la France exporte beaucoup de produits chimiques et pharmaceutiques.

7. **Les industries aéronautique, aérospatiale, d'électronique, de défense et de sécurité** font partie du premier secteur exportateur français et produisent avions, missiles, navires spéciaux, et engins *(machines)* spatiaux. Les avions d'Airbus Industrie sont fabriqués en coopération avec plusieurs autres pays européens. Air France est la compagnie aérienne *(airline)* du pays, financée par le gouvernement. Ses avions parcourent *(cover)* le monde entier.

8. La France est membre de **l'Union européenne** *(UE)*. Sa situation économique contribue beaucoup à la prospérité de l'Europe.

9. Le tourisme est un secteur majeur de l'économie française. En 1994, on a ouvert un passage direct pour les trains et les automobiles entre la Grande-Bretagne et la France quand on a terminé le célèbre tunnel sous la Manche. Appelé **l'Eurotunnel**, il permet de traverser la Manche en une heure seulement.

## LE COMMERCE

Les activités économiques sont liées *(linked)* aux moyens de transport intérieurs et extérieurs. Les fleuves et les nombreux canaux permettent le transport bon marché des marchandises lour-des.

1. Les fleuves et les nombreux canaux permettent le transport bon marché des marchandises lourdes. La France, avec ses nombreux ports de mer, est une puissance maritime. Les principaux ports fluviaux sont Paris, Rouen, Strasbourg et Lyon.

2. Le réseau des routes est bien développé, avec beaucoup d'autoroutes. Le réseau de chemin de fer est excellent et relie la France au reste de l'Europe. Le **T.G.V** (Train à Grande Vitesse) a établi le record mondial de vitesse. Le Chunnel est un tunnel construit sous la Manche qui permet de voyager entre l'Angleterre, la France, et la Belgique. *Le Shuttle*, transporte des voitures (avec passagers) entre Folkstone en Angleterre et Calais en France.

3. La France importe des matières premières *(raw materials)* pour ses industries : pétrole, céréales, coton brut, minerai de cuivre, charbon, zinc, plastique, fibres synthétiques, produits chimiques ; et des produits alimentaires: café, cacao, fruits tropicaux. Elle exporte tissus, vêtements, automobiles, produits chimiques et pharmaceutiques, équipement électrique et électronique, articles de luxe, parfums et produits alimentaires — vins, fromages, et conserves *(canned food)*.

## EXERCICE A

*Écrivez la lettre désignant le mot qui correspond à chaque définition de la colonne de gauche.*

1. vin                                          _____          **a.** camembert

2. mer sous laquelle l'Eurotunnel passe         _____          **b.** Peugeot

3. fromage                                       _____          **c.** bourgogne

4. train très rapide                             _____          **d.** Air France

5. constructeur d'automobiles                    _____          **e.** Perrier

6. eau minérale                                   _____          **f.** énergie nucléaire

7. elle produit de l'électricité                  _____          **g.** Airbus

8. compagnie aérienne nationale française         _____          **h.** blé

9. céréale que la France exporte                  _____          **i.** T.G.V

10. compagnie qui construit des avions            _____          **j.** Manche

## EXERCICE CRÉATIF

*Choisissez une activité.*

1. Faites une liste de 8 raisons pourquoi la France est un pays très important dans le monde.

2. Faites une carte de la France où vous indiquez les villes importantes et leurs produits.

3. Écrivez un paragraphe où vous expliquez pourquoi la France attire tant de touristes.

Par certaines côtés la vie quotidienne (daily) en France est très différente de la vie quotidienne aux États-Unis. Mais il y a aussi des similarités.

## RELIGION

1 La plupart des Français sont catholiques. Toutes les religions sont respectées et autorisées en France. Le gouvernement et les écoles publiques sont indépendants des organisations religieuses et ne font aucune référence à Dieu. La religion majoritaire en France est le catholicisme.

## ENSEIGNEMENT

**La scolarité** (schooling) est obligatoire en France pour les enfants de six à seize ans. L'enseignement 5 (education) public est gratuit (free). Il existe un grand nombre d'écoles privées, dont la plupart sont catholiques. **Le ministère de l'Éducation nationale** contrôle l'enseignement public et privé. Toutes les écoles suivent les mêmes programmes et administrent les mêmes examens.

L'enseignement **primaire** dure cinq ans. Le 10 premier cycle de l'enseignement **secondaire,** donné dans **les collèges,** est obligatoire et dure quatre ans. Le second cycle a lieu au **lycée.** Après trois années de lycée, les étudiants passent **le baccalauréat.** C'est un examen très difficile qui 15 dure plusieurs jours. Il est indispensable pour entrer à l'université. Il y a de nombreuses universités et écoles spécialisées en France.

## LOISIRS

**1.** **Le café** joue un rôle important dans la vie sociale et intellectuelle des Français. Ils y rencontrent 20 leurs amis, lisent leur journal, écrivent, jouent aux cartes et regardent passer les gens. Beaucoup de cafés ont une terrasse extérieure où les clients s'installent quand il fait beau.

**2.** On peut pratiquer tous les sports en France. 25 Les sports préférés sont le football, le cyclisme, l'alpinisme, le ski, le tennis, la natation et la planche à voile. Le camping et les sports sous-marins (underwater) sont très populaires. Parmi les sports régionaux, il y a la **pétanque** (lawn 30 bowling), qui se joue surtout dans le sud et **la elote basque** (jai alai), populaire dans les Pyrénées. **Le Tour de France** est la course cycliste la plus populaire. C'est aussi un événement international. Chaque année les sports de l'eau deviennent de plus en plus populaires : la natation, l'aviron (rowing), la planche àvoile, la pêche sous-marine ou en mer.

**3.** Les Français aiment le théâtre, le cinéma, 35 l'opéra, le ballet et les concerts. Le gouvernement subventionne (sponsors) plusieurs théâtres nationaux, comme **la Comédie-Française, l'Opéra** et **le Théâtre national populaire.** Dans les théâtres et les cinémas français, on 40 donne un pourboire à l'ouvreuse (usher) qui guide le spectateur jusqu'à sa place.

**4.** La lecture et les visites des musées sont d'autres activités culturelles que les Français aiment. Dans les rues, **les kiosques** (newsstands) vendent 45 tous les journaux et magazines. Un grand nombre de Français jouent au loto, à la Loterie nationale. Le gouvernement autorise aussi des jeux à gains (winnings) instantanés comme le bingo, le Millionnaire et le Taco Tac. 50

## CUISINE

**La restauration rapide** (fast-food) est devenue très populaire en France. On y trouve de nombreux McDonald's, appelés MacDo, ainsi que des **pizzerias** et des chaînes de restaurants françaises comme Hippo et Quick. Toutefois (however), la cuisine reste 55 un art très apprécié. Chaque région a développé des spécialités, appréciées dans toute la France. En voici quelques-unes:

la soupe à l'oignon (onion soup)
la bouillabaisse (une soupe faite avec différents 60 poissons)
le pot-au-feu (viande de bœuf bouillie [boiled] avec des légumes)
les escargots (snails)
la quiche lorraine (ham and cheese pie) 65
le pâté de foie gras (goose liver paste)
la choucroute garnie (choucroute [sauerkraut] servie avec des saucisses de toutes sortes)
les croissants (flaky sweet rolls)
les crêpes (thin pancakes) 70

Généralement, le petit déjeuner consiste en un bol de café ou de chocolat et du pain beurré (une tartine) ou des croissants que l'on mange avec de la confiture. Les céréales, comme les flocons de maïs *(cornflakes)* et le muesli, sont populaires auprès des jeunes.

Dans les restaurants français, on peut commander **à la carte** (chaque plat a un prix différent ou **à prix fixe** (un repas entier dont le prix est déterminé d'avance). Les prix et le menu sont affichés *(posted)* à l'entrée *(entrance)* du restaurant. Les **bistros** sont des cafés populaires où l'on vend des boissons et des sandwiches.

## UNITÉS DE MESURE

**1. Le système métrique,** avec ses multiples de dix et ses subdivisions décimales, est d'origine française. Les scientifiques de toutes les nations et presque tous les pays d'Europe et d'Amérique du Sud emploient ce système.

Le **mètre,** l'unité de longueur, est un peu plus long que le *yard* américain.

1 mètre = 100 centimètres = 39.37 pouces *(inches)*

1 kilomètre = 1.000 mètres = 5/8 mille

Le **gramme** est l'unité de poids *(weight)*.

1 kilogramme = 1.000 grammes = 2.2 livres *(pounds)*

Le **litre** est l'unité de mesure des liquides. Un litre vaut un peu plus qu'un *quart* américain.

**2.** On emploie en France le thermomètre en **degrés Celsius,** qui comprend 100 divisions.

**3.** L'unité monétaire française était **le franc.** Depuis 2002, c'est l'**euro,** comme dans la plupart des pays faisant partie de l'Union Européenne.

1 euro = 100 centimes or 100 cents

## FÊTES

Les Français célèbrent beaucoup de fêtes dont la plupart sont d'origine religieuse. Les fêtes légales sont:

1. **Le jour de l'An** – le premier janvier on donne et on reçoit des étrennes (New Year's presents) et on souhaite à tout le monde «une bonne et heureuse année».

2. **Pâques (Easter)** – une fête religieuse en mars ou en avril (dimanche et lundi).

3. **La Fête du Travail** – le premier mai le muguet (lily of the valley) se vend partout dans les rues. On croit que cette fleur porte bonheur.

4. **L'Ascension** – une fête religieuse célébrée quarante jours après Pâques.

5. **La fête de Jeanne d'Arc** – le deuxième dimanche de mai.

6. **La Pentecôte (Pentecost, Whitsuntide)** – une fête religieuse qui a lieu le septième dimanche après Pâques.

7. **La Fête nationale** – le quatorze juillet on célèbre la prise de la Bastille.

8. **L'Assomption** – une fête religieuse qu'on célèbre le quinze août.

9. **La Toussaint** une fête religieuse célébrée le premier novembre en l'honneur de tous les saints.

10. **La Fête de la Victoire** – le onze novembre, on commémore la fin de la guerre de 1914–1918.

11. **Noël** – le vingt-cinq décembre les enfants, les seuls à recevoir des cadeaux, déposent leurs chaussures devant la cheminée ou près de l'arbre de Noël pour la visite du Père Noël. Après la messe de minuit à l'église, la famille prend un grand repas, le réveillon.

## EXERCICE A

*Écrivez la lettre désignant le mot qui correspond à chaque définition de la colonne de gauche.*

*1.* école avant le lycée _____     **a.** Comédie-Française

*2.* jeu pratiqué dans le Midi de la France _____     **b.** bouillabaisse

*3.* type de pâté _____     **c.** tennis

*4.* jeu de hasard *(chance)* _____     **d.** croissant

*5.* théâtre subventionné par le gouvernement français _____     **e.** loterie

*6.* soupe de poissons _____     **f.** pétanque

*7.* où l'on vend des journaux _____     **g.** baccalauréat

*8.* pâtisserie pour le petit déjeuner _____     **h.** foie gras

*9.* examen à la fin des années de lycée _____     **i.** kiosque

*10.* un des sports favoris des Français _____     **j.** collège

## EXERCICE CRÉATIF

*Choisissez une activité.*

*1.* Écrivez une biographie d'un athlète français renommé.

*2.* Faites une liste de plats typiquement français et décrivez-les.

*3.* Faites une liste de huit activités que vous aimez faire. À côté de chaque activité, écrivez combien d'euros il faudrait pour y participer.

# Chapter 38
# La Littérature

## LE MOYEN ÂGE

1 Les premières œuvres *(works)* littéraires, appelées **chansons de geste,** datent du Moyen Âge. Ces longs poèmes célèbrent les exploits légendaires des chevaliers *(knights)* de l'époque. La plus célèbre de
5 ces chansons est *La Chanson de Roland.* Composée au XIIᵉ siècle, elle raconte les aventures de Charlemagne et de son neveu Roland pendant la guerre contre les Sarrasins d'Espagne. Cette chanson est considérée comme le premier chef-d'œuvre de
10 la littérature française.

François Villon (1431–1463) est le premier des grands poètes français. Il a écrit le vers si souvent cité: «Mais où sont les neiges d'antan?» *(But where are the snows of yesteryear?)*

## LE XVIᵉ SIÈCLE

15 C'est l'époque de **la Renaissance.** Les artistes redécouvrent l'Antiquité. S'inspirant des anciens Grecs et Romains, les auteurs s'adressent à une élite cultivée.

**François Rabelais** est l'auteur de romans amu-
20 sants et satiriques où il décrit les problèmes de la société. Ses personnages les plus célèbres sont les deux géants **Gargantua** et **Pantagruel.**

**Pierre de Ronsard** est le plus grand poète du XVIᵉ siècle. Il a trouvé son inspiration auprès des
25 poètes de l'Antiquité.

**Michel de Montaigne** est un philosophe et un moraliste. Il recommande la tolérance et la modération dans la vie de tous les jours.

## LE XVIIᵉ SIÈCLE

Le XVIIᵉ siècle est **l'âge d'or** de la littérature
30 française, particulièrement sous le règne de Louis XIV, de 1643 à 1715. C'est l'époque du **classicisme,** un mouvement où l'on recherche l'ordre et la discipline. Les auteurs visent *(aim)* à la perfection de forme, d'expression et de style.
35 **Pierre Corneille** et **Jean Racine** sont les plus grands auteurs dramatiques du siècle. Leurs tragédies sont des classiques du théâtre français.

**Molière,** souvent appelé «le Shakespeare de France», est le plus célèbre auteur de comédies classiques. Dans ses pièces, comme *L'Avare (The Miser)* ou 40 *Tartuffe,* il dénonce les vices de ses contemporains.

**Jean de La Fontaine** est un fabuliste. Dans ses fables, il met en scène *(stages)* des animaux pour se moquer de la société où il vit.

**Blaise Pascal** est un mathématicien, phys- 45 icien, écrivain et théologien religieux. Ses *Pensées* est une collection de ses idées philosophiques et théologiques.

L'œuvre de **René Descartes,** philosophe et savant, influence encore la pensée française aujour- 50 d'hui. Il est l'auteur de la fameuse phrase: «Je pense, donc je suis» *(I think, therefore I am).*

## LE XVIIIᵉ SIÈCLE

La littérature du XVIIIᵉ siècle oppose l'individualisme à la tradition et à l'autorité. L'esprit critique et scientifique règne. C'est l'époque des grands 55 philosophes. **Voltaire, Rousseau, Montesquieu** et **Diderot** ont une grande influence sur les idées politiques du siècle. Ils dénoncent l'injustice sociale et démontrent le besoin de réformes. Leurs œuvres ouvrent la voie *(way)* à la Révolution française de 60 1789.

**Voltaire** a dominé le XVIIIᵉ siècle. Il a attaqué l'injustice et est devenu le défenseur de la liberté sous toutes ses formes. Son esprit satirique s'est exprimé dans des œuvres de genres variés, comme le conte, 65 *Candide ou l'Optimisme,* la tragédie et l'essai historique.

**Jean-Jacques Rousseau** est le théoricien de la démocratie. Il a attaqué l'ordre social et recommandé un retour à la nature. Ses idées, exposées dans 70 son livre *Émile,* ont beaucoup influencé l'éducation moderne.

**Charles de Montesquieu** a proposé la séparation des pouvoirs *(powers)* du gouvernement qui étaient alors tous tenus par le roi. Dans *De l'esprit des lois,* 75 il propose de nouvelles idées qui influenceront la rédaction *(writing)* de la Constitution américaine. Il est aussi l'un des fondateurs de la sociologie moderne.

Denis Diderot a publié *l'Encyclopédie,* un grand dictionnaire écrit par les plus grands savants et auteurs de l'époque dont Voltaire et Rousseau. Diderot a également écrit plusieurs romans qui sont devenus des classiques de la littérature française.

## LE XIXᵉ SIÈCLE

Pendant la première moitié du XIXᵉ siècle, une réaction contre la tradition classique se produit. Le **romantisme** apparaît, un mouvement qui donne une liberté d'expression totale aux auteurs. Ainsi, chaque auteur est libre d'exprimer ses émotions, ses rêves ou son amour de la nature.

Victor Hugo a été le chef et le plus grand poète de l'école romantique. Il est renommé pour ses pièces de théâtre et ses romans dont *Notre-Dame de Paris* et *Les Misérables.*

Les autres poètes romantiques de cette époque sont **Alphonse de Lamartine, Alfred de Musset** et **Alfred de Vigny.**

**Honoré de Balzac** est l'auteur de *La Comédie humaine,* une série de vingt-quatre romans où il décrit la société de son temps. Ses descriptions précises et détaillées de la société feront évoluer la littérature vers le **réalisme.**

**Alexandre Dumas père** a écrit de nombreux romans historiques, toujours populaires aujourd'hui, dont *Les Trois Mousquetaires* et *Le Comte de Monte-Cristo.*

De nouveaux mouvements en opposition au romantisme émergent vers le milieu du XIXᵉ siècle. **Le réalisme** emprunte les méthodes scientifiques pour étudier et décrire la réalité. Il évoluera vers **le naturalisme** qui considère que l'art doit être la reproduction de la nature et non pas son interprétation par l'artiste.

**Gustave Flaubert** est l'auteur de *Madame Bovary.* Ses romans se caractérisent par un travail de documentation méticuleux.

**Alexandre Dumas, fils** a écrit des pièces de théâtre dramatiques où il essaie de défendre une thèse de morale social. Il a écrit aussi un roman, **La Dame aux Camelias,** une grande histoire d'amour.

**Alphonse Daudet** décrit la nature humaine avec fantaisie et humour dans ses livres comme *Lettres de mon moulin* ou *Tartarin de Tarascon.*

**Émile Zola,** chef de l'école naturaliste, observe et analyse scientifiquement les personnages de ses romans. Sa série des *Rougon-Macquart* retrace l'histoire de deux familles en vingt romans.

**Guy de Maupassant** est célèbre pour ses romans et ses contes dont *La Parure.*

**Jules Verne** est le précurseur de la science-fiction moderne avec ses romans fantastiques comme *Voyage au centre de la Terre* ou *Le Tour du monde en quatre-vingts jours.*

Les poètes de l'époque les plus célèbres sont **Charles Baudelaire, Arthur Rimbaud** et **Paul Verlaine.**

## LE XXᵉ SIÈCLE ET APRÈS

C'est un second âge d'or pour la littérature française. De nombreux écrivains exercent par leurs œuvres variées une profonde influence sur leurs lecteurs. Plusieurs ont reçu le prix Nobel de littérature.

### ROMANCIERS *(novelists)*

**Anatole France** est un satiriste et un philosophe érudit. Il a reçu le prix Nobel.

**André Gide** a reçu le prix Nobel pour son œuvre variée et abondante. Il était avant tout un humaniste.

**Marcel Proust** a écrit les douze volumes qui constituent *À la recherche du temps perdu.* Dans cet immense roman, il utilise des faits biographiques pour évoquer la réalité des émotions et des impressions attachées à des souvenirs dans la mémoire.

**André Maurois** est l'auteur de romans, d'essais, d'études historiques et de biographies littéraires.

**François Mauriac,** qui a reçu le prix Nobel, est un romancier, un auteur dramatique et un essayiste très influencé par sa religion catholique.

**André Malraux** célèbre dans ses œuvres la fraternité entre les êtres humains et l'héroïsme. Sous le gouvernement de Charles de Gaulle il sera ministre de l'Information puis ministre des Affaires culturelles.

**Antoine de Saint-Exupéry** est célèbre pour son roman *Le Petit Prince.* Ce pilote s'est inspiré de ses expériences dans l'aviation militaire et civile pour décrire un monde où le danger et l'aventure sont toujours présents.

165     **Claude Simon** a obtenu le prix Nobel de littérature. Il a essayé de redéfinir le roman moderne en changeant le style d'écriture et en diminuant l'importance de l'histoire racontée.

170     **Marguerite Yourcenar** évoque en détail ses voyages à travers le monde. Elle est la première femme à avoir été admise à l'Académie française. Elle a passé de nombreuses années aux États-Unis car elle avait la double nationalité française et américaine.

    **Marguerite Duras** a écrit des romans, des films 175 et des pièces de théâtre.

    **René Goscinny** est un écrivain, humoriste, et scénariste de bandes dessinées françaises, réalisateur et scénariste de films et journaliste. Il a créé les personnages d'Astérix le Gaulois, de 180 Lucky Luke et du Petit Nicolas.

    **Michel Butor,** poète, essayiste et romancier, il a reçu le Grand prix de littérature de l'Académie française pour l'ensemble de son oeuvre.

    **Jean-Marie Le Clézio** est un professeur et 185 écrivain français/mauricien de plus de quarante oeuvres. Il a reçu le Prix Renaudot en 1963 pour son roman *Le Procès-Verbal* et le Prix Nobel en littérature en 2008.

    **Jean Echenoz** est un écrivain et un romancier 190 qui a reçu le Prix Goncourt en 1999 pour son roman, *Je m'en vais.* Les œuvres de Balzac l'ont inspiré.

    **Patrick Modiano** a publié plus de trente livres. Il reçoit, en 1972, le Grand Prix du Roman 195 de l'Académie française pour *Les Boulevards de ceinture*, le prix Goncourt en 1978 pour *Rue des Boutiques obscures*, le Grand prix national des lettres en 1996 pour l'ensemble de ses œuvres et le prix Nobel en littérature en 200 2014. Ses œuvres se concentrent sur le Paris de la Seconde Guerre mondiale. Modiano dépeint comment les événements tragiques de cette époque troublée d'occupation pèsent sur la vie de ses personnages ordinaires.

205     **Yann Queffélec** est un romancier et essayiste qui a reçu le Prix Goncourt en 1985 pour son roman *Les Noces barbares.*

    **Yazmina Reza,** auteur de nombreuses œuvres – pièces, romans, scénarios et récits, connaît 210 une réussite internationale. Elle est connue pour son humour et sa lucidité. Ses pièces ont reçu de nombreux prix prestigieux.

    **Marc Levy** est auteur de romans très populaires qui connaissent un succès international. Il est, peut-être, l'auteur français le plus lu dans le 215 monde. Dans son univers tout est possible.

    **Olivier Adam** écrit des livres pour les jeunes adolescents. En 2004 il reçoit le prix Goncourt de la Nouvelle pour *Passer l'hiver.*

    **Aurélien Bellanger** a reçu le prix de Flore pour 220 son deuxième roman, *L'Aménagement du territoire.* On le compare à Balzac parce qu'il s'intéresse à la technologie et à la vie moderne.

## AUTEURS DRAMATIQUES

    **Edmond Rostand** est l'auteur du célèbre *Cyrano de Bergerac* qui a inspiré plusieurs films. 225

    **Paul Claudel** s'inspire de la religion catholique. Ses pièces de théâtre et sa poésie dépeignent la confiance de l'homme en Dieu. *L'Annonce faite à Marie* et *Partage de midi* sont des œuvres importantes.

    **Samuel Beckett** compose des pièces de 230 théâtre et des romans. Il dénonce l'absurdité de la condition humaine. *En attendant Godot* est une de ses pièces très reconnue. Il a reçu le prix Nobel de littérature en 1969.

    **Eugène Ionesco** est le maître du théâtre de l'ab- 235 surde. Dans ses pièces, *Rhinocéros* et *La Leçon,* il montre la confusion des individus face à l'absurdité du quotidien.

## PHILOSOPHES

    **Jean-Paul Sartre** est le père de **l'existentialisme,** un mouvement qui affirme que les êtres humains 240 doivent construire leur destinée eux-mêmes. En 1964, il a refusé le prix Nobel qui lui était offert.

    **Simone de Beauvoir** est connue pour ses œuvres sur la condition des femmes.

    **Albert Camus** est un des représentants de la 245 «philosophie de l'absurde» qu'il a illustrée dans ses romans comme *L'Étranger* ou *La Peste.*

## POÈTES

    **Paul Valéry** combine le goût de la littérature et l'étude des mathématiques. Il s'est intéressé aux problèmes modernes ainsi qu'aux mécanismes et 250 aux pouvoirs de l'intellect.

**Saint-John Perse** est un diplomate et un poète qui a médité sur le destin de l'homme. Il a reçu le prix Nobel.

255     **Louis Aragon** est un des fondateurs du **surréalisme**.

    **Jacques Prévert,** également brillant scénariste de films, est l'auteur de poèmes où la fantaisie se mélange à l'expression populaire. Beaucoup de ses 260 textes pleins de tendresse sont devenus des chansons.

## LA LITTÉRATURE FRANCOPHONE

    La littérature française ne se limite pas aux œuvres écrits en France car il y a des écrivains très renommés aux pays francophones. Pour ces auteurs, le français est leur langue d'expression littéraire.

## À LA RÉUNION

265     **Michel Houellebecq** est un écrivain, poète, essayiste, romancier, chanteur, réalisateur et acteur. En 2010 il reçoit le Prix Goncourt pour son roman, **La Carte et le territoire**.

## AU CANADA

    **Émile Nelligan** est un poète québécois influ-270 encé par le mouvement symboliste, surtout par le poète, Charles Baudelaire. Les thèmes importants de ses poèmes sont l'enfance, la musique, l'amour et la mort. Il est toujours considéré comme un des plus grands poètes du Québec.

275     **Gabrielle Roy,** née au Manitoba, a publié son premier roman *Bonheur d'occasion* en 1945. Ce livre donne un portrait réaliste de la vie urbaine de Montréal. Cette œuvre a remporté le Prix du Gouverneur général, le Prix Femina, et une médai-280 lle de l'Académie canadienne-française. Important auteur francophone de l'histoire canadienne, elle a reçu beaucoup de prix littéraires pour ses œuvres pendant sa carrière.

285     **Anne Hébert,** poète et romancière, parle de l'angoisse de la solitude dans ses œuvres.

    **Antonine Maillet** est une romancière et dramaturge acadienne. Son roman *Pélagie-la-Charrette* a reçu le Prix Goncourt en 1979 et sa 290 pièce de théâtre *La Sagouine* (1971) a connu un grand succès.

    **Jacques Poulin** est un auteur québécois renommé qui a obtenu beaucoup de prix littéraires, notamment le Prix Québec-Paris (1989) pour *Le Vieux Chagrin* et le Prix Athanase-David 295 pour l'ensemble de son œuvre.

    **Marie-Claire Blais** a reçu de nombreux prix littéraires pour ses romans psychologiques. On a traduit ses ouvrages en multiples langues. Elle est le premier auteur québécois à obtenir un siège 300 dans une académie littéraire européenne.

    **Michel Tremblay** est l'auteur de nombreuses pièces de théâtre et de romans ainsi que quelques comédies musicales, des scénarios de film et un opéra. Il est aussi conteur et traducteur. Sa deux-305 ième pièce, *Les Belles-Soeurs* décrit l'aliénation de la société québécoise.

## EN BELGIQUE

    **Maurice Maeterlinck** était un dramaturge, essayiste et poète francophone belge qui a reçu le Prix Nobel en littérature en 1911. Claude Debussy a 310 composé un opéra basé sur une de ses pièces les plus célèbres, *Pélleas et Mélissande*. Sa pièce, *L'Oiseau bleu* lui a assuré une renommée internationale.

    **Jean Ray** était un écrivain belge qui s'est consacré à la littérature fantastique. Son thème 315 principal est la peur et ses histoires sont peuplées de fantômes.

    **Henri Michaux** était un écrivain, poète, journaliste et peintre belge. Il a exploré le moi intérieur et la souffrance humaine. 320

    **Georges Simenon** est l'auteur belge de nombreux romans policiers dont le personnage principal est le Commissaire Maigre.

    **Amélie Nothomb** a écrit plus de vingt livres, quelques-uns ayant des éléments autobi-325 ographiques. En 1999 elle a reçu le Grand Prix du roman de l'Académie française pour son roman, *Stupeur et tremblements* et le Grand Prix Jean Giono 330 en 2008 pour l'ensemble de son œuvre.

## EN AFRIQUE

    **Léopold Sédar Senghor** a été le président de la République du Sénégal mais aussi un poète très célèbre et très important dans la littérature afric-

aine. Il a été le co-fondateur, avec Aimé Césaire du
335 mouvement culturel de la **négritude** qui souligne
l'importance de la lutte contre le colonialisme, la recherche de l'identité noire et le combat contre la
tyrannie. Son *Anthologie de la nouvelle poésie nègre
et malgache* (1948) a fait date *(is a landmark)* dans la
340 littérature africaine écrite en français.

**Birago Diop**, poète sénégalais, s'associe au mouvement de la **négritude**. Il a célébré la tradition orale
de son pays en publiant en français des contes de
l'Afrique de l'ouest – *Les Contes d'Amadou Koumba*
345 (1947), *Nouveaux contes d'Amadou Koumba* (1958)
et *Contes et lavanes* (1963). Il a aussi publié un recueil
de poèmes, *Leurres et lueurs* (1960).

**Ousmane Sembène**, réalisateur de films,
scénariste et romancier sénégalais, a joui d'une
350 popularité internationale. Il critique les injustices
sociales dans l'Afrique de la fin de la colonisation et
les problèmes et les erreurs après l'indépendance. Il
est connu pour ses idées militantes sur les questions
politiques et sociales. *Les Bouts de bois de Dieu* est
355 un chef-d'œuvre.

**David Diop** était membre du mouvement de
la **négritude**. *Coups de pilon* (1956), son recueil de
poèmes, invoque une révolution et attaque la dom-
ination de la culture européenne en Afrique. Il en-
360 courage le sacrifice de l'individu pour le bien-être
de tous. Il applaudit la force et le courage de la
femme africaine.

**Mariama Bâ** parle des problèmes de la femme
sénégalaise. Son roman *Une si longue lettre* (1979) a
365 eu un grand succès.

**Daniel Pennac**, né au Maroc, a reçu le Prix
Renaudot en 2007 pour son roman autobi-
ographique *Chagrin d'école*.

**Marie N'Diaye** fille d'un père Sénégalais et une
370 mère française a reçu le Prix Femina en 2001 avec
son roman *Rosie Carpe* et le Prix Goncourt en 2009
avec son roman *Trois femmes puissantes*. On a joué
sa pièce *Papa doit manger* à la Comédie-Française.

**Mongo Beti**, Camerounais francophone, est
375 renommé pour ses romans et ses essais. Il a été
un écrivain anticolonialiste qui est devenu victime de la censure.

**Patrice Nganang**, né au Cameroun, a reçu le
Prix littéraire Marguerite Yourcenar en 2001 pour 380
son roman *Temps de chien* et le Grand Prix littéraire
d'Afrique noire en 2003 pour ce même livre.

## DANS LE MAGHREB

**Assia Djebar**, née en Algérie, a écrit des
romans, des poèmes, et des essais. Elle a écrit pour
le théâtre et a réalisé plusieurs films. Elle parle du 385
rôle de la femme dans la société traditionnelle
algérienne. On l'a élue à l'Académie française en
2005. Elle est distinguée comme Chevalier de la
Légion d'honneur.

**Tahar Ben Jalloun** est l'écrivain marocain le 390
plus célèbre. C'est un poète et romancier influencé
par les légendes, les rites maghrébins et les mythes
ancestraux. Il raconte la solitude et les difficultés des
immigrés en France. Il a traduit lui-même la plupart
de ses livres en arabe. Il a reçu le Prix Goncourt en 395
1987 pour son roman *La Nuit sacrée*.

**Gisèle Halimi** est un auteur tunisien. Elle est
militante pour les droits de femme. En 2006 elle
est devenu officier de la Légion d'honneur et en
2013 elle est devenue Commandeur de la Légion 400
d'honneur.

## DANS LES ANTILLES

**Aimé Cesaire**, poète, dramaturge et homme
politique est un des auteurs les plus importants des
Antilles françaises. Césaire, avec Léopold Senghor
et Léon Damas, un poète né au Guyane, ont lancé 405
la notion de la négritude, l'affirmation de la fierté
d'être noir. Son poème célèbre, *Cahier d'un retour
au pays natal*, exprime ses pensées. Dans son
*Discours sur le colonialisme* il attaque le racisme,
la civilisation européenne et le colonialisme. Il 410
exprime l'humiliation des noirs dans son œuvre
*Et les chiens se taisaient*.

**Frantz Fanon** a exercé une influence profonde sur l'anticolonialisme radical avec son livre
*Peau noire, masques blancs*. Il a rejeté l'idée de la 415
négritude et a affirmé que le prestige d'un individu dépend de sa position économique et sociale.
Pour lui, une révolution violente est le seul moyen
d'éliminer le colonialisme. *Les Damnés de la terre*
est une critique passionnée contre le colonialisme. 420

**Édouard Glissant**, écrivain, poète, et critique littéraire martiniquais, était un des hommes le plus influent en ce qui concerne la culture et la pensée caraïbe. Il a reçu le prix Renaudot en 1958 pour 425 *La Lézarde. Le Quatrième Siècle* est considéré son chef-d'œuvre.

**Maryse Condé** est née à Guadeloupe. Elle a reçu le Grand prix littéraire de la Femina en 1986 pour *Moi, Tituba, sorcière noire de Salem*, le 430 Prix de l'Académie Française en 1987 pour *La Vie scélérate*, et le Prix Marguerite Yourcenar en 1999 pour *Le Cœur à rire et à pleurer: contes de mon enfance*.

## EN HAÏTI

**Jacques Roumain** était un écrivain et homme politique. Son roman *Gouverneurs de la rosée* a 435 eu un grand succès international. Dans ce livre il s'adresse à tous les opprimés en racontant l'histoire simple et tragique de son pays.

**Jean Brièrre-Contenu**, poète qui a fondé le journal *La Bataille*. Son poème, *Black Soul*, est 440 très renommé.

**Jacques-Stephen Alexis** a été un écrivain, romancier, essayiste et conteur.

**René Depestre** est célèbre pour sa poésie d'exil et d'aliénation. En 1988 il a reçu le Prix 445 Renaudot pour son roman, *Hadriana dans tous mes rêves*.

## EXERCICE A

*Pour chaque écrivain donnez le nom d'un de ses ouvrages.*

1. François Rabelais _____

2. Molière _____

3. Voltaire _____

4. Victor Hugo _____

5. Honoré de Balzac _____

6. Guy de Maupassant _____

7. Jean-Paul Sartre _____

8. Albert Camus _____

9. Antonine Maillet _____

10. Georges Simenon _____

11. Léopold Sédar Senghor _____

12. Ousmane Sembène _____

13. Tahar Ben Jalloun _____

14. Frantz Fanon _____

15. Maryse Condé _____

## EXERCICE CRÉATIF

*1.* Apprenez par cœur une fable de La Fontaine.

*2.* Choisissez six ouvrages qui vous intéressent et dessinez une couverture et une jaquette pour chacun.

*3.* Décrivez les six grands prix littéraires français.

1     L'histoire des beaux-arts en France commence à la préhistoire. Dans les grottes de **Lascaux** ou de **Chauvet**, on a trouvé d'admirables dessins d'animaux faits il y a plus de 20.000 ans. À travers les
5     siècles, de nombreux artistes français ont gagné une renommée internationale.

## PEINTRES

**Antoine Watteau** est le plus grand peintre classique du XVIIIᵉ siècle. Ses tableaux reflètent les fêtes et les plaisirs de la haute société de son
10    époque. Il a créé des scènes pastorales pleines de charme.

**Jacques-Louis David**, peintre de la Révolution française, est le chef de l'école néoclassique qui s'inspire des anciens Grecs et Romains. Il sera aussi
15    le peintre officiel de l'empereur Napoléon Iᶜʳ.

**Dominique Ingres** était l'élève de Jean-Louis David. Il est célèbre à cause de ses observations et ses dessins précis. Ses ouvrages sont de bons exemples de la peinture classique.

20    Au XIXᵉ siècle, Paris devient le centre mondial de l'art et les peintres s'y regroupent en différents mouvements.

**Le romantisme** désire se libérer des règles strictes du **classicisme**. Ses peintres, comme
25    **Eugène Delacroix**, s'intéressent aux couleurs, au mouvement et aux émotions.

**Le réalisme** est une réaction contre le romantisme et le classicisme. Les artistes désirent représenter la réalité de la vie quotidienne et de la nature.
30    **Honoré Daumier** est un de ces peintres réalistes de grand talent. Il est célèbre pour ses caricatures politiques et sociales.

**L'école de Barbizon** doit son nom au petit village de Barbizon, près de Paris, où un groupe
35    d'artistes aimaient se retrouver. **Jean-François Millet** était le chef de cette école. Dans ses tableaux comme *L'Angélus* ou *Les Glaneuses*, il a représenté la vie des habitants de la campagne. **Jean-Baptiste Corot** est célèbre pour ses paysages. Ce sont des
40    peintres réalistes.

Dans la seconde moitié du XIXᵉ siècle, le réalisme évolue vers **l'impressionnisme**. Les peintres impressionnistes essayent de traduire leurs perceptions visuelles dans leurs tableaux. La lumière devient l'élément essentiel des tableaux qui représentent
45    des scènes modernes, surtout des paysages.

**Édouard Manet** est l'un des pères de l'école impressionniste. Les critiques se sont moqués du choix de ses sujets et de ses innovations techniques. Il est aujourd'hui considéré comme un grand
50    maître, surtout pour son utilisation des couleurs.

**Claude Monet** est l'un des paysagistes les plus importants de l'histoire de l'art. Il travaillait toujours en plein air. Il a représenté le même sujet à différentes heures ou saisons, en observant les change-
55    ments de lumière ainsi provoqués. Il n'utilisait jamais la couleur noire ni la couleur grise.

**Auguste Renoir** est un grand maître impressionniste, connu principalement pour ses portraits de femmes et de jeunes filles.
60

**Edgar Degas** a combiné la discipline du classicisme au caractère immédiat de l'impressionnisme. Ses sujets favoris étaient les danseuses de ballet qu'il a représentées dans des compositions innovatrices.

**Georges Seurat** a développé **le pointillisme**,
65    une technique qui consiste à juxtaposer de minuscules points de couleurs pures pour créer un effet de profondeur *(depth)* et de lumière.

**Rosa Bonheur** a peint les travaux de la ferme et la vie des champs. Elle fait partie de ces artistes
70    qui ont préféré **le traditionalisme**.

**Le postimpressionnisme** apparaît à la fin du XIXᵉ siècle en réaction aux excès de l'impressionnisme et du réalisme. Les peintres **modernistes** développent leur style individuel et n'hésitent
75    pas à déformer l'apparence de la nature et du corps humain.

**Paul Cézanne** est considéré comme le père de l'art moderne. Il a utilisé la couleur pour créer des perspectives et un effet tridimensionnel. Ses œuvres
80    inspireront tous les peintres modernes.

**Paul Gauguin** a rejeté l'impressionnisme et a utilisé la nature comme point de départ pour représenter des figures abstraites et symboliques. **Symboliste**, il a voulu donner à ses œuvres une dimension spirituelle,
85    comme l'illustre son tableau *D'où venons-nous? Que sommes-nous?* Il a vécu *(lived)* à Tahiti où il a créé ses tableaux les plus célèbres.

90 Suzanne Valadon a peint des paysages et des natures mortes *(still lifes)* très expressives.

Vincent Van Gogh, d'origine hollandaise, s'est établi en France, à Paris puis à Arles. Ses tableaux sont animés par des couleurs vives et vibrantes. Ses œuvres dont *Les Tournesols (Sunflowers)* ou *Portrait de l'artiste*
95 *à l'oreille coupée* sont mondialement célèbres.

Henri de Toulouse-Lautrec, influencé par Degas, a réalisé de nombreuses affiches et a peint principalement des scènes de music-hall, de cabaret et de cirque.

100 Au début du XXe siècle, certains artistes décident de se libérer de l'analyse impressionniste et de peindre comme ils le veulent. C'est la naissance du **fauvisme**. Les artistes **fauves** *(wild animals)* simplifient les formes et utilisent des couleurs pures et vives.

105 Henri Matisse est considéré comme le chef du fauvisme. Sa décoration intérieure de la chapelle de-Vence dans le sud de la France est un chef-d'œuvre.

Parmi les fauves il faut mentionner **Maurice de Vlaminck, Raoul Dufy, André Derain,** et **Georges Rouault.**
110

Le cubisme renonce aux apparences traditionnelles des objets; chaque objet est analysé, détruit, et refait dans une forme complètement abstraite, souvent géométrique.

115 Georges Braque est l'un des fondateurs du **cubisme.** Sa technique consiste à décomposer les objets et à les représenter sous plusieurs angles à la fois.

Pablo Picasso, un co-fondateur du cubisme, est l'un des plus célèbres peintres modernes. Né en
120 Espagne, il est venu habiter en France. Il a influencé l'évolution de l'art moderne et a essayée une variété de techniques. Son tableau le plus célèbre est *Guernica,* une œuvre où il dénonce les horreurs de la guerre et du fascisme.

Fernand Léger, dont les premières œuvres sont
125 d'inspiration impressionniste, devient un pionnier du cubisme. Trouvant ce style trop statique, il finit par construire des ouvrages avant-garde dynamiques aux contrastes colorés.

Vers **1920**, **le surréalisme** rejette toutes les
130 conventions. Influencés par les travaux de Freud, **les surréalistes** essayent de représenter l'imaginaire et le rêve. Les artistes les plus connus sont: **Yves Tanguy, Max Ernst, André Masson** et **Reneé Maigritte.**

D'autres artistes importants du XXe siècle sont
135 **Maurice Utrillo, Marc Chagall** et **Bernard Buffet.**

## SCULPTEURS

Jean-Antoine Houdon, sculpteur réaliste du XVIIIe siècle, a réalisé les bustes de personnages célèbres dont Voltaire, Washington, Franklin et Jefferson. 140

François Rude fait partie de l'école romantique du XIXe siècle. Il a créé *La Marseillaise,* le célèbre bas-relief de l'Arc de Triomphe à Paris.

Frédéric-Auguste Bartholdi est l'auteur de *La Liberté éclairant le monde,* la célèbre statue de la 145 Liberté du port de New York.

Auguste Rodin est le plus grand sculpteur des temps modernes. Il est connu pour ses œuvres dont *Le Penseur (The Thinker), Le Baiser* et *Les Bourgeois de Calais.* Ses sculptures sont à la fois réalistes, 150 puissantes et poétiques.

Aristide Maillol est un sculpteur du XXe siècle connu pour ses statues de femmes. Influencé par le classicisme, il allie la grâce et la simplicité à des formes solides. 155

Jacques Lipchitz, associé au mouvement cubiste, puis au surréalisme, a réalisé des sculptures puissantes et dramatiques.

## ARCHITECTES

À l'époque gallo-romaine (du Ier au IVe siècle), on a construit des édifices remarquables comme 160 des temples, des arènes, des aqueducs et des amphithéâtres. Beaucoup de ces édifices existent encore, principalement en Provence, dans le sud de la France. Il y a, par exemple, les arènes de la ville d'Arles et la Maison carrée à Nîmes. 165

Au Moyen Âge, les arts sont associés à la religion. Les églises **de style roman** sont lourdes et sombres. Mais vers la moitié du XIIe siècle, un nouveau style d'architecture apparaît: **l'architecture gothique.** Ce style et cette 170 méthode permettent de construire des édifices de vastes dimensions et très hauts, comme les cathédrales. Ces édifices sont ornés de vitraux *(stained-glass windows)*, de gargouilles *(gargoyles)* et de nombreuses sculptures. Les plus beaux 175 exemples sont les cathédrales d'Amiens, de Chartres, de Reims et de Notre-Dame de Paris.

Au XVIe siècle, **la Renaissance** s'inspire de l'architecture italienne. Entre le XVIe et le XVIIe siècle, les rois et les nobles font bâtir de magni- 180 fiques châteaux, principalement dans la vallée de la Loire et autour de Paris.

Jules Hardouin-Mansart était l'architecte de Louis XIV au XVII<sup>e</sup> siècle. Il a participé à la
185 création du **palais de Versailles** en construisant la galerie des Glaces, le Grand Trianon, la chapelle et l'orangerie. Il a aussi réalisé la place des Victoires et la place Vendôme à Paris.

Eugène Viollet-le-Duc a encouragé le regain
190 *(revival)* d'intérêt pour l'art gothique en France au XIX<sup>e</sup> siècle. Il est célèbre pour ses travaux de restauration de chefs-d'œuvre du Moyen Âge, la cathédrale de Notre-Dame et la Sainte-Chapelle à Paris. Il a également restauré la ville de Carcassonne
195 et les cathédrales de Chartres, d'Amiens et de Reims.

Le Corbusier est le chef de l'école moderne d'architecture du XX<sup>e</sup> siècle. Ses œuvres et ses écrits ont révolutionné le développement de l'architecture
200 dans le monde. Il a eu l'idée de «la ville verticale» qu'il a partiellement réalisée à Marseille.

Bernard Zehrfuss, architecte contemporain, donne une nouvelle apparence à certains nouveaux quartiers de Paris.

205 Jean Nouvel a une vision très contemporaine de l'architecture. Ce qui l'intéresse est la transparence et les effets de la lumière. Il réhabilite des bâtiments anciens, l'Opéra de Lyon, par exemple.

De nombreux grands projets d'architecture
210 sont réalisés en France, à Paris surtout, au cours des dernières années.

## MUSICIENS

Jean-Baptiste Lully, italien de naissance, a composé de la musique de chambre et a été chef d'orchestre *(conductor)* pour Louis XIV. Il est le
215 créateur de l'opéra français pour lequel il a défini les règles. Il a également composé des ballets et de la musique pour accompagner plusieurs comédies de Molière comme *Le Bourgeois gentilhomme.*

Jean-Philippe Rameau a rénové l'opéra français
220 au XVIII<sup>e</sup> siècle. Il a écrit un *Traité de l'harmonie* et de nombreuses pièces pour clavecin *(harpsichord).* Ce compositeur privilégiait l'harmonie par rapport à la mélodie.

Au XIX<sup>e</sup> siècle, la musique française a atteint
225 une renommée internationale avec de grands compositeurs.

Hector Berlioz est le plus grand compositeur de l'époque **romantique.** Ses œuvres sont d'une grande force dramatique comme le prouvent

ses chefs-d'œuvre *La Damnation de Faust* et *La*
230 *Symphonie fantastique.*

César Franck est d'origine belge. Installé à Paris, il a formé et influencé toute une génération de compositeurs. Sa musique s'inspire de la
235 technique de Bach.

Camille Saint-Saëns a composé des poèmes symphoniques dont *La Danse macabre* et *Le Carnaval des animaux.* Il était un virtuose du piano et de l'orgue.

Claude Debussy a été influencé par les peintres
240 impressionnistes. Sa musique est légère, délicate et extrêmement originale. Il a composé *Prélude à l'après-midi d'un faune.*

Maurice Ravel a composé des œuvres pour piano et orchestre dont *Boléro* et *Valses nobles.* Sa
245 musique est fluide et originale, tout en respectant les normes classiques.

Autres compositeurs d'opéras:
**Georges Bizet:** *Carmen, Les Pêcheurs de perles*
**Charles Gounod:** *Faust, Roméo et Juliette*
250 **Jules Massenet:** *Manon, Thaïs*
**Jacques Offenbach:** *Les Contes d'Hoffmann*

La musique classique française du XX<sup>e</sup> siècle continue à évoluer avec de nouveaux artistes talentueux dont **Pierre Boulez, Maurice Jarre,**
255 **Olivier Messiaen** et **Jacques Charpentier.**

## LA CHANSON

La chanson française est née au Moyen Âge avec les chansons d'amour des troubadours. Ensuite il y a les chansons galantes ou satiriques du XVII<sup>e</sup> siècle. Au XVIII<sup>e</sup> apparaissent les chansons
260 révolutionnaires. La chanson politique devient populaire dans les cabarets à la fin du XIX<sup>e</sup> siècle. Au début du XX<sup>e</sup> siècle le music-hall et le jazz influencent les chanteurs: **Maurice Chevalier** et **Joséphine Baker,** par exemple.
265

Les thèmes les plus populaires des chansons françaises sont l'amour, la paix, la famille, la vie quotidienne et la politique. Parmi les compositeurs-chanteurs célèbres on doit noter:

**Charles Trenet**—*Y a de la joie, La Mer*
270 **Édith Piaf,** connue comme « le petit moineau » *(the little sparrow)*—*La Vie en rose*
**Yves Montand**—*Les Feuilles mortes, Sous le ciel de Paris*
**Charles Aznavour**—*La Bohème, Il faut savoir,*
275 *For me formidable*

Gilbert Bécaud—*Et maintenant, Nathalie mon guide, Salut les copains*

Georges Brassens—*Chanson pour Auvergnat, Le Gorille*

Jacques Brel—*Quand on n'a que l'amour*

Joe Dassin—*Bip bip, Ça m'avance à quoi?*

La période **yé-yé**, populaire surtout en Europe, débute dans les années 60. Les chanteurs le plus populaires de cette époque sont:

Johnny Hallyday—Il a chanté des chansons américaines traduites en français tels que: *Quand un homme perd ses rêves (When a Man Loves a Woman)*, **Comme un fou** *(Stuck on You)*

Françoise Hardy—*Tous les garçons et les filles, Le temps de l'amour*

Michel Polnareff—*La Poupée qui fait non*

Sylvie Vartan—*Tous mes copains, Si je chante*

Parmi les chanteurs populaires les plus récents on compte: **Jean-Jacques Goldman, Patricia Kaas, Francis Cabrel, Florent Pagny, Manu Chao, Mylène Farmer, Pascal Obispo, Calogero, Matthieu Chedid, Vanessa Paradis, Christophe Maé, Emmanuel Moire, Zaz, Christophe Willem,** et **Maître Gims.**

La musique est aussi très populaire dans les pays francophones. Les chanteurs les plus connus sont:

Du Canada: **Céline Dion, Félix Leclerc, Gilles Vigneault**

Du Sénégal: **M. C. Solaar, Baaba Maal, Youssou N'Dour**

Du Bénin: **Angélique Kidjo**

Du Congo: **Papa Wemba**

De la Côte d'Ivoire: **Alpha Blondy**

Du Mali: **Oumou Sengaré, Amadou et Miriam**

De la Tunisie: **Patrick Bruel**

De l'Algérie: **Étienne Daho, Khaled**

Des Antilles: **Kassav'**

Du Cameroun: **Manu Dibango**

De la Réunion: **Danyèl Waro**

De Saint-Pierre et Miquelon: **Henri Lafitte**

## LE CINÉMA

Les cinéastes français ont beaucoup contribué à l'art du film. Parmi les grands réalisateurs de films français classiques il faut mentionner:

**René Clair** est connu pour ses chefs-d'œuvre filmographiques tels que *Sous les toits de Paris* et *À nous la liberté*. Depuis 1994, l'Académie française donne le Prix René-Clair au lauréat pour « l'ensemble de son œuvre cinématographique ».

**Louis Malle** est célèbre pour deux films très émouvants qui ont lieu pendant la Seconde Guerre Mondial: *Lacombe Lucien*, et *Au revoir les enfants*.

**Éric Rohmer**, avec **Jean-Luc Godard, François Truffaut, Claude Chabrol** et **Jacques Rivette**, est une figure prédominante de la **Nouvelle Vague**. Il est connu pour ces trois cycles de films: les *Contes moraux*, les *Comédies et proverbes* et les *Contes des quatre saisons*. Trois de ces films: *Ma nuit chez Maud, Le Genou de Clair,* et *L'Amour l'après-midi* ont contribué à sa popularité internationale.

**Alain Resnais** a commencé sa carrière de cinéaste en réalisant des documentaires. *Nuit et brouillard* est le premier film de référence sur les camps de concentration pendant la Seconde Guerre Mondiale. Ensuite il a réalisé des films basés sur des livres: *Hiroshima mon amour* et *L'Année dernière à Marienbad*.

**Jacques Rivette** a fondé **La Gazette du cinéma** avec son contemporain, **Éric Rohmer**. Pour lui, le cinéma doit être une expérience, une sorte d'expérimentation ou les acteurs pouvaient improviser. Ses films sont souvent lents et longs. Parmi ses succès sont: *Céline et Julie vont en bateau, Le Pont du Nord,* et *La Bande des quatre*.

**Claude Chabrol** s'est laissé influencer par les films d'Alfred Hitchcock. Il aimait aussi les films policiers. Il a tourné plus de cinquante films en trente ans. Il est connu pour *Cousins, Le Boucher,* et *Betty*, entre autres films.

**Jean-Luc Godard** est un cinéaste de première importance qui fait partie du mouvement **Nouvelle Vague**. Il questionne et explore la relation entre le film et son spectateur. Parmi ses films on compte: *À bout de souffle, Pierrot le fou, Alphaville, Sauve qui peut,* et *Prénom: Carmen*.

**François Truffaut** est un cinéaste français-suisse qui fait des films personnels et sincères. Il n'a pas pour but de révolutionner le cinéma. Parmi ses films les plus connus sont: *Les Quatre Cents coups, Tirez sur le pianiste, Jules et Jim, Baisers volés, L'Argent de poche,* et *La Femme d'à côté*.

D'autres cinéastes de renommé étaient **Jacques Tati, Jacques Demy** et **Ariane Mnouchkine**.

Plus récemment, il faut citer les metteurs en scène, les réalisateurs et les scénaristes suivants:

**Patrice Chéreau, Jacques Audiard, Alain Sarde, Jean-Pierre Jeunet, Jean-Xavier**

375 Lestrade, Christophe Barratier, François Ozon, et Alexandre Aja

On ne doit pas oublier les écrivains et les cinéastes des pays francophones:

De la Belgique: **Jaco Van Dormael**

380 Du Canada: **Claude Jutra, Gilles Carle, Charles Binamé**

Du Sénégal: **Ousmane Sembène**

Du Cameroun: **Jean-Marie Teno**

Du Zaïre: **Ngangura Mweze, Benoît Lamy**

De la Côte d'Ivoire: **Timité Bassori, Désiré Écaré** 385

Du Mali: **Souleymane Cissé**

De l'Algérie: **Merzak Allouache, Nadir Mokneche**

De la Guadeloupe: **Christian Lara**

De la Martinique: **Euzban Palcy** 390

D'Haïti: **Raoul Peck**

Du Vietnam: **Lam Le**

## EXERCICE A

*Identifiez chaque artiste en écrivant s'il s'agit d'un peintre, d'un sculpteur, d'un architecte ou d'un musicien.*

1. Claude Debussy _____

2. Le Corbusier _____

3. Johnny Holliday _____

4. Claude Jutra _____

5. George Bizet _____

6. Vincent Van Gogh _____

7. François Truffaut _____

8. Auguste Bartholdi _____

9. Hector Berlioz _____

10. Étienne Daho _____

11. Auguste Rodin _____

12. Eugène Viollet-le-Duc _____

13. Marc Chagall _____

14. Jules Hardouin-Mansart _____

15. Fernand Léger _____

16. Jean-Luc Godard _____

17. Jacques Lipchitz _____

18. Édith Piaf _____

## EXERCICE CRÉATIF

*Choisissez une activité.*

1. Regardez un film français de votre choix et écrivez-en une critique.

2. Apprenez par cœur une chanson française.

3. Choisissez un tableau d'un artiste français et décrivez-le en détail.

1 Les Français ont beaucoup contribué au développement de la science. Les scientifiques suivants ont fait des contributions notables.

## MATHÉMATICIENS

René Descartes (1596–1650), créateur de **la géométrie analytique,** a simplifié l'écriture mathé-
5 matique. Ses travaux en physique ont fondé la science moderne. Il a développé une méthode de pensée méthodique et rationnelle. C'est la pensée **cartésienne**. Il est aussi considéré comme le père
10 de la philosophie moderne.

Blaise Pascal (1623–1662) était aussi physicien et philosophe. Il a créé **le calcul des probabilités** et inventé la presse hydraulique. À dix-huit ans, il a inventé la première machine à calculer.

15 Pierre Simon de Laplace (1749–1827) était également un astronome. Dans son livre, *Traité de mécanique céleste,* il a exposé ses théories sur les mouvements des comètes et des planètes et a confirmé les théories de Newton. Il a aussi développé
20 l'hypothèse de la naissance du système solaire.

Henri Poincaré (1854–1912) a contribué par ses travaux à la découverte de la théorie de la relativité. Il est aussi l'un des fondateurs de **la topologie,** une branche de la géométrie.

## PHYSICIENS

25 Charles de Coulomb (1736–1806) a étudié l'électricité et le magnétisme. Il a donné son nom au **coulomb,** une unité de charge électrique.

André Ampère (1775–1836) a publié son premier traité de mathématiques à treize ans. Il est surtout connu
30 pour ses travaux sur l'électricité et pour avoir créé **l'électrodynamique.** Aujourd'hui, **un ampère** est l'unité d'intensité du courant électrique.

Joseph Gay-Lussac (1778-1850) était un chimiste et physicien connu pour ses études sur les
35 propriétés des gaz.

Léon Foucault (1819-1868) était un physicien et un astronome. Il a démontré la rotation de la Terre autour de son axe avec un pendule *(Foucault's pendulum).*

40 Henri Becquerel (1852–1908) a découvert la radioactivité de l'uranium. Il a reçu le prix Nobel en 1903. Son père, **Antoine Becquerel,** était un pionnier de l'électricité et de l'électrochimie.

Parmi les physiciens qui ont gagné le Prix Nobel en physique on compte: **Jean-Baptiste** 45 **Perrin** (1926), **Louis de Broglie** (1929), **Alfred Kastler** (1966), **Louis Néel** (1970), **Pierre-Gilles de Gennes** (1991), **Jacques Charpak** (1992), **Claude Cohen-Tannoudji** (1997), **Albert Fert** (2007), et **Serge Haroche** (2012). 50

## CHIMISTES

Antoine Laurent de Lavoisier (1743–1794) est un des fondateurs de la chimie moderne. Il a découvert la nature et le rôle de l'oxygène. Il a été guillotiné sous la Révolution. On cite encore souvent sa phrase célèbre: «Rien ne se perd, rien ne se crée, 55 tout se transforme.»

Marie Curie (1867–1934) a découvert le radium en collaboration avec son mari, **Pierre Curie** (1859–1906). Première femme à occuper une chaire *(professorship)* de l'enseignement supérieur, 60 elle a reçu deux prix Nobel. Pierre et Marie Curie ont fait des recherches sur la radioactivité et ont aussi découvert le polonium. Leur fille **Irène Joliot-Curie** et son mari **Frédéric Joliot-Curie** ont aussi reçu le prix Nobel de chimie en 1935. 65

Les chercheurs qui ont gagné le Prix Nobel en chimie sont: **Luis Federico Leloir** (1970), **Jean-Marie Lehn** (1987) et **Yves Chauvin** (2005).

## NATURALISTES

Jean-Baptiste de Lamarck (1744–1829) a fait la classification des invertébrés et a développé des 70 théories sur l'évolution des êtres vivants.

Georges Cuvier (1769–1832) est le créateur de l'anatomie comparée des vertébrés et de **la paléontologie,** la science qui traite des fossiles.

## BIOLOGISTES ET MÉDECINS

Claude Bernard (1813–1878) est le fondateur 75 de **la physiologie** moderne. Il a défini les règles de la méthode expérimentale et les principes de toute recherche scientifique.

Louis Pasteur (1822–1895) est le créateur de **la microbiologie,** la science qui s'intéresse aux 80

organismes microscopiques. Il a découvert que des microbes pouvaient être la cause des maladies infectieuses. Il a inventé des méthodes **d'aseptisation** *(sterilization)* et la technique de la **vaccination.** Le
85 procédé de **la pasteurisation,** pour conserver le lait, par exemple, doit son nom à Pasteur.

**L'Institut Pasteur** est un institut de recherches biologiques et médicales situé à Paris. Il a été fondé par souscription internationale et dirigé par Pasteur
90 en 1888. Aujourd'hui, l'institut continue dans le monde entier les travaux de Pasteur. C'est aussi l'un des grands centres de production de vaccins et de sérum.

**Émile Roux** (1853–1933) a été l'élève et le
95 collaborateur de Louis Pasteur. Directeur de l'Institut Pasteur, il a découvert le traitement de la diphtérie et a réalisé des recherches sur les toxines et les virus.

**Albert Jacquard** (1925-2013) était un chercheur
100 spécialiste de génétique qui est devenu Officier de la Légion d'honneur en 1980.

Parmi les lauréats du Prix Nobel en physiologie ou médecine il faut citer: **André Frédéric Cournand** (1956), **André Lwoff** (1965), **François**
105 **Jacob** (1965), **Jacques Monod** (1965), **Roger Guillemin** (1977), **Jean Dausset** (1980), **Françoise Barré-Sinoussi** (2008), **Luc Montagnier** (2008) et **Jules A. Hoffman** (2011).

## AUTRES SAVANTS

**Jean-François Champollion** (1790–1832)
110 est un archéologue qui, sous Napoléon I^er, a réussi à comprendre et à traduire **les hiéroglyphes égyptiens.**

**Nicéphore Niépce** (1765–1833) est considéré comme l'inventeur du procédé de **la photographie.**

**Jacques Daguerre** (1789–1851) a perfectionné le procédé photographique inventé par Niépce. Il 115 a inventé un appareil photographique appelé **le daguerréotype.**

**Louis Lumière** (1864–1948) et **Auguste Lumière** (1862–1954) sont deux frères qui ont inventé **le Cinématographe,** le premier système 120 pour photographier et projeter des films. Ils sont considérés comme les pères du cinéma.

**Louis Braille** (1809–1852) a inventé **le braille,** un alphabet en relief, pour permettre aux aveugles *(blind people)* de lire avec les doigts. Louis Braille 125 était lui-même aveugle.

**Gustave Eiffel** (1832-1923) a consacré sa vie à l'expérimentation scientifique en faisant des études sur l'aérodynamique et la Météorologie. La Tour Eiffel 130 est le poste émetteur de radio et de télévision à Paris.

**Alphonse Bertillon** (1853-1914) était un criminologue qui a fondé le premier laboratoire de police d'identification criminelle. On utilisait les empreintes digitales *(fingerprints)* pour établir 135 l'identité des criminels.

**Anne-Marie Staub** (1914-2012) était une 140 biochimiste qui a fait des études immunochimiques des salmonelles.

**Le CNRS** (Centre national de la recherche scientifique) a été créé en 1939. Financé par le gouvernement, c'est le premier centre de recherche 145 européen qui couvre tous les domaines de la science. Le CNRS est composé de plus de 1.300 laboratoires et emploie plus de 26.000 chercheurs.

## EXERCICE A

*Identifiez ces scientifiques d'après leurs inventions et découvertes.*

*1.* L'unité de charge électrique porte son nom: _____

*2.* Il a développé des théories sur l'évolution: _____

*3.* Inventeur de la vaccination: _____

*4.* Il a découvert le rôle de l'oxygène: _____

*5.* Fondateur de la physiologie moderne: _____

6. Il a trouvé un remède à la diphtérie: _____

7. Créateur de l'électrodynamique: _____

8. Il a travaillé sur la mécanique céleste: _____

9. Il a fondé la paléontologie des invertébrés: _____

10. Il a découvert la radioactivité de l'uranium: _____

## EXERCICE CRÉATIF

*Choisissez une activité.*

1. Faites une chronologie historique de tous les Français qui ont reçu le Prix Nobel depuis 1970. Indiquez son domaine de spécialité.

2. Écrivez la biographie d'un des individus français (dans n'importe catégorie) qui a reçu le Prix Nobel depuis ses débuts.

3. Racontez l'histoire et les accomplissements de l'Institut Pasteur.

# Part six
# Comprehensive Testing
*Speaking, Listening, Reading, Writing*

# Comprehensive Testing

Interpretive Communication
Interpersonal and Presentational Writing
Interpersonal and Presentational Speaking

# SECTION I: MULTIPLE CHOICE

**A. Interpretive Communication: Print Texts [30 points]**

You will read several selections. Each selection is accompanied by a number of questions. For each question, choose the response that is best according to the selection/

Vous allez lire plusieurs sélections. Chaque sélection est accompagnée de plusieurs réponses. Pour chaque question, choisissez la meilleure réponse selon la sélection.

## SÉLECTION A (10 CRÉDITS)

THÈME DE COURS:    L'ESTHÉTIQUE

*Introduction*

Dans cette sélection il s'agit de la tour Eiffel. La publicité originale a été publiée sur le site: toureiffel.paris.

La tour Eiffel a été construite par Gustave Eiffel à l'occasion de l'Exposition Universelle de 1889 qui célébrait le premier centenaire de la Révolution française. Sa construction en 2 ans, 2 mois et 5 jours, a été une véritable performance technique et architecturale… Elle a été à la fin du 19ème siècle la démonstration du génie français incarné par Gustave Eiffel… Elle a connu immédiatement un immense succès.

Destinée à durer seulement 20 ans, elle a été sauvée par les expériences scientifiques qu'Eiffel a favorisées et en particulier les premières transmissions radiographiques, puis de télécommunication …

Depuis les années 80, le monument a régulièrement été rénové, restauré, et aménagé pour un public plus nombreux.

Au fil des décennies, la tour Eiffel a connu des exploits, des illuminations extraordinaires, des visiteurs prestigieux. Site mythique, audacieux, elle a toujours inspiré les artistes, les défis.

Elle est le théâtre de nombreux événements de portée international (mises en lumière, centenaire de la Tour, spectacle pyrotechnique de l'an 2000, campagnes de peinture, scintillement. Tour bleue pour la Présidence française de l'union européenne ou multicolore pour ses 120 ans…

Universelle, tour de Babel, près de 250 millions de visiteurs sans distinction d'âge ou d'origine sont venus de tous les coins de la planète la découvrir depuis son ouverture en 1889.

Comme toutes les tous, elle permet de voir et d'être vue ; ascension spectaculaire, panorama unique sur Paris, signe rayonnant dans le ciel de la Capitale…

Symbole de la France dans le monde, vitrine de Paris, elle accueille aujourd'hui près de 7 millions de visiteurs par an (dont environ 75% d'étrangers), ce qui en fait le monument payant le plus visité au monde.

*1.* Pourquoi a-t-on construit la tour Eiffel ?

   (A)  Pour fêter une personne importante.

   (B)  Pour célébrer une fête historique.

   (C)  Pour attirer des touristes.

   (D)  Pour gagner de l'argent pour la France.

2. Pourquoi est-ce qu'on n'a pas détruit la tour ?

    (A) Parce qu'Eiffel est devenu un architecte très célèbre.

    (B) Parce qu'elle était une attraction touristique très populaire.

    (C) Parce que l'exposition a duré plus de 2 ans.

    (D) Parce qu'elle avait une importance technologique.

3. Qu'est-ce qu'on fait à la tour pour célébrer des événements spéciaux.

    (A) On joue des pièces de théâtre.

    (B) On a des défilés militaires.

    (C) On change la couleur de la tour.

    (D) On sonne une fanfare.

4. Pourquoi est-ce qu'on l'appelle un tour de Babel?

    (A) Parce qu'elle accueille des visiteurs de partout dans le monde.

    (B) Parce que toutes les annonces à la tour sont en plusieurs langues.

    (C) Parce que Gustave Eiffel est né à l'étranger.

    (D) Parce qu'elle est très haute.

5. À quoi la tour doit-elle sa popularité ?

    (A) Il y a une vue magnifique sur la ville.

    (B) On peut y trouver le meilleur restaurant à Paris.

    (C) Beaucoup de personnes célèbres la visitent.

    (D) Entrée à la tour est gratuite.

## SÉLECTION B (10 CRÉDITS)

THÈME DE COURS:    LES DÉFIS MONDIAUX

### Introduction

Dans cette sélection il s'agit d'un forum aux Nations Unies où l'on discute des problèmes mondiaux. La publicité originale a été publiée le 2 juin 2014 sur le site: Centre d'actualités de l'ONU.

2 juin 014 – À l'occasion d'un Forum de la jeunesse lundi au siège des Nations Unies à New York, le Secrétaire général Ban Ki-moon et le Président de l'Assemblée générale John Ashe ont encouragé les jeunes à travers le monde à s'impliquer davantage pour affronter les défis auxquels la planète doit faire face.

« La moitié de la planète est âgée de moins de 25 ans. Nous avons besoin de votre implication comme jamais auparavant', a dit M. Ban à l'adresse des participants du forum.

« Faites-vous entendre de manière claire et forte. Nous sommes confrontés à d'énormes défis. Le changement climatique est un danger clair et présent. Nous n'avons qu'une seule planète et nous devons affronter cette menace existentielle. Il n'y a pas de plan B car il n'y a pas de planète B. Nous n'avons qu'une seule planète », a ajouté le Secrétaire général.

« Nous devons travailler plus dur pour offrir des opportunités à tous – en particulier aux filles et aux femmes. Nous devons venir en aide à ceux qui souffrent dans des endroits comme la Syrie, à ceux qui font face à la perspective de la famine dans des pays tels que le Soudan du Sud, à ceux privés de leur liberté d'expression et de réunion », a-t-il encore dit.

« L'avenir vous appartient », a lancé le Secrétaire général à l'adresse des jeunes.

Le Président de l'Assemblée générale, John Ashe, a également estimé que les jeunes pouvaient « être les moteurs d'un changement positif et contribuer au développement socio-économique de leurs sociétés, si on leur fournit un environnement adéquat pour le faire. »

« Mais beaucoup de jeunes sont confrontés à des difficultés pour trouver un travail, pour accéder à un enseignement de qualité et abordable et à une couverture médicale adéquate, et pour participer aux processus politiques de décision », a-t-il ajouté.

**1.** Qu'est-ce que Ban Ki-moon et John Ashe demandent aux jeunes ?

    (A) D'étudier encore plus.

    (B) D'aller tous à l'université.

    (C) De protéger l'environnement.

    (D) De faire des expériences scientifiques.

**2.** Pourquoi ses deux hommes s'adressent-ils aux jeunes ?

    (A) Ils sont très nombreux.

    (B) Ils sont très intelligents.

    (C) Ils ont beaucoup d'expérience.

    (D) Ils comprennent mieux les problèmes.

**3.** Qu'est-ce que M. Ban suggère aux jeunes ?

    (A) D'établir un Plan B.

    (B) D'étudier les autres planètes.

    (C) D'aider les femmes à se réaliser.

    (D) De travailler à l'ONU.

**4.** Selon M. Ashe, qu'est-ce que la société doit faire pour les gens ?

    (A) Leur donner un environnement où ils peuvent réussir.

    (B) Les payer encore plus.

    (C) Leur donner l'assurance médicale.

    (D) Leur fournir une éducation gratuite.

**5.** Quel est un problème qui confronte les jeunes ?

    (A) Ils n'ont pas assez de temps libre.

    (B) Ils sont paresseux.

    (C) Ils risquent de devenir malades.

    (D) Ils ont de la peine à trouver un emploi.

## SÉLECTION C (10 CRÉDITS)

THÈME DE COURS:    LA FAMILLE ET LA COMMUNAUTÉ

### Introduction

Cette sélection est un poème de Jacques Prévert. « Familiale se trouve dans son recueil de poèmes intitulé Paroles, écrit en 1946. Dans ce poème on voit une famille et comment elle fait face à la guerre.

---

### FAMILIALE

*La mère fait du tricot*

*Le fils fait la guerre*

*Elle trouve ça tout naturel la mère*

*Et le père qu'est-ce qu'il fait le père ?*

*Il fait des affaires*

*Sa femme fait du tricot*

*Son fils la guerre*

*Lui des affaires*

*Il trouve ça tout naturel le père*

*Et le fils et le fils*

*Qu'est-ce qu'il trouve le fils ?*

*Il ne trouve rien absolument rien le fils*

*Le fils sa mère fait du tricot son père des affaires lui la guerre*

*Il fera des affaires avec son père*

*La guerre continue la mère continue elle tricote*

*Le père continue il fait des affaires*

*Le fils est tué il ne continue plus*

*Le père et la mère vont au cimetière*

*Ils trouvent ça naturel le père et la mère*

*La vie continue la vie avec le tricot la guerre les affaires*

*Les affaires la guerre le tricot la guerre*

*Les affaires les affaires et les affaires*

*La vie avec le cimetière*

---

1.  Quel est le but de ce poème ?

    (A)  D'expliquer les horreurs de la guerre.

    (B)  De souligner l'absurdité de la guerre.

    (C)  De persuader les jeunes d'aller à la guerre.

    (D)  De montrer que la guerre n'est pas tellement dangereuse.

2.  Que font les membres de cette famille ?

    (A)  Ils protestent vigoureusement.

    (B)  Ils se sauvent.

(C) Ils défendent leur pays.

(D) Ils suivent une routine.

**3.** Comment est le ton du poème ?

(A) Ironique.

(B) Comique.

(C) Dynamique.

(D) Sympathique.

**4.** Que peut-on dire de cette famille ?

(A) Elle trouve la vie incompréhensible.

(B) Elle éprouve de fortes émotions.

(C) Elle accepte la guerre et la mort avec indifférence.

(D) Elle risque beaucoup.

**5.** Qu'est-ce qui arrive à la fin du poème ?

(A) Le fils est gravement blessé.

(B) Toute la famille est morte.

(C) Le fils perd sa vie.

(D) Le fils fait des affaires avec son père.

## B. Interpretive Communication: Print and Audio Texts (combined) [10 points]

**You will listen to two audio selections. The first audio selection is accompanied by a reading selection.**

For each audio selection, you will have time to read a preview of the selection as well as to skim the questions that you will be asked. Each selection will be read twice. As you listen to each selection, you may take notes.

After listening to each selection the first time, begin answering the questions; after listening to each selection the second time, you will have time to finish answering the questions. For each question, choose the response that is best according to the audio and/or reading selection.

Vous allez écouter deux sélections audio. La première sélection audio est accompagnée d'une lecture.

Pour chaque élection audio, vous aurez du temps pour lire une introduction et pour parcourir les questions qui vous seront posées. Chaque sélection sera lue deux fois. Vous pouvez prendre des notes pendant que vous écoutez chaque sélection.

Après avoir écouté chaque sélection une première fois, commencez à répondre aux questions; après avoir écouté chaque sélection une deuxième fois, vous aurez du temps pour finir de répondre aux questions. Pour chaque question, choisissez la meilleure réponse selon la sélection audio ou lecture.

# SÉLECTION 1

THÈME DE COURS:    LA VIE CONTEMPORAINE

SOURCE 1

**Vous aurez 4 minutes pour lire la source numéro 1.**

*Introduction*

Dans cette sélection il s'agit de des nouveaux moyens de communication. L'article original a été publié le 12 mai 2014 sur le site: Maison de la Famille Haute Savoie.

Que peuvent faire les parents !

…

**Il ne faut pas dramatiser, diaboliser.** Ces outils ouvrent des perspectives extraordinaires aux ados, d'apprentissage, de mise en réseau amical, de recherches scolaires ou personnelles. Le dialogue reste le plus efficace moyen, non de contrôle, mais de partage de ce qu'ils vivent, sans oublier qu'on ne peut pas tout savoir de leur vie et qu'ils ont droit à leur jardin secret.

**Leur montrer l'exemple:** leurs parents ne sont pas « accros » eux-mêmes à ces nouveaux moyens. Si la télévision est allumée en permanence, si les parents consultent sans arrêt leurs emails ou leurs propres réseaux sociaux, s'ils passent leurs soirées devant leur ordinateur, comment les inciter à rester dans le cadre familial ?

**Prendre conscience avec eux du temps passé** devant des écrans afin de gérer leur emploi du temps et leur besoin de sommeil. Que ce temps passé devant leur ordinateur les empêchent peut-être de rencontrer des amis proches, de partager un moment en famille, de faire les activités qu'ils aiment.

**Adapter les outils à leur âge**. Avant 13 ou 14 ans, ils n'ont pas forcément besoin d'un téléphone portable, sauf raison de sécurité. Avant l'âge du lycée, l'ordinateur peut être dans une pièce commune où les parents peuvent aussi avoir un droit de regard sur le temps passé ou les recherches qu'ils font.

**Leur faire confiance, en discutant avec eux des risques potentiels qu'ils peuvent courir**: trop s'exposer sur Internet en vidéo ou photos, donner ses coordonnées, mettre en ligne des photos retouchées mettant en cause d'autres personnes, comme des professeurs par exemple. Ils doivent être conscients que chacun a droit à son image et que l'utilisation d'images sans autorisation de leurs propriétaires est sanctionnée par la loi.

SOURCE 2

*Introduction*

Dans cette sélection il s'agit ce que les jeunes Français aiment faire. L'article original intitulé: *Les jeunes Français peuvent se passer de télévision, pas de leur smartphone* a été publié le 23 décembre 2014 sur le site Medias.

*Vous aurez d'abord 6 minutes pour lire la source numéro un.*

*(4 minutes)*

*Arrêtez de lire. Maintenant allez à la source numéro deux. Vous aurez deux minutes pour lire l'introduction et parcourir les questions.*

*(2 minutes)*

*Maintenant écoutez la source numéro deux.*

**(Selection is played here.)**

*(1 minute)*

*Maintenant écoutez de nouveau.*

*(Selection is replayed here.)*

*Maintenant finissez de répondre aux questions pour cette sélection.*

*(2 minutes and 30 seconds)*

1. D'après l'article, comment les parents peuvent-ils surveiller leurs enfants ?

   (A) Ils doivent favoriser le dialogue avec eux.

   (B) Ils doivent employer de nouveaux moyens de communication.

   (C) Ils doivent leur acheter un portable quand ils sont très jeunes.

   (D) Ils doivent être leurs amis sur Facebook.

2. D'après l'article, qu'est-ce que les parents ne doivent pas faire ?

   (A) Ils ne doivent pas établir beaucoup de règles d'usage.

   (B) Ils ne doivent pas employer d'ordinateur.

   (C) Ils ne doivent pas se connecter à un réseau social.

   (D) Ils ne doivent pas essayer d'interroger leurs enfants sur toutes leurs activités.

3. D'après l'article, de quoi les ados doivent-ils être conscients ?

   (A) Qu'ils sont responsables pour payer les services qu'ils utilisent.

   (B) Que la nouvelle technologie n'est pas toujours bonne pour la santé.

   (C) Que leurs parents ont aussi le droit de tout savoir de leur vie privée.

   (D) Qu'ils doivent respecter la vie privée des autres.

4. Selon l'article, qu'est-ce que la plupart des Français âgés de 13 à 14 ans trouvent indispensable ?

   (A) Leur télévision.

   (B) Leur cellulaire.

   (C) Leur tablette.

   (D) Leur musique.

5. Selon l'article, pourquoi l'âge moyen des téléspectateurs augment-t-il ?

   (A) Les émissions s'adressent plus à leurs intérêts.

   (B) Les jeunes n'ont pas les fonds nécessaires pour acheter une télévision.

   (C) La nouvelle génération préfère se connecter à l'Internet.

   (D) Les télévisions à grand écran présentent une meilleure image.

# SÉLECTION 2

THÈME DU COURS:    LES FAMILLES ET LA COMMUNAUTÉ

### Introduction

Vous aurez d'abord 1 minute pour lire l'introduction et parcourir les questions.

Dans cette sélection il s'agit du Carnaval de Martinique. Cet article a été publié sur le site: (http:// carnavalmartinique.free.fr/)

*Vous aurez d'abord une minute pour lire l'introduction et parcourir les questions.*

*(1 minute)*

*Maintenant écoutez la sélection.*

**(Selection is played here.)**

*Maintenant vous aurez une minute pour commencer à répondre aux questions pour cette sélection. Après une minute, vous écouterez la sélection ne deuxième fois.*

*(1 minute)*

*Maintenant écoutez de nouveau.*

**(Selection is replayed here.)**

*Maintenant finissez de répondre aux questions pour cette sélection.*

*(1 minute and 15 seconds)*

**1.** Qu'est-ce qui distingue le carnaval de Martinique de beau d'autres ?

   (A)  Il est moins populaire.

   (B)  Il est plus authentique.

   (C)  Il dure plus longtemps.

   (D)  Il est plus unique.

**2.** Qui peut participer dans le carnaval ?

   (A)  Seulement des groupes organisés.

   (B)  Seulement les adultes âgés de plus de 13 ans.

   (C)  Tout le monde.

   (D)  Seuls les gens d'origine martiniquaise.

**3.** Comment est l'ambiance au carnaval ?

   (A)  Elle est hospitalière.

   (B)  Elle est froide.

   (C)  Elle est mystérieuse.

   (D)  Elle est comique.

**4.** Que fait-on avant le carnaval ?

   (A)  On vend des billets au spectacle.

   (B)  On choisit des représentants importants du carnaval.

   (C)  On distribue des costumes.

   (D)  On distribue des brochures.

**5.** Qui est-ce qu'on peut voir au carnival?

   (A)  Des personnages de nationalités diverses.

   (B)  La famille royale de la Martinique.

   (C)  Des personnages imaginaires.

   (D)  Des diplomates étrangers.

# SECTION 2: FREE RESPONSE

## A. Interpersonal Writing: Email Reply [10 points]

**You will write a reply to an email message. You will have 15 minutes to read the message and write your reply.**

Your reply should include a greeting and a closing and should respond to all the questions and requests in the message. In your reply, you should also ask for more details about something mentioned in the message. Also, you should use a formal form of address.

Vous allez écrire une réponse à un message électronique. Vous aurez 15 minutes pour lire le message et écrire votre réponse.

Votre réponse devrait débuter par une salutation et terminer par une formule de politesse. Vous devriez répondre à toutes les questions et demandes du message. Dans votre réponse, vous devriez demander des détails à propos de quelque chose mentionné dans le texte. Vous devriez également utiliser un registre de langue soutenu.

THÈME DU COURS:   LA VIE CONTEMPORAINE

### Introduction

C'est un message de M. Georges Pierrot, gérant du restaurant La Table française. Les membres de votre cercle français ont envie de dîner dans ce restaurant pour goûter un repas typique. Vous avez contacté le restaurant pour exprimer avoir plus de renseignements.

DE:    Georges Pierrot

OBJET:  Votre message concernant un dîner chez nous

Monsieur/Madame

Merci de nous avoir contactés au sujet d'un dîner typiquement français. Afin d'assurer une expérience favorable à tous, nous faisons de notre mieux pour trouver des plats à la fois appétissants et acceptables. Donc, il nous serait très utile d'en savoir plus sur les membres de votre cercle et leurs préférences. Vos réponses aux questions suivantes nous aideront à vous offrir la meilleure expérience.

     —Dites-nous les spécialités françaises que vous préférez et pourquoi ?

     —Combien d'étudiants vont venir manger chez nous ?

     —Quelles dates vous seraient convenables ?

Nous vous serions très reconnaissants de bien vouloir nous répondre le plus tôt possible.

Dans l'attente de vous lire, nous vous prions d'agréer l'expression de nos salutations distinguées.

Georges Pierrot
Gérant
La Table française

## B. Presentational Writing: Persuasive Essay [15 points]

You will write a persuasive essay. The essay topic is based on three accompanying sources that include both print and audio material. First, you will have 6 minutes to read the essay topic and the printed material. Afterward, you will hear the audio material twice; you should take notes while you listen. Then, you will have 20 minutes to prepare and write your essay.

In your persuasive essay, you should clearly indicate your opinion and defend it thoroughly. Use information from all of the sources to support your essay. As you refer to the sources, identify them appropriately. Also, organize your essay into clear paragraphs.

You will now begin this task.

Vous allez écrire un essai persuasif. Le sujet de l'essai est basé sur trois sources ci-jointes, qui comprennent à la fois du matériel audio et imprimé. Vous aurez d'abord 6 minutes pour lire le sujet de l'essai et le matériel imprimé. Ensuite, vous écouterez l'audio deux fois ; vous devriez prendre des notes pendant que vous écoutez. Enfin, vous aurez 20 minutes pour préparer votre essai.

Dans votre essai, vous devriez indiquer clairement votre propre opinion que vous défendrez à fond. Utilisez les renseignements fournis par toutes les sources pour soutenir votre essai. Quand vous ferez référence aux sources, identifiez-les de façon appropriée. Organisez aussi votre essai en paragraphes bien distincts.

Vous allez maintenant commencer cet exercice.

Thème du cours:    L'esthétique

Vous aurez 6 minutes pour lire le sujet de l'essai, la source numéro 1 et la source numéro 2.

Sujet de l'essai:

Pourquoi doit-on voir le film Cyrano en classe ?

### Source 1

*Introduction*

Dans cette sélection il s'agit d'un résumé du film, Cyrano de Bergerac. L'article original a été publié sur le site: Théâtre du Nouveau Monde.

C'est extraordinaire: chaque génération redécouvre le chef-d'œuvre d'Edmond Rostand et, à chaque fois, c'est un événement ! Car toutes les femmes rêvent d'un homme comme Cyrano. Et tous les hommes voudraient être comme lui. Il a du cœur, de l'esprit, du panache. En plus: imbattable à l'épée. Mais, il y a un « mais ». Un « mais » de la taille de son interminable nez: Cyrano se trouve sans grâce et sans beauté. Alors, quand il veut déclarer son amour à Roxane, qui vient de s'éprendre du beau Christian de Neuvillette, tout se complique. Car Christian en est lui aussi amoureux, mais il perd ses moyens dès qu'il ouvre la bouche. Alors il va voir Cyrano, son compagnon d'armes aux cadets de Gascogne, pour apprendre comment parler d'amour… Entre les duels à l'épée et les duels amoureux, entre les éclats de rire et les éclats héroïques, la pièce de Rostand galope à un rythme d'enfer…

### Source 2

*Introduction*

Dans cette sélection il s'agit d'une biographie de Gérard Depardieu, l'acteur français qui joue le rôle principal dans le film de Jean-Paul Rappeneau. L'article original a été publié sur le site commeaucinema.com.

Gérard Depardieu est un acteur français né à Châteauroux le 27 décembre 1948. …Il est issu d'un milieu modeste, entouré de cinq frères et sœurs. Adolescent difficile, il se retrouve à l'âge de 13 ans en liberté surveillée après avoir commis quelques vols et autres activités malhonnêtes. …Il arrive à Paris à 16 ans et prend dès lors des cours de théâtre de Jean-Laurent Cochet, il y rencontrera Elizabeth future Depardieu. Il débute au théâtre dans la pièce *Les garçons de la bande*. En 1974, il signe son premier grand rôle dans **Les Valseuses** de Bertrand Blier… Ce film lui confère une notoriété nationale. Cette même année, il reçoit le prix « Gérard Philippe » de la ville de Paris. En 1997, il a reçu un Lion d'Or à Venise récompensant l'ensemble de sa carrière. Gérard Depardieu alterne rôles dramatiques et comédies…

Durant ces 25 dernières années, Gérard Depardieu a été la vedette de plus d'une centaine de films, et a été nommé pas moins de 14 fois pour le César de meilleur acteur. …

## SOURCE 3
VOUS AUREZ 30 SECONDES POUR LIRE L'INTRODUCTION.

### Introduction

Dans cette sélection il s'agit des prix que reçus par ce film. L'article original, Cyrano de Bergerac – Rappeneau/Rostand Du théâtre dans l'air, a été publié le 25 février 2015 sur le site avoir-alire.com.

*Vous avez une minute pour lire les instructions pour cet exercice.*

*(1 minute)*

*Vous allez maintenant commencer cet exercice.*

*Vous aurez six minutes pour lire le sujet de l'essai, la source numéro un et la source numéro 2.*

*(6 minutes)*

*Arrêtez de lire. Maintenant allez à la source numéro trois. Vous aurez trente secondes pour lire l'introduction.*

*(30 secondes)*

*Maintenant écoutez la source numéro trois.*

**(Selection is played twice here.)**

*Maintenant vous aurez vingt minutes pour préparer et écrire votre essai persuasif.*

*(20 minutes)*

## C. Interpersonal Speaking: Conversation [10 points]

You will participate in a conversation. First, you will have 1 minute to read a preview of the conversation, including an outline of each turn in the conversation. Afterward, the conversation will begin, following the outline. Each time it is your turn to speak, you will have 20 seconds to respond.

You should participate in the conversation as fully and appropriately as possible.

Vous aurez 1 minute pour lire l'introduction.

### Introduction

C'est une conversation avec Mme Nalet, une nouvelle voisine qui parle français. Vous participer à cette conversation parce que vous avez envie de garder ses enfants pour gagner de l'argent de poche. Vous avez une interview avec elle.

**MME NALET:** Elle vous parle de ses enfants.

**VOUS:** Parlez de votre expérience avec les enfants ; posez-lui une question sur vos responsabilités.

**MME NALETT:** Elle vous demande quand vous êtes libre.

Vous:                Parlez de votre emploi du temps.

Mme Nalett:    Elle parle d'une activité que ses enfants préfèrent.

Vous:                Donnez votre opinion sur l'activité proposée.

Mme Nalett:    Elle parle de ce que ses enfants aiment manger.

Vous:                Parlez de ce que vous pouvez préparer pour eux comme goûter.

Mme Nalett:    Elle promet de vous contacter bientôt avec des détails.

Vous:                Dites au revoir et assurez-la que vous êtes la meilleure personne pour le travail.

## D. Presentational Speaking: Cultural Comparison [15 points]

**You will make an oral presentation on a specific topic to your class. You will have 4 minutes to read the presentation topic and prepare your presentation.**

In your presentation, compare your own community to an area of the French-speaking world with which you are familiar. You should demonstrate your understanding of cultural features of the French-speaking world. You should also organize your presentation clearly.

You will now begin this task.

Vous allez faire un exposé pour votre classe sur un sujet spécifique. Vous aurez 4 minutes pour lire le sujet de présentation et préparer votre exposé.

Dans votre exposé, comparez votre propre communauté à une région du monde francophone que vous connaissez. Vous devriez montrez votre compréhension des facettes culturelles du monde francophone. Vous devriez aussi organiser clairement votre exposé.

Vous allez maintenant commencer cet exercice.

THÈME DU COURS:     LA QUÊTE DE SOI

**Sujet de présentation:**

Quelle est l'attitude des gens de votre communauté en ce qui concerne l'importance des programmes multiculturels. Comparez vos observations des communautés où vous avez vécu avec vos observations d'une région du monde francophone que vous connaissez. Dans votre exposé, vous pouvez faire référence à ce que vous avez étudié, vécu, observé, etc.

*Vous avez une minute pour lire les instructions pour cet exercice.*

*(1 minute)*

*Vous allez maintenant commencer cet exercice.*

*Vous aurez quatre minutes pour lire le sujet de présentation et pour préparer votre exposé.*

*(4 minutes)*

# Appendix

## [ 1 ] Verbs with Regular Forms

**INFINITIVE**

| parler | finir | vendre | s'amuser |
|---|---|---|---|

**PAST PARTICIPLE**

| parlé | fini | vendu | amusé |
|---|---|---|---|

**PRESENT**

| parle | finis | vends | m' amuse |
|---|---|---|---|
| parles | finis | vends | t' amuses |
| parle | finit | vend | s' amuse |
| parlons | finissons | vendons | nous amusons |
| parlez | finissez | vendez | vous amusez |
| parlent | finissent | vendent | s' amusent |

**IMPERATIVE**

| parle | finis | vends | amuse-toi |
|---|---|---|---|
| parlons | finissons | vendons | amusons-nous |
| parlez | finissez | vendez | amusez-vous |

**IMPERFECT**

| parlais | finissais | vendais | m' amusais |
|---|---|---|---|
| parlais | finissais | vendais | t' amusais |
| parlait | finissait | vendait | s' amusait |
| parlions | finissions | vendions | nous amusions |
| parliez | finissiez | vendiez | vous amusiez |
| parlaient | finissaient | vendaient | s' amusaient |

**FUTURE**

| parlerai | finirai | vendrai | m' amuserai |
|---|---|---|---|
| parleras | finiras | vendras | t' amuseras |
| parlera | finira | vendra | s' amusera |
| parlerons | finirons | vendrons | nous amuserons |
| parlerez | finirez | vendrez | vous amuserez |
| parleront | finiront | vendront | s' amuseront |

**CONDITIONAL**

| | | | |
|---|---|---|---|
| parler**ais** | finir**ais** | vendr**ais** | **m'** amuser**ais** |
| parler**ais** | finir**ais** | vendr**ais** | **t'** amuser**ais** |
| parler**ait** | finir**ait** | vendr**ait** | **s'** amuser**ait** |
| parler**ions** | finir**ions** | vendr**ions** | **nous** amuserions |
| parler**iez** | finir**iez** | vendr**iez** | **vous** amuseriez |
| parler**aient** | finir**aient** | vendr**aient** | **s'** amuseraient |

**PRESENT SUBJUNCTIVE**

| | | | |
|---|---|---|---|
| parl**e** | finiss**e** | vend**e** | **m'** amuse |
| parl**es** | finiss**es** | vend**es** | **t'** amuses |
| parl**e** | finiss**e** | vend**e** | **s'** amuse |
| parl**ions** | finiss**ions** | vend**ions** | **nous** amusions |
| parl**iez** | finiss**iez** | vend**iez** | **vous** amusiez |
| parl**ent** | finiss**ent** | vend**ent** | **s'** amusent |

**PASSÉ COMPOSÉ**

| | | | |
|---|---|---|---|
| ai parlé | ai fini | ai vendu | me suis amusé(e) |
| as parlé | as fini | as vendu | t'es amusé(e) |
| a parlé | a fini | a vendu | s'est amusé(e) |
| avons parlé | avons fini | avons vendu | nous sommes amusé(e)s |
| avez parlé | avez fini | avez vendu | vous êtes amusé(e)(s) |
| ont parlé | ont fini | ont vendu | se sont amusé(e)s |

# [ 2 ] -*ER* VERBS WITH SPELLING CHANGES

| | -*cer* VERBS | -*ger* VERBS | -*yer* VERBS* | -*eler* / -*eter* VERBS | | e + CONSONANT + er VERBS | é + CONSONANT(S) + er VERBS |
|---|---|---|---|---|---|---|---|
| **INFINITIVE** | pla**cer** | man**ger** | emplo**yer** | app**eler** | j**eter** | m**e**ner | esp**é**rer |
| **PRESENT** | place | mange | **emploie** | **appelle** | **jette** | **mène** | **espère** |
| | places | manges | **emploies** | **appelles** | **jettes** | **mènes** | **espères** |
| | place | mange | **emploie** | **appelle** | **jette** | **mène** | **espère** |
| | **plaçons** | **mangeons** | employons | appelons | jetons | menons | espérons |
| | placez | mangez | employez | appelez | jetez | menez | espérez |
| | placent | mangent | **emploient** | **appellent** | **jettent** | **mènent** | **espèrent** |

| | -cer VERBS | -ger VERBS | -yer VERBS* | -eler / -eter VERBS | | e + CONSONANT + er VERBS | é + CONSONANT(S) + er VERBS |
|---|---|---|---|---|---|---|---|
| IMPERFECT | **plaçais** **plaçais** **plaçait** placions placiez **plaçaient** | **mangeais** **mangeais** **mangeait** mangions mangiez **mangeaient** | | | | | |
| FUTURE | | | **emploierai** **emploieras** **emploiera** **emploierons** **emploierez** **emploieront** | **appellerai** **appelleras** **appellera** **appellerons** **appellerez** **appelleront** | **jetterai** **jetteras** **jettera** **jetterons** **jetterez** **jetteront** | **mènerai** **mèneras** **mènera** **mènerons** **mènerez** **mèneront** | |
| CONDITIONAL | | | emploierais emploierais emploierait emploierions emploieriez emploieraient | appellerais appellerais appellerait appellerions appelleriez appelleraient | jetterais jetterais jetterait jetterions jetteriez jetteraient | mènerais mènerais mènerait mènerions mèneriez mèneraient | |
| PRESENT SUBJUNCTIVE | | | emploie emploies emploie **employions** **employiez** emploient | appelle appelles appelle **appelions** **appeliez** appellent | jette jettes jette **jetions** **jetiez** jettent | mène mènes mène **menions** **meniez** mènent | espère espères espère **espérions** **espériez** espèrent |
| IMPERATIVE | place **plaçons** placez | mange **mangeons** mangez | **emploie** employons employez | **appelle** appelons appelez | **jette** jetons jetez | **mène** menons menez | **espère** espérons espérez |

*Verbs ending in **-ayer,** like **payer** and **balayer,** may be conjugated like **employer** or retain the y in all conjugations: **je paye** or **je paie.**

# [ 3 ] VERBS WITH IRREGULAR FORMS

NOTES:
1. Irregular forms are printed in bold type.
2. Verbs conjugated with **être** in compound tenses are indicated with an asterisk (*)

| INFINITIVE, PARTICIPLE | PRESENT | IMPERATIVE | IMPERFECT | FUTURE | CONDITIONAL | SUBJUNCTIVE | PASSÉ COMPOSÉ |
|---|---|---|---|---|---|---|---|
| **aller\*** *to go* | **vais** | va | allais | **irai** | irais | **aille** | suis allé(e) |
| | **vas** | allons | allais | **iras** | irais | **ailles** | es allé(e) |
| | **va** | allez | allait | **ira** | irait | **aille** | est allé(e) |
| allé | allons | | allions | **irons** | irions | **allions** | sommes allé(e)s |
| | allez | | alliez | **irez** | iriez | **alliez** | êtes allé(e)(s) |
| | **vont** | | allaient | **iront** | iraient | **aillent** | sont allé(e)s |

**apparaître** *to appear* (like **connaître**)

**apprendre** *to learn* (like **prendre**)

| | | | | | | | |
|---|---|---|---|---|---|---|---|
| **avoir** *to have* | **ai** | **aie** | avais | **aurai** | aurais | **aie** | ai **eu** |
| | **as** | **ayons** | avais | **auras** | aurais | **aies** | as **eu** |
| | **a** | **ayez** | avait | **aura** | aurait | **ait** | a **eu** |
| **eu** | **avons** | | avions | **aurons** | aurions | **ayons** | avons **eu** |
| | **avez** | | aviez | **aurez** | auriez | **ayez** | avez **eu** |
| | **ont** | | avaient | **auront** | auraient | **aient** | ont **eu** |

| INFINITIVE, PARTICIPLE | PRESENT | IMPERATIVE | IMPERFECT | FUTURE | CONDITIONAL | SUBJUNCTIVE | PASSÉ COMPOSÉ |
|---|---|---|---|---|---|---|---|
| **boire** | bois | bois | buvais | boirai | boirais | boive | j'ai **bu** |
| *to drink* | bois | buvons | buvais | boiras | boirais | boives | |
| | **boit** | buvez | buvait | boira | boirait | boive | |
| **bu** | **buvons** | | buvions | boirons | boirions | **buvions** | |
| | **buvez** | | buviez | boirez | boiriez | **buviez** | |
| | **boivent** | | buvaient | boiront | boiraient | boivent | |

**comprendre** *to understand* (like **prendre**)

| | | | | | | | |
|---|---|---|---|---|---|---|---|
| **conduire** | conduis | conduis | conduisais | conduirai | conduirais | conduise | j'ai **conduit** |
| *to drive* | conduis | conduisons | conduisais | conduiras | conduirais | conduises | |
| | **conduit** | conduisez | conduisait | conduira | conduirait | conduise | |
| **conduit** | **conduisons** | | conduisions | conduirons | conduirions | conduisions | |
| | **conduisez** | | conduisiez | conduirez | conduiriez | conduisiez | |
| | **conduisent** | | conduisaient | conduiront | conduiraient | conduisent | |
| **connaître** | **connais** | connais | connaissais | connaîtrai | connaîtrais | connaisse | j'ai **connu** |
| *to know* | **connais** | connaissons | connaissais | connaîtras | connaîtrais | connaisses | |
| | connaît | connaissez | connaissait | connaîtra | connaîtrait | connaisse | |
| **connu** | **connaissons** | | connaissions | connaîtrons | connaîtrions | connaissions | |
| | **connaissez** | | connaissiez | connaîtrez | connaîtriez | connaissiez | |
| | **connaissent** | | connaissaient | connaîtront | connaîtraient | connaissent | |

**construire** *to build* (like **conduire**)

| INFINITIVE, PARTICIPLE | PRESENT | IMPERATIVE | IMPERFECT | FUTURE | CONDITIONAL | SUBJUNCTIVE | PASSÉ COMPOSÉ |
|---|---|---|---|---|---|---|---|
| **courir**<br>*to run*<br><br>**couru** | **cours**<br>**cours**<br>**court**<br>**courons**<br>**courez**<br>**courent** | cours<br>courons<br>courez | courais<br>courais<br>courait<br>courions<br>couriez<br>couraient | **courrai**<br>**courras**<br>**courra**<br>**courrons**<br>**courrez**<br>**courront** | courrais<br>courrais<br>courrait<br>courrions<br>courriez<br>courraient | coure<br>coures<br>coure<br>courions<br>couriez<br>courent | j'ai **couru** |
| **croire**<br>*to believe*<br><br>**cru** | crois<br>crois<br>**croit**<br>**croyons**<br>**croyez**<br>croient | crois<br>croyons<br>croyez | croyais<br>croyais<br>croyait<br>croyions<br>croyiez<br>croyaient | croirai<br>croiras<br>coira<br>croirons<br>croirez<br>croiront | croirais<br>croirais<br>croirait<br>croirions<br>croiriez<br>croiraient | croie<br>croies<br>croie<br>**croyions**<br>**croyiez**<br>croient | j'ai **cru** |

**découvrir** *to discover* (like **ouvrir**)

**décrire** *to describe* (like **écrire**)

**devenir*** *to become* (like **tenir**)

| INFINITIVE, PARTICIPLE | PRESENT | IMPERATIVE | IMPERFECT | FUTURE | CONDITIONAL | SUBJUNCTIVE | PASSÉ COMPOSÉ |
|---|---|---|---|---|---|---|---|
| **devoir**<br>*to have to; to owe*<br><br>**dû, due, dus, dues** | **dois**<br>**dois**<br>**doit**<br>**devons**<br>**devez**<br>**doivent** | dois<br>devons<br>devez | devais<br>devais<br>devait<br>devions<br>deviez<br>devaient | **devrai**<br>**devras**<br>**devra**<br>**devrons**<br>**devrez**<br>**devront** | devrais<br>devrais<br>devrait<br>devrions<br>deviez<br>devraient | doive<br>doives<br>doive<br>**devions**<br>**deviez**<br>doivent | j'ai **dû** |

| INFINITIVE, PARTICIPLE | PRESENT | IMPERATIVE | IMPERFECT | FUTURE | CONDITIONAL | SUBJUNCTIVE | PASSÉ COMPOSÉ |
|---|---|---|---|---|---|---|---|
| **dire** *to say, tell* | dis | dis | disais | dirai | dirais | dise | j'ai **dit** |
| | dis | disons | disais | diras | dirais | dises | |
| **dit** | **dit** | dites | disait | dira | dirait | dise | |
| | **disons** | | disions | dirons | dirions | disions | |
| | **dites** | | disiez | direz | diriez | disiez | |
| | **disent** | | disaient | diront | diraient | disent | |
| **dormir** *to sleep* | **dors** | dors | dormais | dormirai | dormirais | dorme | j'ai dormi |
| | **dors** | dormons | dormais | dormiras | dormirais | dormes | |
| dormi | **dort** | dormez | dormait | dormira | dormirait | dorme | |
| | **dormons** | | dormions | dormirons | dormirions | dormions | |
| | **dormez** | | dormiez | dormirez | dormiriez | dormiez | |
| | **dorment** | | dormaient | dormiront | dormiraient | dorment | |
| **écrire** *to write* | écris | écris | écrivais | écrirai | écrirais | écrive | j'ai **écrit** |
| | écris | écrivons | écrivais | écriras | écrirais | écrives | |
| **écrit** | **écrit** | écrivez | écrivait | écrira | écrirait | écrive | |
| | **écrivons** | | écrivions | écrirons | écririons | écrivions | |
| | **écrivez** | | écriviez | écrirez | écririez | écriviez | |
| | **écrivent** | | écrivaient | écriront | écriraient | écrivent | |
| **envoyer** *to send* | **envoie** | envoie | envoyais | **enverrai** | enverrais | envoie | j'ai envoyé |
| | **envoies** | envoyons | envoyais | **enverras** | enverrais | envoies | |
| envoyé | **envoie** | envoyez | envoyait | **enverra** | enverrait | envoie | |
| | envoyions | | envoyions | **enverrons** | enverrions | **envoyions** | |
| | envoyiez | | envoyiez | **enverrez** | enverriez | **envoyiez** | |
| | **envoient** | | envoyaient | **enverront** | enverraient | envoient | |

| INFINITIVE, PARTICIPLE | PRESENT | IMPERATIVE | IMPERFECT | FUTURE | CONDITIONAL | SUBJUNCTIVE | PASSÉ COMPOSÉ |
|---|---|---|---|---|---|---|---|
| **être** *to be* **été** | **suis** **es** **est** **sommes** **êtes** **sont** | **sois** **soyons** **soyez** | **étais** **étais** **était** **étions** **étiez** **étaient** | **serai** **seras** **sera** **serons** **serez** **seront** | serais serais serait serions seriez seraient | **sois** **sois** **soit** **soyons** **soyez** **soient** | j'ai été |
| **faire** *to do, make* **fait** | fais fais **fait** **faisons** **faites** **font** | fais faisons faites | faisais faisais faisait faisions faisiez faisaient | **ferai** **feras** **fera** **ferons** **ferez** **feront** | ferais ferais ferait ferions feriez feraient | **fasse** **fasses** **fasse** **fassions** **fassiez** **fassent** | j'ai fait |
| **falloir** *to be necessary* **fallu** | **il faut** | | **il fallait** | **il faudra** | **il faudrait** | **il faille** | **il a fallu** |
| **lire** *to read* **lu** | lis lis **lit** **lisons** **lisez** **lisent** | lis lisons lisez | lisais lisais lisait lisions lisiez lisaient | lirai liras lira lirons lirez liront | lirais lirais lirait lirions liriez liraient | lise lises lise lisions lisiez lisent | j'ai lu |

| INFINITIVE, PARTICIPLE | PRESENT | IMPERATIVE | IMPERFECT | FUTURE | CONDITIONAL | SUBJUNCTIVE | PASSÉ COMPOSÉ |
|---|---|---|---|---|---|---|---|
| **mettre** *to put* | **mets** | mets | mettais | mettrai | mettrais | mette | j'ai **mis** |
| | **mets** | mettons | mettais | mettras | mettrais | mettes | |
| | **met** | mettez | mettait | mettra | mettrait | mette | |
| **mis** | mettons | | mettions | mettrons | mettrions | mettions | |
| | mettez | | mettiez | mettrez | mettriez | mettiez | |
| | mettent | | mettaient | mettront | mettraient | mettent | |
| **mourir*** *to die* | **meurs** | meurs | mourais | **mourrai** | mourrais | meure | je suis **mort(e)** |
| | **meurs** | mourons | mourais | **mourras** | mourrais | meures | |
| | **meurt** | mourez | mourait | **mourra** | mourrait | meure | |
| **mort** | **mourons** | | mourions | **mourrons** | mourrions | **mourions** | |
| | **mourez** | | mouriez | **mourrez** | mourriez | **mouriez** | |
| | **meurent** | | mouraient | **mourront** | mourraient | meurent | |
| **naître*** *to be born* | **nais** | nais | naissais | naîtrai | naîtrais | naisse | je suis **né(e)** |
| | **nais** | naissons | naissais | naîtras | naîtrais | naisses | |
| | **naît** | naissez | naissait | naîtra | naîtrait | naisse | |
| **né** | **naissons** | | naissions | naîtrons | naîtrions | naissions | |
| | **naissez** | | naissiez | naîtrez | naîtriez | naissiez | |
| | **naissent** | | naissaient | naîtront | naîtraient | naissent | |

**obtenir** *to obtain* (like **tenir**)

**offrir** *to offer* (like **ouvrir**)

| INFINITIVE, PARTICIPLE | PRESENT | IMPERATIVE | IMPERFECT | FUTURE | CONDITIONAL | SUBJUNCTIVE | PASSÉ COMPOSÉ |
|---|---|---|---|---|---|---|---|
| **ouvrir** *to open* **ouvert** | **ouvre** **ouvres** **ouvre** **ouvrons** **ouvrez** **ouvrent** | **ouvre** ouvrons ouvrez | ouvrais ouvrais ouvrait ouvrions ouvriez ouvraient | ouvrirai ouvriras ouvrira ouvrirons ouvrirez ouvriront | ouvrirais ouvrirais ouvrirait ouvririons ouvririez ouvriraient | ouvre ouvres ouvre ouvrions ouvriez ouvrent | j'ai **ouvert** |

**paraître** *to seem, appear* (like **connaître**)

**partir\*** *to leave* (like **sortir**)

| INFINITIVE, PARTICIPLE | PRESENT | IMPERATIVE | IMPERFECT | FUTURE | CONDITIONAL | SUBJUNCTIVE | PASSÉ COMPOSÉ |
|---|---|---|---|---|---|---|---|
| **pleuvoir** *to rain* **plu** | **il pleut** | | **il pleuvait** | **il pleuvra** | **il pleuvrait** | **il pleuve** | il a plu |

**permettre** *to allow* (like **mettre**)

| INFINITIVE, PARTICIPLE | PRESENT | IMPERATIVE | IMPERFECT | FUTURE | CONDITIONAL | SUBJUNCTIVE | PASSÉ COMPOSÉ |
|---|---|---|---|---|---|---|---|
| **pouvoir** *to be able* **pu** | **peux (puis)** **peux** **peut** **pouvons** **pouvez** **peuvent** | | pouvais pouvais pouvait pouvions pouviez pouvaient | **pourrai** **pourras** **pourra** **pourrons** **pourrez** **pourront** | pourrais pourrais pourrait pourrions pourriez pourraient | **puisse** **puisses** **puisse** **puissions** **puissiez** **puissent** | j'ai pu |

| INFINITIVE, PARTICIPLE | PRESENT | IMPERATIVE | IMPERFECT | FUTURE | CONDITIONAL | SUBJUNCTIVE | PASSÉ COMPOSÉ |
|---|---|---|---|---|---|---|---|
| **prendre** *to take* | prends | prends | prenais | prendrai | prendrais | prenne | j'ai **pris** |
| | prends | prenons | prenais | prendras | prendrais | prennes | |
| | prend | prenez | prenait | prendra | prendrait | prenne | |
| **pris** | **prenons** | | prenions | prendrons | prendrions | **prenions** | |
| | **prenez** | | preniez | prendrez | prendriez | **preniez** | |
| | **prennent** | | prenaient | prendront | prendraient | prennent | |

**promettre** *to promise* (like **mettre**)

| | PRESENT | IMPERATIVE | IMPERFECT | FUTURE | CONDITIONAL | SUBJUNCTIVE | PASSÉ COMPOSÉ |
|---|---|---|---|---|---|---|---|
| **recevoir** *to receive* | **reçois** | reçois | recevais | **recevrai** | recevrais | reçoive | j'ai **reçu** |
| | **reçois** | recevons | recevais | **recevras** | recevrais | reçoives | |
| | **reçoit** | recevez | recevait | **recevra** | recevrait | reçoive | |
| **reçu** | **recevons** | | recevions | **recevrons** | recevrions | **recevions** | |
| | **recevez** | | receviez | **recevrez** | receviez | **receviez** | |
| | **reçoivent** | | recevaient | **recevront** | recevraient | reçoivent | |

**reconnaître** *to recognize* (like **connaître**)

**revenir\*** *to come back* (like **tenir**)

| | PRESENT | IMPERATIVE | IMPERFECT | FUTURE | CONDITIONAL | SUBJUNCTIVE | PASSÉ COMPOSÉ |
|---|---|---|---|---|---|---|---|
| **rire** *to laugh* | ris | ris | riais | rirai | rirais | rie | j'ai **ri** |
| | ris | rions | riais | riras | rirais | ries | |
| | **rit** | riez | riait | rira | rirait | rie | |
| **ri** | rions | | riions | rirons | ririons | riions | |
| | riez | | riiez | rirez | ririez | riiez | |
| | rient | | riaient | riront | riraient | rient | |

| INFINITIVE, PARTICIPLE | PRESENT | IMPERATIVE | IMPERFECT | FUTURE | CONDITIONAL | SUBJUNCTIVE | PASSÉ COMPOSÉ |
|---|---|---|---|---|---|---|---|
| **savoir** *to know, know how to* | **sais** | **sache** | savais | **saurai** | saurais | **sache** | j'ai **su** |
| | **sais** | **sachons** | savais | **sauras** | saurais | **saches** | |
| | sait | **sachez** | savait | **saura** | saurait | **sache** | |
| **su** | savons | | savions | **saurons** | saurions | **sachions** | |
| | savez | | saviez | **saurez** | sauriez | **sachiez** | |
| | savent | | savaient | **sauront** | sauraient | **sachent** | |
| **sortir*** *to go out* | **sors** | sors | sortais | sortirai | sortirais | sorte | je suis sorti(e) |
| | **sors** | sortons | sortais | sortiras | sortirais | sortes | |
| | **sort** | sortez | sortait | sortira | sortirait | sorte | |
| **sorti** | **sortons** | | sortions | sortirons | sortirions | sortions | |
| | **sortez** | | sortiez | sortirez | sortiriez | sortiez | |
| | **sortent** | | sortaient | sortiront | sortiraient | sortent | |
| **tenir** *to hold* | **tiens** | tiens | tenais | **tiendrai** | tiendrais | tienne | j'ai **tenu** |
| | **tiens** | tenons | tenais | **tiendras** | tiendrais | tiennes | |
| | **tient** | tenez | tenait | **tiendra** | tiendrait | tienne | |
| **tenu** | **tenons** | | tenions | **tiendrons** | tiendrions | **tenions** | |
| | **tenez** | | teniez | **tiendrez** | tiendriez | **teniez** | |
| | **tiennent** | | tenaient | **tiendront** | tiendraient | tiennent | |

**venir*** *to come* (like **tenir**)

| INFINITIVE, PARTICIPLE | PRESENT | IMPERATIVE | IMPERFECT | FUTURE | CONDITIONAL | SUBJUNCTIVE | PASSÉ COMPOSÉ |
|---|---|---|---|---|---|---|---|
| **vivre** *to live* | **vis** | vis | vivais | vivrai | vivrais | vive | j'ai **vécu** |
|  | **vis** | vivons | vivais | vivras | vivrais | vives |  |
|  | **vit** | vivez | vivait | vivra | vivrait | vive |  |
|  | vivons |  | vivions | vivrons | vivrions | vivions |  |
|  | vivez |  | viviez | vivrez | vivriez | viviez |  |
| **vécu** | vivent |  | vivaient | vivront | vivraient | vivent |  |
| **voir** *to see* | vois | vois | voyais | **verrai** | verrais | voie | j'ai **vu** |
|  | vois | voyons | voyais | **verras** | verrais | voies |  |
|  | voit | voyez | voyait | **verra** | verrait | voie |  |
|  | **voyons** |  | voyions | **verrons** | verrions | **voyions** |  |
|  | **voyez** |  | voyiez | **verrez** | verriez | **voyiez** |  |
| **vu** | **voient** |  | voyaient | **verront** | verraient | voient |  |
| **vouloir** *to want* | **veux** | **veuille** | voulais | **voudrai** | voudrais | **veuille** | j'ai **voulu** |
|  | **veux** | **veuillons** | voulais | **voudras** | voudrais | **veuilles** |  |
|  | **veut** | **veuillez** | voulait | **voudra** | voudrait | **veuille** |  |
|  | voulons |  | voulions | **voudrons** | voudrions | **voulions** |  |
|  | voulez |  | vouliez | **voudrez** | voudriez | **vouliez** |  |
| **voulu** | **veulent** |  | voulaient | **voudront** | voudraient | **veuillent** |  |

## [ 4 ] COMMONLY USED PREPOSITIONS

**a.** Simple prepositions

**à** to, at, in

**après** after

**avant** before

**avec** with

**chez** to/at, in the house (place) of (a person)

**contre** against

**dans** in, into, within

**de** of, from

**depuis** since, for

**derrière** behind

**devant** in front of

**en** in, into, as

**entre** among, between

**malgré** despite

**par** by, through

**parmi** among

**pendant** during, for

**pour** for

**sans** without

**sauf** except

**selon** according to

**sous** under

**sur** on

**vers** toward

**b.** Compound prepositions

**à cause de** because of, on account of

**à côté de** next to, beside

**à droite de** on (to) the right

**à force de** by dint of, as a result of

**à gauche de** on (to) the left

**à part** aside from

**à partir de** beginning with

**à propos de** about, concerning

**à travers** through, across

**au bas de** at the bottom of

**au bout de** at the end of, after

**au fond de** in the bottom of

**au lieu de** instead of

**au milieu de** in the middle of

**au sujet de** about, concerning

**au-dessous de** below, beneath

**au-dessus de** above, over

**autour de** around

**du côté de** in the direction of, near

**en arrière de** behind

**en face de** opposite

**grâce à** thanks to

**jusqu'à** until

**loin de** far from

**près de** near

**quant à** as for

## [ 5 ] MISCELLANEOUS IDIOMS AND EXPRESSIONS

**bien entendu** of course

**bon marché** cheap

**meilleur marché** cheaper

**avoir la parole** to have the floor *(for a speaker)*

**il fait jour** it is light (daylight)

**il fait nuit** it is dark (night)

**faire des progrès** to improve

**Ça/cela ne fait rien.** It does not matter.

**C'est égal. Ça m'est égal.** It's all the same (to me).

**C'est dommage.** That's a pity. It's too bad.

**Tant pis! Tant mieux!** So much the worse. So much the better!

**C'est entendu. D'accord!** It is agreed. O.K.

**S'il te plaît, s'il vous plaît.** Please!

**À tout à l'heure!** See you later.

# [ 6 ] PUNCTUATION

French punctuation, though similar to English, has the following major differences:

**(a)** The comma is not used before **et** or **ou** in a series.

| | |
|---|---|
| **Elle a laissé tomber le livre, le stylo et le crayon.** | *She dropped the book, the pen and the pencil.* |

**(b)** In numbers, French uses a comma where English uses a period and a period where English uses a comma.

| | |
|---|---|
| **7.100 (sept mille cent)** | *7,100 (seven thousand one hundred)* |
| **7,25 (sept virgule vingt-cinq)** | *7.25 (seven point twenty five)* |

**(c)** French final quotation marks, contrary to English, precede the comma or period; however, the quotation mark follows a period if the quotation mark closes a completed statement.

| | |
|---|---|
| **Elle demande: «Est-ce que tu m'aimes?» - «Oui», répond-il.** | *She asks:"Do you love me?"* *— "Yes," he answers.* |

# [ 7 ] SYLLABICATION

French words are generally divided at the end of a line according to units of sound or syllables. A French syllable generally begins with a consonant and ends with a vowel.

**(a)** If a single consonant comes between two vowels, the division is made before the consonant.

ba-**la**-der    pré-**cis**    cou-**teau**

NOTE: A division cannot be made either before or after **x** or **y** when they come between two vowels.

**tuyau**    **exact**

**(b)** If two consonants are combined between the vowels, the division is made between the two consonants.

e**s**-**p**oir    a**l**-**l**er    cha**n**-**t**er

NOTE: If the second consonant is **r** or **l**, the division is made before the two consonants.

sa-**ble**    pro-**pre**

(c) If three or more consonants are combined between the vowels, the division is made after the second consonant.

**obs**-**ti**né   co**mp**-**t**er   **ins**-**ta**ller

(d) Two vowels may not be divided.

**oa**-sis   th**éâ**-**tre**   es-**pio**n

# [ *8* ] SOME COMMONLY USED PROVERBS

**À bon chat, bon rat.**
Tit for tat.

**À chacun son goût.**
Everyone to his own taste.

**Aide-toi, le ciel t'aidera.**
Heaven helps those who help themselves.

**Après la pluie, le beau temps.**
Every cloud has a silver lining. (= Good weather follows the rain.)

**À qui se lève le matin, Dieu prête la main.**
The early bird catches the worm.

**C'est le premier pas qui coûte.**
It's the first step that counts. (= that is the most difficult)

**En forgeant, on devient forgeron.**
Practice makes perfect. (= by forging, you become a blacksmith)

**Il faut battre le fer quand il est chaud.**
Strike while the iron is hot.

**Il n'y a pas de rose sans épine.**
There is no rose without thorns.

**La parole est d'argent; le silence est d'or.**
Speech is silver, but silence is golden.

**Les petits ruisseaux font les grandes rivières.**
Great oaks from little acorns grow. (=little streams become large rivers)

**Loin des yeux, loin du cœur.**
Out of sight, out of mind.

**Mieux vaut tard que jamais.**
Better late than never.

**Petit à petit, l'oiseau fait son nid.**
Rome was not built in a day.(=little by little, the bird builds its nest)

**Pierre qui roule n'amasse pas mousse.**
A rolling stone gathers no moss.

**Qui ne dit mot consent.**
Silence gives consent.

**Qui s'excuse s'accuse.**
He who excuses himself accuses himself.

**Qui se ressemble s'assemble.**
Birds of a feather flock together.

**Rira bien qui rira le dernier.**
He who laughs last laughs best.

**Tout nouveau, tout beau.**
A new broom sweeps clean.

**Vouloir, c'est pouvoir.**
Where's there's a will, there's a way

# [ 9 ]  GLOSSARY OF GRAMMATICAL TERMS

**adjective** A word that modifies a noun or pronoun.

**adverb** A word that modifies a verb, an adjective, or another adverb.

**antecedent** A word or group of words to which a relative pronoun refers.

**antonym** A word that has the opposite meaning from another word.

**articles** Words that precede nouns and usually indicate the number and the gender of the nouns.

**auxiliary verb** Also called a helping verb. One of two elements needed to form a compound tense, such as the passé compose. *Avoir* and *être* are the auxiliary verbs in French.

**cardinal numbers** The numbers we use for counting.

**cognates** Words that are the same or similar in both French and English.

**conditional** A mood that expresses what a subject *would* do under certain circumstances.

**conjugation** The action of changing the ending of the verb so that it agrees with the subject noun or pronoun performing the task.

**definite article** (the) An article that indicates a specific person or thing: the house.

**demonstrative adjective** An adjective that precedes nouns to indicate or point out the person, place, or thing referred to: *this, that, these,* or *those.*

**demonstrative pronoun** A pronoun that stands alone to indicate or point out the person or thing referred to.

**exclamation** A word or phrase used to show surprise, delight, incredulity, emphasis, or strong emotion.

**future** A tense that expresses what the subject *will do* or *is going to do* or what action *will* or *is going to take place* in a future time.

**gender** Indicates whether a word is masculine or feminine.

**idiom** A particular word or expression whose meaning cannot be readily understood by either its grammar or the words used.

**imperative** A verb form used to give commands or make requests.

**imperfect** A past tense that expresses a continuous, repeated, habitual or incomplete action, situation, or event in the past that *was* going on at an indefinite time or what *used to* happen in the past.

**indefinite article** (a, an) It refers to persons and objects not specifically identified: a house.

**independent** pronoun A pronoun used to emphasize a fact or to highlight or replace nouns or pronouns. (See **stress pronoun**)

**indicative** A verb mood that states a fact.

**infinitive** The basic "to" form of the verb.

**interrogative adjective** An adjective that asks a question.

**intonation** A way of asking a question by inserting a rising inflection at the end of the statement.

**inversion** A way of asking a question by reversing the word order of the subject pronoun and the conjugated verb within the sentence.

**noun** A word used to name a person, place, thing, idea, or quality.

**partitive** An article indicating an indefinite quantity or part of a whole: *some* or *any*.

**passé composé** A tense that expresses an action or event completed at a specific time in the past.

**past participle** A verbal form which, when combined with a helping verb, expresses an action or condition that has occurred in the past.

**possessive adjective** An adjective that shows possession

**preposition** A word used to relate elements in a sentence: noun to noun, verb to verb, or verb to noun/pronoun.

**present tense** A tense that expresses what is happening now.

**pronoun** A word that is used to replace a noun (a person, place, thing, idea, or quality)

**reflexive verb** A verb that shows that the subject is performing the action upon itself.

**relative pronoun** A pronoun that joins a main clause (a clause that can stand alone) to a dependent clause (a clause that cannot stand alone).

**stress pronoun** A pronoun used to emphasize and to highlight or to replace nouns or pronouns. (See **independent pronoun**)

**subject** The noun or pronoun performing the action of the verb.

**subjunctive** A mood that expresses wishing, emotion, doubt, denial.

**synonym** A word that has the same meaning as another word.

**verb** A word that shows an action or state of being.

# [ *10* ] PRONUNCIATION

Each syllable in a French word has about equal stress. The last syllable of word groups is usually slightly more stressed. For instance, in the sentence : Quand le train est **arrivé**, nous sommes sortis sur le **quai** pour parler à nos **amis**, *vé, quai* and *mis* stand out slightly.

### Liaison and Elision

**Liaison** refers to the linking of the final consonant of one word with the beginning vowel (*a, e, i, o, u*) or vowel sound (generally, silent *h* and *y*) of the following word, as in the following example:

**vous adorez**
ž

Pronunciation of the final "*s*" of *vous* takes on the sound of "*z*" and combines with the pronunciation of the beginning '*a*' of *adorez*.

**Elision** usually occurs when two pronounced vowel sounds follow each other, one at the end of a word and the other at the beginning of the next word. Drop the final vowel of the first word and replace it with an apostrophe. The two words then simply slide together:

**je + adore = j'adore**

Note that the final "e" sound of *je* is dropped.

### Accents

An accent mark may change the sound of a letter and the meaning of a word. It may replace an "*s*" that existed in old French or have no perceivable affect at all. Accents are used only on vowels.

- An **accent aigu** (´) is used only on the letter "*e*" (*é*) and produces the sound *ay*, as in "day." It may replace an "*s*" from old French. When you see this letter, replace the *é* with an imaginary "*s*" to see if its meaning becomes more evident.

    *étranger* = stranger

- An **accent grave** (`) may be used on an "*a*" (*à*) *or* "*u*" (*ù*) where it causes no sound change, or on the letter "*e*" (*è*), producing the sound of *eh* as in the "e" in "met."

    *là, où, très*

- An **accent circonflexe** (ˆ) may be placed on any vowel but causes no perceptible sound change, though '*ê* ' is usually pronounced like '*è*'. It, too, often replaces an "*s*" from old French, which may give a clue to the meaning of the word.

    *forêt* = forest

- A **cédille** (¸) is placed under a "*c*" (*ç*), to create a soft (*s*) sound before the letters "*a*," "*o*," or "*u*."

    *ça*

- A **tréma** (¨) is placed on the second of two consecutive vowels to indicate that each vowel is pronounced independently.

    *Noël*

## Vowels

Some vowels in French have multiple pronunciations determined by specific linguistic rules, letter combinations, and/or accent marks.

### Table 1. Vowels and Their Sound

| VOWEL | SOUND | |
|---|---|---|
| *a, à, â* | ah as in *pa* | chat, là, pâtc |
| *é*, final *er* and *ez*, *es* in some one-syllable words, some *ai* and *et* combinations | ay as in *pay* | été, aimer, aimez, et, les |
| *e* in one syllable words or in the middle of a word followed by one consonant | uh as in *the* | me, petit |
| *è, ê*, and *e* (plus two consonants or a final pronounced consonant), *et*, *ei, ai* | eh as in *bet* | très, être, sept, belle, avec, ballet, seize, mais |
| *i, î, y* | i as in *magazine* | lire, île, bicyclette |
| *ill* or *il* when preceded by a vowel | y as in *your* (exceptions: ville, village) | famille, travail |
| *o* (before se), *ô, au, eau* *o* (last pronounced sound of word) | o as in *no* | rose, jaune, beau, vélo, hôtel |
| *o* when followed by a pronounced consonant other than *s* | oh as in *love* | homme, opéra |
| *ou, où, oû* | oo as in *root* | boule, où, coûter |
| *oi, oy* | wah as in *watch* | moi, voyage |
| *u, ù, û* | No equivalent: try saying *ew* with lips rounded. | tu, rue, sûr |

## Nasal Sounds

French nasal sounds occur when a vowel is followed by a single n or m in the same syllable.

### Table 2.  Nasal Sounds

| Nasal | Sound | |
|---|---|---|
| an, en, am, em | like *on* with minor emphasis on *n* | grand, souvent, lampe, temps |
| in, ain, im, aim | like *an* with minor emphasis on *n* | cinq, simple, pain, faim |
| ien | like *yan* in *yankee* with minor emphasis on *n* | bien |
| oin | like *wa* in *wag* | coin, moins |
| on, om | like *on* in *wrong* | non, nom, tomber |
| un, um | like *un* in *uncle* | lundi, parfum |

The following combinations do not require nasalized vowel sounds:

- vowel + nn or mm          Example: bonne (pronounced like *bun* in English)
- vowel + n or m + vowelExample: mine (pronounced like *mean* in English)

## Consonants

The French consonants in Table 1–3 are pronounced the same way as they are in English: b, d, f, k, l, m, n, p, s, t, v, z. Most final French consonants remain unpronounced except for c, r, f, and l (think of the word careful) which are pronounced. When in doubt, consult a good dictionary.

### Table 3.  Consonant Sounds

| Consonant | Sound | |
|---|---|---|
| c + a, o, u | c as in *cat* | canal, cou, cuir |
| c + e, i | s as in *send* | celui |
| ch | sh as in *machine* | chat, chose |
| g + a, o, u | g as in *go* | gare, gomme |
| g + e, i | zh as in *treasure* | bagage |
| gn | ny as in *onion* | oignon |
| j | zh as in *treasure* | jeu, jumeau |

**Table 3.   Consonant Sounds** (*continued*)

| CONSONANT | SOUND | |
|---|---|---|
| h | usually silent sometimes 'aspirate' (a puff of air) | l'heure, l'hiver le haricot, le héro |
| q and qu | k as in **kind** | quille, queue |
| r | no equivalent: – the sound is slightly gutteral and pronounced at the back of the throat as if gargling. | rapide, grand, gros, peur |
| s between two vowels | z as in **zoo** | rose, vision, occasion |
| t in –tion | s as in **see** | action, collection |
| th | t as in **tea** | théâtre, théorie |
| x (before vowel) | eg as in **leg** | exact |
| x (before consonant) | xc as in **excellent** | excellent |

# French-English Vocabulary

The French-English vocabulary is intended to be complete for the context of this book.

Irregular plurals are given in full: **œil** *(m.)* *(pl.* **yeux***)*. Irregular feminine forms are also given in full: **beau** *( f.* **belle***)*. Regular feminine forms are indicated by showing the ending that is added to the masculine forms: **petit(e), bon(ne),** or the ending that replaces the masculine ending: **généreux (-euse)**.

An asterisk (*) indicates an aspirate **h: le héros**.

## ABBREVIATIONS

| | | | |
|---|---|---|---|
| *(adj.)* | adjective | *( f.)* | feminine |
| *(adv.)* | adverb | *(m.)* | masculine |
| *(coll.)* | colloquial | *(m/f)* | masculine or feminine |
| *(p.p.)* | past participle | *(pl.)* | plural |

**à** at, to

**abbaye** *( f.)* abbey

**abeille** *( f.)* bee

**abondant(e)** plentiful

**(s') abonner** to subscribe

**abord: d'abord** at first

**aboyer** to bark

**absolu(e)** absolute

**absolument** absolutely

**abstrait(e)** abstract

**abus** *(m.)* abuse

**académie** *( f.)* academy

**accepter** to accept

**accès** *(m.)* access

**accessoire** *(m.)* accessory

**accompagner** to accompany

**accomplissement** *(m.)* completion

**accord** *(m.)* agreement; **d'accord** OK, agreed

**accueil** *(m.)* welcome

**accuser** to accuse

**achat** *(m.)* purchase

**acheter** to buy

**achever** to complete, finish

**acier** *(m.)* steel

**acteur** *(m.)* *( f.* **actrice***)* actor

**actif (-ive)** active

**activement** actively

**activité** *( f.)* activity

**actuel(le)** current, present

**addition** *( f.)* check

**adjectif** *(m.)* adjective

**admettre** *(p.p.* **admis***)* to admit

**administrateur (-trice)** administrator

**administratif (-ive)** administrative

**admirateur (-trice)** admirer

**admirer** to admire

**admis** *(p.p. of* **admettre***)* accepted

**adolescent(e)** teenager

**adopter** to adopt

**adorer** to adore

**adresse** *( f.)* address

**adversaire** *(m.)* adversary, opponent

**aérien(ne)** overhead; air

**aéronautique** *( f.)* aeronautics

**aéroport** *(m.)* airport

**aérospatiale** *( f.)* aerospace industry

**affaire** *( f.)* affair; **affaires** *( f. pl.)* business; belongings

**affiche** *( f.)* poster

**afficher** to put up

**affirmer** to assert

**afin de** in order to

**africain(e)** African

**âge** *(m.)* age

**agé(e)** old

**agenda** *(m.)* memo book

**agent de police** *(m.)* police officer

**agir** to act

**agneau** *(m.)* lamb

**agrandir** to enlarge

**agréable** agreeable, nice

**agressif (-ve)** aggressive

**agricole** agricultural

**agriculteur (-trice)** farmer

**aide** *( f.)* aid, help

**aider** to help

**aimable** friendly, kind

**aimer** to like, love; **aimer mieux** to prefer

**aîné(e)** older, oldest

**ainsi** thus; **ainsi que** as well as

**air** *(m.)* air; **avoir l'air (de)** to appear, seem; **en plein air** outdoors; **prendre l'air** to get some air

**ajouter** to add

**alarme** *( f.)* alarm

**alcool** *(m.)* alcohol

**aligner** to align
**alimentaire** food
**aliments** *(m. pl.)* food
**allée** *( f.)* alley
**Allemagne** *( f.)* Germany
**allemand(e)** German
**aller** to go; **s'en aller** to go away
**alliance** *( f.)* wedding ring
**allié(e)** allied
**allumer** to light, turn on
**alors** then, thus, so; **alors que** when
**alpin(e)** alpine
**alpinisme** *(m.)* mountain climbing
**amaigrissant(e)** reducing
**ambassade** *( f.)* embassy
**ambassadeur** *(m.)* ambassador
**ambitieux (-euse)** ambitious
**améliorer** to improve
**amener** to bring; lead to
**américain(e)** American
**ami** *(m.)* (e) friend; **petit ami** boyfriend; **petite amie** *( f.)* girlfriend
**amiral** *(m.)* *(pl. -aux)* admiral
**amitié** *( f)* friendship
**amour** *(m.)* love
**amoureux (-euse)** in love; **tomber amoureux** to fall in love
**amphithéâtre** *(m.)* amphitheater
**amusant(e)** fun, amusing
**amusement** *(m.)* fun
**amuser** to amuse; **s'amuser** to have a good time, to have fun
**an** *(m.)* year; **avoir… ans** to be … years old
**analyse** *( f.)* analysis
**analytique** analytical
**ananas** *(m.)* pineapple
**ancien(ne)** old, ancient, former
**anglais(e)** English
**Angleterre** *( f.)* England

**animal** *(m.)* *(pl. -aux)* animal; **animal domestique** pet
**animé(e)** animated
**année** *( f.)* year
**anniversaire** *(m.)* birthday
**annonce** *( f.)* advertisement; announcement; **annonce publicitaire** advertisement; **petite annonce** classified ad
**annoncer** to announce
**annuaire** *(m.)* phone book
**antipathique** nasty
**anxieux (-euse)** anxious
**août** *(m.)* August
**apparaître** *(p.p. apparu)* to appear
**appareil** *(m.)* apparatus; **appareil ménager** appliance; **appareil-photo** camera
**appartement** *(m.)* apartment
**appartenir (à)** to belong (to)
**appel** *(m.)* call
**appeler** to call; **s'appeler** to be named, call oneself
**appétissant(e)** appetizing
**appétit** *(m.)* appetite
**applaudir** to applaud
**appliquer** to apply; **s'appliquer** to apply oneself
**apporter** to bring
**apprécier** to appreciate
**apprendre** *(p.p. appris)* to learn; **apprendre (à)** to learn, to teach; **apprendre par cœur** to memorize
**approcher** to approach; **s'approcher (de)** to come near
**approprié(e)** appropriate
**approuver** to approve
**appuyer** to lean; **s'appuyer (contre)** to lean (against)
**après** after, afterward; **après tout** after all; **d' après** according to
**après-demain** the day after

tomorrow
**après-midi** *(m.)* afternoon
**aqueduc** *(m.)* aqueduct
**arbitre** *(m.)* referee
**arbre** *(m.)* tree
**archéologue** *(m. /f.)* archaeologist
**architecte** *(m.)* architect
**arène** *( f.)* arena
**argent** *(m.)* money, silver; **argent liquide** cash; **argent de poche** spending money
**argenterie** *( f.)* silverware
**armée** *( f.)* army
**armoire** *( f.)* wardrobe
**arracher** to pull out
**arranger** to arrange
**arrêt** *(m.)* stop
**arrêter** to stop; to arrest; **s'arrêter (de)** to stop
**arrivée** *( f.)* arrival
**arriver** to arrive, to come; to happen
**arrondissement** *(m.)* administrative district
**arroser** to water
**artichaut** *(m.)* artichoke
**artificiel(le)** artificial
**artifice**: **feu** *(m.)* **d'artifice** fireworks
**artiste** *(m. /f.)* artist
**artistique** artistical
**ascenseur** *(m.)* elevator
**aspirateur** *(m.)* vacuum cleaner; **passer l'aspirateur** to vacuum
**aspirine** *( f.)* aspirin
**assaisonner** to season
**assaut** *(m.)* assault
**assemblée** *( f.)* assembly
**assez** enough; rather
**assiette** *( f.)* plate
**assimiler** to assimilate
**assis(e)** seated
**assister (à)** to attend
**associer (à)** to associate (to)

**assurance** *(f.)* insurance
**assurer** to assure; to insure; to ensure
**astronaute** *(m./f.)* astronaut
**astronome** *(m./f.)* astronomer
**astronomique** astronomical
**atelier** *(m.)* studio
**athlète** *(m./f.)* athlete
**athlétisme** *(m.)* track and field
**attaché(e)** attached
**attaquant(e)** attacker
**attaquer** to attack
**atteindre** *(p.p. atteint)* to reach
**attendre** to wait (for); **s'attendre à** to expect
**attentif (-ive)** attentive
**attention** *(f.)* attention; **faire attention (à)** to pay attention (to)
attentivement attentively
**atterrir** to land
**atterrissage** *(m.)* landing
**attirer** to attract
**attraction** *(f.)* attraction; **parc d'attractions** *(m.)* amusement park
**attraper** to catch
**avare** miser(ly)
**au** *(pl. aux)* at the, to the
**aucun(e)** any; **ne…aucun(e)** not any
**augmenter** to increase
**aujourd'hui** today
**auparavant** before
**auprès de** next to
**auquel** *(pl. auxquels, f. à laquelle, f. pl. auxquelles)* to which (one[s])
**aussi** also, too; as
**aussitôt** right away, **aussitôt que** as soon as
**autant** as much, as many; **autant que** as much as
**auteur** *(m.)* author; **auteur dramatique** playwright
**auto** *(f.)* car; **en auto** by car

**autobiographie** *(f.)* autobiography
**autobus** *(m.)* bus
**automatiser** to automate
**automne** *(m.)* fall, autumn
**automobiliste** *(m./f.)* car driver
**autoriser** to authorize
**autorité (f.)** authority
**autoroute (f.)** highway
**autour (de)** around
**autre** other; another
**autrefois** formerly, in the past
**autrement** otherwise
**avance** *(f.)* advance; **à l'avance** in advance; **d'avance** in advance, beforehand
**avant (de)** before
**avant-hier** the day before yesterday
**avantage** *(m.)* advantage
**avantageux (-euse)** advantageous
**avec** with
**avenir** *(m.)* future
**aventure** *(f.)* adventure
**aventureux (-euse)** adventurous
**avertir** to warn
**aveugle** blind
**aveuglément** blindly
**avion** *(m.)* airplane; **en avion** by plane
**avis** *(m.)* opinion, advice; **à mon avis** in my opinion
**avocat(e)** lawyer
**avoir** *(p.p. eu)* to have
**avril** *(m.)* April

**bac** *(m.)* **(baccalauréat)** high-school degree
**bagages** *(m. pl.)* luggage
**bague** *(f.)* ring; **bague de fiançailles** engagement ring
**(se) baigner** to bathe
**bail** *(m.)* lease

**bain** *(m.)* bath; **bain de soleil** sun bath; **maillot de bain** *(m.)* bathing suit; **salle de bains** *(f.)* bathroom
**bal** *(m.)* dance
**baladeur** *(m.)* Walkman
**balcon** *(m.)* balcony
**balle** *(f.)* ball
**ballon** *(m.)* balloon; ball
**balnéaire: station balnéaire** *(f.)* seaside resort
**banane** *(f.)* banana
**banc** *(m.)* seat, bench
**bande** *(f.)* band, strip; **bande dessinée** comic strip
**banlieue** *(f.)* suburb
**banque** *(f.)* bank
**barbare** barbarian
**barbe** *(f.)* beard
**bas(se)** low; **en bas** downstairs; **à voix basse** in a low voice; **au bas (de)** at the bottom (of)
**base-bail** *(m.)* baseball
**baser** to base; **se baser** to be based on
**basilique** *(f.)* basilica
**basket** *(f.)* sneaker (shoe)
**basket-ball** *(m.)* basketball
**bataille** *(f.)* battle
**bataillon** *(m.)* battalion
**bateau** *(m.) (pl. -aux)* boat; **bateau à voile** sailboat; **bateau-mouche** sightseeing boat
**bâtiment** *(m.)* building
**bâtir** to build
**batterie** *(f.)* drums
**bavard (e)** talkative
**bavarder** to chat
**bavette** *(f.)* sirloin steak
**beau, bel** *(f. belle)* beautiful, handsome; **faire beau** to be beautiful *(weather)*
**beaucoup (de)** a lot (of), many, much
**beauté** *(f.)* beauty

**bébé** *(m.)* baby

**Belgique** *(f.)* Belgium

**bénéficier** to benefit

**besoin** *(m.)* need; **avoir besoin de** to need

**bétail** *(m.)* livestock

**bête** stupid, silly, foolish

**bêtise** *(f.)* stupidity, stupid thing

**betterave** *(f.)* beet

**beurre** *(m.)* butter

**bibliothécaire** *(m./f.)* librarian

**bibliothèque** *(f.)* library

**bicyclette** *(f.)* bicycle; **monter à bicyclette** to go bicycling

**bien** well; **aller bien** to feel well; **bien des** a good many; **bien que** although; **bien sûr** of course

**bientôt** soon; **à bientôt** see you soon

**bienvenue** *(f.)* welcome

**bifteck** *(m.)* steak

**bijou** *(m.)* *(pl. **bijoux**)* jewel

**bijouterie** *(f.)* jewelry store

**bilingue** bilingual

**billet** *(m.)* ticket

**biographique** biographical

**biologiste** *(m./f.)* biologist

**biscuit** *(m.)* cookie

**bise** *(f.)* *(coll.)* kiss

**blanc(he)** white; *(m.)* egg white

**blé** *(m.)* wheat

**blesser** to hurt; **se blesser** to hurt oneself

**bleu(e)** blue

**bœuf** *(m.)* ox; beef; **bœuf bourguignon** beef stew

**boire** *(p.p. **bu**)* to drink

**bois** *(m.)* wood; woods

**boisson** *(f.)* drink

**boîte** *(f.)* box, can; **boîte aux lettres** mailbox; **boîte de conserve** can

**bol** *(m.)* bowl

**bon(ne)** good; **bon**

**anniversaire** happy birthday; **bon marché** inexpensive; **bonne année** happy new year; **bonne chance** good luck; **de bonne heure** early; **faire bon** to be fine *(weather)*

**bonbon** *(m.)* candy

**bonheur** *(m.)* happiness

**bonhomme** *(m.)* **de neige** snowman

**bonjour** hello

**bord** *(m.)* edge; **bord de la mer** seashore

**border** to edge, line

**botte** *(f.)* boot

**boucher (-ère)** butcher

**boucherie** *(f.)* butcher shop

**bouclé(e)** curly

**bouger** to move

**bouillabaisse** *(f.)* fish stew

**bouillir** to boil

**boulanger (-ère)** baker

**boulangerie** *(f.)* bakery

**boule** *(f.)* ball; **boule de neige** snowball

**bouleversé(e)** upset

**boum** *(f.)* party

**bouquiniste** *(m./f.)* bookseller

**Bourgogne** *(f.)* Burgundy

**bourse** *(f.)* scholarship; stock market

**boussole** *(f.)* compass

**bouteille** *(f.)* bottle

**branche** *(f.)* branch

**bras** *(m.)* arm

**bref** *(f. **brève**)* brief

**Bretagne** *(f.)* Brittany

**brièvement** briefly

**brillant(e)** brilliant

**briller** to shine

**brochette** *(f.)* skewer

**bronzer se bronzer** to tan; **crème** *(f.)* **à bronzer** tanning cream

**brosse** *(f.)* brush; **brosse à**

**dents** toothbrush

**brosser** to brush; **se brosser** to brush oneself

**bruit** *(m.)* noise

**brûler** to burn; **se brûler** to burn oneself

**brun(e)** brown, brunette

**brusquement** abruptly

**buissonnière: faire l'école buissonnière** to play hooky

**bureau** *(m.)* desk; office; **bureau de change** money exchange; **bureau des objets trouvés** lost and found; **bureau de poste** post office

**buste** *(m.)* bust

**but** *(m.)* goal; **gardien de but** goal keeper

**ça** that; **ça ne fait rien** it doesn't matter; **ça va?** how are you? **Ça va.** Fine.

**cabinet** *(m.)* office

**cacher** to hide; **se cacher** to hide oneself

**cachet** *(m.)* tablet

**cadeau** *(m.)* gift, present

**cadet(te)** younger

**café** *(m.)* coffee, café; **café crème** coffee with cream

**cahier** *(m.)* notebook

**caisse** *(f.)* cash register

**caissier (-ière)** cashier

**calcul** *(m.)* arithmetic

**calculer** to calculate

**calculette** *(f.)* calculator

**calendrier** *(m.)* calendar

**calme** *(m.)* calmness; *(adj.)* calm

**calmement** calmly

**camarade** *(m./f.)* pal, friend

**Cambodge** *(m.)* Cambodia

**caméra** *(f.)* movie camera

**camion** *(m.)* truck

**campagne** *(f.)* country, campaign

**camper** to camp

**camping: faire du camping** to go camping

**canadien(ne)** Canadian

**canard** *(m.)* duck

**candidat(e)** candidate

**cantine** *(f.)* cafétéria

**caoutchouc** *(m.)* rubber

**capitaine** *(m.)* captain

**capitale** *(f.)* capital

**capturer** to capture, seize, arrest

**car** because

**car** *(m.)* tour bus

**caractère** *(m.)* character; **caractères gras** boldface type

**caractériser** to be characteristic of

**caractéristique** *(f.)* characteristic

**Caraïbe** Caribbean

**carnaval** *(m.)* carnival

**carnet** *(m.)* notebook; **carnet de chèques** checkbook

**carotte** *(f.)* carrot

**carré(e)** square

**carrière** *(f.)* career

**cartable** *(m.)* school bag

**carte** *(f.)* card, map, menu; **carte d'identité** identification card; **carte de crédit** crédit card; **carte postale** postcard; **carte routière** road map

**cartésien** Cartesian; **esprit** *(m.)* **cartésien** logical mind

**cas** *(m.)* case; **en cas de** in case of; **en tout cas** in any case

**case** *(f.)* box

**casquette** *(f.)* cap

**cassation: cour** *(f.)* **de cassation** court of appeal

**(se) casser** to break

**catégorie** *(f.)* category

**cathédrale** *(f.)* cathédral

**catholicisme** *(m.)* Catholicism

**cauchemar** *(m.)* nightmare

**cause** *(f.)* cause; **à cause de** because of

**ce** it, he, she, they; this, that; **ce que** that which, what; **ce qui** that which, what; **c'est** it is

**ceci** this

**cela** that; **cela m'est égal** it's all the same to me; **cela ne fait rien** it doesn't matter

**célèbre** famous

**célébrer** to celebrate

**céleste** celestial

**celle** *(pl.* **celles)** the one, that, this

**celtique** celtic

**celui** *(pl.* **ceux)** the one, that, this; **celui-ci** the latter; **celui-là** the former

**cendre** *(f.)* ash

**cent** (one) hundred

**centaine** *(f.)* about a hundred

**centimètre** *(m.)* centimeter

**centraliser** to centralize

**centre** *(m.)* center; **centre commercial** shopping mall

**cependant** however

**céramique** *(f.)* ceramic

**cercle** *(m.)* circle; club

**céréale** *(f.)* cereal

**cérémonie** *(f.)* ceremony

**cerf** *(m.)* deer

**cerise** *(f.)* cherry

**certainement** certainly, surely

**ces** these, those

**cesser** to stop

**cet(te)** *(pl.* **ces)** this, that

**ceux** *(m. pl.)* the ones, those, these

**chacun(e)** each one

**chaîne** *(f.)* chain; **chaîne stéréo** stereo; **chaîne de montagnes** mountain range

**chaise** *(f.)* chair

**chaleureux (-euse)** warm

**chambre (à coucher)** *(f.)* bedroom

**champ** *(m.)* field

**championnat** *(m.)* championship

**chance** *(f.)* luck; **avoir (de) la chance** to be lucky; **bonne chance** good luck

**change** *(m.)* change, exchange, **bureau** *(m.)* **de change** money exchange

**changeant(e)** changeable

**changement** *(m.)* change

**changer (de)** to change; **changer d'avis** to change one's mind

**chanson** *(f.)* song

**chant** *(m.)* song, singing

**chanter** to sing

**chanteur (-euse)** singer

**chapeau** *(m.)* *(pl.* **-aux)** hat

**chapelain** *(m.)* chaplain

**chapelle** *(f.)* chapel

**chapitre** *(m.)* chapter

**chaque** each

**charcuterie** *(f.)* delicatessen

**charger** to load; to entrust

**charmant(e)** charming

**charme** *(m.)* charm, spell

**chasser** to chase, hunt

**chat(te)** cat

**châtaigne** *(f.)* chestnut

**château** *(m.)* *(pl.* **-aux)** castle

**chaud(e)** warm, hot; **avoir chaud** to be hot *(of persons)*; **faire chaud** to be warm/hot *(weather)*

**chauffer** to heat, warm

**chaussette** *(f.)* sock

**chaussure** *(f.)* shoe

**chef** *(m.)* chef cook, chief, head; **chef d'état** head of state; **chef-d'oeuvre** masterpiece

**chemin** *(m.)* road; **chemin de fer** railroad

**cheminée** *(f.)* fireplace

**chemise** *(f.)* shirt

**chemisier** *(m.)* blouse

**chèque** *(m.)* check; **chèque de voyage** traveler's check

**cher (-ère)** dear; expensive

**chercher** to look for, search

**chercheur (-euse)** researcher

**cheval** *(m.)* *(pl. -aux)* horse; **à cheval** on horseback; **faire du cheval** to go horseback riding

**cheveu** *(m.)* *(pl. -eux)* hair *(one strand)*

**chèvre** *(f.)* goat

**chez** to/at (the house/place of)

**chic** stylish, fashionable

**chien(ne)** dog

**chiffre** *(m.)* number

**chimie** *(f.)* chemistry

**chimique** chemical

**chimiste** *(m./f.)* chemist

**chocolat** *(m.)* chocolate; hot chocolate

**choisir (de)** to choose (to)

**choix** *(m.)* choice

**choquer** to shock

**chose** *(f.)* thing

**chou** *(m.)* *(pl. **choux**)* cabbage

**choucroute** *(f.)* sauerkraut

**christianisme** *(m.)* Christianity

**chute** *(f.)* fall; **saut** *(m.)* **en chute libre** sky-diving

**ci-dessous** below

**cidre** *(m.)* cider

**ciel** *(m.)* heaven, sky

**ciné-club** *(m.)* film club

**cinéma** *(m.)* movies

**cinq** five

**cinquante** fifty

**cinquième** fifth

**circonstance** *(f.)* circumstance

**circulation** *(f.)* traffic

**cirque** *(m.)* circus

**cité** *(f.)* city

**citer** to list, quote

**citoyen(ne)** citizen

**citron** *(m.)* lemon; **citron pressé** fresh lemonade

**citronnade** *(f.)* lemonade

**clair(e)** clear

**clairement** clearly

**clarté** *(f.)* clarity

**classe** *(f.)* class; **classe de neige** snow class; **salle de classe** classroom

**classeur** *(m.)* looseleaf notebook

**classicisme** *(m.)* classicism

**classique** classical

**clavecin** *(m.)* harpsichord

**clef** *(f.)* key

**client(e)** customer

**climat** *(m.)* climate

**clou** *(m.)* nail

**cocher** to check

**code postal** *(m.)* zip code

**cœur** *(m.)* heart; **de bon cœur** willingly

**coffre** *(m.)* trunk

**coiffe** *(f.)* headdress

**coiffeur (-euse)** hairdresser

**colère** *(f.)* anger; **se mettre en colère** to become angry

**colis** *(m.)* package

**collaborateur (-trice)** collaborator

**collaborer** to collaborate

**collectionner** to collect

**collège** *(m.)* secondary school

**collègue** *(m./f.)* colleague

**collier** *(m.)* necklace

**colline** *(f.)* hill

**colonie** *(f.)* colony; **colonie de vacances** camp

**colonne** *(f.)* column

**combien (de)** how many, much

**combiner** to combine

**comédie** *(f.)* comedy

**comète** *(f.)* comet

**comique** comical, funny

**commande** *(f.)* control, order

**commander** to order

**comme** as, like

**commémorer** to commemorate

**commencement** *(m.)* beginning

**commencer** to begin

**comment** how

**commentaire** *(m.)* commentary

**commérage** *(m.)* gossip

**commerçant(e)** merchant

**commercial(e)** commercial; **centre** *(m.)* **commercial** shopping mall

**commettre** to commit

**commun(e)** common

**communauté** *(f.)* community

**compact** *(m.)*, **disque** *(m.)* **compact** CD

**compagnie** *(f.)* company

**comparer** to compare

**complet (-ète)** complete

**complètement** completely

**compléter** to complete

**compliqué(e)** complicated

**comporter** to involve, include, require; **se comporter** to behave

**composer** to compose, dial

**compositeur (-trice)** composer

**comprendre** *(p.p. **compris**)* to understand, comprise, include

**compte** *(m.)* account; **compte-chèques** checking account; **compte épargne** savings account; **se rendre compte de** to realize

**compter** to count; to intend

**comte** *(m.)* count

**comtesse** *(f.)* countess

**(se) concentrer** to concentrate

**concierge** *(m./f.)* concierge, superintendant

**concours** *(m.)* race, contest

**condamner** to condemn

**conducteur (-trice)** driver

**conduire** *(p.p.* **conduit***)* to drive; **permis** *(m.)* **de conduire** driver's license

**conduite** *(f.)* behavior, driving

**confiance** *(f.)* confidence, trust

**confier** to trust; **se confier à** to confide in

**confirmer** to confirm

**confiture** *(f.)* jelly, jam

**confortable** comfortable

**congé** *(m.)* time off; **jour de congé** day off

**connaissance** *(f.)* acquaintance, knowledge; **faire la connaissance de** to meet

**connaître** *(p.p.* **connu***)* to know, to be acquainted with

**conquérant** *(m.)* conqueror

**conquérir** to conquer

**conquête** *(f.)* conquest

**consacré**(e) devoted

**consciencieusement** conscientiously

**consciencieux (-euse)** conscientious

**conseil** *(m.)* advice; council

**conseiller (-ère)** counselor

**conseiller** to advise

**consentir (à)** to consent (to)

**conséquent(e)** consistent; **par conséquent** consequently

**conserver** to conserve, save

**conserve** *(f.)* canned food; **boîte** *(f.)* **de conserve** can

**considérer** to consider

**consolider** to strengthen

**consommer** to consume

**constamment** constantly

**constater** to notice, observe

**constitutionnel(le)** constitutional

**constructeur (-trice)** builder

**construire** *(p.p.* **construit***)* to construct, build

**consulter** to consult

**conte** *(m.)* tale, short story

**contemporain(e)** contemporary, modern

**contenir** *(p.p.* **contenu***)* to contain

**content(e)** content, happy

**continuellement** continuously

**continuer** to continue

**contraire** *(m.)* opposite; **au contraire** on the contrary

**contravention** *(f.)* (parking) ticket

**contre** against

**contredire** *(p.p.* **contredit***)* to contradict

**contribuer** to contribute

**contrôle** *(m.)* control; test

**contrôler** to control

**convenir** to fit

**convertir** to convert

**coopérer** to cooperate

**copain** *(m.)* *(f.* **copine***)* friend, pal

**copier** to copy

**coq** *(m.)* rooster; **coq au vin** chicken in wine sauce

**corbeille** *(f.)* basket; **corbeille à papier** wastebasket

**corps** *(m.)* body

**correctement** correctly

**correspondant(e)** pen pal

**correspondre** to correspond; to exchange letters

**corriger** to correct

**Corse** *(f.)* Corsica

**côte** *(f.)* coast

**côté** *(m.)* side; **à côté (de)** next (to); **de côté** aside

**coton** *(m.)* cotton

**coucher** *(m.)* setting; **coucher de soleil** sunset

**coucher** to put to bed; **se**

**coucher** to go to bed

**couleur** *(f.)* color

**couloir** *(m.)* hallway

**coup** *(m.)* blow; **coup d'œil** glance; **coup de foudre** love at first sight; **coup de soleil** sunburn; **coup de téléphone** téléphoné call; **coup de tonnerre** thunderclap

**coupe** *(f.)* cup; haircut

**couper** to cut

**cour** *(f.)* courtyard; court

**courageux (-euse)** courageous

**couramment** fluently

**courant** *(m.)* current

**courir** *(p.p.* **couru***)* to run

**couronner** to crown

**courrier** *(m.)* mail

**cours** *(m.)* course, subject

**course** *(f.)* errand; race; **faire des courses** to go shopping

**court(e)** short

**coussin** *(m.)* cushion

**couteau** *(m.)* knife

**coûter** to cost; **coûter cher** to be expensive

**coutume** *(f.)* custom

**couvert** *(m.)* place setting; **mettre le couvert** to set the table

**couvert(e)** covered; **piscine couverte** indoor pool

**couverture** *(f.)* cover, blanket

**couvrir** *(p.p.* **couvert***)* **(de)** cover (with); **se couvrir** to cover oneself

**craie** *(f.)* chalk; **bâton** *(m.)* **de craie** stick of chalk

**craquer** to crack

**cravate** *(f.)* tie

**crayon** *(m.)* pencil

**créateur (-trice)** creator

**créativité** *(f.)* creativity

**créer** *(p.p.* **créé***)* to create

**crème** *(f.)* cream; **crème à**

**bronzer** tanning cream; **crème solaire** suntan creme

**crémerie** *(f.)* dairy store

**crêpe** *(f.)* crêpe, pancake

**cri** *(m.)* cry

**crier** to shout

**criminel(le)** criminal

**crise** *(f.)* crisis

**cristal** *(m.)* crystal

**critique** *(f.)* criticism; review; *(m. /f )* critic

**critiquer** to criticize

**croire** *(pp.* **cru***)* to believe

**croisade** *(f.)* crusade

**croisière** *(f.)* cruise; **faire une croisière** to take a cruise

**croissant** *(m.)* crescent roll

**croix** *(f.)* cross, checkmark

**croquet-monsieur** *(m.)* grilled ham and cheese sandwich

**cruellement** cruelly

**cueillir** to pick *(flowers)*

**cuiller** (or:**cuillère**) *(f.)* spoon

**cuire** to cook

**cuisine** *(f.)* kitchen; cooking; **faire la cuisine** to cook

**cuisiner** to cook

**cuisinier(-ière)** cook; **cuisinière** *(f.)* stove

**cultiver** to cultivate; to grow *(plant)*

**culturel(le)** cultural

**curieux (-euse)** curious, strange

**curiosité** *(f.)* curiosity

**cyclisme** *(m.)* cycling

**cycliste** *(m./f.)* cyclist

**cygne** *(m.)* swan

**dame** *(f.)* lady; **jeu** *(m.)* **de dames** checkers

**dangereux (-euse)** dangerous

**dans** in, into, within

**danse** *(f.)* dance

**danser** to dance

**danseur (-euse)** dancer

**dater** to date

**davantage** more

**de** of, about, from

**déballer** to unwrap, unpack

**débarquer** to land, disembark

**débarquement** *(m.)* landing; D-day

**débarrasser** to clear up

**débat** *(m.)* debate

**début** *(m.)* beginning

**décembre** *(m.)* December

**décentraliser** to decentralize

**déchiffrer** to decipher

**décider (de)** to décidé (to)

**décision** *(f.)* decision

**déclarer** to declare

**décoiffé(e)** disheveled

**décomposer** to break down

**décorateur** *(m.)* (-trice) designer; interior decorator

**décoratif (-ve)** decorative

**décoration** *(f.)* decoration

**décorer** to decorate

**découverte** *(f.)* discovery

**découvrir** *(p.p.* **découvert***)* to discover

**décrire** *(p.p.* **décrit***)* to describe

**décrocher** to take down; to pick up (phone)

**défaite** *(f.)* defeat

**défendre** to defend; to forbid

**défenseur** *(m.)* champion

**défi** *(m.)* challenge

**défilé** *(m.)* parade

**défini(e)** definite

**déformer** to distort

**degré** *(m.)* degree

**dehors** outside

**déjà** already

**déjeuner** *(m.)* lunch; **petit déjeuner** breakfast

**déjeuner** to eat lunch

**délicat(e)** delicate

**délicieux (-euse)** delicious

**délivrer** to free, deliver

**demain** tomorrow; **à demain** see you tomorrow

**demande** *(f.)* application, demand

**demander** to ask ( for); **demander pardon** to ask forgiveness; **se demander** to wonder

**démarrer** to start (up)

**déménager** to move *(to another residence)*

**déménageur** *(m.)* mover

**demeurer** to live, stay

**demi(e)** half; **demi-heure** *(f.)* half-hour

**démocratie** *(f.)* democracy

**démocratique** democratie

**démontrer** to demonstrate, prove

**dénoncer** to denounce

**dent** *(f.)* tooth; **brosse à dents** toothbrush

**dentelle** *(f.)* lace

**dentiste** *(m./f.)* dentist

**départ** *(m.)* departure

**département** *(m.)* department

**dépasser** to go over, surpass

**dépêcher** to dispatch; **se dépêcher** to hurry

**dépense** *(f.)* expenditure

**dépenser** to spend *(money)*

**déplacer** to move

**déposer** to put down, leave, deposit

**déprimé(e)** depressed

**depuis** for, since

**député** *(m.)* représentative

**déranger** to bother, disturb

**dériver** to derive

**dernier (-ière)** last

**derrière** behind

**des** some; of the; from the; about the

**désaccord** *(m.)* disagreement

**désastre** *(m.)* disaster

**désastreux (-euse)** disastrous

**descendre** to go down; to take down

**désespéré(e)** hopeless

**désespoir** *(m.)* despair

**déshabiller** to undress; **se déshabiller** to get undressed

**désigner** to name

**désirer** to desire, want

**désobéir(à)** to disobey

**désolé(e)** sorry

**désordre** *(m.)* disorder

**désormais** from now on, henceforth

**desquels** *( f.* **desquelles***)* of which (ones)

**dessin** *(m.)* drawing, design; **dessin animé** cartoon

**dessiné(e)** drawn, designed; **bande** *( f.)* **dessinée** comic strip

**dessiner** to draw

**dessous** beneath, below

**dessus** above

**destin** *(m.)* fate

**destinée** *( f.)* destiny

**détail** *(m.)* detail

**détenir** to hold, detain

**déterminer** to determine

**détester** to hate

**détruire** to destroy

**dette** *( f.)* debt

**deux** two

**deuxième** second

**devant** in front (of )

**développement** *(m.)* development

**développer** to develop

**devenir** *(p.p.* **devenu***)* to become

**devoir** to owe; to have to

**devoirs** *(m. pl.)* homework

**dialecte** *(m.)* dialect

**diamant** *(m.)* diamond

**diamètre** *(m.)* diameter

**dictée** *( f.)* dictation

**dictionnaire** *(m.)* dictionary

**différemment** differently

**différent(e)** different

**difficile** difficult

**diligent(e)** hard working

**dimanche** *(m.)* Sunday

**dimensionnel(le)** dimensional

**diminuer** to reduce, diminish

**dîner** to dine, eat dinner

**dîner** *(m.)* dinner

**diphtérie** *( f.)* diphtheria

**diplomate** *(m./f.)* diplomat

**diplôme** *(m.)* diploma

**dire** *(p.p.* **dit***)* to say, tell; **vouloir dire** to mean

**directement** directly

**directeur (-trice)** director, principal

**diriger** to direct

**discothèque** *( f.) (coll.* **disco***)* discothèque

**discours** *(m.)* speech

**discret (-ète)** discreet

**discuter (de)** to discuss

**disparaître** *(p.p.* **disparu***)* to disappear

**disperser** to disperse

**disposition** *( f.)* disposai

dispute *( f.)* quarrel

**(se) disputer (avec)** to quarrel (with)

**disque** *(m.)* record; **disque compact** compact disc, C.D.*;* **disque vidéo** laser dise

**disquette** *( f.)* diskette

**dissoudre** to dissolve

**distinguer** to distinguish; **se distinguer** to stand out

**distribuer** to distribute

**divan** *(m.)* sofa

**divers(e)** different

**diversifier** to diversify

**divertissement** *(m.)* diversion

**diviser** to divide

**dix** ten

**dix-huit** eighteen

**dix-neuf** nineteen

**dix-sept** seventeen

**docteur** *(m.)* doctor

**documentaire** *(m.)* documentary

**doigt** *(m.)* finger

**doit** *see* **devoir**

**domaine** *(m.)* estate; sector

**domestique** *(m./f.)* servant, domestic; **animal** *(m.)* **domestique** pet

**domicile** *(m.)* home, résidence

**dominer** to dominate

**dommage** *(m.)* harm; pity, shame

**donc** therefore

**donner** to give

**dont** of which

**dormir** to sleep

**dos** *(m.)* back; **sac** *(m.)* **à dos** backpack

**doucement** softly, gently

**doué(e)** talented

**douleur** *( f.)* pain

**doute** *(m.)* doubt

**douter** to doubt

**douteux (-euse)** doubtful

**doux** *( f.* **douce***)* sweet, mild, gentle

**douzaine** *( f.)* dozen

**douze** twelve

**drame** *(m.)* drama

**drap** *(m.)* sheet

**drapeau** *(m.)* flag

**dresser** to raise, put up

**droit** *(m.)* right, law

**droit(e)** right, straight; **à droite (de)** to the right (of ); **tout droit** straight ahead

**drôle** funny; strange

**drôlement** *(coll.)* really

**druide** *(m.)* druid

**du** some, any, of the;**du moins** at least

**duc** *(m.)* duke

**duquel** of which (one)

**dur(e)** hard

**durant** during

**durer** to last

**dynastie** *(f.)* dynasty

**eau** *(f.)* water; **eau minérale** mineral water

**échalotte** *(f.)* shallot

**écharpe** *(f.)* scarf

**échecs** *(m. pl.)* chess

**éclairer** to light

**éclater** to burst out; **éclater de rire** to burst out laughing

**école** *(f.)* school; **faire l'école buissonnière** to play hooky

**économie** *(f.)* economy

**économique** economic(al)

**écouter** to listen (to)

**écran** *(m.)* screen

**écrire** *(p.p.* **écrit***)*to write; **machine** *(f.)* **à écrire** typewriter

**écriture** *(f.)* writing

**écrivain** *(m.)* writer

**écurie** *(f.)* stable

**édifice** *(m.)* building

**édit** *(m.)* edict

**éditeur (-trice)** publisher

**éducatif (-ive)** educational

**éducation** *(f.)* **physique** gym

**effacer** to erase

**effet** *(m.)* effect

**effrayant** frightening

**effrayer** to frighten

**égal** ( *pl.* **-aux**) equal; **cela m'est égal** it's all the same to me

**également** equally, as well

**égalité** *(f.)* equality

**égard** considération; **à son**

**égard** on his/her account

**église** *(f.)* church

**égoïste** selfish

**élaborer** to develop

**électeur (-trice)** voter

**électoral(e)** electoral

**électrique** electric

**électronique** electronic

**élégant(e)** elegant

**élément** *(m.)* element

**éléphant** *(m.)* elephant

**élevage** *(m.)* breeding *(cattle)*

**élève** *(m./f.)* student, pupil

**élever** to raise, bring up; **bien/mal élevé(e)** well/badly brought up

**éliminer** to eliminate

**élire** *(p.p.* **élu)** to elect

**élite** *(f.)* elite

**elle** she, it, her,

**elles** they, them

**éloigner** to move away; **s'éloigner (de)** to move away ( from)

**emballer** to wrap, pack

**embarrassé(e)** embarrassed

**emblème** *(m.)* emblem

**embouchure** *(f.)* mouth *(river)*

**embrasser** to kiss

**émerger** to emerge

**émetteur** *(m.)* transmitter

**émission** *(f.)* (TV) program

**emmener** to take away, lead away

**émotion** *(f.)* emotion

**empêcher (de)** to prevent (from)

**empereur** *(m.)* emperor

**emploi** *(m.)* job; **emploi du temps** schedule, program

**employé(e)** employee

**employer** to use

**employeur** *(m.)* employer

**emporter** to take away

**emprisonner** to jail

**emprunter (à)** to borrow (from)

**en** in, to; about it/them, from it/them, of it/them; from there

**enchanté(e)** delighted

**encore** still, yet, again;**encore une fois** again; **pas encore** not yet

**encourager** to encourage

**encre** *(f.)* ink

**encyclopédie** *(f.)* encyclopedia

**endormir** to put to sleep; **s'endormir** to fall asleep

**endroit** *(m.)* place

**énergie** *(f.)* energy

**énergique** energetic

**énerver** to bother, annoy; **s'énerver** to get annoyed

**enfance** *(f.)* childhood

**enfant** *(m./f.)* child; **petits-enfants** *(m.)* grandchildren

**enfin** at last, finally

**engagé(e)** engaged, hired

**engager** to engage, hire; **s'engager à** to commit oneself to

**engin** *(m.)* machine

**enlever** to remove, take off

**ennemi(e)** enemy

**ennui** *(m.)* boredom, problem

**ennuyer** to bore; to bother; **s'ennuyer** to be bored

**ennuyeux (-euse)** annoying, boring

**énorme** enormous

**énormément** enormously, a great deal

**enquête** *(f.)* survey; investigation

**enquêter** to investigate

**enregistrer** to record

**enseigner** to teach

**enseignement** *(m.)* teaching

**ensemble** together

**ensoleillé(e)** sunny

**ensuite** then

**entendre** to hear; **s'entendre (avec)** to get along(with)

**enthousiasmer** to enthuse

**entier (-ère)** entire, whole

**entourer** to surround

**(s')entraîner** to train

**entraîneur** *(m.)* coach

**entre** between, among

**entrée** *(f.)* entrance

**entrer** to enter, go in

**entrevue** *(f.)* interview

**envahir** to invade

**envers** towards

**envie** *(f.)* desire, want; **avoir envie (de)** to desire, want; to feel like

**environnement** *(m.)* environment

**envoyer** to send

**épais(se)** thick

**épeler** to spell

**épice** *(f.)* spice

**époque** *(f.)* age, era

**épouser** to marry

**épousseter** to dust

**équilibre** *(m.)* balance

**équipe** *(f.)* team

**équipement** *(m.)* equipment

**érudit(e)** erudite, learned

**erreur** *(f.)* error, mistake

**escalier** *(m.)* staircase

**escalope** *(f.)* cutlet

**escargot** *(m.)* snail

**espace** *(m.)* space

**Espagne** *(f.)* Spain

**espèce** *(f.)* type, kind

**espérer** to hope

**espoir** *(m.)* hope

**esprit** *(m.)* spirit, mind

**essai** *(m.)* essay

**essayer (de)** to try (to)

**essayiste** *(m./f.)* essayist

**essence** *(f.)* gasoline, essence

**essentiel(le)** essential

**essuyer** to wipe

**est** *(m.)* east

**estimer** to hold in esteem

**estomac** *(m.)* stomach

**et** and, plus

**établir** to establish

**établissement** *(m.)* establishment

**étage** *(m.)* floor, story

**étagère** *(f.)* bookshelf

**état** *(m.)* state; **États-Unis** *(m. pl.)* United States

**été** *(m.)* summer; **en été** in the summer

**éteindre** to extinguish, turn off

**étendre** to spread

**étoile** *(f.)* star; **à la belle étoile** outdoors

**étonnant(e)** astonishing

**étonner** to astonish; **s'étonner** to be surprised

**étrange** strange

**étranger (-ère)** foreigner; stranger; **à l'étranger** abroad

**être** *(p.p. été)* to be; **être à** to belong to; **être en train de** to be (in the act of) doing something; **être** *(m.)* **humain** human being

**étroit(e)** narrow

**étude** *(f.)* study

**étudiant(e)** student

**étudier** to study

**européen(ne)** European

**eux** they, them

**événement** *(m.)* event

**évidemment** evidently

**évident(e)** evident

**éviter** to avoid

**évoluer** to evolve

**évoquer** to evoke

**exagérer** to exaggerate

**examen** *(m.)* test

**excepté** except

**excès** *(m.)* excess

**excitant(e)** exciting

**excitation** *(f.)* excitement

**(s') exclamer** to exclaim

**excuser** to excuse; **s'excuser** to apologize

**exécuter** to perform, execute

**exemple** *(m.)* example; **par exemple** for example

**exercer** to exercise; **s'exercer** to practice

**exercice** *(m.)* exercise

**exiger** to demand

**exiler** to exile

**exister** to exist

**exotique** exotic

**expérience** *(f.)* expérience, experiment

**explication** *(f.)* explanation

**expliquer** to explain; **s'expliquer** to explain oneself

**explorateur (-trice)** explorer

**explorer** to explore

**exporter** to export

**exposer** to expose, exhibit

**exposition** *(f.)* exhibit

**exprimer** to express; **s'exprimer** to express oneself

**extérieur(e)** external

**extrait** *(m.)* extract

**extraordinaire** extraordinary

**extraterrestre** *(m.)* extraterrestrial

**extrêmement** extremely

**fabriquer** to manufacture

**fabuliste** *(m./f.)* writer of fables

**façade** *(f.)* façade

**face à** faced with; **en face (de)** in front (of)

**fâché(e)** angry

**fâcher** to anger; **se fâcher** to become angry

**facile** easy

**facilement** easily

**façon** *(f.)* fashion, way, manner; **de cette façon** this way

**facteur (-trice)** mail carrier

**faible** weak

**faiblir** to weaken

**faim** *(f.)* hunger; **avoir faim** to be hungry

**faire** *(p.p.* **fait)** to make, do

**falloir** to be necessary

**fameux (-euse)** famous

**famille** *(f.)* family; **en famille** with the family

**fanfare** *(f.)* band

**fantaisie** *(f.)* fancy; whim

**fantastique** fantastic

**fantôme** *(m.)* ghost

**farce** *(f.)* practical joke; **faire une farce (à)** to play a joke (on)

**fascisme** *(m.)* fascism

**fatigué(e)** tired

**faune** *(f.)* fauna

**faut** *see* **falloir**

**faute** *(f.)* mistake

**fauteuil** *(m.)* armchair

**fauve** *(m.)* big cat; wild

**faux** *(f.* **fausse)** false, fake

**favori(te)** favorite

**félicitations** *(f. pl.)* congratulations

**féliciter** to congratulate

**femelle** *(f.)* female

**féminin(e)** feminine

**femme** *(f.)* woman, wife; **femme de ménage** cleaning woman

**fenêtre** *(f.)* window

**fente** *(f.)* slot

**fer** *(m.)* iron

**férié(e): jour férié** legal holiday

**ferme** *(f.)* farm

**fermement** firmly

**fermer** to close

**fermier (-ière)** farmer

**féroce** ferocious

**fête** *(f.)* feast, holiday, party; **fête des mères** mother's day; **fête des pères** father's day; **fête du travail** labor day

**fêter** to celebrate

**feu** *(m.)* fire, traffic light; **feu d'artifice** fireworks

**février** *(m.)* February

**fiancailles** *(f. pl.)* engagement

**ficeler** to tie with string

**fidèle** faithful

**fier (-ère)** proud

**se fier à** to trust

**fièrement** proudly

**fièvre** *(f.)* fever

**figure** *(f.)* face

**filet** *(m.)* net; (shopping) bag

**fille** *(f.)* daughter, girl; **petite-fille** granddaughter

**film** *(m.)* movie

**filmer** to film

**fils** *(m.)* son; **petit-fils** grandson

**fin** *(f.)* end

**finalement** finally

**financer** to finance

**financier (-ère)** financial

**finir** to finish

**fixe** fixed

**fixer** to arrange, set up, fix

**flamme** *(f.)* flame

**flatté(e)** flattered

**fleur** *(f.)* flower

**fleuri(e)** in bloom, blossoming

**fleuriste** *(m./f.)* florist

**fleuve** *(m.)* river

**flic** *(m. coll.)* cop

**flocon** *(m.)* flake

**fluvial(e)** *(pl.* **-aux)** river

**foie gras** *(m.)* goose liver pâté

**foire** *(f.)* fair

**fois** *(f.)* time *(in a series);* **trois fois** three times; **trois fois quatre** three times

(multiplied by) four; **une fois** one time, once; **à la fois** at the same time

**folklorique** folk

**fonctionner** to work, function

**fonctionnement** *(m.)* functioning

**fond** *(m.)* bottom; **au fond (de)** at the bottom (of)

**fondateur (-trice)** founder

**fonder** to found

**fonds** *(m. pl.)* funds

**fontaine** *(f.)* fountain

**football** *(m.) (coll.* **foot)** soccer; **football américain** *(m.)* football

**force** *(f.)* strength; force

**forêt** *(f.)* forest

**forme** *(f.)* form; **en pleine forme** in good shape

**former** to form

**formidable** great

**formulaire** *(m.)* form

**formuler** to formulate

**fort(e)** strong; loud (voice); high (price); very

**fortifier** to fortify; strengthen

**four** *(m.)* oven; **four à micro-ondes** microwave oven

**fourchette** *(f.)* fork

**fournir** to provide

**frais** *(f.* **fraîche)** fresh, cool; **faire frais** to be cool *(weather)*

**franc(he)** frank

**français(e)** French

**franchement** frankly

**frapper** to knock, hit

**fraternité** *(f.)* fraternity, brotherhood

**fréquemment** frequently

**frère** *(m.)* brother

**frites** *(f. pl.)* French fries

**frivole** frivolous

**froid(e)** *(adj & m.)* cold; **avoir froid** to be cold *(of persons)*; **faire froid** to be cold *(weather)*

**fromage** *(m.)* cheese

**frontière** *(f.)* frontier

**fruit** *(m.)* fruit; **fruits de mer** *(m. pl.)* seafood

**fruiterie** *(f.)* fruit store

**fumer** to smoke

**furieusement** furiously

**furieux (-euse)** furious

**fusée** *(f.)* rocket

**futur(e)** future

**gagner** to win; to earn

**galerie** *(f.)* gallery

**gant** *(m.)* glove

**garantir** to guarantee

**garçon** *(m.)* boy; waiter

**garder** to keep, guard; to take care of

**gardien(ne)** guard, guardian; **gardien de but** goalkeeper

**gare** *(f.)* train station; **gare routière** bus station

**garer** to park

**gargouille** *(f.)* gargoyle

**garnir** to garnish

**gastronomique** gastronomic

**gâteau** *(m.)* cake

**gâter** to spoil

**gauche** left; **à gauche (de)** to the left (of)

**gaulois(e)** gallic

**gaz** *(m.)* gas

**géant(e)** giant

**geler** to freeze

**gêner** to bother

**général(e)** *(pl. -aux)* general

**généralement** generally

**généreux (-euse)** generous

**génial(e)** great

**génie** *(m.)* genius; genie

**genou** *(m.)* knee

**genre** *(m.)* type

**gens** *(m. pl.)* people

**gentilhomme** *(m.)* gentleman

**gentil(le)** kind, nice

**gentillesse** *(f.)* kindness

**gentiment** gently

**géographie** *(f.)* geography

**gérant(e)** manager

**geste** *(m.)* gesture

**girafe** *(f.)* giraffe

**gisement** *(m.)* deposit *(mine)*

**glace** *(f.)* ice; ice cream; mirror

**glaneur (-euse)** gleaner

**gloire** *(f.)* glory

**golfe** *(m.)* gulf

**gomme** *(f.)* eraser

**gorge** *(f.)* throat

**gosse** *(m. /f. coll.)* youngster, kid

**gothique** gothic

**goût** *(m.)* taste

**goûter** *(m.)* snack

**goûter** to taste

**gouvernement** *(m.)* government

**gouvernemental(e)** government

**gouverner** to govern

**grâce à** thanks to

**gracieux (-euse)** graceful

**gradin** *(m.)* bleachers

**grammaire** *(f.)* grammar

**gramme** *(m.)* gram

**grand(e)** large, big; tall

**grand-mère** *(f.)* grandmother

**grand-père** *(m.)* grandfather

**grandiose** grand, imposing

**grandir** to grow

**grands-parents** *(m. pl.)* grandparents

**gratte-ciel** *(m.)* skyscraper

**gras(se)** fat

**gratuit(e)** free

grec *( f. grecque)* Greek

**grenier** *(m.)* attic

**grillé(e)** grilled; **pain** *(m.)* **grillé** toast

**grimper** to climb

**grippe** *(f.)* flu

**gris(e)** gray

**gronder** to scold

**grossir** to become fat

**grotte** *(f.)* cave

**groupe** *(m.)* group

**grouper** to group

**guérir** to cure, recover

**guérison** *(f.)* cure, recovery

**guerre** *(f.)* war

**guichet** *(m.)* ticket window

**guillotiner** to behead

**guitare** *(f.)* guitar

**gymnase** *(m.)* gymnasium

**gymnastique** *(f.)* gym, gymnastics

**habiller** to dress; **s' habiller** to get dressed

**habitant(e)** inhabitant

**habiter** to live (in)

**habits** *(m. pl.)* clothes

**habitude** *(f.)* habit; **avoir l'habitude de** to be accustomed to, to be in the habit of; **d'habitude** usually

**habituellement** habitually

***haine** *(f.)* hatred

**haltère** *(m.)* dumbbell

***hasard** *(m.)* chance; **par hasard** by chance

***haut(e)** high; loud *(voice);* **à haute voix** loudly; **au haut (de)** in/at the top (of); **en haut** upstairs

**hériter** to inherit

**héroïne** *(f.)* heroine

***héros** *(m.)* hero

**hésiter** to hesitate

**heure** *(f.)* hour; **une heure** one o'clock; **à l'heure** on time; **à tout à l' heure** see you; **de bonne heure** early

**heureusement** fortunately

**heureux (-euse)** happy
**hexagone** *(m.)* hexagon
***hibou** *(m.)* owl
**hier** yesterday
**hiéroglyphe** *(m.)* hieroglyph
**histoire** *(f.)* story, history
**historique** historical
**hiver** *(m.)* winter
**homme** *(m.)* man
**honnête** honest
**honneur** *(m.)* honor; **tableau**
    *(m.)* **d'honneur** honor roll
**honorer** to honor
***honte** *(f.)* shame; **avoir honte**
    to be ashamed
**hôpital** *(m.)* hospital
**horaire** *(m.)* schedule
**horloge** *(f.)* clock
**horreur** *(f.)* horror
**hors** outside
***hors-d'œuvre** *(m.)* appetizer
**hôte(sse)** host
**hôtel** *(m.)* hôtel
**huile** *(f.)* oil
**huit** eight
**huitième** eighth
**humain(e)** human
**humaniste** *(m./f.)* humanist
**humanité** *(f.)* humanity
**humeur** *(f.)* mood; **de bonne**
    **(mauvaise) humeur** in a
    good (bad) mood
**humide** wet, damp
**humour** *(m.)* humor
**hydraulique** hydraulic
**hydroélectrique** hydroelectric
**hypermarché** *(m.)* large
    supermarket
**hypothèse** *(f.)* hypothesis

**ici** here
**idéal(e)** ideal
**idée** *(f.)* idea
**identifier** to identify
**identité** *(f.)* identity; **carte** *(f.)*
    **d'identité** identification card

**idiot(e)** idiot; **faire l'idiot** to
    act like an idiot
**ignorer** to ignore
**il** he, it; **il y a** there is/are; ago;
    **il n'y a pas de quoi** you're
    welcome
**île** *(f.)* island
**illustration** *(f.)* picture
**illustre** famous
**illustrer** to illustrate
**ils** they
**image** *(f.)* picture
**imaginatif (-ive)** imaginative
**imaginer** to imagine
**immédiat** immédiate
**immédiatement** immediately
**immeuble** *(m.)* apartment
    building
**immortel(le)** immortal
**impératif (-ve)** imperative
**imperméable** *(m.)* raincoat
**impoli(e)** impolite
**importer** to import
**imposer** to impose
**impressionnant(e)** impressive
**impressionner** to impress
**impressionnisme** *(m.)*
    impressionism
**impressionniste** impressionist
**impulsif (-ive)** impulsive
**impulsivement** impulsively
**inaugurer** to inaugurate
**inconnu(e)** unknown
**inconvénient** *(m.)* disadvantage
**incorrectement** incorrectly
**incroyable** incredible
**indéfini(e)** indefinite
**indépendance** *(f.)*
    independence
**indésirable** undesirable
**indigner** to make indignant;
    **s'indigner** to become
    indignant
**indiquer** to indicate
**indiscret** indiscreet
**individu** *(m.)* individual

**individuel(le)** individual
**industrie** *(f.)* industry
**industriel(le)** industrial
**infectieux (-ieuse)** infectious
**infirmier (-ière)** nurse
**influencer** to influence
**informations** *(f pl)* news
**informatique** *(f.)* computer
    science
**ingénieur** *(m.)* engineer
**ingrédient** *(m.)* ingrédient
**injuste** unfair
**innovateur (-trice)** innovator
**innover** to innovate
**inquiet (-ète)** worried
**inquiéter** to worry;
    **s'inquiéter (de)** to worry
    (about)
**inscription** *(f.)* registration
**inscrire** to schedule; **s'incrire**
    to enroll, to register
**inspirer** to inspire
**instable** unstable
**installer** to install; **s'installer**
    to settle down, to set up (shop)
**instantané(e)** instantaneous
**institut** *(m.)* institute
**instructeur (-trice)** teacher
**insulte** *(f.)* insult
**intellectuel(le)** intellectual
**intensité** *(f.)* intensity
**interdire** to prohibit, forbid
**intéressant(e)** interesting
**intéresser** to interest;
    **s'intéresser à** to become
    interested in
**intérieur** internal
**interprète** *(m./f.)* interpréter
**interrogatif (-ve)** interrogative
**interroger** to interrogate,
    question
**interrompre** *(p.p.*
    **interrompu)** to interrupt
**interviewer** to interview
**intime** intimate
**intimidé(e)** intimidated

**intitulé(e)** entitled; called
**introduire** to insert; introduce
**intuitif (-ive)** intuitive
**inutile** useless
**inventer** to invent
**inventeur (-trice)** inventor
**invertébré** *(m.)* invertebrate
**invité(e)** guest
**inviter** to invite
**irresponsable** irresponsible
**irriter** to irritate
**isolé(e)** isolated
**itinéraire** *(m.)* itinerary

**jaloux (-ouse)** jealous
**jamais** never, ever; **jamais de la vie** out of the question; **ne… jamais** never; **à jamais** forever
**jambe** *(f.)* leg
**jambon** *(m.)* ham
**janvier** *(m.)* January
**japonais(e)** Japanese
**jardin** *(m.)* garden
**jardinage** *(m.)* gardening
**jardinier (-ière)** gardener
**jaune** yellow; *(m.)* yolk *(of egg)*
**je** I
**jeter** to throw; **se jeter** to empty *(river)*
**jeu** *(m.)* game; **jeu de cartes** card game; **jeu vidéo** video game
**jeudi** *(m.)* Thursday
**jeune** young
**jeunesse** *(f.) youth*
**joie** *(f.)* joy
**joli(e)** pretty
**joue** *(f.)* cheek
**jouer** to play; **jouer à** to play *(a game / a sport)*; **jouer de** to play *(a musical instrument)*; **se jouer** to be played
**jouet** *(m.)* toy
**joueur (-euse)** player

**joujou** *(m. coll.) (pl* **joujoux)** toy
**jour** *(m.)* day; **jour de congé** day off; **jour férié** legal holiday
**journal** *(m.) (pl.* **-aux)** newspaper; journal; **journal intime** diary
**journaliste** *(m./f.)* journalist
**journée** *(f.)* day
**joyeux (-euse)** joyous
**judiciaire** judicial
**juge** *(m.)* judge
**jugement** *(m.)* judgment
**juger** to judge
**juillet** *(m.)* July
**juin** *(m.)* June
**jumeau** *(pl.* **-aux;** *f.* **jumelle)** twin
**jupe** *(f.)* skirt
**jus** *(m.)* juice
**jusqu;à** until
**juste** fair; right
**juxtaposer** to juxtapose

**kangourou** *(m.)* kangaroo
**karaté** *(m.)* karate; **faire du karaté** to do karate
**kilo, kilogramme** *(m.)* kilogram
**kilomètre** *(m.)* kilometer
**kiosque** *(m.)* kiosk
**klaxon** *(m.)* horn

**la** the; her, it
**là, là-bas** there
**laboratoire** *(m.)* laboratory
**lac** *(m.)* lake
**laid(e)** ugly
**laine** *(f.)* wool
**laisse** *(f.)* leash
**laisser** to leave; + *infinitive* to allow, let
**lait** *(m.)* milk
**laitier (-ière)** dairy

**lampadaire** *(m.)* floor lamp
**lampe** *(f.)* lamp
**lancer** to throw, send out
**langue** *(f.)* language, tongue
**laque** *(f.)* hair spray
**laquelle** *(f.) (pl.* **lesquelles)** which (one)
**large** wide
**lavage** *(m.)* wash
**laver** to wash; **laver la vaisselle** to do the dishes; **machine à laver** washing machine; **se laver** to wash oneself
**le** the; him, it
**leçon** *(f.)* lesson
**lecteur** *(m.)* player *(music);* *(f.* **lectrice)** reader; **lecteur mp3** *(m.)* mp3 player
**lecture** *(f.)* reading
**légendaire** legendary
**léger (-ère)** light *(weight)*
**légèrement** lightly
**législatif (-ve)** legislative
**léguer** to bequeath
**légume** *(m.)* vegetable
**lendemain** *(m.)* next day
**lent(e)** slow
**lentement** slowly
**lequel** which one
**les** the; them, to them
**lesquels (-elles)** which (ones)
**lessive** *(f.)* laundry; **faire la lessive** to do the laundry
**lettre** *(f.)* letter; **boîte** *(f.)* **aux lettres** mailbox; **en toutes lettres** in full
**leur** their; to them
**lever** to raise, lift; **se lever** to get up
**lèvre** *(f.)* lip; **rouge** *(m.)* **à lèvres** lipstick
**libérer** to free
**liberté** *(f.)* freedom, liberty
**librairie** *(f.)* bookstore

**libre (de)** free (to)

**lieu** *(m.)* place; **au lieu (de)** instead (of); **avoir lieu** to take place

**lieue** *(f.)* league

**ligne** *(f.)* line

**limite** *(f.)* limit

**limiter** to limit

**limonade** *(f.)* lemon soda

**lin** *(m.)* linen

**liquide** *(m.)* liquid

**lire** *(p.p.* **lu***)* to read

**liste** *(f.)* list

**lit** *(m.)* bed

**litre** *(m.)* liter

**littéraire** literary

**littérature** *(f.)* literature

**littoral** *(m.)* coast line

**living** *(m.)* living room

**livre** *(f.)* pound; *(m.)* book

**livret** *(m.)* booklet

**locataire** *(m./f.)* tenant

**location** *(f.)* rental

**logement** *(m.)* lodging

**loger** to lodge, stay

**loi** *(f.)* law

**loin (de)** far (from)

**loisir** *(m.)* leisure

**Londres** *(m.)* London

**long(ue)** long; **de long en large** back and forth

**longer** to go along

**longtemps** a long time

**longueur** *(f.)* length

**lorsque** when

**loterie** *(f.)* lottery

**loto** *(m.)* lotto

**louer** to rent

**loup** *(m.)* wolf

**lourd(e)** heavy

**loyal** *(pl.* **-aux***)* loyal

**loyalement** loyally

**loyer** *(m.)* rent

**lui** he, him, to him, her, to her

**lumière** *(f.)* light

**lundi** *(m.)* Monday

**lune** *(f.)* moon

**lunettes** *(f. pl.)* eyeglasses; **lunettes de soleil** sunglasses

**lutter** to fight

**luxe** *(m.)* luxury

**luxueux (-euse)** luxurious

**lycée** *(m.)* high school

**lyrique** lyrical

**M.J.C.** youth center *(see* **maison***)*

**ma** my

**MacDo** *(m.)* McDonald's

**mâcher** to chew

**machine** *(f.)* machine; **machine à écrire** typewriter; **machine à laver** washing machine

**madame** *(f.) (pl.* **mesdames***)* Madam, Mrs.

**mademoiselle** *(f.) (pl.* **mesdemoiselles***)* Miss

**magasin** *(m.)* store; **grand magasin** department store

**magnétisme** *(m.)* magnetism

**magnétoscope** *(m.)* V.C.R.

**magnifique** magnificent

**mai** *(m.)* May

**maigre** thin

**maigrir** to lose weight

**maillot** *(m.)* jersey; **maillot de bain** bathing suit

**main** *(f.)* hand

**maintenant** now

**maire** *(m.)* mayor

**mairie** *(f.)* town hall

**mais** but

**maison** *(f.)* house; **Maison des Jeunes et de la Culture (M.J.C.)** youth center

**maître** *(m.)* master; **maître-nageur** *(m.)* lifeguard

**maîtresse** *(f.)* grade school teacher; mistress

**majeur** of age

**mal** bad(ly); **aller mal** *(health)* to feel poorly; **avoir mal** to have an ache; **mal** *(m.)* **de dents** toothache; **mal du pays** homesickness

**malade** *(m./f.)* patient; *(adj.)* sick

**maladie** *(f.)* illness

**maladroit(e)** clumsy

**malgré** in spite of

**malheureusement** unfortunately

**malheureux (-euse)** unhappy

**malhonnête** dishonest

**malin(e)** clever

**malle** *(f.)* trunk

**maman** *(f.)* mom

**Manche** *(f.)* English Channel

**manger** *to eat*

**manière** *(f.)* manner, way

**manifester** to demonstrate

**mannequin** *(m.)* mannequin, model

**manquer** to be missing, lack

**manteau** *(m.)* coat

**manuel (scolaire)** *(m.)* textbook

**maquillage** *(m.)* makeup

**maquiller** to apply makeup; **se maquiller** to put on one's makeup

**marbre** *(m.)* marble

**marchand(e)** merchant

**marchandise** *(f.)* merchandise

**marche** *(f.)* walking

**marché** *(m.)* market; **bon marché** inexpensive

**marcher** to walk; to work, function

**mardi** *(m.)* Tuesday

**maréchal** *(m.)* marshal

**marée** *(f.)* tide

**marémoteur (-trice)** tidal (energy)

**mari** *(m.)* husband

**mariage** *(m.)* marriage

**marier** to marry; **se marier (avec)** to marry

**marin** *(m.)* sailor

**marionnette** *(f.)* puppet

**Maroc** *(m.)* Morocco

**maroquinerie** *(f.)* leather-goods store

**marque** *(f.)* brand

**marquer** to mark

**marraine** *(f.)* godmother

**marron** brown

**mars** *(m.)* March

**masculin(e)** masculine

**masque** *(m.)* mask

**matelas** *(m.)* mattress

**matériel scolaire** *(m.)* school supplies

**mathématicien(ne)** mathematician

**mathématiques** *(f. pl.)* mathematics

**maths** *(f. pl.)* math

**matière** *(f.)* subject

**matin** *(m.)* morning

**matinée** *(f.)* morning

**mauvais(e)** bad; **faire mauvais** to be bad *(weather)*

**mauve** purple

**maximal(e)** maximum

**me** me, to me

**mécanicien(ne)** mechanic

**mécanisme** *(m.)* mechanism

**méchant(e)** naughty, wicked

**médecin** *(m.)* doctor

**médecine** *(f.)* medicine

**médical(e)** medical

**médicament** *(m.)* medicine

**médiéval(e)** *(pl. -aux)* medieval

**méditer** to meditate

**se méfier (de)** to distrust

**meilleur(e)** best, better

**mélange** *(m.)* mix

**mélanger** to mix

**mélodie** *(f.)* melody

**membre** *(m.)* member

**même** same *(adj.)*; even *(adv.)*; **en même temps** at the same time

**mémoire** *(f.)* memory

**menaçant(e)** threatening

**menacer** to threaten

**ménage** *(m.)* household; **faire le ménage** to do the housework; **femme de ménage** cleaning woman

**ménager (-ère)** household; **travail ménager** housework

**mener** to lead

**mensonge** *(m.)* lie

**mentionner** to mention

**menton** *(m.)* chin

**mer** *(f.)* sea; **au bord de la mer** to/at the seashore; **haute mer** high tide; **basse mer** low tide

**merci** thank you

**mercredi** *(m.)* Wednesday

**mère** *(f.)* mother

**méridional(e)** Southern

**mériter (de)** to deserve (to)

**merveille** *(f.)* marvel, wonder

**merveilleux (-euse)** marvelous

**mes** my

**mesure** *(f.)* measure

**mesurer** to measure

**métallique** metallic

**métallurgie** *(f.)* metallurgy

**météo** *(f.)* weather report

**météorologue** *(m. /f.)* meteorologist, weather forecaster

**méthode** *(f.)* method

**méthodiquement** methodically

**méticuleux (-euse)** meticulous

**métier** *(m.)* job, profession

**mètre** *(m.)* meter

**métrique** metric

**métro** *(m.)* subway

**métropole** *(f.)* metropohs

**mettre** *(pp. **mis**)* to put (on); **mettre la table/le couvert** to set the table; **se mettre à** to begin to; **se mettre en route** to start out; **se mettre en colère** to become angry; **se mettre en rang** to get in line

**meuble** *(m.)* piece of furniture; *(m. pl.)* furniture

**meurtre** *(m.)* murder

**microbiologie** *(f.)* microbiology

**miscroscopique** microscopie

**midi** *(m.)* noon; south (of France)

**mieux** better; **aimer mieux** to prefer; **faire de son mieux** to do one s best; **tant mieux** so much the better

**milieu** *(m.)* center, middle; **au milieu** in the middle

**militaire** military

**mille (mil** *in dates)* (one) thousand

**milliard** *(m.)* billion

**millier** *(m.)* a thousand

**mince** thin

**minerai** *(m.)* ore

**minéral(e)** mineral; **eau** *(f.)* **minérale** mineral water

**ministère** *(m.)* ministry

**ministre** *(m.)* minister; **premier ministre** prime minister

**minuit** *(m.)* midnight

**miroir** *(m.)* mirror

**missionnaire** *(m. /f.)* missionary

**mobile** movable

**mobylette** *(f.)* moped

**mode** *(f.)* style, fashion; **à la mode** in style

**modèle** *(m.)* model
**moderne** modern
**moderniser** to modernize
**moi** I, me
**moindre** least, smallest
**moins** less, minus, least; **au moins** at least; **moins (de)** less, fewer
**mois** *(m.)* month
**moitié** *(f.)* half
**mon** my
**monarchie** *(f.)* monarchy
**monarque** *(m.)* monarch
**monde** *(m.)* world; **tout le monde** everybody; **faire le tour du monde to go** around the world
**mondial(e)** world
**monétaire** monetary
**moniteur (-trice)** counselor
**monnaie** *(f.)* change
**monsieur** *(m.) (pl.* **messieurs)** sir, gentleman, Mr.
**mont** *(m.)* mount
**montagne** *(f.)* mountain
**montagneux (-euse)** mountainous
**monter** to go up, climb; to carry up
**montre** *(f.)* watch
**montrer** to show
**moquer** to mock; **se moquer (de)** to make fun (of)
**moraliste** *(m./f.)* moralist
**morceau** *(m.)* piece
**mort** *(f.)* death
**mort(e)** dead
**mosquée** *(f.)* mosque
**mot** *(m.)* word
**moteur** *(m.)* motor
**moto** *(f)*, **motocyclette** *(f.)* motorcycle
**mouche** *(f.)* fly; **bateau-mouche** *(m.)* sightseeing boat

**mouchoir** *(m.)* handkerchief
**moulin** *(m.)* windmill
**mourir** *(p.p.* **mort)** to die
**mousquetaire** *(m.)* musketeer
**moutarde** *(f.)* mustard
**mouton** *(m.)* sheep
**mouvement** *(m.)* movement
**moyen** *(m.)* means; **moyen de transport** means of transportation
**mur** *(m.)* wall
**musculation** *(f.)* bodybuilding; **faire de la musculation** to do bodybuilding
**musée** *(m.)* museum
**musicien(ne)** musician
**musique** *(f.)* music
**mystérieux (-euse)** mysterious

**n'importe quoi** anything
**n'est-ce pas?** isn't that so?
**nage** *(f.)* swimming
**nager** to swim
**naïf (-ve)** naive
**naissance** *(f.)* birth
**naître** *(p.p.* **né)** to be born
**natal(e)** native
**natation** *(f.)* swimming
**national** *(pl.* **-aux)** national
**nationalité** *(f.)* nationality
**naturaliste** naturalist
**naturel(le)** natural
**naturellement** naturally
**nautique** nautical; **ski nautique** *(m.)* waterskiing
**naval(e)** *(pl.* **navals)** naval
**navire** *(m.)* ship
**né(e)** born
**ne: ne... aucun(e)** not any; **ne... jamais** never; **ne... ni... ni** neither nor; **ne... pas** not; **ne... personne** nobody, no one; **ne... plus** no longer, no more, anymore; **ne... que** only; **ne... rien** nothing

**nécessaire** necessary
**négatif (-ive)** negative
négativement negatively
**négliger** to neglect
**neige** *(f.)* snow; **bonhomme de neige** *(m.)* snowman; **boule de neige** *(f.)* snowball
**neiger** to snow
**nerveux (-euse)** nervous
**net(te)** clean
**nettoyage** *(m.)* cleaning
**nettoyer** to clean
**neuf** nine
**neuf (-ve)** new
**neveu** *(m.)* nephew
**nez** *(m.)* nose
**ni... ni** neither...nor
**niche** *(f.)* kennel; niche
**nièce** *(f.)* niece
**nocturne** night
**Noël** *(m.)* Christmas
**noir(e)** black; *(m.)* darkness; **il fait noir** it is dark
**noisette** *(f.)* hazelnut
**nom** *(m.)* name
**nombre** *(m.)* number
**nombreux (-euse)** numerous
**nommé(e)** named
**non** no
**nord** *(m.)* north
**norme** *(f.)* standard, norm
**Norvège** *(f.)* Norway
**nos** our
**notamment** in particular
**note** *(f.)* note, grade, bill
**noter** to note
**notre** our
**nourrir** to feed
**nourriture** *(f.)* food
**nous** we, us, to us
**nouveau, nouvel** *(f.* **nouvelle)** new; **de nouveau** again
**nouveauté** *(f.)* new thing
**nouvelles** *(f. pl.)* news
**novembre** *(m.)* November

**nuage** *(m.)* cloud
**nucléaire** nuclear
**nuit** *(f.)* night; **table de nuit**
  *(f.)* night table
**numéro** *(m.)* number;
  **numéro de telephone**
  telephone number

**obéir (à)** to obey
**obélisque** *(m.)* obelisk
**objet** *(m.)* object; **bureau** *(m.)*
  **des objets trouvés** lost and
  found
**obligatoire** compulsory
**obliger** to oblige, compel
**observer** to observe
**obtenir** *(p.p.* **obtenu)** to
  obtain, get
**occupé(e)** busy
**occuper** to occupy; **s'occuper**
  **(de)** to take care of, to be
  busy (with)
**océan** *(m.)* ocean
**octobre** *(m.)* October
**odorant(e)** fragrant
**œil** *(m.) (pl.* **yeux)** eye; **coup**
  **d'œil** glance
**œuf** *(m.)* egg
**œuvre** *(f)* work
**officiel(le)** official
**offre** *(m.)* offer
**offrir** *(pp.* **offert)** to offer
**oignon** *(m.)* onion
**oiseau** *(m.)* bird
**omelette** *(f.)* omelet
**omettre** *(pp.* **omis)** to omit
**on** one, we, you, they, people
**oncle** *(m.)* uncle
**ongle** *(m.)* nail
**onze** eleven
**opérateur (-trice)** operator
**opération** *(f.)* operation,
  transaction
**optimiste** optimistic
**or** *(m.)* gold, **en or** (made of)
  gold

**orage** *(m.)* storm
**orangeade** *(f.)* orange soda
**orchestre** *(m.)* orchestra
**ordinaire** ordinary;
  **d'ordinaire** usually
**ordinateur** *(m.)* computer
**ordonner** to order
**ordre** *(m.)* order
**ordures** *(f. pl.)* garbage
**oreille** *(f.)* ear
**organisateur (-trice)** organizer
**organiser** to organize
**orgue** *(m.)* organ
**origine** *(f.)* origin
**orner** to decorate
**orteil** *(m.)* toe
**orthographe** *(f.)* spelling
**oser** to dare
**ôter** to remove, take off
**ou** or
**où** where
**oublier (de)** to forget (to)
**ouest** *(m.)* west
**oui** yes
**ouragan** *(m.)* hurricane
**ours** *(m.)* bear
**outil** *(m.)* tool
**ouverture** *(f.)* opening
**ouvreur (-euse)** usher
**ouvrier (-ière)** factory worker
**ouvrir** *( p.p.* **ouvert)** to open

**paiement** *(m.)* payment
**pain** *(m.)* bread; **pain grillé**
  toast
**pair** *(m.)* peer; **(jeune fille) au**
  **pair** au pair (girl)
**paire** *(f.)* pair
**paix** *(f.)* peace
**palais** *(m.)* palace; **palais de**
  **justice** courthouse
**paléontologie** *(f.)* paleontology
**panne** *(f.)* breakdown; **tomber**
  **en panne** to break down;
  **panne d'électricité** power
  failure

**panoramique** panoramic
**pantalon** *(m.)* pants
**papier** *(m.)* paper
**paquet** *(m.)* package
**par** by, through, per; **par**
  **conséquent** consequently
**parachutisme** *(m.)* parachuting,
  parasailing
**paragraphe** *(m.)* paragraph
**paraître** *( p.p.* **paru)** to seem
**parallèlement** in parallel
**parapluie** *(m.)* umbrella
**parc** *(m.)* park; **parc**
  **d'attractions** amusement
  park
**parce que** because
**parcourir** to cover; to scan
**pardon** *(m.)* pardon;
  **demander pardon** to ask
  for forgiveness
**pardonner** to forgive, excuse
**parenthèse** *(f.)* parenthesis
**paresseux (-euse)** lazy
**parfait(e)** perfect
**parfaitement** perfectly
**parfois** sometimes
**parfum** *(m.)* perfume
**parfumer** to perfume; **se**
  **parfumer** to put on perfume
**parfumerie** *(f.)* perfume shop
**parfumeur (-euse)** perfume
  maker
**parisien(ne)** Parisian
**parlement** *(m.)* parliament
**parler** to speak
**parmi** among
**parole** *(f.)* word; **tenir sa**
  **parole** to keep one's
  promise
**part** *(f.)* part; **prendre part à**
  to take part in
**partager** to share, divide
**parti** *(m.)* party (politics)
**participant(e)** participant
**participer (à)** to participate (in)
**particulier (-ère)** particular

**partie** *(f.)* part; **faire partie de** to belong to

**partiellement** partially

**partir** to leave, go away; **à partir de** from

**partitif** *(m.)* partitive

**partout** everywhere

**parution** *(f.)* publication

**pas** not; **pas du tout** not at all; **pas encore** not yet; **ne... pas** not; **pas de quoi** you're welcome;

**passager (-ère)** passenger

**passant(e)** passerby

**passé(e)** past; **l'année passée** last year

**passe-temps** *(m.)* pastime

**passeport** *(m.)* passport

**passer** to pass; to spend *(time)*; **passer l'aspirateur** to vacuum; **passer un examen** to take a test; **se passer** to happen

**passionnant(e)** intriguing, captivating

**passionner** to fascinate

**pasteurisation** *(f.)* pasteurization

**patienter** to wait

**patin** *(m.)* skate; **patin à glace** ice skate/skating; **patin en ligne** in-line skate; **faire du patin à glace** to go ice skating

**patiner** to skate

**patinoire** *(f.)* skating rink

**pâtisserie** *(f.)* pastry; pastry shop

**pâtissier (-ière)** pastry maker

**patron(ne)** boss; patron saint

**patte** *(f.)* paw

**pâturage** *(m.)* pasture land

**pauvre** poor

**pauvreté** *(f.)* poverty

**payer** to pay ( for); **payer comptant** to pay cash; **payer en espèces/en liquide** to pay in cash

**pays** *(m.)* country; **avoir le mal du pays** to be homesick

**Pays-Bas** *(m.)* Netherlands

**paysage** *(m.)* landscape; scenery

**paysagiste** *(m./f.)* landscape designer

**paysan(ne)** peasant

**peau** *(f )* skin

**pêche** *(f.)* peach; fishing; **aller à la pêche** to go fishing

**pêcher** to fish

**pédagogique** educational

**pédaler** to pedal

**peigne** *(m.)* comb

**peigner** to comb; **se peigner** to comb one's hair

**peindre** *(p.p.* **peint)** to paint

**peine** *(f.)* pain; **valoir la peine** to be worth the effort; **à peine** hardly

**peintre** *(m.)* painter

**peinture** *(f.)* painting

**pèlerinage** *(m.)* pilgrimage

**pelote** *(f.)* ball (of wool)

**pelouse** *(f.)* lawn

**pendant** during; **pendant que** while

**penderie** *(f.)* closet

**pendre** to hang

**pendule** *(f.)* clock

**pensée** *(f.)* thought

**penser** to think; to intend

**péninsule** *(f.)* peninsula

**pensionnaire** *(m./f.)* boarder, guest

**perdre** to lose; **perdre son temps** to waste one's time

**père** *(m.)* father; **père Noël** Santa Claus

**perfectionner** *to improve*

**période** *(f.) period*

**perle** *(f.)* pearl

**permettre** *(p.p.* **permis)** *to* allow, permit

**permis** *(m.)* permit; **permis de conduire** driver's license

**persister (à)** to persist (in)

**personnage** *(m.)* character

**personnalité** *(f.)* personality

**personne** *(f.)* person

**personne (ne)** nobody, no one; **ne... personne** nobody, no one

**personnel(le)** personal

**personnellement** personally

**persuader (de)** to persuade (to)

**peser** to weigh

**peste** *(f.)* plague

**pétanque** *(f.)* bowls (game)

**petit(e)** little, small; **petit(e) ami(e)** *(m./f.)* boy/girl-friend; **petit-fils** *(m.)* grandson; **petite-fille** *(f.)* granddaughter; **petits-enfants** *(m. pl)* grandchildren; **petit déjeuner** *(m.)* breakfast; **petits pois** *(m. pl.)* peas

**pétrole** *(m.)* oil

**peu (de)** little, few; **à peu près** about, approximately; **peu à peu** little by little; **un peu** a little

**peuple** *(m.)* people (of a nation)

**peur** *(f.)* fear; **avoir peur de** to be afraid of; **faire peur** to scare

**peureux (-euse)** fearful

**peut-être** perhaps, maybe

**pharmacie** *(f.)* pharmacy, drugstore

**philosophe** *(m.)* philosopher

**philosophie** *(f.)* philosophy

**photocopie** *(f.)* photocopy

**photocopieur** *(m.)* (or: **photocopieuse**) copying machine

**photographe** *(m. /f.)* photographer

**photographie** *(f.)* photography

**photographier** to photograph

**physicien (-ienne)** physicist

**physiologie** *(f.)* physiology

**physique** *(f.)* physics

**physique** physical; **éducation** *(f.)* **physique** gym

**physiquement** physically

**pièce** *(f.)* play; coin; room

**pied** *(m.)* foot; **aller à pied** to walk, go on foot

**pierre** *(f.)* stone

**piller** to loot

**pilote** *(m.)* pilot

**piloter** to pilot

**pilule** *(f.)* pill

**pin** *(m.)* pine tree

**pionnier (-ière)** pioneer

**pique-nique** *(m.)* picnic

**piquer** to sting

**piqûre** *(f.)* injection

**pire** worse, worst

**pis** worse, worst

**piscine** *(f.)* swimming pool; **piscine couverte** indoor pool

**pittoresque** picturesque

**placard** *(m.)* cabinet, closet, cupboard

**placer** to place, set

**plafond** *(m.)* ceiling

**plage** *(f.)* beach

**plaindre** to pity; **se plaindre** to complain

**plaire (à)** to please; **s'il vous plaît** please

**plaisanter** to joke, kid around

**plaisir** *(m.)* pleasure; **faire plaisir (à)** to please

**plan** *(m.)* map, plan

**planche** *(f.)* board; **planche à voile** windsurf; **faire de la planche à voile** to go windsurfing

**plancher** *(m.)* floor

**planète** *(f.)* planet

**planter** to plant

**plastique** *(m.)* plastic

**plat** *(m.)* dish

**plateau** *(m.)* tray

**plein(e)** full; **plein de** full of; **en plein air** outdoors; **en pleine forme** in good shape; **en plein été** in mid-summer

**pleurer** to cry

**pleuvoir** *(p.p.* **plu)** to rain

**plombier** *(m.)* plumber

**plonger** to plunge, dive

**pluie** *(f.)* rain

**plupart: la plupart (de)** most

**plus (de)** more; **plus tard** later; **de plus** in addition; **le plus** the most; **le plus possible** as much as possible; **ne… plus** no longer, no more, anymore

**plusieurs** several

**pneu** *(m.)* *(pl.* **pneus)** tire

**poche** *(f.)* pocket

**poème** *(m.)* poem

**poésie** *(f.)* poetry

**poète** *(m.)* poet

**poétique** poetic

**poids** *(m.)* weight

**pointillisme** *(m.)* pointillism

**poisson** *(m.)* fish; **poisson rouge** gold fish

**poivre** *(m.)* pepper

**pôle** *(m.)* pôle

**poli(e)** polite

**poliment** politely

**politique** political; *(f.)* politics

**pomme** *(f.)* apple; **pomme de terre** potato

**pompier** *(m.)* fireman

**pont** *(m.)* bridge

**populaire** popular

**porc** *(m.)* pig

**porte** *(f.)* door, gate

**portefeuille** *(m.)* wallet

**porter** to carry; to wear

**portugais(e)** Portuguese

**poser** to place; to ask *(questions)*; **se poser** to come up *(problem)*

**positif (-ve)** positive

**posséder** to possess, own

**possiblement** possibly

**postal(e)** postal; **carte** *(f.)* **postale** postcard; **code** *(m.)* **postal** zip code

**poste** *(f.)* post office; **bureau** *(m.)* **de poste** post office

**poste** *(m.)* job

**poster** to mail

**pot-au-feu** *(m.)* beef stew

**potage** *(m.)* soup

**pou** *(m.)* *(pl.* **poux)** louse

**poubelle** *(f.)* garbage can

**pouce** *(m.)* inch; thumb

**poulet** *(m.)* chicken

**poupée** *(f.)* doll

**pour** for, in order to; **pour que** so that

**pourboire** *(m.)* tip

**pourquoi** why

**pourtant** even so

**pousser** to push; to grow; **pousser un cri** to shout; **pousser un soupir de soulagement** to breathe a sigh of relief

**pouvoir** *(m.)* power; pouvoir exécutif executive power

**pouvoir** *(p.p.* **pu)** to be able to, can

**pratique** practical

**pratiquer** to practice; play *(a sport)*

**précieusement** preciously

**précieux (-euse)** precious, important

**précis(e)** precise; **à deux heures précises** at two o'clock exactly

**précisément** precisely
**précurseur** *(m.)* precursor
**préfecture** *(f.)* prefecture
**préférable** preferable
**préférer** to prefer
**préfet** *(m.)* prefect
**préhistoire** *(f.)* prehistory
**préhistorique** prehistoric
**premier (-ière)** first; **premier
   ministre** *(m.)* prime minister
**prendre** to take *(p.p.* **pris)**;
   **prendre au sérieux** to take
   seriously; **prendre part à** to
   take part in; **prendre soin** to
   take care; **prendre une
   décision** to make a decision
**prénom** *(m.)* given name
**préoccuper** to preoccupy,
   worry
**préparatifs** *(m. pl.)* preparations
**préparer** to prepare; **se
   préparer** to prepare oneself
**près (de)** near; **à peu près**
   about, approximately
**présent** *(m.)* present; **à présent**
   now
**présenter** to introduce; to
   offer; **se présenter** to
   introduce oneself
**préserver** to preserve
**présidence** *(f.)* presidency
**président(e)** president
**presse** *(f.)* press
**pressé(e)** in a hurry
**prêt(e)** ready
**prêtre** *(m.)* priest
**prétendre** to claim
**prêter** to lend
**prévoir** *(p.p.* **prévu)** to foresee
**prier** to pray
**primaire** primary
**princesse** *(f.)* princess
**principal(e)** *(pl.* **-aux)**
   principal, main
**principalement** principally

**principe** *(m.)* principle
**printemps** *(m.)* spring
**prise** *(f.)* taking
**prisonnier (-ière)** prisoner
**privé(e)** private
**privilégier** to privilege
**prix** *(m.)* prize; price
**probabilité** *(f.)* probability
**probablement** probably
**problème** *(m.)* problem
**prochain(e)** next
**proche** nearby
**procéder** to proceed
**proclamer** to proclaim
**producteur (-trice)** producer
**produit** *(m.)* product
**produire** to produce
**professeur** *(m.)* *(coll.* **prof)**
   teacher
**professionnel(le)** professional
**profiter (de)** to profit from
**profiterole** *(f.)* cream puff
   with chocolaté sauce
**profond(e)** profound, deep
**profondément** profoundly
**profondeur** *(f.)* depth
**programme** *(m.)* program,
   platform
**programmeur (-euse)**
   programmer
**progrès** *(m.)* progress
**projet** *(m.)* project
**projeter** to project, plan
**promenade** *(f.)* walk; **faire
   une promenade** to go for a
   walk
**promener** to walk; **se
   promener** to take a walk
**promesse** *(f.)* promise
**promettre (de)** to promise (to)
**promouvoir** to promote
**prononcer** to pronounce; to
   declare
**propos: à propos de** about
**proposer** to propose

**propre** clean, own
**propriétaire** *(m./f.)* owner
**prospérité** *(f.)* prosperity
**protéger** to protect; **se
   protéger** to protect oneself
**protester** to protest
**prouver** to prove
**provençal(e)** from Provence
**provoquer** to cause
**prudemment** prudently
**prune** *(f.)* plum
**psychologie** *(f.)* psychology
**psychologique** pyschological
**public (-que)** public; **en
   public** in public
**public** *(m.)* public, audience
**publicité** *(f.)* publicity
**publier** to publish
**puis** then
**puisque** since
**puissant(e)** powerful
**pull** *(m.)* pullover sweater
**punir** to punish
**pupitre** *(m.)* pupil's desk
**purée** *(f.)* mashed (vegetables)

**quai** *(m.)* pier
**qualifié(e)** qualified
**qualité** *(f.)* quality
**quand** when; **quand même**
   anyway
**quantité** *(f.)* quantity
**quarante** forty
**quart** *(m.)* quarter
**quartier** *(m.)* neighborhood
**quatorze** fourteen
**quatre** four
**quatre-vingt-dix** ninety
**quatre-vingts** eighty
**quatrième** fourth
**que** that, whom, which; what;
   than; **ce que** that which,
   what; **ne... que** only;
   **qu'est-ce que** what
**quel(le)** what, which; what a

**quelqu'un** someone

**quelque** some; **quelques** *(m. /f.pl.)* a few, some

**quelque chose** something

**quelquefois** sometimes

**querelle** *(f.)* quarrel

**qui** who, whom, which, that

**quinze** fifteen

**quitter** to leave

**quoi** what; **(il n'y a) pas de quoi** you're welcome

**quotidien(ne)** daily

**rabais** *(m.)* discount

**raccrocher** to hang up *(phone)*

**racisme** *(m.)* racism

**raconter** to tell; to describe

**radioactivité** *(f.)* radioactivity

**rafraîchissement** *(m.)* refreshment

**ragoût** *(m.)* stew

**raide** straight *(hair)*

**raisin** *(m.)* grape

**raison** *(f.)* reason; **avoir raison** to be right

**raisonnable** reasonable

**rajeunir** to rejuvenate

**ramasser** to pick up

**ramener** to bring back

**randonnée** *(f.)* hike

**rang** *(m.)* row

**ranger** to put away; to put in order, tidy

**rapide** rapid, fast

**rapidement** quickly, rapidly

**rappeler** to recall; **se rappeler** to remember

**rapport** *(m.)* report; **par rapport à** with regard to

**rapporter** to bring back

**raquette** *(f.)* racket

**rarement** rarely

**raser** to shave; **se raser** to shave (oneself)

**rasoir** *(m.)* razor

**rassurer** to reassure

**rater** to fail

**ravi(e)** delighted

**rationnel(le)** rational

**rayon** *(m.)* shelf, department

**rayonner** to radiate

**réagir** to react

**réalisable** feasible

**réaliser** to achieve, realize

**réalisme** *(m.)* realism

**réaliste** *(m./f.)* realist

**réalité** *(f.)* reality

**récemment** recently

**récent(e)** recent

**récepteur** *(m.)* handset, phone, receiver

**réception** *(f.)* reception; receipt

**recette** *(f.)* recipe

**recevoir** *( p.p.* **reçu***)* to receive

**recherche** *(f.)* research

**rechercher** to search

**récit** *(m.)* story

**recommandation** *(f.)* recommendation

**recommander** to recommend

**recommencer** to start over again

**récompense** *(f.)* reward

**réconcilier** to reconcile; **se réconcilier** to make up with

**recouvert(e)** covered

**recruter** to recruit

**rédaction** *(f.)* editing

**redécorer** to redecorate

**redéfinir** to redefine

**réel(le)** real

**refaire** to redo

**refermer** to close again

**réfléchir** to reflect, think

**refléter** to reflect

**réformer** to reform

**réforme** *(f.)* reform

**réfrigérateur** *(m.)* refrigerator

**(se) réfugier** to take refuge

**refuser (de)** to refuse (to)

**regarder** to look at, watch; **se regarder** to look at oneself

**régime** *(m.)* diet; system

**régional(e)** *(pl.* **-aux***)* regional

**registre** *(m.)* register

**règle** *(f.)* rule, ruler

**règlement** *(m.)* rules

**régler** to set, to arrange; **régler un compte** to arrange an account

**régner** to reign

**regretter (de)** to regret (to)

**regrouper** to regroup

**régularité** *(f.)* regularity

**régulièrement** regularly

**reine** *(f.)* queen

**rejeter** to reject

**relation** *(f.)* relationship

**relativité** *(f.)* relativity

**relaxant(e)** relaxing

**relaxer** to relax

**relier** to connect, link

**religieux (-euse)** religious

**remarquable** remarkable

**remarque** *(f.)* remark

**remarquer** to notice

**remède** *(m.)* remedy

**remercier** to thank

**remettre** *(p.p.* **remis***)* to put back; to deliver

**remonter** to go back up; to wind up

**remplaçant(e)** replacement, substitute teacher

**remplacer** to replace

**remplir** to fill

**rencontrer** to meet

**rendre** to give back, return; **rendre malade** to make one sick; **rendre visite (à)** to visit; **se rendre** to go; **se rendre compte (de)** to realize

**renommé(e)** renowned

**renoncer (à)** to give up, renounce

**rénover** to renovate

**renseignements** *(m.pl.)* information

**renseigner** to inform; **se renseigner (sur)** to inquire, get information

**rentrée** *( f.)* return; **rentrée scolaire** return to school

**rentrer** to return

**renverser** to overthrow, capsize

**renvoyer** to send back; to fire

**réorganiser** to reorganize

**répandu(e)** wide-spread

**réparer** to repair

**repartir** to set out again

**répartition** *( f.)* distribution

**repas** *(m.)* meal

**repasser** to iron

**répéter** to repeat

**répétition** *( f.)* rehearsal

**répondeur** *(m.)* answering machine

**répondre (à)** to answer

**réponse** *( f.)* answer

**reportage** *(m.)* news report

**repos** *(m.)* rest

**reposer** to rest; **se reposer** to rest, relax

**reprendre** to take back

**représentant(e)** representative

**représentation** *( f.)* performance *(show)*

**représenter** to represent

**réprimande** *( f.)* reprimand

**république** *( f.)* republic

**réputé(e)** known, reputed

**réseau** *(m.)* network

**réservation** *( f.)* reservation

**réserver** to reserve

**résidence** *( f.)* residence, home

**résigner** to resign; **se résigner (à)** to resign oneself (to)

**résister** to resist

**résoudre** to solve, resolve

**respecter** to respect

**respectueusement** respectfully

**respectueux (-euse)** respectful

**responsabilité** *( f.)* responsibility

**responsable** responsible

**ressembler (à)** to resemble; **se ressembler** to look alike

**restauration** *( f.)* restaurant business; restoration

**restaurer** to restore

**rester** to remain, stay

**résultat** *(m.)* resuit

**rétablir** to restore; **se rétablir** to recover

**retard** *(m.)* lateness; **en retard** late

**retentir** to resound

**retirer** to remove

**retour** *(m.)* return; **de retour** back

**retourner** to return

**retrait** *(m.)* withdrawal

**retraite** *( f.)* retirement; retreat

**retrouver** to find again; **se retrouver** to find oneself

**réussir (à)** to succeed (in), to pass (test)

**rêve** *(m.)* dream

**réveil (-matin)** *(m.)* alarm clock

**réveiller** to awaken; **se réveiller** to wake up

**revendiquer** to demand

**revenir** *(p.p.* **revenu)** to come back

**rêver (de)** to dream (of)

**revoir** *(p.p.* **revu)** to see again; **au revoir** goodbye

**révolte** *( f.)* revolt

**révolution** *( f.)* revolution

**révolutionner** to revolutionize

**révoquer** to revoke

**revue** *( f.)* magazine

**rez-de-chaussée** *(m.)* ground floor

**Rhin** *(m.)* Rhine

**riche** rich

**richesse** *( f.)* wealth

**rideau** *(m.) (pl.* **-aux)** curtain

**ridicule** ridiculous

**rien** nothing; **de rien** you're welcome; **ne... rien** nothing

**rire** to laugh; **éclater de rire** to burst out laughing

**risque** *(m.)* risk

**risquer (de)** to risk

**rive** *( f.)* bank

**rivière** *( f.)* river

**riz** *(m.)* rice

**robe** *( f.)* dress; **robe à volants** dress with ruffles; **robe de chambre** bathrobe

**robuste** robust, strong

**rocher** *(m.)* rock

**roi** *(m.)* king

**rôle** *(m.)* role

**romain(e)** Roman

**roman** *(m.)* novel; **roman policier** detective story

**romancier (-ière)** novelist

**romantique** romantic

**romantisme** *(m.)* romanticism

**rompre** to break

**rond(e)** round

**ronde** *( f.)* round

**rose** pink

**rôtir** to roast

**roue** *( f.)* wheel

**rouge** *(m.)* red; **rouge à lèvres** lipstick

**rougir** to blush

**rouler** to roll (along)

**roumain(e)** Romanian

**route** *( f.)* road, route; **en route** on the way; **se mettre en route** to start out

**routier (-ère)** *(adj.)* road

**roux** *( f.* **rousse)** red *(hair)*

**royaume** *(m.)* kingdom

**rubrique** *( f.)* column *(newspaper)*

**rue** *( f.)* street

**ruer** to kick

**ruiner** to bankrupt; ruin

**ruisseau** *(m.)* stream

**sa** his, her

**sable** *(m.)* sand

**sabot** *(m.)* clog

**sac** *(m.)* bag, sack, pocketbook; **sac à dos** backpack; **sac de couchage** sleeping bag

**sage** wise; well-behaved

**Saint-Valentin** *(m.)* Valentine's Day

**saisir** to seize, grab

**saison** *(f.)* season

**sale** dirty

**salle** *(f.)* room; **salle à manger** dining room; **salle de bains** bathroom; **salle de classe** classroom; **salle de récréation** playroom; **salle de séjour** living room

**salon** *(m.)* living room, lounge; **salon de coiffure** beauty parlor

**saluer** to greet

**salut** hi

**samedi** *(m.)* Saturday

**sans** without

**santé** *(f.)* health

**satirique** satirical

**satiriste** *(m./f.)* satirist

**saucisse** *(f.)* sausage

**saucisson** *(m.)* dry sausage

**sauf** except

**saut** *(m.)* jump; **saut en chute libre** skydiving

**sauter** to jump; **sauter à la corde** to jump rope

**sauvage** savage, wild

**sauver** to save; **se sauver** to run away

**savane** *(f.)* savanna

**savant(e)** scientist

**savoir** *( p.p.* **su)** to know (how to)

**savourer** to savour, relish, enjoy

**scénariste** *(m./f.)* scriptwriter

**scientifique** scientific

**scolaire** school; **matériel** *(m.)* **scolaire** school supplies; **rentrée** *(f.)* **scolaire** return to school

**scolarité** *(f.)* schooling

**sculpter** to sculpt

**sculpteur (-trice)** sculptor

**se** (to) himself, (to) herself, (to) oneself, (to) themselves

**sec** *( f.* **sèche)** dry

**sèche-linge** *(m.)* dryer

**secondaire** secondary

**seconde** *(f.)* second

**secret (-ète)** secret

**secrétaire** *(m./f.)* secretary

**secrètement** secretly

**sécurité** *(f.)* security; **sécurité sociale** social security

**seize** sixteen

**séjour** *(m.)* stay; family room; **salle** *( f.)* **de séjour** family room

**séjourner** to stay

**sel** *(m.)* salt

**selon** according to

**semaine** *(f.)* week

**sembler** to seem

**semestre** *(m.)* semester

**sénat** *(m.)* senate

**sénateur** *(m.)* senator

**sensationnel(le)** sensational

**sensibilité** *(f.)* sensitivity

**sentiment** *(m.)* feeling

**sentir** to feel, smell; **se sentir** to feel

**séparer** to separate

**sept** seven

**septembre** *(m.)* September

**série** *(f.)* series

**sérieusement** seriously

**sérieux (-euse)** serious; **prendre au sérieux** to take seriously

**serpent** *(m.)* snake

**serveur (-euse)** waiter/waitress

**serviette** *( f.)* briefcase; napkin; towel

**servir (de)** to serve (as); **se servir de** to use

**ses** his, her

**seul(e)** only, single, alone

**seulement** only

**sévère** strict

**sévèrement** severely, strictly

**sexe** *(m.)* sex

**si** if; yes; so

**siècle** *(m.)* century

**siège** *(m.)* siege; seat

**sieste** *(f.)* nap; **faire la sieste** to take a nap

**siffler** to whistle

**signer** to sign

**simplifier** to simplify

**simultanément** simultaneously

**sincère** sincere

**sincèrement** sincerely

**singe** *(m.)* monkey

**sirène** *(f.)* siren

**situé(e)** situated

**sixième** sixth

**ski** *(m.)* ski; **ski nautique** waterskiing; **faire du ski** to go skiing

**skier** to ski

**société** *(f.)* company; society

**sociologie** *(f.)* sociology

**sœur** *(f.)* sister

**soie** *(f.)* silk

**soif** *( f.)* thirst; **avoir soif** to be thirsty

**soigné(e)** neat

**soigneux (-euse)** careful

**soin** *(m.)* care; **prendre soin (de)** to take care (of)

**soir** *(m.)* evening

**soirée** *(f.)* evening, evening party

**soixante** sixty

**soixante-dix** seventy

**sol** *(m.)* ground

**solaire** sun

**soldat** *(m.)* soldier

**soleil** *(m.)* sun; **coucher** *(m.)* **de soleil** sunset; **coup** *(m.)* **de soleil** sunburn; **lunettes** *( f.)* **de soleil** sunglasses; **faire du soleil** to be sunny

**solide** solid

**soliste** *(m. /f.)* soloist

**sombre** dark

**somme** *( f.)* sum

**sommeil** *(m.)* sleep; **avoir sommeil** to be sleepy

**sommet** *(m.)* summit, top

**son** *(m.)* sound

**son** his, her

**sondage** *(m.)* survey

**songer (à)** to think (of)

**sonner** to ring

**sophistiqué(e)** sophisticated

**sorcellerie** *( f.)* witchcraft

**sorte** *( f.)* sort, type; **en sorte que** so that

**sortie** *( f.)* outing; exit

**sortir** to go out

**souci** *(m.)* care, worry

**soudain(e)** sudden, *(adv.)* suddenly

**soudainement** suddenly

**souffler** to blow

**souffrir** *(p.p.* **souffert)** to suffer

**souhaiter** to wish

**soulagement** *(m.)* relief

**soulier** *(m.)* shoe

**soupe** *( f.)* soup

**soupir** *(m.)* sigh; **pousser un soupir de soulagement** to breathe a sigh of relief

**soupirer** to sigh

**sourire** *(m.)* smile

**sourire** to smile

**souris** *( f.)* mouse

**sous** under

**souscription** *( f.)* subscription

**sous-sol** *(m.)* basement

**souterrain** underground

**se souvenir de** to remember

**souvent** often

**spatial(e)** space

**spécial** *(pl.* **-aux)** special

**se spécialiser (en)** to specialize (in)

**spécialiste** *(m. /f.)* specialist

**spécialité** *( f.)* specialty

**spécifique** specific

**spectacle** *(m.)* show

**spectaculaire** spectacular

**spectateur (-trice)** spectator

**spirituel(le)** spiritual; witty

**splendide** splendid

**spontanément** spontaneously

**sport** *(m.)* sport; **voiture de sport** sports car; **faire du sport** to play sports

**sportif (-ive)** sports, athletic

**squelettique** emaciated

**stabilité** *( f.)** stability

**stade** *(m.)* stadium

**stage** *(m.)* training course

**standardiste** *(m. /f.)* switchboard operator

**station** *( f.)* station; **station balnéaire** seaside resort; **station de ski** ski resort

**station-service** *( f.)* gas station

**stationné(e)** parked

**statut** *(m.)* status

**stop** *(m.)* stop sign

**store** *(m.)* shade, blind

**stratège** *(m.)* strategist

**stratégie** *( f.)* strategy

**studieux (-euse)** studious

**stupéfait(e)** stupefied

**stupide** stupid

**stupidement** stupidly

**stylo** *(m.)* pen

**subventionner** to subsidize

**succès** *(m.)* success

**successeur** *(m.)* successor

**sucre** *(m.)* sugar

**sud** *(m.)* south

**suffire** to be enough

**suffisant(e)** sufficient

**suffrage** *(m.)* vote

**suggérer** to suggest

**Suisse** *( f.)* Switzerland; *(adj.)* Swiss

**suite** *( f.)* continuation; **à la suite** following

**suivant(e)** following

**suivre** *(p.p.* **suivi)** to follow

**sujet** *(m.)* subject; **au sujet de** about

**superbe** superb

**superficie** *( f.)* area, surface

**supérieur(e)** superior

**supermarché** *(m.)* supermarket

**supersonique** supersonic

**superstitieux (-euse)** superstitious

**supplément** *(m.)* supplement

**supporter** to tolerate

**suprême** supreme

**sur** on, upon

**sûr(e)** sure; **bien sûr** of course

**sûrement** surely

**surnommé(e)** nicknamed

**surprenant(e)** surprising

**surprendre** *(p.p.* **surpris)** to surprise

**surréaliste** surrealist(ic)

**surtout** especially

**surveiller** to watch

**survêtement** *(m.)* tracksuit

**survoler** to fly over

**symbole** *(m.)* symbol

**symbolique** symbolic

**sympathique** likable, nice

**symphonie** *( f.)* symphony

**synthèse** *( f.)* synthesis

**système** *(m.)* system

**ta** your

**tableau** *(m.)* chalkboard; painting; **tableau**

**d'honneur** honor roll

**tailleur** *(m.)* suit *(woman's)*; tailor

**talentueux (-euse)** talented

**tandis que** while

**tant** so much/many; **tant mieux** so much the better; **tant pis** too bad

**tante** *(f.)* aunt

**tapis** *(m.)* rug

**tard** late; plus tard later

**tarif** *(m.)* rate

**tarte** *(f.)* pie

**tasse** *(f.)* cup

**taux** *(m.)* rate; **taux d'intérêt** interest rate

**te** you, to you

**technicien (ne)** technician

**technique** technical

**technologie** *(f.)* technology

**tel(le)** such

**télécarte** *(f.)* phone card

**télégramme** *(m.)* telegram

**téléphone** *(m.)* telephone; **coup de téléphone** telephone call; **numéro de téléphone** telephone number

**téléphoner** to phone

**tellement** so

**témoin** *(m.)* witness

**tempéré(e)** temperate

**temporaire** temporary

**temps** *(m.)* time; weather; **emploi du temps** schedule, program; **de temps à autre/de temps en temps** from time to time; **en même temps** at the same time; **perdre son temps** to waste one's time; **tout le temps** all the time

**tendresse** *(f.)* tenderness

**tenir** to hold; **tenir sa parole** to keep one's promise

**tennis** *(m.)* tennis; tennis shoe

**tente** *(f.)* tent

**terme** *(m.)* end

**terminer** to end

**terrain** *(m.)* field

**terrasse** *(f.)* terrace

**terre** *(f.)* earth, land; **par terre** on the ground

**terreur** *(f.)* terror

**territoire** *(m.)* territory

**tes** your

**tête** *(f.)* head

**texte** *(m.)* text

**thé** *(m.)* tea

**théâtre** *(m.)* theater

**théière** *(f.)* teapot

**thème** *(m.)* theme

**théoricien** *(m.)* (ne) theoretician

**théorie** *(f.)* theory

**thermochimie** *(f.)* thermochemistry

**thermomètre** *(m.)* thermometer

**timbre** *(m.)* stamp

**timide** shy

**tirage** *(m.)* drawing

**tirer** to pull, stick out

**tiroir** *(m.)* drawer

**tissu** *(m.)* material

**titre** *(m.)* title; **les (gros) titres** headlines

**toi** you

**toilettes** *(f. pl)* toilet

**toit** *(m.)* roof

**tomate** *(f.)* tomato

**tombe** *(f.)* grave

**tombeau** *(m.)* tomb

**tomber** to fall; **tomber amoureux (-euse)** to fall in love; **tomber en panne** to break down

**ton** your

**tondre** to mow

**tonnerre** *(m.)* thunder; **coup** *(m.)* **de tonnerre** thunderclap

**topologie** *(f.)* topology

**tort** *(m.)* fault; **avoir tort** to be wrong

**tôt** early; soon

**toucher** to touch; **toucher un chèque** to cash a check

**toujours** always, still

**tour** *(f.)* tower

**tour** *(m.)* tour; **faire le tour du monde** to go around the world

**tourisme** *(m.)* tourism

**touriste** *(m./f.)* tourist

**touristique** tourist

**tourner** to turn

**tournesol** *(m.)* sunflower

**Toussaint** *(f.)* All Saint's Day

**tousser** to cough

**tout(e)** *(m.pl.* **tous***)* all; every(thing); *(adv.)* very, quite; **à tout à l'heure** see you later; **à tout prix** at all cost; **tous les deux** both; **tous les jours** every day; **tout à coup** suddenly; **tout à fait** entirely; **tout d'un coup** suddenly; **tout de suite** immediately; **tout droit** straight ahead; **tout le monde** everybody; **tout le temps** all the time

**toutefois** however

**toux** *(f.)* cough

**traditionalisme** *(m.)* traditionalism

**traditionnel(le)** traditional

**traduire** *(p.p.* **traduit***)* to translate

**tragédie** *(f.)* tragedy

**trahir** to betray

**train** *(m.)* train; **être en train de** to be in the process of

**traité** *(m.)* treaty

**traitement** *(m.)* treatment; **traitement de texte** word processing

**traiter** to treat
**traiteur** *(m.)* caterer
**trajet** *(m.)* journey
**tramway** *(m.)* streetcar
**tranche** *(f.)* slice
**tranquille** quiet, calm; **laisser
... tranquille** leave ... alone
**tranquillement** calmly
**transatlantique** transatlantic
**transformer** to transform
**transport** *(m.)* transportation;
  **moyen de transport** *(m.)*
  means of transportation
**transporter** to transport
**travail** *(m.) (pl. -aux)* work;
  **travaux manuels** *(m. pl.)*
  shop, arts & crafts; **travaux
  ménagers** housework
**travailler** to work
**travailleur (-euse)**
  hard-working
**travers: à travers** across,
  through
**traversée** *(f.)* crossing
**traverser** to cross
**treize** thirteen
**trente** thirty
**très** very
**tri** *(m.)* selection
**tribu** *(f.)* tribe
**tribunal** *(m.)* court of justice
**tricolore** three-colored
**tricoter** to knit
**triste** sad
**tristement** sadly
**tristesse** *(f.)* sadness
**trois** three
**tromper** to deceive; **se
  tromper** to make a mistake
**trompette** *(f.)* trumpet
**trône** *(m.)* throne
**trop (de)** too; too many, too
  much
**trophée** *(m.)* trophy
**trotter** to trot

**trou** *(m.)* hole
**troubler** to disturb
**trouver** to find; **se trouver** to
  be (found)
**tu** you
**tuer** to kill
**Tunisie** *(f.)* Tunisia
**typique** typical
**tyrannie** *(f.)* tyranny

**un(e)** a, an, one
**unique** only, single, unique
**uniquement** only
**unir** to unite
**unité** *(f.)* unit
**universel(le)** universal
**universitaire** ( from a)
  university
**université** *(f.)* university
**urgence** *(f.)* emergency
**usage** *(m.)* use
**usé(e)** worn
**usine** *(f.)* factory
**utile** useful
**utiliser** to use

**va** *see* **aller**
**vacances** *(f. pl.)* vacation;
  **colonie** *(f.)* **de vacances**
  camp
**vaccin** *(m.)* vaccine
**vache** *(f.)* cow
**vaisseau** *(m.)* vessel
**vaisselle** *(f.)* dishes; **faire / laver
  la vaisselle** to do the dishes
**valable** valid
**valeur** *(f.)* value, stock
**valide** healthy, ambulatory
**valise** *(f.)* suitcase
**vallée** *(f.)* valley
**valoir** to be worth; **valoir la
  peine** to be worth the
  effort; **valoir mieux** to be
  better
**valse** *(f.)* waltz

**vanter** to praise; **se vanter
  (de)** to boast (of)
**varié(e)** varied
**variété** *(f.)* variety
**vaste** vast
**vaut** *see* **valoir**
**vedette** *(f.)* star
**végétarien(ne)** vegetarian
**véhicule** *(m.)* vehicule
**veille** *(f)* eve
**vélo** *(m.)* bicycle
**vendeur (-euse)** salesperson
**vendre** to sell
**vendredi** *(m.)* Friday
**venir** *(p.p.* **venu)** to come;
  **venir de** to have just
**vent** *(m.)* wind; **faire du vent**
  to be windy
**verbe** *(m.)* verb
**vérifier** to check
**véritable** real, true
**vérité** *(f.)* truth
**verre** *(m.)* glass
**vers** *(m.)* line, verse
**vers** towards
**versement** *(m.)* deposit
**vert(e)** green; **haricots verts**
  *(m. pl.)* string beans; **plante**
  *(f.)* **verte** potted plant
**vertébré** *(m.)* vertebrate
**vertige** *(m.)* dizziness; **avoir le
  vertige** to be dizzy
**veste** *(f.)* jacket
**veston** *(m.)* jacket *(man's)*
**vêtements** *(m. pl.)* clothes;
  **vêtements de sport** sport
  clothes
**vêtu(e)** dressed
**veut** *see* vouloir
**viande** *(f.)* meat
**vice-président(e)**
  vice-president
**victime** *(f.)* victim
**victoire** *(f.)* victory
**victorieux (-euse)** victorious

**vide** empty

**vidéocassette** *( f.)* videocassette

**vider** to empty

**vie** *( f.)* life

**vieille** *( f.)* old woman

**vieillesse** *( f.)* old age

**vieux** *(m.)* old man

**vieux, vieil,** *( f.* vieille) old

**vif (–ive)** lively

**vigne** *( f.)* vine

**ville** *( f.)* city; **en ville** downtown

**vin** *(m.)* wine

**vingt** twenty

**vingtième** twentieth

**violon** *(m.)* violin

**virement** *(m.)* transfer

**virgule** *( f.)* comma

**virtuose** *(m. /f.)* virtuoso

**vis-à-vis** towards

**visage** *(m.)* face

**viser** to aim

**visite** *( f.)* visit; **faire une visite, rendre visite à** to visit

**visuel(le)** visual

**vitamine** *( f.)* vitamin

**vite** rapidly, quickly

**vitesse** *( f.)* speed; **à toute vitesse** very fast; **en vitesse** speedily

**vitrail** *(m.)* *(pl.* **vitraux)** stained-glass window

**vivant(e)** alive

**vivre** *(p.p.* **vécu)** to live

**vocabulaire** *(m.)* vocabulary

**vœu** *(m.)* *(pl.* **vœux)** vow, wish

**voici** here!, here is/are

**voie** *( f.)* track

**voilà** there!, there is/are

**voile** *( f.)* sail; **bateau** *(m.)* **à voile** sailboat; **faire de la voile** to sail

**voir** *(p.p.* **vu)** to see

**voisin(e)** neighbor

**voiture** *( f.)* car; **voiture de sport** sports car; **aller en voiture** to go by car

**voix** *( f.)* voice; **à haute voix/à voix haute** out loud; **à voix basse** in a low voice

**vol** *(m.)* flight; theft

**volaille** *( f.)* poultry

**volcan** *(m.)* volcano

**volcanique** volcanic

**voler** to fly; to steal

**voleur** *(m.)* robber

**volley-ball** *(m.)* volleyball

**vos** your

**voter** to vote

**votre** your

**vouloir** *( p.p.* **voulu)** to want; **vouloir dire** to mean

**vous** you, to you

**voyage** *(m.)* trip, voyage; **agence** *( f.)* **de voyages** travel agency; **chèque** *(m.)* **de voyage** traveler's check; **faire un voyage** to take a trip

**voyager** to travel

**voyageur (–euse)** traveler

**vrai(e)** true, real

**vraiment** truly, really

**vue** *( f.)* view

**week-end** *(m.)* weekend

**y** to it/them, in it/them, on it/them; there; **il y a** there is

**yeux** *(m. pl)* *(sing.* **œil)** eyes

**yogourt** *(m.)* yogurt

**zèbre** *(m.)* zebra

**zéro** *(m.)* zero

# English-French Vocabulary

The English-French vocabulary include those words that occur in the English to French translation exercises.

## ABBREVIATIONS

| | | | |
|---|---|---|---|
| *(adj.)* | adjective | *(m.)* | masculine |
| *(adv.)* | adverb | *(p.p.)* | past participle |
| *(f.)* | feminine | *(pl.)* | plural |
| *(inf.)* | infinitive | *(v.)* | verb |

**a(n)** un(e)

**a.m.** du matin

**able: to be able (to)** pouvoir + *inf.*

**about** à peu près; de

**accompany** accompagner

**according to** selon, d'après

**across** à travers

**adore** adorer

**advance: in advance** à l'avance; en avance

**advise** conseiller

**after** après

**afternoon** après-midi *(m.);* **in the afternoon** l'après-midi

**afterward(s)** après

**again** de nouveau

age âge *(m.)*

**(by) air mail** par avion

**airplane** avion *(m.)*

**airport** aéroport *(m.)*

**alarm clock** réveil *(m.)*

**all** tout(e) *(m. pl.* tous); **all evening** toute la soirée; **all the time** tout le temps

**allow** permettre

**almost** presque

**also** aussi

**always** toujours

**ambition** ambition *(f.)*

**ambitious** ambitieux (-euse)

**American** américain(e)

**amusing** amusant(e)

**ancient** ancien(ne)

**and** et

**angry** fâché(e)

**animal** animal *(m.) (pl.* -aux)

**anniversary (wedding)** anniversaire *(m.)* de mariage

**announce** annoncer

**another** un autre *(m.)*

**answer** réponse *(f.); (v.)* répondre (à)

**any** de

**anybody** ne… personne

**anymore** ne… plus

**anyone** quelqu'un; ne… personne

**anything** ne… rien

**appear** apparaître, avoir l'air

**April** avril *(m.)*

**arrive** arriver

**as** comme; **as … as** aussi… que; **as much … as** autant de… que

**ask ( for)** demander

**at** à; **at home** à la maison

**athletic** sportif (-ive)

**attend** assister à, aller à

**attentive** attentif (-ive)

**aunt** tante *(f.)*

**autumn** automne *(m.)*

**baby** bébé *(m.)*

**back: be / come back** revenir; **go back** retourner

**bag** sac *(m.)*

**balloon** ballon *(m.)*

**banana** banane *(f.)*

**band** orchestre *(m.)*

**bank** banque *(f.)*

**be** être; **to be … years old** avoir… ans; **be able** pouvoir; **be in the middle of** être en train de

**beautiful** beau, bel *(f.* belle)

**because** parce que

**become** devenir; **become fat** grossir

**before** avant (de + *inf.*)

**begin** commencer

**beginning** commencement *(m.)*

**bell** cloche *(f.)*

**best** meilleur(e); **do one's best** faire de son micux

**better** mieux, meilleur(e); **so much the better** tant mieux

**between** entre

**bicycle** bicyclette *(f.),* vélo *(m.)*

**big** grand(e)

**bird** oiseau *(m.)*

**birthday** anniversaire *(m.)*

**black** noir(e)

**blond** blond(e)

**blue** bleu(e)

**boat** bateau *(m.)*; **sailboat** bateau à voiles

**book** livre *(m.)*

**booth** *(telephone)* cabine *(f.)* téléphonique

**bore** ennuyer; **become bored** s'ennuyer

**born: to be born** naître *(p.p. né)*

**borrow** emprunter (à)

**boss** patron(ne)

**bother** ennuyer

**bowl** bol *(m.)*

**box** boîte *(f.)*

**boy** garçon *(m.)*

**break** casser

**breakfast** petit déjeuner *(m.)*

**bring** *(a person)* amener; *(a thing)* apporter

**brother** frère *(m.)*

**brown** brun(e), châtain

**brush** brosser; **brush (oneself)** se brosser

**build** bâtir

**bus** bus *(m.)*, autobus *(m.)*

**but** mais

**buy** acheter

**by** à, en, par; **by bus** en bus

**café** café *(m.)*

**cake** gâteau *(m.)*

**call** appeler; *(phone)* téléphoner (à)

**camera** appareil-photo *(m.)*

**camp** camp *(m.)*; colonie *(f.)* de vacances; *(v.)* camper

**can** pouvoir

**car** voiture *(f.)* automobile *(f.)*; **sports car** voiture de sport

**card** carte *(f.)*; **postcard** carte postale

**career** carrière *(f.)*

**castle** château *(m.) (pl.* x), palais *(m.)*

**CD** disque compact *(m.)*

**celebrate** célébrer, fêter

**certain** certain(e), sûr(e)

**charming** charmant(e)

**chat** bavarder

**check** chèque *(m.)*; **check book** carnet *(m.)* de chèques; **traveler's check** chèque de voyage

**cheese** fromage *(m.)*

**chew** mâcher

**chewing gum** chewing-gum *(m.)*

**child** enfant *(m. /f.)*

**chocolate** chocolat *(m.)*; **chocolate mousse** mousse *(f.)* au chocolat; **chocolate cake** gâteau *(m.)* au chocolat; **hot chocolate** chocolat

**choose** choisir

**city** ville *(f.)*

**civilization** civilisation *(f.)*

**class** classe *(f.)*

**clean** *(v.)* nettoyer; *(adj.)* propre

**clear** *(v.)* débarrasser; *(adj.)* clair(e)

**college** université *(f.)*

**come** venir; **come along** venir; **come back** revenir; **come home** rentrer (à la maison)

**commerce** commerce *(m.)*

**complete** finir

**computer** ordinateur *(m.)*

**computer science** informatique *(f.)*

**concert** concert *(m.)*; **rock concert** concert de rock

**confide** se confier à

**conscientious** consciencieux (-euse)

**conscientiously** consciencieusement

**continue** continuer (à)

**contrary** contraire *(m.)*; **on the contrary** au contraire

**cook** cuisiner, faire la cuisine

**cook** cuisinier (-ière)

**cooking** cuisine *(f.)*

**cooperate** coopérer

**cost** coûter

**costume** costume *(m.)*; **costume party** bal costumé *(m.)*

**country** campagne *(f.)*; pays *(m.)*

**cousin** cousin(e)

**cure** guérir

**customer** client(e)

**D.J.** disc-jockey *(m.)*

**dance** danser

**dangerous** dangereux (-euse)

**daughter** fille *(f.)*

**day** jour *(m.)*; journée *(f.)*; **every day** tous les jours

**decide** décider (de)

**decorate** décorer

**delicious** délicieux (-ieuse)

**delighted** ravi(e)

**department** département *(m.)*

**deserve** mériter

**desire** désir *(m.)*; *(v.)* désirer, avoir envie de

**diet** régime *(m.)*; **to go on a diet** se mettre au régime

**different** différent(e)

**dinner** dîner *(m.)*; **eat dinner** dîner

**diploma** diplôme *(m.)*

**director** directeur (-trice)

**discotheque** discothèque *(f.)*

**discuss** discuter (de)

**disguise** déguiser; **disguise oneself** se déguiser en

**dish** plat *(m.)*; **wash/do the dishes** faire la vaisselle

**disobey** désobéir

**do** faire

**doctor** docteur *(m.)*, médecin *(m.)*

**dog** chien(ne)

**dollar** dollar *(m.)*

**door** porte *(f.)*

**doubt: no doubt** sans doute

**doubtful** douteux (-euse)

**downtown** en ville

**dress** habiller; **dress (oneself)** s'habiller

**drink** boisson *(f.)*;*(v.)* boire

**drive** conduire

**during** pendant, durant

**each** chaque

**early** de bonne heure, tôt

**earn** gagner

**eat** manger; **eat dinner** dîner

**eclair** éclair *(m.)*

**economy** économie *(f.)*

**eight** huit

**eighteen** dix-huit

**eighteenth** dix-huitième

**eighty** quatre-vingt(s)

**eighty-three** quatre-vingt-trois

**either** non plus

**elegant** élégant(e)

**eleven** onze

**embarrass** embarasser

**employee** employé(e)

**end** fin *(f.)*; **at the end** à la fin

**engineer** ingénieur

**England** Angleterre *(f.)*

**English** anglais *(m.)*

**enough** assez (de)

**escape** échapper à, s'échapper

**especially** surtout

**Europe** Europe *(f.)*

**even** même

**evening** soir *(m.)*, nuit *(f.)*; **in the evening** le soir

**every** chaque; tout (tous, toute, toutes); **every day** tous les jours

**everybody** tout le monde *(m.)*

**everyone** tout le monde *(m.)*

**excited** excité (e)

**expect** s'attendre à

**expensive** cher *(f.* chère)

**extraordinary** extraordinaire

**eye** œil *(m.) (pl.* yeux)

**factory worker** ouvrier (-ère) des usines

**fall** tomber

**family** famille *(f.)*

**famous** célèbre, fameux (-euse), renommé(e)

**farmer** fermier (-ère)

**fat** gros(se); **become/get fat** grossir

**father** père *(m.)*

**favorite** favori(te), préféré(e)

**February** février *(m.)*

**feed** nourrir

**fewer** moins de

**fifteen** quinze

**fifth** cinquième

**fifty** cinquante

**finally** finalement, enfin

**find** trouver

**finish** finir, achever

**fireplace** cheminée *(f.)*

**first** premier (-ère)

**fish** poisson *(m.)*; *(v.)* pêcher, aller à la pêche

**five** cinq

**fix** réparer

**flight** vol *(m.)*

**flower** fleur *(f.)*

**food** nourriture *(f.)*, aliments *(m. pl.)*

**for** depuis, pendant, pour

**forbid** interdire, défendre

**foreign** étranger (-ère)

**forget** oublier

**forgiveness** pardon *(m.)*

**fortunately** heureusement

**fortieth** quarantième

**forty** quarante

**four** quatre

**fourteen** quatorze

**France** France *(f.)*

**freeze** geler

**French** français(e)

**fresh** frais *(f.* fraîche)

**Friday** vendredi *(m.)*

**friend** ami *(m.)*, copain *(m.) (f.* copine), camarade *(m. /f.)*

**friendly** amical(e), aimable

**from (the)** de, du, de la, de l', des

**fruit** fruit *(m.)*; **fruit store** fruiterie *(f.)*

**fun** amusement *(m.)*; **have fun** s'amuser

**funny** drôle, amusant

**game** jeu *(m.)*, match *(m.)*

**gas(oline)** essence *(f.)*; **gas station** station-service *(f.)*

**generally** généralement, d'habitude

**generous** généreux (-euse)

**get up** se lever; **get dressed** s'habiller; **get fat** grossir; **get used to** s'habituer à

**gift** cadeau *(m.)*

**girl** fille *(f.)*

**girlfriend** petite amie *(f.)*

**give** donner; **give back** rendre

**glass** verre *(m.)*

**go** aller; **go back home** rentrer; **go camping** faire du camping; **go down** descendre; **go out** sortir; **go upstairs** monter

**good** bon(ne); **good luck** bonne chance; **have a good time** s'amuser; **a good deal** bien des/beaucoup

**good-bye** au revoir

**governor** gouverneur *(m.)*

**grade** note *(f.)*

**grandfather** grand-père *(m.)*

**grandmother** grand-mère *(f.)*

**grandparents** *(m.pl.)* grands-parents

**great** formidable, grand

**group** groupe *(m.)*
**guide** guide *(m.)*
**guitar** guitare *(f.)*
**gum** chewing-gum *(m.)*

**hair** cheveux *(m.pl.)*
**half** demi(e)
**hand** main *(f.)*
**handsome** beau, bel *(f.* belle)
**happiness** bonheur *(m.)*
**happy** content(e), heureux (-euse)
**hardworking** travailleur (-euse)
**have** avoir; **have a good time** s'amuser; **have fun** s'amuser; **have to** devoir; **have time to** avoir le temps de + *(inf.)*
**he** il, lui
**health** santé *(f.)*
**hear** entendre
**help** aider
**her** elle, la, lui; son, sa, ses
**here** ici; **here is/are** voici
**hi** salut
**high school** lycée *(m.)*
**him** le; lui
**his** son, sa, ses
**history** histoire *(f.)*
**hit** succès *(m.); **latest hits** derniers succès
**holiday** fête *(f.)*
**home** maison *(f.);* **(at) home** à la maison; **at the home of** chez
**homework** devoirs *(m.pl);* **do homework** faire les devoirs
**honest** honnête
**hope** espérer
**horse** cheval *(m.) (pl.* chevaux); **go horseback riding** monter à cheval; **on horseback** à cheval
**hospital** hôpital *(pl.* -aux)
**hot** chaud(e); **to be hot** *(person)* avoir chaud; **to be hot** *(weather)* faire chaud

**hotel** hôtel *(m.)*
**hour** heure *(f.)*
**house** maison *(f.)*
**housework** ménage *(m.)*
**how** comment; **how long** depuis quand, depuis combien de temps; **how much, many** combien (de)
**hundred** cent

**I** je, moi
**idea** idée *(f.)*
**if** si
**imaginative** imaginatif (-ve)
**imagine** imaginer
**immediately** immédiatement, tout de suite
**imperative** impératif (-ve)
**important** important(e)
**impression** impression *(f.)*
**in** dans, en, à
**inflation** inflation *(f.)*
**instead (of)** au lieu (de)
**intelligent** inteflingent(e)
**intend** compter
**interested in (to be)** s'intéresser à
**interesting** intéressant(e)
**intuitive** intuitif (-ive)
**invitation** invitation *(f.)*
**it** il, elle, le, la
**its** son, sa, ses
**Italy** Italie *(f.)*

**job** emploi *(m.)*, travail *(m.)*
**July** juillet *(m.)*
**June** juin *(m.)*
**jungle** jungle *(f.)*
**junior high school** collège *(m.)*

**kind** gentil(le), aimable, sympathique
**knock** frapper
**know** *(be acquainted with)* connaître; *(a fact)* savoir

**lake** lac *(m.)*
**language** langue *(f.)*
**large** grand(e)
**last** dernier (-ière); **last night** hier soir
**late** tard
**latest** dernier (-ière)
**lawn** pelouse *(f.)*
**lawyer** avocat *(m.)*
**lazy** paresseux (-euse)
**learn** apprendre
**leave** partir; *(behind)* laisser
**lemonade** citronnade *(f.)*
**lend** prêter
**less** moins; **less and less** de moins en moins
**lesson** leçon *(f.)*
**letter** lettre *(f.)*
**life** vie *(f.)*
**like** *(v.)* aimer; *(adv.)* comme
**likeable** aimable
**limousine** limousine *(f.)*
**listen** écouter
**little** petit(e); peu
**live** habiter, demeurer, vivre
**living room** salon *(m.)*, salle *(f.)* de séjour
**long** long(ue); **a long time** longtemps
**longer: no longer** ne... plus
**look** regarder; **look like** ressembler à
**(a) lot (of)** beaucoup (de)
**love** aimer, adorer
**luck** chance *(f.);* **good luck** bonne chance

**magnificent** magnifique
**mail** courrier *(m.)*
**mailbox** boîte aux lettres *(f.)*
**mailman** facteur (-trice)
**make** faire; do; **make happy** rendre heureux
**make-up** maquillage *(m.);* **to put make-up on** se maquiller

**man** homme *(m.)*

**many** beaucoup (de); bien des; **how many** combien (de)

**matter: it doesn't matter** ça ne fait rien

**may** pouvoir

**maybe** peut-être

**mayor** maire *(m.)*

**me** me; moi

**meal** repas *(m.)*

**meat** viande *( f.)*

**meet** rencontrer; faire la connaissance (de)

**member** membre *(m.)*

**memory** souvenir *(m.);* mémoire *( f.)*

**midnight** minuit *(m.)*

**million** million *(m.)*

**modern** moderne

**money** argent *(m.)*

**month** mois *(m.)*

**more** plus; **more and more** de plus en plus

**morning** matin *(m.); in the morning* le matin; **from morning to night** du matin au soir

**most** la plupart (de); plus

**mother** mère *( f.)*

**mount** mont *(m.)*

**mountain** montagne *( f.); mountain climbing* alpinisme *(m.)*

**mow** tondre

**much** beaucoup; **as much ... as** autant (de)... que; **how much** combien (de); **so much the better** tant mieux

**museum** musée *(m.)*

**music** musique *( f.)*

**musician** musicien(ne)

**my** mon, ma, mes

**myself** moi-même

**name** nom *(m.)*

**natural** naturel(le)

**naturally** naturellement

**near** près (de)

**necessary** nécessaire: **be necessary (to)** être nécessaire (de), falloir

**need** besoin *(m.); (v.)* avoir besoin de

**neighbor** voisin(e)

**neighborhood** quartier *(m.),* voisinage *(m.)*

**neither ... nor** ne... ni... ni

**nervous** nerveux (-euse)

**never** ne... jamais, jamais

**new** nouveau, nouvel *( f.* nouvelle)

**news** informations *( f. pl)*

**next** prochain(e); **next day** lendemain *(m.)*

**nice** sympathique, agréable, gentil(le); **to be nice** *(weather)* faire beau

**night** nuit *( f.),* soir *(m.); at night* la nuit; **night table** table *( f.)* de nuit

**nine** neuf

**ninety** quatre-vingt-dix

**no** non; **no... longer** ne... plus; **no one** ne... personne, personne

**nobody** ne... personne, personne

**noise** bruit *(m.)*

**nor** ni

**normal** normal(e)

**north** nord

**not** ne... pas

**notebook** cahier *(m.)*

**nothing** ne... rien, rien

**now** maintenant

**number** *(phone)* numéro *(m.)*

**o'clock** heure *( f.)*

**obey** obéir (à)

**observe** observer

**of** de, (du, des); **of course** bien sûr

**office** bureau *(m.)*

**often** souvent

**old** ancien(ne), vieux, vieil *( f.* vieille); **to be ... years old** avoir... ans; **old age** vieillesse *( f.)*

**older** plus âgé

**on** sur; (... *days of week)* le...; **on time** à l'heure

**once** une fois

**one** un(e); **the one who** celui / celle qui

**only** seul *(adj.);* seulement *(adv.)*

**open** ouvrir; **open up** s'ouvrir

**operator** opérateur (-trice)

**opinion** opinion *( f.),* avis *(m.); in my opinion* à mon avis

**or** ou

**orangeade** orangeade *( f.)*

**orchestra** orchestre *(m.)*

**order** ordre *(m.); in order to* pour, afin de

**other** autre

**our** notre, nos

**over there** là-bas

**owe** devoir

**own** posséder; *(adj.)* propre

**p.m.** de l'après-midi, du soir

**pack** faire une valise

**package** colis *(m.),* paquet *(m.)*

**parent** parent *(m.)*

**park** parc *(m.)*

**party** fête *( f.),* boum *( f.)*

**pastry** pâtisserie *( f.); pastry shop* pâtisserie *( f.)*

**patience** patience *( f.)*

**peace** paix *( f.)*

**perfect** parfait(e)

**perhaps** peut-être

**persist (in)** persister (à)

**personality** personnalité *(f.)*

**persuade** persuader

**phone** téléphone *(m.)*; **phone book** annuaire *(m.)*; **phone booth** cabine *(f.)*; **phone call** coup de téléphone *(m.)*; **phone number** numéro de téléphone *(m.)*; **on the phone** au téléphone

**piano** piano *(m.)*

**picnic** pique-nique *(m.)*

**picture** image *(f.)*, illustration *(f.)*, Photo *(f.)*

**pie** tarte *(f.)*

**plane** avion *(m.)*

**plant** plante *(f.)*

**plate** assiette *(f.)*

**play** jouer à (+ *sport*); jouer de (+ *musical instrument*)

**pleasant** agréable

**pleasure** plaisir *(m.)*

**pocket** poche *(f.)*; **pocket money** argent de poche *(m.)*

**politely** poliment

**poor** pauvre

**port** port *(m.)*

**possible** possible

**post office** bureau de poste *(m.)*, poste *(f.)*

**postcard** carte postale *(f.)*

**practical** pratique

**practice** pratiquer, s'exercer

**prefer** préférer, aimer mieux

**preferable** préférable

**prepare** préparer; **prepare oneself** se préparer

**present** présent *(m.)*; **at present** à présent

**president** président(e)

**pretty** joli(e)

**principal** directeur (-trice)

**probable** probable

**probably** probablement

**promise** promettre

**promotion** promotion

*(f.)*

**proud** fier (-ère)

**punishment** punition *(f.)*

**put (on)** mettre; **put on make-up** se maquiller

**quarter** quart *(m.)*

**question** question *(f.)*; **out of the question** jamais de la vie, pas question

**quickly** vite, rapidement

**quite** assez

**rain** *(v.)* pleuvoir; pluie *(f.)*

**raise** lever

**read** lire

**ready** prêt(e)

**really** vraiment

**receive** recevoir

**receiver** *(phone)* récepteur *(m.)*

**recommend** recommander

**recovery** guérison *(f.)*

**rehearse** répéter

**remember** rappeler, se souvenir de

**rent** louer

**reporter** reporter *(m.)*

**representative** député(e)

**reputation** réputation *(f.)*

**resemble** ressembler (à)

**reserve** réserver

**rest (oneself)** se reposer

**restaurant** restaurant *(m.)*

**return** *(v.)* *(home)* rentrer; *(an item)* rendre, retourner; retour *(m.)*

**rich** riche

**room** chambre *(f.)*, pièce *(f.)*, salle *(f.)*

**rule** règle *(f.)*; règlement *(m.)*

**sacrifice** sacrifice *(m.)*

**sad** triste, malheureux (-euse)

**safe** coffre-fort *(m.)*

**salad** salade *(f.)*

**salary** salaire *(m.)*

**salesgirl** vendeuse *(f.)*

**salespeople** vendeurs *(m. pl.)*

**salesperson** vendeur (-euse)

**sandwich** sandwich *(m.)*

**say** dire

**school** école *(f.)*, lycée *(m.)*

**season** saison *(f.)*

**secret** secret (-ète)

**see** voir

**seem** paraître, sembler

**selfish** égoïste

**sell** vendre

**send** envoyer

**September** septembre *(m.)*

**serious** grave, sérieux (-euse)

**serve** servir

**service station** station–service *(f.)*

**set** régler; **set the table** mettre le couvert/la table

**seven** sept

**seventeen** dix-sept

**seventy-nine** soixante-dix-neuf

**share** partager

**shave** raser; **shave (oneself)** se raser

**she** elle

**shirt** chemise *(f.)*

**shoe** chaussure *(f.)*, soulier *(m.)*

**shop: do the shopping** faire les courses; **go shopping** faire des achats/courses

**short** court(e), petit(e)

**show** montrer

**shy** timide

**silence** silence *(m.)*

**sing** chanter

**sister** sœur *(f.)*

**sit** s'asseoir

**six** six

**sleep** sommeil *(m.)*; dormir

**sleepy: to be sleepy** avoir sommeil

**slowly** lentement

**smart** intelligent(e)

**snow** neige *(f.)*; *(v.)* neiger

**so** donc; si; **so many, much** tant (de)

**soda** soda *(m.)*

**some** du, de la, de l', des, en, quelques

**someone** quelqu'un, on

**something** quelque chose

**sometimes** quelquefois, parfois

**son** fils *(m.)*

**song** chanson *(f.)*

**soon** bientôt; **as soon as** aussitôt que, dès que

**soup** soupe *(f.)*

**south** sud *(m.)*, midi *(m.)*

**spare** libre; **spare time** temps libre

**speak** parler

**special** spécial(e)

**specialty** spécialité *(f.)*

**speech** discours *(m.)*

**speedy** rapide

**spend** dépenser *(money)*; passer *(time)*

**spring** printemps *(m.)*

**stamp** timbre *(m.)*

**start** commencer (à); **start out** se mettre en route

**state** état *(m.)*

**stay** rester

**steal** voler

**still** encore

**stop** arrêter, s'arrêter

**store** magasin *(m.)*

**story** histoire *(f.)*

**strong** fort(e)

**student** élève *(m./f.)*, étudiant(e)

**study** étude *(f.)*; *(v.)* étudier

**suburb** banlieue *(f.)*; **in the suburbs** en banlieue

**succeed** réussir

**suggest** suggérer

**suit** *( female)* tailleur *(m.)*; *(male)* complet *(m.)*

**suitcase** valise *(f.)*

**summer** été *(m.)*

**sure** certain(e), sûr(e)

**surf** faire du surf

**surprise** surprise *(f.)*

**swimming** nage *(f.)*; **swimming pool** piscine *(f.)*; **go swimming** aller nager

**table** table *(f.)*; **night table** table de nuit; **set the table** mettre le couvert/la table

**take** prendre; apporter; **take a trip** faire un voyage; **take a walk** faire une promenade, se promener; **take care of** garder

**talk** parler

**tall** grand(e)

**taste** goûter

**teach** enseigner

**teacher** professeur *(m.)*, maître *(m.)*

**telephone** *(v.)* téléphoner (à); téléphone *(m.)*; **on the phone** au téléphone; **telephone book** annuaire *(m.)*; **telephone booth** cabine téléphonique *(f.)*

**television** télévision *(f.)*

**tell** dire, raconter

**ten** dix

**tennis** tennis *(m.)*

**tent** tente *(f.)*

**than** que

**thank** remercier; **thank you** merci

**that** que; qui; ce, cet, cette, cela; **that one** celui (celle)-là

**the** le, la, l', les

**theater** théâtre *(m.)*

**their** leur, leurs

**them** eux, elles, les

**then** puis, alors, ensuite

**there** là; y; **over there** là-bas; **there is / are** il y a; voilà

**these** ces, ceux, celles

**they** ils, elles

**thin** mince

**thing** chose *(f.)*; affaires *(f. pl.)*

**think (about)** penser (à), réfléchir

**third** troisième

**thirty** trente

**this** ce, cet, cette, ceci; **this is** voici; **this one** celui (celle)-ci

**those** ces, ceux, celles

**though** bien que

**thousand** mille, mil *(in dates)*

**three** trois

**Thursday** jeudi *(m.)*

**ticket** billet *(m.)*

**tie** cravate *(f.)*

**time** temps *(m.)*; *(in series)* fois *(f.)*; **all the time** tout le temps; **from time to time** de temps en temps; **have a good time** s'amuser; **have time to** avoir le temps de; **a long time** longtemps; **on time** à l'heure; **many times** souvent

**to** à; **(in order) to** pour, afin de

**today** aujourd'hui

**together** ensemble

**tomorrow** demain *(m.)*

**tonight** ce soir

**too** aussi, trop

**travel** voyager

**tree** arbre *(m.)*

**trip** voyage *(m.)*; **to take a trip** faire un voyage

**truly** vraiment

**truth** vérité *(f.)*

**Tuesday** mardi

**twenty** vingt

**two** deux

**typewriter** machine à écrire *(f.)*

**uncle** oncle *(m.)*

**under** sous

**unfortunately** malheureusement

**United States** États-Unis *(m.pl.)*

**university** université *(f.)*

**until** jusqu'à

**upstairs** en haut; **go upstairs** monter

**us** nous

**use** utiliser, se servir de

**usual** habituel;**as usual** comme d'habitude

**vacation** vacances *(f. pl.);* **to go on vacation** aller en vacances

**value** valeur *(f.)*

**vegetable** légume *(m.)*

**vegetarian** végétarien(ne)

**very** très

**villa** villa *(f.)*

**visit** rendre visite à, visiter

**vote** voter

**wait ( for)** attendre

**waiter** serveur *(m.)*

**walk** marcher; promener; **to go for/to take a walk** se promener

**walkman** baladeur *(m.)*

**want** vouloir, avoir envie de, désirer

**wash** laver; **wash oneself** se laver, **wash the dishes** faire la vaisselle

**watch** regarder, garder, surveiller

**watch** montre *(f.)*

**water** eau *(f.);* **minerai water** eau minérale; *(v.)* arroser

**we** nous

**weak** faible

**wear** porter

**weather** temps *(m.);* **bad weather** mauvais temps

**wedding** mariage *(m.)*

**Wednesday** mercredi *(m.)*

**week** semaine *(f.)*

**weekend** fin *(f.)* de semaine, week-end *(m.)*

**what** que, qu'est-ce que, quoi; quel(le); ce que

**when** quand

**where** où

**which** qui, que; **which (one)** lequel, laquelle; auquel, duquel; **which (ones)** lesquels (-elles); auxquels (-elles), desquels (-elles)

**while** pendant que

**who** qui

**whole** entier (-ière); tout

**whom** qui

**whose** à qui; de qui

**why** pourquoi

**wife** femme *(f.)*

**wild** sauvage

**window** *( for service)* guichet *(m.)*

**wine** vin *(m.)*

**winter** hiver *(m.);* **winter sports** sports d'hiver

**wish** souhaiter

**with** avec

**without** sans

**wonder** se demander

**wonderful** merveilleux (-euse), formidable

**woods** bois *(m. pl.)*

**work** travail *(m.); (v.)* travailler; marcher *(machines)*

**worker** ouvrier (-ère), employé (e)

**worry** (s') inquiéter; **to become worried** s'inquiéter

**write** écrire

**year** an *(m.)*, année *(f.);* **to be …years old** avoir… ans

**yes** oui

**yesterday** hier

**yet** encore; **not yet** pas encore

**you** tu, toi, vous

**young** jeune; young people jeunes gens *(m.pl.)*

**your** ton, ta, tes, votre, vos

**youth** jeunesse *(f.)*

**zip code** code postal *(m.)*

**zoo** zoo *(m.)*, parc zoologique *(m.)*

# Index

NOTE: For specific verb conjugations, see the Appendix